JN191152

伊　藤　正　彦　著

汲古叢書 186

中國江南鄉村社會の原型

—明代賦役黃册・魚鱗圖册文書の研究—

資　料　篇

汲　古　書　院

亡き欒成顯先生に捧ぐ

【資料

中國江南鄉村社會の原型
——明代賦役黄册・魚鱗圖册文書の研究——

【資 料 篇】

目　次

はしがき

【資料篇】は，本書『中國江南鄉村社會の原型——明代賦役黃册・魚鱗圖册文書の研究——』【研究篇】で活用する主要な史料の記載データ等を收める。【研究篇】の緒論で述べたように，【研究篇】で活用する主要な史料は，中國の機關に所藏されており，なかには機關の部外者には閲覽が認められていない場合がある。【資料篇】を設けたのは，【研究篇】の論據を提示して反證可能性をできるだけ保障するとともに，閲覽困難な史料の內容を學界で廣く共有していただくことを企圖したからである。

【研究篇】との對應關係を示せば，次のとおりである。第1章「『萬曆27都5圖黃册底籍』記載データ」は，【研究篇】の第1章第1節，第2章，第5章，第6章第2節における検討の論據である。第2章「『明萬曆9年休寧縣27都5圖得字丈量保簿』記載データ」は，【研究篇】の第1章第2節，第3章第1節第4章，第6章第1節における検討の論據である。第3章「休寧縣27都5圖の事産所有狀況に關するデータ」は，【研究篇】の第6章第1節における検討の論據である。第4章「休寧縣都圖文書記載データ」は，【研究篇】第2章第2節，第6章第1節における検討の論據である。【研究篇】で直接活用したのは，休寧縣27都5圖と1圖・2圖に關する記載等に限られるが，都圖文書が傳える各圖の魚鱗字號，里役，甲に編成された人戶が居住する集落の情報は，休寧縣の文書研究や集落研究の工具書としても（『萬曆27都5圖黃册底籍』の「轉收」「轉除」の項の記載——事産賣買の履歷の理解にも）活用できるため，休寧縣全體に關する記載を收める。

ここに收めるデータの【研究篇】での活用は，あくまで筆者の關心に規定されたものであり，廣く學界の方々が眼にすることになれば，筆者とは異なる理解や筆者が發想できなかった理解も生まれてくるはずである。そのように利用していただくことを願っている。

なお，舊稿との對應關係は次のとおり。

「明・萬暦年間、休寧縣27都５圖の事産所有狀況に關する資料」(『唐宋變革研究通訊』７，2016年）……………………………………………… 第３章

「『明萬暦９年休寧縣27都５圖得字丈量保簿』記載データ」(伊藤正彦『『明萬暦９年休寧縣27都５圖得字丈量保簿』の世界』2013～2017年度科學研究費補助金基盤研究（C）研究成果報告書，2018年）…………………………… 第２章

誤りに修正をくわえたため，本書【資料篇】をもって舊稿は破棄する。第１章と第４章は新稿である。

中國江南鄉村社會の原型

――明代賦役黄册・魚鱗圖册文書の研究――

【資 料 篇】

第１章 『萬暦27都５圖黄册底籍』記載データ

欒成顯氏が1989年10月に『萬暦9年清丈27都５圖歸戶親供册』１册（2:24528號），『萬暦至崇禎27都５圖３甲朱學源戶册底』１册（2:24529號），『清初27都５圖３甲税糧編審匯編』１册（2:24554號）とともに發見し，整理・分析した安徽博物院藏『萬暦27都５圖黄册底籍』４册（2:24527號）は，萬暦10年（1581）分，同20年（1591）分，同30年（1601）分，同40年（1611）分として徽州府休寧縣27都５圖で作製された賦役黄册の底籍=副本である。明朝滅亡後，賦役黄册は散逸し，１里分全體を傳えるものは原本・抄本ともに１册たりとも發見されてこなかったから，『萬暦27都５圖黄册底籍』は４回分の賦役黄册の內容をほぼ完全に傳える稀代の史料といってよい。

しかし，安徽博物院が所藏する上記４種の史料は，部外者には公開されていない。幸いにも筆者は欒成顯氏からご自身が閲覽・調査した際に作成した記錄資料を2008年９月に提供していただくとともに，安徽大學歷史系・徽學研究中心の方々のご協力，黄秀英氏（當時の安徽省博物館の副館長）をはじめとする安徽博物院關係者のご理解を得ることによって2009年９月と2010年９月の２回，上記４種の史料を閲覽することができた。

本章は，『萬暦27都５圖黄册底籍』の記載データを示す。『萬暦27都５圖黄册底籍』は，册子や同一册子の箇所によって記載様式が異なっている。記載様式の相違については，【研究篇】の第１章第１節第１項と圖３（【研究篇】19～22頁）によって確認していただきたい。

なお，『萬暦27都５圖黄册底籍』の記載には錯誤（事産額や税糧額の計算ミス等）がみられる場合があるが，修正をくわえることはせずに收錄した。

【凡例】

各人戶の冒頭に記したのローマ數字は所屬の甲を示し，里長戶（排年）以外の人戶にはアラビア數字を付した。人戶名の前に“甲首”・“有糧”・“無糧”・“帶管”等を記す場合には，その情報も記した。なお，異常に高齢な人口のみによって構成され，承繼や事産の移動がまったくみられないことから，筆者が絶戸であると判斷した人戸については“(絶)”と記した。

記載の數字はすべてアラビア數字で表記した。人口の項の數字は，人口數と年齢であり，事産額の單位は，萬曆９年の丈量で採用された納稅面積の稅畝（稅畝制については，【研究篇】の第１章第１節第１項［23頁を參照］）である。

萬暦10年册

第1甲

10年-Ⅰ　排年　**王　茂**　上戸　軍戸

舊管	人口			67　男子55，婦女12			
	事產			411.0139			
		官		4.8000			
			田	0.8000			
			地	4.0000			
		民		406.2139			
			田	232.8600			
			地	77.3922			
			山	97.5140			
			塘	4.4477			
		民瓦房		6間			
新收	人口			正收　21　成丁3，不成丁16，婦女2			
	事產						
	今奉清丈			197.2253			
	正收丈收			82.9290			
			田	63.8680			
			山	19.1222			
	轉收			114.2963			
			田	88.4360			
			買本圖		4年	王　初	0.4100
					4年	陳　章	1.3830
					8年	陳　滄	0.3790
					10年	朱　隆	4.1030
					6年	吳　和	2.5500
					2年	王　法	0.6850
					7年	王齊興	1.3200
					6年	謝　社	1.7000
					3年	王　法	1.8200
					9年	楊　曜	0.6000
					5年	王　時	1.3350
					5年	金萬政	1.4200
					5年	金萬政	1.7540
			買本都1圖				

	７年	王　爵	4.6540
	８年	陳積社	0.8970
	８年	陳　晉	0.2390
	９年	陳龍生	0.1900
	８年	金　時	1.6400
	８年	朱美大	6.7740
	10年	吳天志	5.0450
	10年	陳天相	2.0490
	７年	陳寓祿	4.7560
	５年	朱積社	0.6280
	８年	朱天生	3.5380
	２年	陳社貴	0.5100
	７年	朱天祐	3.4000
	２年	陳二畝	3.1100
買８都１圖			
	５年	葉　鱗	0.4800
買11都３圖			
	８年	金　黃	0.9700
	７年	尙　楷	1.8800
	５年	金廷潤	17.9100
	５年	金顯祐	3.9700
	４年	金存得	0.3700
	５年	金　達	0.6850
	(缺)		0.5240
	(缺)		6.1640
地　7.3773			
買本圖	４年	陳　滄	0.1000
	８年	吳　和	0.5800
	３年	朱裡耀	0.0940
	２年	倪　十	0.1850
	２年	倪　十	0.2100
	２年	王　時	0.0700
	９年	楊　曜	0.0500
	(缺)		0.2500
買本都１圖			
	７年	王　爵	0.3740
	７年	王　爵	2.2980
	９年	陳龍生	0.0400
	10年	陳積社	0.0200

9年　胡四保　0.2910
6・4年　陳　法　0.1200
7年　陳齊龍　0.0800
9年　陳　鵬　0.0809
(缺)　0.0864
買本都6圖
8年　金文付　0.2200
買11都1圖
5年　汪　嶽　0.1580
買26都5圖
9年　汪玄德　0.4640
山　18.3150
買本圖4・5年　陳　章　1.0000
7年　陳　滄　1.6540
4年　王齊興　0.8700
5年　王　時　0.2750
9年　汪　淡　0.1000
5年　吳　和　0.4150
(缺)　1.8200
6年　王　鐘　0.0300
買本都1圖
5年　朱天生　3.5100
6年　寓　祿　0.2220
7年　陳　法　0.3430
7年　陳齊龍　0.6050
3年　吳天志　0.0850
3年　王　爵　0.5000
4年　王　爵　0.7000
買本都6圖
9年　陳　雲　0.0750
買11都1圖
4・5年　汪　嶽　0.9900
隆慶6年　汪　嶽　1.7400
9年　汪　良　2.0410
(缺)　0.2500
買11都3圖
9年　吳天萬　1.0000
買26都5圖
9年　汪玄德　0.0410

塘　0.1680
買本圖　6年　陳　章　0.0200
買本都1圖　9年　陳龍生　0.0200
10年　陳天相　0.0130
5年　王　爵　0.0600
買11都1圖
5年　汪　嶽　0.0350
買11都3圖
4年　金廷潤　0.0200
開除　人口　19　男子成丁15，不成丁2，婦女2
事產　61.3237
正除丈除　10.1947
田　1.0000
地　8.3960
塘　0.7987
轉除　51.1290
田　37.1910
賣本圖　4年　朱　洪　6.1700
4年　程　相　0.7940
6年　陳　章　1.2720
賣本都1圖　4年　陳　法　0.7940
2年　朱　曜　1.6380
4年　陳　興　5.1700
3年　陳寓祿　1.0000
元年・3年　朱　法　2.1330
7年　陳世班　0.6500
4年　陳　善　0.9000
10年　陳社護　1.1200
4年　王　爵　0.9000
5年　陳　全　0.3000
6年　湖五龍　0.3700
（缺）　0.3070
賣本都3圖
9年　朱玹貴　0.5500
3年　朱玹貴　3.1230
賣13都2圖
10年　程　文　2.5400
賣26都4圖
3年　洪　彰　3.4300

賣26都５圖			
	９年	汪登元	4.0300
地　4.2810			
賣本圖	元年	朱　洪	0.0400
	９年	劉再得	0.7260
	４年	王　時	0.2850
	９年	陳　祥	0.2100
	10年	汪　劉	0.1900
賣本都１圖			
	元年	王　爵	0.0590
	７年	陳　興	0.4050
	３年	黄　雲	0.0750
	９年	汪　全	0.0840
賣本都３圖			
	６年	朱玄貴	0.7500
賣本都６圖			
	９年	金文付	0.5000
賣11都１圖			
	４年	汪　壽	0.5000
賣26都３圖			
	３年	汪射遠	0.3340
賣26都５圖			
	９年	汪登元	0.1330
山　9.4390			
賣本圖	２年	汪　龍	0.6500
	３年	陳　滄	1.3300
	９年	金　清	1.7380
	10年	吳　和	0.1875
賣本都１圖			
	８年	王　爵	1.5630
	10年	朱美大	1.7000
	７年	汪　權	0.0300
	７年	金　時	0.2000
	10年	程　文	0.1875
賣本都３圖			
	７年	金汝學	0.6370
賣本都６圖			
	８年	金　永	0.1000
賣26都２圖			

4年　江　畔　0.5500
賣26都5圖
8年　汪登元　0.5660
塘　0.2180
賣26都5圖
9年　汪登元　0.2180
實在　人口　69　男子57，婦女12
事產　546.9155
田　347.7118
地　76.0935
山　119.5122
塘　3.5990
民瓦房　6間
萬曆16年奉上司明文復查，改造實徵冊
復查實徵　547.0460
田　347.6110
地　76.1420
山　120.1200
塘　3.5900

10年-Ⅰ-1　甲首　**程　相**　民下戶　承故義父朱宗盛
舊管　人口　5　男子2，婦女3
事產　3.0060
田　1.5600
地　0.3040
山　1.1420
新收　人口　成丁1　本身系萬曆元年承繼宗盛爲嗣，今入籍當差
事產
今奉清丈　13.3410
丈收　2.8737
田　1.1447
地　0.6940
山　0.8250
塘　0.2100
轉收　10.4673
田　9.4783
買本圖人戶
萬曆4年　王　茂　0.7940
買本都1圖人戶

7年　陳　法　2.0193
4年　陳振達　0.8000
2年　程岩才　0.6710
買11都3圖人戸
9年　金顯祐　1.2560
4年　金　空　0.8550
4年　金　潤　1.0520
6年　金　陸　2.0310
地　0.2640
買本都1圖人戸
10年　陳　法　0.0500
2年　程岩才　0.0580
買11都3圖人戸
5年　金　六　0.1560
山　0.5000
買本都1圖人戸
3年　陳　法　0.5000
塘　0.2250
買本都1圖人戸
元年　陳　法　0.1050
9年　程岩才　0.1200
開除　人口　4　男子2，婦女2
事産
正除　3.0060
田　1.5600
地　0.3040
山　1.1420
實在　人口　4　男子成丁3，婦女1
事産　13.3410
田　10.6230
地　0.9580
山　1.3250
塘　0.4350
民瓦房　3間
復査實徵　14.9200
田　10.5290
地　2.2720
山　1.7050

…………………………………………………………………………

10年-Ⅰ-2　甲首　王　榮　民下戶

舊管　人口　8　男子５，婦女３
事產　14.3660
田　6.3680
地　4.8070
山　3.0810
塘　0.1100
新收　人口　2　男子不成丁１，婦女１
今奉清丈　2.1900
丈收　0.9950
田　0.0950
地　0.9000
轉收　1.1950
田
買本都１圖人戶
元年　王　爵　1.1950
開除　人口　2　男子不成丁１，婦女１
男：德容 萬曆６年故，母：金氏 萬曆５年故
事產　2.3142
正除　2.2672
地　0.9352
山　1.2430
塘　0.0890
轉除
地　0.0470
賣萬曆６年　王　初
實在　人口　8　男子成丁３，本身65歲，弟：畢36歲，弟：富24歲
不成丁２，姪：往寬12歲，姪：法３歲
婦　女３，妻：鄭氏55歲，弟婦：吳氏36歲，弟婦：程氏22歲
事產　14.2418
田　7.6580
地　4.7248
山　1.8380
塘　0.0210
民房屋　3間
實徵　14.4890
田　8.1300
地　4.1900
山　2.1480

塘　0.0210

10年-Ⅰ-3　甲首　金　清　竹匠　中戸

舊管　人口　12　男子７，婦女５

事産

官民田地山　88.0605

官　地　0.5530

民田地山　87.5075

田　31.3300

地　25.2425

山　30.9350

新收　人口　4　男子成丁２，姪：鼎　隆慶元年生(前漏)，姪弟：得　隆慶２年生(前漏)

不　成　丁１，姪孫：尙依　萬曆９年生

婦　女１，姪孫婦：朱氏　萬曆元年娶本都朱宅女

事産

今奉清丈　14.0500

丈收　9.7550

田　6.4440

地　3.3110

轉收　4.2950

田　2.5570

買本都１圖人戶

10年　天　志　1.0870

買26都５圖人戶

元年　宋　賓　1.4700

山　1.7380

買本圖人戶

９年　王　茂　1.7380

開除　人口　3　男子成丁２，男：廷雲　萬曆７年故　姪孫：果　萬曆４年故

婦　女１，妻：朱氏　萬曆２年故

事産

官民田地山　5.2840

正除　3.8930

地　2.7000

山　1.1930

轉除　1.3910

田　1.3910

賣　朱美文　1.1820

地　0.2090
賣１都１圖人戶
10年　汪社三　0.2090
實在　人口　13　男子成丁６，姪：廷凌54歲，姪：廷旻42歲，男：廷志51歲，姪孫：法37歲，姪：鼎16歲，姪孫：記得15歲
不成丁２，本身92歲，姪孫：尙依２歲
婦女５，嫂：余氏90歲，嫂：汪氏95歲，姪婦：朱氏55歲，男婦：朱氏50歲，姪婦：朱氏23歲
事產　96.8265
田　39.1490
地　26.1975
山　31.4800
民房屋　５間
黃牛　１頭
復查實徵　96.8070
田　38.8970
地　26.2200
山　31.6900

10年-Ⅰ-4　甲首　郭　印　民下戶
舊管　人口　5　男子３，婦女２
事產
民田地山塘　19.1950
田　11.3790
地　7.3020
山　0.2840
塘　0.2300
新收　人口　1　男子不成丁１，姪：都華　萬曆８年生
事產
轉收　地　2.1800
買本圖人戶
10年　郭正耀　0.7530
買３都６圖人戶
６年　郭遇文　0.0325
買17都２圖人戶
９年　黃付鎭　1.3950
開除　人口　1　男子不成丁１，姪：切　萬曆９年故
事產
民田地山塘　11.2925

正除　4.9495
田　2.7570
地　1.9485
山　0.0140
塘　0.2300
轉除　6.3430
田　3.9560
賣本圖人戶
2年　吳　江　2.2200
賣3都8圖人戶
3年　胡　彪　0.6930
賣4都9圖人戶
5年　金　成　1.0430
地　2.3870
賣3都1圖人戶
10年　曹　楷　1.3200
賣3都7圖人戶
10年　吳時佐　0.5410
賣4都3圖人戶
2年　陳　端　0.6260
實在　人口　5　男子成丁1，本身37歲
不成丁2，姪：待生11歲，姪：都華3歲
婦　女2，伯姆：汪氏69歲，嫂：程氏46歲
事產　10.0825
田　4.6660
地　5.1465
山　2.7000
復查實徵　10.2380
田　4.6650
地　5.3030
山　0.2700

10年-Ⅰ-5　甲首　王　元　民下戶　原籍故兄王深
舊管　人口　5　男子3，婦女2
事產
民田地山塘　9.1840
田　0.5540
地　3.1010
山　5.2990

塘　0.2210
新收　人口　1　男子不成丁１，姪：貴　萬曆９年生
事産
今奉清丈　1.7980
田　1.3560
轉收　0.4420
田　0.1380
買13都
８年　0.1380
地　0.3040
買13都１圖人戶
10年　吳　冕　0.1440
10年　吳伯祥　0.1600
開除　人口　1　男子成丁１，兄：深　萬曆８年故
事産
民田地山塘　6.2180
正除　1.3796
地　0.7930
山　0.5646
塘　0.0220
轉除　4.8384
田　0.6820
賣13都１圖人戶
５年　汪　興　0.6820
山　4.1564
賣13都３圖人戶
５年　吳　活　3.8284
賣13都４圖人戶
５年　吳宗慶　0.3280
實在　人口　5　男子成丁２，本身18歲，義兄：小個40歲
不成丁１，姪：貴２歲
婦　女２，嬸：吳氏57歲，嫂：吳氏35歲
事産　4.0818
田　1.4200
地　2.6120
山　0.5780
塘　0.2080
復査實徵　4.3960
田　0.9970

地　2.6130
山　0.5780
塘　0.2080

10年-Ⅰ-6　甲首　方　侃　民下戶　原籍故兄方鎮
舊管　人口　4　男子3，婦女1
事產
民田地山塘　0.8750
田　0.0300
地　0.4500
山　0.2150
塘　0.1800
新收　人口　1　男子不成丁1，男：應箕 萬曆9年生
事產
今奉清丈　1.8250
田　0.8160
地　0.6940
山　0.3150
開除　人口　1　男子成丁1，兄：鎮 萬曆5年故
事產
正除　0.2700
地　0.0500
塘　0.1800
實在　人口　4　男子成丁1，本身23歲
不 成 丁2，姪：廷貴12歲，男：應箕2歲
婦　　女1，母：程氏40歲
事產　2.4300
田　0.8460
地　1.0540
山　0.5300
復查實徵　2.3200
田　1.0000
地　0.8050
山　0.5150

10年-Ⅰ-7　甲首　高　全　民下戶　原籍義父汪姓，今後姓高
舊管　人口　4　男子2，婦女2
事產
官民田地山　2.3180

官田　0.3100
田　1.2460
地　0.4630
山　0.3000
新收　人口　1　男子不成丁1，男：曜 萬曆元年生
事産
今奉清丈　1.6590
地　1.2490
山　0.4100
開除　人口　1　男子不成丁1，男：祥 萬曆3年故
事産　0.9890
正除　0.5290
田　0.4290
地　0.1000
轉除　0.4600
地　0.0600
賣本都1圖人戶
8年　程　負　0.0450
賣24都人戶
9年　吳　等　0.0150
山　0.4000
賣26都1圖人戶
3年　朱天倫　0.4000
實在　人口　4　男子成丁1，本身55歲
不 成 丁1，男：曜10歲
婦　女2，母：吳氏67歲，妻：胡氏50歲
事産　2.9880
田　1.1270
地　1.5510
山　0.3100
民瓦房　1間
復查實徵　3.0470
田　1.2340
地　1.5030
山　0.3100

10年-Ⅰ-8　甲首　**陳　使**　軍下戶
舊管　人口　2　男子1，婦女1
事産

民田地塘　1.3600
田　1.2330
地　0.0790
塘　0.0480
新收　人口　１　婦女１，妻：何氏 萬曆２年娶婺源縣何細女
事産
今奉清丈　0.1370
地　0.1370
開除　人口　１　男子成丁１，兄：深 萬曆８年故
事産
民田地塘　1.3010
正除　0.0680
地　0.0200
塘　0.0480
轉除　1.2330
田　1.2330
賣本都１圖人戸
８年　陳寓祿　1.2330
實在　人口　３　男子成丁１，本身36歲
婦　女２，母：宗氏60歲，妻：何氏28歲
事産　0.1960
地　0.1960
民瓦房　３間
民黄牛　１頭

……………………………………………………………………………………

10年-Ⅰ-9　甲首　謝　社　民下戸
舊管　人口　８　男子６，婦女２
事産
民田地山　31.7880
田　28.4140
地　2.4940
山　0.8800
新收　事産
今奉清丈　3.0495
地　2.2635
轉收　0.7860
地　0.7860
買本都人戸
８年　倪壽得　0.2500

8年　倪　十　0.1300
買本都１圖人戸
8年　陳　法　0.0700
元年　湖五龍　0.3360
開除　事産
民田地　30.8790
正除　2.1960
田　1.6960
地　0.5000
轉除　28.6830
田　26.7180
賣本都１圖人戸
9年　朱　清　1.4530
6年　王　茂　1.7000
賣５都10圖人戸
9年　汪世榮　8.9040
9年　吳世隆　14.6610
地　1.9650
賣５都10圖人戸
9年　吳世隆　1.9650
實在　人口　8　男子成丁６，本身66歳，姪：史55歳，姪：森35歳，弟：眞27歳，
姪：標25歳，姪：廷鳳16歳
婦　女２，嫂：吳氏60歳，姪婦：李氏31歳
事産　3.9585
地　2.2925
山　1.6660
民瓦房　３間
復査實徵
1.9956
地　0.3290
山　1.6660

10年-Ⅰ-10　甲首　**程保同**　民下戸
舊管　人口　5　男子４，婦女１
事産
民田山　9.8090
田　5.2800
山　4.5290
新收　人口　1　男子不成丁１，姪：義富　萬曆９年生

事産
開除　人口　2　正除　男子不成丁１，姪：冤始 萬曆８年故
轉除　男子成丁１，男：興　告明分析　本甲別立當差
事産
民田山　9.8090
正除　0.8960
田　0.8960
轉除　8.9130
田　4.3840
10年　賣本圖　程　興　3.0840
9年　賣本都１圖　汪　生　1.3000
山　4.5290
10年　扒與本圖　程　興　4.5290
實在　人口　4　男子成丁１，男：才47歲
不 成 丁２，本身84歲，姪：富義２歲
婦　女１，男婦：金氏43歲
事産
民瓦房　2間

10年-Ⅰ-11　**徐文錦**　民下戶　(絕)
舊管　人口　2　男子１，婦女１
事産
民田地山塘　0.5880
田　0.2860
地　0.1650
山　0.1000
塘　0.0370
新收　人口
事産
開除　人口
事産
正除　0.5880
田　0.2860
地　0.1650
山　0.1000
塘　0.0370
實在　人口　2　男子不成丁１，本身104歲
婦　女１，姐：求106歲
事産

民瓦房　2間

10年-Ⅰ-12　甲首　王顯富　民下戶
舊管　人口　3　男子2，婦女1
事產
民田地山　2.6060
田　0.3300
地　0.9910
山　1.2850
新收　人口
事產
開除　人口
事產
正除　2.6060
田　0.3300
地　0.9910
山　1.2850
實在　人口　3　男子成丁1，男：勝宗52歲
不 成 丁1，本身112歲
婦　女1，妻：戴氏100歲
事產
民瓦房　3間

10年-Ⅰ-13　甲首　詹　祐　民下戶
舊管　人口　1　男子1
事產
民　地山　3.0690
地　2.7690
山　0.3000
新收　人口
事產
開除　人口
事產
正除　3.0690
地　2.7690
山　0.3000
實在　人口　1　男子不成丁1，本身172歲
事產
民瓦房　1間

10年-Ⅰ-14　　陳紹怡　(絕)

舊管　人口　5　男子３，婦女２

實在　人口　5　男子不成丁３　本身149歲，姪：伊129歲，姪：士131歲

婦　女２　妻：李氏175歲，姐：□156歲

事產

民瓦房　６間

民水牛　１頭

………………………………………………………………

10年-Ⅰ-15　　陳　舟　軍下戶　(絕)

舊管　人口　2　男子１，婦女１

事產

民田地山　3.0820

田　0.4080

地　1.7740

山　1.0000

新收　人口

事產

開除　人口

事產

正除　3.0820

田　0.4080

地　1.7740

山　1.0000

實在　人口　2　男子不成丁１，本身194歲

婦　女１　妻：程氏192歲

事產

民瓦房　３間

………………………………………………………………

10年-Ⅰ-16　　朱兆壽　軍下戶　(絕)

舊管　人口　2　男　子２

實在　人口　2　男子不成丁２，本身215歲，姪：千家里195歲

事產

民瓦房　１間

………………………………………………………………

10年-Ⅰ-17　　程　興　民下戶

新收　人口　2

轉收　本身原系本程保同戶，今奉例告明析出本戶，別立戶籍當差

正收　男子不成丁１，男：義龍　萬曆８年生

事產

今奉清丈　9.0280
正收　0.0460
地　0.0250
山　0.0210
轉收　8.9820
田　3.0840
10年　分扒本圖　程保同　3.0840
地　0.4360
10年買本都１圖　朱天生　0.4360
山　5.4630
10年　分扒本圖　程保同　4.5290
10年買本都１圖　朱天生　0.9330
實在　人口　2　男子成丁１　本身35歲
不 成 丁１　男：義龍３歲
事産　9.0280
田　3.0840
地　0.4610
山　5.4830
復查實徵　10.2640
田　3.7000
地　0.4610
山　6.1030

第２甲

10年-Ⅱ　排年　朱　洪　中戶　民戶　萬曆12年里長
舊管　人口　15　男子９，婦女６
事産　103.8680　麥１石９斗２合６勺，米４石７升１合９勺
田　62.8370
地　9.5640
山　29.9170
塘　1.5500
新收　人口　15
正收　7　成　丁２，姪孫：信 嘉靖42年生 前冊漏，姪孫：新杷 嘉靖44年生 前冊漏
不成丁４，姪孫：俸 萬曆９年生，姪孫：重善 萬曆８年生，姪孫：儀 萬曆８年生，姪孫：朗達 萬曆７年生

婦　女1，姪婦：吳氏 萬曆9年娶到本都吳勝女
轉收　8　成　丁3，姪：滔 萬曆10年併入本戶當差，姪：淳 萬曆10年併入本戶，姪孫：言 萬曆10年隨淳併入本戶
不成丁3，姪孫：偲 隨滔歸併，姪孫：萱 隨滔歸併，姪孫：智 隨淳歸併
婦　女2，姪婦：程氏 隨滔歸併，姪婦：巴氏 隨淳歸併

事產

今奉清丈　108.0740　麥2石1斗9升3合，米5石1斗9升2合2勺
正收丈收　10.1934　麥2斗5合9勺，米4斗2升1合
田　1.7920
地　8.4014
轉收　97.8070
田　83.7770　麥1石9斗8升7合1勺，米4石7斗7升1合1勺
買本都人戶　3年買　王　茂　6.1700
9年買　朱　隆　4.1000
4年買　朱　社　0.7400
5年買　朱　祖　0.5200
10年併　朱　淳　35.8070
10年買　朱　滔　36.4400
地　4.1360　麥3升5合1勺，米8升7合7勺
買本圖人戶　元年買　王　茂　0.0400
元年買　朱　寬　0.0250
10年併　朱　淳　0.7890
10年併　朱　滔　0.3080
買東南隅人戶　10年買　金玘賓　1.6400　（一等正地）
10年買　金玘賓　1.3340
山　9.8390
買本圖人戶　元年買　朱　祐　0.3000
10年併　朱　淳　3.5020
10年併　朱　滔　3.1720
買29都4圖人戶　10年買　金　盛　0.1875
10年買　朱　柱　1.8650
10年買　朱　福　0.6250
10年買　朱　盛　0.1875
民瓦房　2間　朱　滔併入
民瓦房　3間　朱　淳併入

開除　人口　5　成　丁1，姪：浩 萬曆5年故
不成丁3，姪孫：桂 萬曆8年故，姪孫：智 萬曆3年故，姪孫：萱 萬曆2年故

婦　女1，姪婦：巴氏 萬曆5年故
事産　8.3050　麥1斗3升1合8勺，米1斗3合4勺
正除丈除　6.5450　麥1斗7合5勺，米6升6合7勺
地　2.0000
山　4.2920
塘　0.2530
轉除　1.7600　麥1升4合3勺，3升7合7勺
田　0.1100
賣本都人戶　5年賣　朱廷鶴　0.1100
地　0.4700
賣本都人戶　10年賣　朱　瑾　0.1600
4年賣　朱廷鶴　0.0600
10年賣　王　茂　0.2500
山　1.1800
賣本都人戶　2年賣　朱廷鶴　1.0000
9年賣　朱社學　0.1800

實在　人口　25　成　丁10，本身68歳，姪：文大44歳，姪：傑39歳，男：奎34歳，男：濱28歳，姪：滔43歳，姪：淳39歳，姪孫：信20歳，姪孫：新玘18歳，姪孫：言15歳
不成丁7，姪孫：魁14歳，姪孫：偲13歳，姪孫：□12歳，姪孫：朗4歳，姪孫：俸2歳，姪孫：重喜3歳，姪孫：儀2歳
婦　女8，嫂：金氏 80歳，妻：史氏60歳，弟嫂：吳氏60歳，姪婦：李氏55歳，姪婦：汪氏50歳，姪婦：洪氏40歳，姪婦：程氏40歳，姪婦：吳氏24歳
事産　203.6334　麥3石9斗6升3合8勺，米9石1斗6升7勺
田　148.2960
地　19.6314
一等正地　1.6400
山　34.2840
塘　1.4220
民瓦房　6間

萬曆16年實徵
復査實徵　204.0570　麥3石9斗7升2合2勺，米9石1斗8升2合5勺
田　148.5670
地　19.6370
山　33.3070
塘　1.5460

…………………………………………………………………………………

10年-Ⅱ-1　甲首　**朱祖耀**　民下戸　卽祖成，原籍故伯朱邦，充萬曆12年甲首

舊管　人口　6　男子3，婦女3
　事產　24.3684　麥4斗7升5合5勺，米1石5斗5合8勺
　　田　19.4234
　　地　0.6390
　　山　4.3060
新收　人口　2　男子不成丁1，姪：節　萬曆9年生
　　婦　女　1，妻：汪氏　萬曆元年娶□西塘陽汪傑女
　事產
　今奉清丈
　　正收　地　1.2114　麥2升4合1勺
開除　人口　2　男子不成丁1，伯：邦　萬曆9年故
　　婦　女　1，伯祖母：吳氏　萬曆2年故
　事產　8.9029　麥1斗7升1合5勺，米3斗8升9合9勺
　　正除　4.4389　麥7升6合1勺
　　田　3.4664
　　地　0.1300
　　山　1.8425
　　轉除　4.4640　麥9升5合4勺，米2斗3升7合4勺
　　田　4.3700
　　　賣與本都人戶　隆慶6年　朱時應　2.2500
　　　　萬曆5年　朱　洪　0.5200
　　　賣與26都5圖人戶　萬曆8年　汪登元　1.6000
　　地　0.0940
　　　賣與本圖人戶　萬曆3年　王　茂　0.0940
實在　人口　6　男子成丁2，本身30歲，叔祖：齊22歲
　　不成丁1，姪：節2歲
　　婦　女3，祖母：汪氏70歲，伯母：楊氏68歲，妻：汪氏29歲
　事產　16.6769　麥3斗2升8合1勺，米7斗6升2合8勺
　　田　12.5870
　　地　1.6264
　　山　2.4635
　　民瓦房　2間
　復査實徵　16.8135　麥3斗3升1合，米7斗7升1勺
　　田　12.7250
　　地　1.6250
　　山　2.4635

……

10年-Ⅱ-2　甲首　**朱　寛**　民下戸
舊管　人口　4　男子１，婦女３
　事産　1.6905　麥３升５勺，米６斗７合５勺
　田　1.0875
　山　0.5380
　塘　0.0650
新收　人口　1　男子成丁１，義男：社稷 隆慶元年生　前册漏報，今收入籍
　事産
　今奉清丈
　正收　4.3930　麥７升２合６勺，米１斗４升１合１勺
　田　1.5743
　地　0.9540
　山　1.8620
開除　事産　0.0900　麥１合９勺，米４合５勺
　正除　0.0650
　塘　0.0650　麥１合４勺，米３合５勺
　轉除　0.0250
　地　0.0250
　賣與本圖人戶　萬暦元年　朱　洪　0.0250
實在　人口　5　男子成丁１，義男：社稷16歳
　不 成 丁１，本身71歳
　婦　女３，嫂：吳氏70歳，男婦：金氏50歳，男婦：金氏33歳
　事産　5.9908　麥１斗１合２勺，米２斗４合１勺
　田　2.6618
　地　0.9290
　山　2.4000

………………………………………………………………………………………

10年-Ⅱ-3　甲首　**胡天法**　民下戸　卽天印，原籍故父胡眞
舊管　人口　3　男子２，婦女１
　事産　2.2290　麥４升３合８勺，米１升１合４勺
　田　1.5720
　地　0.1420
　山　0.3480
　塘　0.1670
新收　人口　2　男子不成丁１，男：齊風 萬暦９年生
　婦　女　1，妻：朱氏 萬暦７年娶本都朱高女
　事産
　今奉清丈　2.2100　麥４升３合８勺，米８升５合３勺
　正收　地　2.2000

轉收　山　0.0100
買　　人戶　　萬暦10年　吳　朗　0.0100
開除　人口　2　男子成丁1，父：眞 萬暦3年故
婦　　女1，母：何氏 萬暦7年故
事產　1.4531
正除　1.4531
田　0.9247
地　0.0290
山　0.3480
塘　0.1514
實在　人口　3　男子成丁1，本身24歲
不 成 丁1，男：齊風2歲
婦　　女1，妻：朱氏20歲
事產　2.9859　麥6升3勺，米1斗2升5勺
田　0.6473
地　2.3130
山　0.0100
塘　0.0156
民瓦房　2間
復查實徵　2.9040　麥5升8合5勺，米1斗1升2合
田　0.6470
地　2.2310
山　0.0100
塘　0.0160

10年-Ⅱ-4　甲首　**吳　和**　民下戶
舊管　人口　9　男子6，婦女3
事產　34.6310　麥5升9斗3合1勺，米1石3升7合6勺
田　10.1740
地　10.4200
山　13.8370
塘　0.2000
新收　人口　2　男子不成丁2，姪孫：天宥 萬暦8年生，姪孫：萬全 萬暦10年生
事產
今奉淸丈
轉收　山　0.1875
買本圖人戶　　萬暦10年　王　茂　0.1875
開除　人口　2　男子成丁1，姪：應法 萬暦5年故
不 成 丁1，姪：萬山 萬暦8年故

事產　　13.2515　麥2斗7升7勺，米4斗9升4合9勺
正除　　4.2545　麥8升5合3勺，米5升6合7勺
田　0.7020
地　1.7830
山　1.7695
轉除　　8.9970
田　6.8930
賣與本圖人戶　萬曆9年　朱　清　1.1430
萬曆9年　王　茂　2.5500
萬曆5年　程　學　0.4000
賣與本都1圖人戶　萬曆7年　陳　興　2.7100
賣與西北隅2圖人戶　萬曆6年　程大興　0.0900
地　1.6740
賣與本圖人戶　萬曆8年　王　茂　0.5840
賣與本都1圖人戶　萬曆5年　陳　興　1.0900
山　0.4300
賣與本圖人戶　萬曆5年　王　茂　0.4150
賣與西北隅2圖人戶　萬曆5年　程大興　0.0150
實在　人口　9　男子成丁3，男：岩像48歲，姪孫：遲海33歲，姪孫：天保23歲
不成丁3，本身81歲，姪孫：天宥3歲，姪孫：萬全1歲
婦　女3，妻：李氏70歲，弟婦：汪氏60歲，姪婦：金氏55歲
事產　　21.5670　麥3斗2升4合4勺，米5斗4升4合7勺
田　2.5790
地　6.9630
山　11.8250
塘　0.2000
民瓦房　3間
復查實徵　　21.5670　麥3斗2升4合6勺，米5斗4升5合5勺
田　2.5920
地　6.9650
山　11.8100
塘　0.2000

10年-Ⅱ-5　甲首　朱　隆　民下戶
舊管　人口　8　男子5，婦女3
事產　　56.0590　麥1石1斗7升5合5勺，米2石8斗5合3勺
田　52.9990
地　0.8010
山　2.2590

新收　人口　2　男子不成丁1，姪孫：鐸 萬暦8年生
　　　　　　　婦　女　1，孫婦：王氏 萬暦5年娶到本圖王茂戶女
　事産
　今奉清丈　8.6500　麥1斗6升9勺，米3斗4升5合9勺
　　正收　3.6220
　　　田　0.5260
　　　地　2.3860
　　　山　0.7100
　　轉收　5.0280
　　　田　3.8330
　　　　撥本圖人戶　萬暦9年　朱廷鶴　3.8330
　　　山　1.1950
　　　　撥本圖人戶　萬暦9年　朱廷鶴　1.1950
開除　人口　2　男子成丁1，姪孫：友 萬暦5年故
　　　　　　　婦　女1，弟婦：曹氏 萬暦3年故
　事産　16.3580　麥3斗3升3合7勺，米8斗1合8勺
　　轉除
　　　田　14.0620
　　　　賣與本圖人戶　萬暦9年　朱　洪　4.1000
　　　　　　　　　　　萬暦10年　王　茂　4.1030
　　　　賣與本都1圖人戶　萬暦10年　陳　興　5.8580
　　　地　0.8910
　　　　賣與本圖人戶　萬暦9年　朱廷鶴　0.2100
　　　　分撥與本圖人戶　萬暦9年　朱　瑾　0.1975
　　　　賣與本都人戶　萬暦9年　朱　瑚　0.4675
　　　　賣與26都2圖人戶　萬暦4年　朱三爨　0.0080
　　　　　　　　　　　萬暦5年　朱惟學　0.0080
　　　山　1.4060
　　　　撥與本都人戶　萬暦8年　朱　瑾　0.5950
　　　　分撥與本都人戶　萬暦9年　朱　瑚　0.8120
實在　人口　8　男子成丁4，本身65歲，姪：45歲，姪孫：瑤35歲，孫：欽21歲
　　　　　　　不成丁1，姪孫：鐸3歲
　　　　　　　婦　女3，妻：黄氏65歲，弟婦：黄氏35歲，孫婦：王氏20歲
　事産　48.2000　麥9斗9升8合6勺，米2石4斗2升8合9勺
　　　田　43.2960
　　　地　2.1460
　　　山　2.7580
　　民瓦房　1間
　　民水牛　1頭

復查實徵　　48.2063　麥９斗９升８合７勺，米２石４斗２升７合９勺
田　45.2150
地　2.2290
山　2.7620

10年-Ⅱ-6　甲首　王　洪　民下戶
舊管　人口　4　男子２，婦女２
事產　0.0830　麥１合８勺，米２合３勺
地　0.0750
塘　0.0080
新收　人口　1　婦女１，男婦：吳氏 萬曆10年娶到３都吳天女
事產
今奉清丈　2.1570　麥４升４合５勺，米９升９合
正收　0.1720
田　0.1300
地　0.0420
轉收　1.9850　麥４升９勺，米９升４勺
田　0.8000
買17都２圖人戶　萬曆10年　王本堅　0.8000
地　1.0650
買17都２圖人戶　萬曆10年　王本堅　1.0650
塘　0.1200
買17都２圖人戶　萬曆10年　王本堅　0.1200
開除　人口　1　婦女１，祖母：顧氏 萬曆２年故
事產
正除　0.0280
地　0.0200
塘　0.0080
實在　人口　4　男子成丁１，本身30歲
不成丁１，男：宗元12歲
婦　女２，母：余氏70歲，男婦：吳氏12歲
事產　2.2120　麥４升５合６勺，米１斗１合２勺
田　0.9300
地　1.1620
塘　0.1200
民瓦房　1間
復查實徵　2.8035　麥５升８合２勺，米１斗３升２合４勺
田　1.4950
地　1.1885

塘　0.1200

10年-Ⅱ-7　甲首　**吳四保**　民下戶

舊管　人口　6　男子４，婦女２
事產　2.8230　麥７升９合５勺，米１斗５升８合８勺
田　1.8270
地　1.6900
山　0.2220
塘　0.0840

新收　人口　1　男子不成丁１，姪：曜 萬曆９年生
事產
今奉清丈　4.8555　麥１斗２合４勺，米２斗４升５合
正收　4.4555　麥９升３合８勺，米２斗２升３合６勺
田　3.4555
地　1.0000
轉收　0.4000
田　0.4000
買本都１圖人戶　萬曆10年　陳天盛　0.4000

開除　人口　1　男子成丁１，弟：社 萬曆４年故
事產　1.7510　麥３升７合１勺，米６升７合８勺
正除　0.6510　麥１升３合７勺，米９合
地　0.3450
山　0.2220
塘　0.0840
轉除　1.1000　麥２升３合５勺，米５升８合８勺
田　1.1000
賣與本都１圖人戶　萬曆10年　王　爵　0.3000
萬曆９年　陳天相　0.3000
萬曆10年　陳　嘉　0.5000

實在　人口　6　男子成丁３，本身66歲，弟：五保65歲，男：興23歲
不 成 丁１，姪：曜２歲
婦　　女２，妻：程氏60歲，弟婦：程氏58歲
事產　7.6630　麥１斗５升２合２勺，米３斗４升４合７勺
民瓦房　１間
復查實徵　6.9275　麥１斗４升４合７勺，米３斗３升６合
田　4.5825
地　2.3320

10年-Ⅱ-8　甲首　**朱添資**　民下戸
舊管　人口　3　男子2，婦女1
　事産　2.4510　麥4升1合1勺，米8升5合8勺
　　田　1.3930
　　山　1.0580
開除　事産　1.0840　麥1升1合8勺，米1升2合7勺
　正除　1.0840　麥1升1合8勺，米1升2合7勺
　　田　0.0260
　　山　1.0580
實在　人口　3　男子成丁1，義男：伯才29歳
　不成丁1，本身95歳
　婦女2，母：余氏126歳
　事産　1.3670　麥2升9合3勺，米7升3合1勺
　　田　1.3670　麥2升9合3勺，米7升3合1勺
　民瓦房　2間

10年-Ⅱ-9　甲首　**汪岩亮**
舊管　人口　3　男子2，婦女1
　事産　0.5700　麥2升2合2勺，米3升5勺
　　田　0.4100
　　塘　0.1600
開除　事産　0.5700　麥2升2合2勺，米3升5勺
　正除　0.5700　麥2升2合2勺，米3升5勺
　　田　0.4100
　　塘　0.1600
實在　人口　3　男子不成丁2，本身93歳，弟：駵83歳
　婦女　2，妻：李氏90歳

10年-Ⅱ-10　**胡　下**　民下戸　(絕)
舊管　人口　2　男子1，婦女1
實在　人口　2　男子不成丁1，本身80歳
　婦女　1，伯母：呉氏128歳
　事産
　民瓦房　2間

10年-Ⅱ-11　甲首　**汪　護**　民下戸
舊管　人口　2　男子1，婦女1
　事産　1.1390　麥1升2合8勺，米1升3合3勺
　　地　0.0500

山　1.0890

開除　事產　1.1390　麥1升2合8勺，米1升3合3勺

正除　1.1390　麥1升2合8勺，米1升3合3勺

實在　人口　2　男子不成丁1，本身95歲

婦　女　2，母：畢氏118歲

事產

民瓦房　2間

....

10年-Ⅱ-12　甲首　朱時應　民下戶　原籍故父朱憲

舊管　人口　3　男子2，婦女1

事產　22.1976　麥4斗5升8合5勺，米1石1斗1升2勺

田　20.1236

地　0.5320

山　1.5420

新收　人口　2　男子成丁1，本身 隆慶元年生　前册漏報

不 成 丁1，弟：時安 萬曆8年生

事產

今奉清丈　3.3189　麥7升，米1斗6升7合

正收　1.0689

田　0.3554

地　0.7135

轉收　2.2500　麥4升8合1勺，米1斗2升4勺

田　2.2500

買本圖人戶　隆慶6年　朱祖耀　2.2500

開除　人口　2　男子成丁1，父：憲 萬曆8年故

不 成 丁1，弟：生 萬曆9年故

事產　0.1510　麥3合2勺，米9勺

正除　0.1510

地　0.1000

山　0.0510

實在　人口　3　男子成丁1，本身16歲

不 成 丁1，弟：時安3歲

婦　女1，母：程氏47歲

事產　25.3665　麥5斗2升5合2勺，米1石2斗7升6合3勺

田　22.7290

地　1.1455

山　1.4910

民瓦房　2間

復查實徵　25.3710　麥5斗2升5合2勺，米1石2斗7升6合7勺

田　22.7350
地　1.1480
山　1.4900

10年-Ⅱ-13　甲首　**朱神祖**　軍下戶　（絕）
舊管　人口　1　男子１
　事產　1.2940　麥２升７合７勺，米６升９合３勺
　田　1.2940
開除　事產　1.2940　麥２升７合７勺，米６升９合３勺
　正除　1.2940
　田　1.2940
實在　人口　1　男子不成丁１，本身203歲
　事產
　民瓦房　１間

10年-Ⅱ-14　甲首　**朱留住**　軍下戶　（絕）
舊管　人口　2　男子２
實在　人口　2　男子不成丁２，本身190歲，弟：記宗186歲
　事產
　民瓦房　３間

10年-Ⅱ-15　甲首　**陳清和**　軍下戶　（絕）
舊管　人口　2　男子２
　事產　7.8310　麥１斗１升９合８勺，米１斗５升５合６勺
　地　3.3580
　山　4.4730
開除　事產　7.8310　麥１斗１升９合８勺，米１斗５升５合６勺
　正除　7.8310
　地　3.3580
　山　4.4730
實在　人口　2　男子不成丁２，本身159歲，弟・安157歲
　事產
　民瓦房　３間

第３甲

10年-Ⅲ　排年　**朱　清**　上戸　充當萬曆13年里長

舊管　人口　47　男子33，婦女14

事産　221.1160　麥４石２斗４升８合９勺，米８石８斗８升３合１勺

田　129.3410　麥２石７斗６升７合９勺，米６石９斗１升９合８勺

地　45.5590　麥９斗７升５合，米１石４斗６升２合４勺

山　46.0720　麥４斗９升３合，米４斗９升３合

塘　0.1510　麥３合３勺，米８合１勺

新收　人口　12

正收　12　成　丁２，姪孫：學源　嘉靖41年生　前册漏報，姪孫：容　隆慶元年生　前册漏報

不成丁８，姪孫：漢　萬曆７年生，姪孫：傑　萬曆８年生，曾孫：存富　萬曆５年生，曾孫：自成　萬曆７年生，曾孫：長成　萬曆７年生，曾孫：鎭成　萬曆８年生，曾孫：寄成　萬曆９年生，曾孫：成　萬曆９年生

婦　女２，孫媳：黃氏　萬曆２年娶到24都黃桐女，孫媳：程氏　萬曆５年娶到10都程相女

事産

今奉清丈　95.8505　麥１石７斗７升９合，米３石９斗５合９勺

正收丈收　52.9860　麥９斗６升９合６勺，米２石６升６合６勺

田　26.6265

地　12.7910

山　13.5265

塘　0.0420

轉收　42.8645　麥８斗９合４勺，米１石８斗３升９合３勺

田　30.5725　麥６斗５升４合３勺，米１石６斗３升５合６勺

買本圖人戸	８年買６甲	朱　龍	0.4590
	６年買６甲	朱　龍	0.8960
	５年買６甲	朱　龍	0.2340
	９年買２甲	吳天和	1.1400
	９年買１甲	謝　社	1.4530
	６年買７甲	王齊興	0.6620
買本都１圖人戸	６年買	陳天相	0.8690
	９年買	吳社謝	0.2250
	９年買	陳玄法	0.3700
	２年買	王　爵	0.9650
	９年買	王　爵	0.7060
	２年買	王　爵	0.6110

５年買　朱　法　0.1435
３年買　朱　法　0.3440
７年買　黃　雲　0.4720
７年買　吳天志　0.5200
10年買　吳天志　1.1840
９年買　吳天志　0.7690
９年買　吳天志　1.3840
７年買　吳天志　0.6720
５年買　朱福興　0.4310
６年買　朱福興　1.1860
６年買　朱福興　0.3860
２年買　朱福興　0.5200
８年買　金　曜　0.5690
４年買　金　曜　0.6320
３年買　吳　榮　0.6920
７年買　吳　榮　0.9030
９年買　陳寓祿　0.6170
５年買　張　先　0.9790
８年買　胡四保　1.3900
買本都３圖人戶　９年買　金　永　0.3890
買８都１圖人戶　２年買　葉　鱗　0.9900
買11都３圖人戶　９年買　金應永　0.5920
買26都５圖人戶　８年買　朱　勝　0.9100
８年買　朱　勝　1.7850
９年買　僧普源　1.6270
８年買　僧普源　1.7960
地　2.5780　麥５升１合２勺，米９升９合８勺
收本圖人戶　10年　汪義曜　0.1540
買本都１圖人戶　５年買　陳寓祿　0.0550
８年買　朱　法　1.3220
８年買　吳　榮　0.3370
９年併　胡五龍　0.2240
買26都５圖人戶　２年買　朱　風　0.1960
２年買　汪玄法　0.2900
山　9.7140　麥１斗３合９勺，米１斗３合９勺
買本圖人戶　10年買５甲　金社保　0.0940
９年買６甲　朱　龍　0.1500
買本都１圖人戶　２年買　畢玄生　0.0760
７年買　陳寓祿　0.1470

9年買　陳寓祿　0.0150
4年買　陳寓祿　0.1520
2年買　陳玄法　0.3300
元年買　朱　法　0.1250
10年買　金　曜　2.0000
5年買　金　曜　1.0000
2年買　王　爵　2.4790
9年買　吳　榮　1.1250
買本都3圖人戶　9年買　金　永　1.5000
買6圖人戶　5年買　朱隱顯　0.5650

開除　人口　11　成　丁8，姪：世順 萬曆2年故，姪：富全 萬曆元年故，姪孫：明 萬曆元年故，姪孫：積 萬曆7年故，姪孫：儒 萬曆10年故，姪孫：吳 萬曆5年故，姪孫：玘 萬曆7年故，姪孫：琢 萬曆8年故
不成丁1，姪孫：珂 萬曆2年故
婦　女2，姪婦：汪氏 萬曆2年故，姪婦：王氏 萬曆4年故

事產　11.8910　麥3斗1升2合8勺，米1斗6升8合9勺
正除丈除　8.0000　麥2斗3升8合4勺，米8合1勺
地　8.0000
轉除　3.8910　麥7升4合4勺，1斗6升8勺
田　1.9140
賣本圖人戶　7年賣　劉再得　1.0000
賣本都1圖人戶　7年賣　朱　法　0.9140
地　1.3270
賣本圖人戶　5年賣　劉再得　0.2800
賣本都1圖人戶　4年賣　朱　法　0.5120
7年賣　汪　忠　0.0300
10年賣　朱福興　0.0120
賣本都6圖人戶　3年賣　金文付　0.4930
山　0.6500
賣本都1圖人戶　5年賣　朱　法　0.4200
3年賣　朱福興　0.2300

實在　人口　48　成　丁25，姪：新63歲，姪孫：積興59歲，姪孫：嶽56歲，姪孫：□47歲，姪：音互45歲，姪孫：晟45歲，姪孫：密45歲，姪孫：昆41歲，姪孫：積三40歲，姪孫：良35歲，姪孫：昊35歲，姪孫：積四35歲，姪孫：長仁38歲，姪孫：椿25歲，姪孫：學源21歲，姪孫：長27歲，孫：積存36歲，孫：積團28歲，孫：積强15歲，姪孫：婢妾25歲，姪孫：存仁16歲，姪孫：容16歲，姪孫：積五15歲，姪孫：存

道15歳，曾孫：存高15歳
不成丁9，本身115歳，姪孫：漢4歳，姪孫：傑3歳，曾孫：存富6歳，曾孫：鎮成3歳，曾孫：自成4歳，曾孫：長成4歳，曾孫：奇成2歳，曾孫：春成2歳
婦　女14，姪婦：汪氏70歳，姪婦：王氏62歳，姪婦：程氏58歳，姪婦：汪氏56歳，姪孫婦：汪氏50歳，姪孫婦：汪氏46歳，姪孫婦：汪氏41歳，姪孫婦：胡氏40歳，姪孫婦：陳氏38歳，姪孫婦：韓氏30歳，姪孫婦：程氏30歳，姪孫婦：程氏30歳，孫婦：黄氏25歳，孫婦：程氏14歳

事産　305.0825　麥5石7斗1升5合1勺，米12石6斗2升1勺
田　184.6260　麥3石9斗5升1合，米9石8斗7升7合5勺
地　51.6010　麥1石2升5合3勺，米1石9斗9升7合6勺
山　68.6625　麥7斗3升4合7勺，米7斗3升4合7勺
塘　0.1930　麥4合1勺，米1升3勺
民瓦房　3間
民黄牛　1頭

萬曆16年奉上司明文復査，改造實徴册
復査實徴　304.6927　麥5石7斗6合5勺，米12石5斗9升8合6勺
田　184.1840
地　51.6623
山　68.6534
塘　0.1930

10年-Ⅲ-1　甲首　**呉初保**　民下戸　原籍故義父呉盛，充萬曆13年甲首
舊管　人口　2　男子1，婦女1
事産　0.1090　麥2合2勺，米3合4勺
地　0.1000
山　0.0090
新收　人口　1　男子成丁1，本身□萬曆元年□繼義父呉盛爲嗣，今日收籍當差
開除　人口　男子成丁1，義父：呉盛，萬曆8年故
正除　0.1090　麥2合2勺，米3合4勺
實在　人口　2　男子成丁1，本身26歳
婦　女1，義母：胡氏50歳
事産　民瓦房　1間

10年-Ⅲ-2　甲首　**李　成**　民下戸
舊管　人口　5　男子3，婦女2
事産　3.6960　麥7升9合1勺，米1斗4升2合3勺
田　1.1060

地　2.5900
新收　人口　1　男子不成丁1，男：奇　萬曆7年生
事產
今奉淸丈　2.6800
正收　田 2.1670
轉收　田 0.5130
買本都1圖人戶　隆慶6年　汪　明　0.5130
開除　人口　1　男子不成丁1，男：隆　萬曆2年故
事產
正除　地 2.1330
實在　人口　5　男子成丁2，本身52歲，男：□22歲
不成丁1，男：奇4歲
婦　女2，妻：蔡氏52歲，男婦：劉氏35歲
事產　4.2430　麥9升1勺，米2斗2升3勺
田　3.7860
地　0.4570
復查實徵　4.2450　麥9升2勺，米2斗2升4勺
田　3.7880
地　0.4570

10年-Ⅲ-3　甲首　**吳　個**　民下戶
舊管　人口　5　男子4，婦女1
事產　0.7600　麥1升6合2勺，米3升8合5勺
田　0.6600
地　0.1000
新收　人口　1　婦　女1，姪婦：宋氏　萬曆元年娶到本都宋得女
事產
今奉淸丈　0.8580　麥1升7合，米3升3合2勺
正收　地　0.4900
轉收　地　0.3580
買26都4圖人戶　萬曆5年　宋尚開　0.3580
開除　事產
正除　0.7600
實在　人口　6　男子成丁3，本身45歲，弟：法37歲，姪：天龍25歲
不成丁1，姪：長富13歲
婦　女2，妻：宋氏40歲，姪婦：宋氏25歲
事產　地　0.8580　麥1升7合，米3升3合2勺

10年-Ⅲ-4　甲首　宋積高　民下戸　原籍故兄宋慶
舊管　人口　4　男子2，婦女2
事産　3.5190　麥7升5合，米1斗5升8合9勺
田　2.0000
地　1.3330
山　0.0210
塘　0.1650
新收　人口　1　男子不成丁1，弟：玄 萬暦8年生
事産
今奉清丈　0.3350　麥6合7勺，米1升6合2勺
正收　山　0.0390　麥4勺，米4勺
轉收　田　0.2960
買24都2圖人戸　萬暦9年　洪育玉　0.2960
開除　人口　1　男子成丁1，兄：慶 萬暦5年故
事産
正除　1.3590
田　0.7820
地　0.4220
塘　0.1650
實在　人口　4　男子成丁1，本身23歳
不 成 丁1，弟：玄3歳
婦　女2，母：汪氏50歳，叔母：王氏40歳
事産　2.4850　麥5升1合1勺，米1斗1升6合9勺
田　1.5140
地　0.9110
山　0.0600

………………………………………………………………

10年-Ⅲ-5　甲首　徐　奉　木匠故絶
舊管　人口　2　男子1，婦女1
事産　1.3760　麥1升9合6勺，米2升9合9勺
田　0.2600
地　0.1910
山　0.9250
開除　事産
正除　1.3760　麥1升9合6勺，米2升9合9勺
實在　人口　2　不成丁1，本身75歳
婦　女1，妻：韓氏53歳
事産
民瓦房　3間

………………………………………………………………

10年-Ⅲ-6　甲首　**胡　曜**　民下戸

舊管　人口　3　男子2，婦女1
　　事產　1.2850　麥2升5合5勺，米3升9合9勺
　　　地　0.9600
　　　山　0.1950
　　　塘　0.1300
新收　人口　1　男子不成丁，男：風 萬曆9年生
　　事產
今奉清丈
　　正收　1.0960
　　　田　0.0410
　　　地　1.0550
開除　人口　1　男子不成丁1，男：富 萬曆2年故
　　事產
　　正除　0.5050
　　　地　0.2000
　　　山　0.1750
　　　塘　0.1300
實在　人口　3　男子成丁1
　　　　不成丁1，男：風2歲
　　　　婦　女1，妻：50歲
　　事產　1.8760　麥3升7合2勺，米7升2合6勺
　　　田　0.0410
　　　地　1.8150
　　　山　0.0200
　　民瓦房　1間

10年-Ⅲ-7　甲首　**劉再得**　民下戸　承原籍故義父程法

舊管　人口　5　男子2，婦女3
新收　人口　2　男子成丁1，本身萬曆2年承繼義父程法爲嗣，今日收籍當差
　　　　婦　女1，妻：周氏 萬曆8年娶到11都周實女
　　事產　18.8790　麥3斗5升5合4勺，米7斗8升2合2勺
　　正收　田　1.6000
　　轉收　17.2790　麥3斗2升1合2勺，米6斗9升6合6勺
　　　田　9.4560
　　　　買本都本圖本甲人戸　萬曆2年　項興才　0.7120
　　　　買本都本圖8甲人戸　萬曆5年　陳　滄　0.4420
　　　　買本都本圖本甲人戸　萬曆3年　陳　章　1.3900
　　　　買本都本圖5甲人戸　萬曆8年　陳　章　1.2610

買本都本圖３甲人戶　萬曆７年　朱　清　1.0000
買本都１圖人戶　萬曆７年　黃　雲　1.8450
買本都１圖人戶　萬曆８年　吳　榮　1.1500
買本都１圖人戶　萬曆４年　朱福興　0.6310
買本都１圖人戶　萬曆３年　吳玄貴　1.0250
地　3.8230
買本都本圖人戶　萬曆２年　項興才　2.8170
買本都本圖人戶　萬曆５年　朱　清　0.2800
買本都本圖人戶　萬曆４年　王　茂　0.7260
山　4.0000
買本都本圖人戶　萬曆２年　項興才　2.0000
買本都１圖人戶　萬曆10年　金　曜　2.0000

開除　人口　4　男子成丁１，義父：程法 萬曆５年故
不 成 丁１，義弟：朱雲 萬曆元年故
婦　　女２，太祖母：朱氏 萬曆元年故，祖母：汪氏 萬曆５年故
實在　人口　3　男子成丁１，本身31歲
婦　　女２，義母：金氏38歲，妻：周氏33歲
事產　18.8790　麥３斗５升５合４勺，米７斗８升２合２勺
田　11.0560
地　3.8230
山　4.0000
民瓦房　２間
復查實徵　18.8460　麥３斗５升４合７勺，米７斗８升８勺
田　11.0450
地　3.8010
山　4.0000

10年-Ⅲ-8　甲首　**朱文樞**　民下戶
舊管　人口　3　男子２，婦女１
事產　9.9370　麥２升１合５勺，米４斗５升４合１勺
田　7.3480
地　1.5540
山　1.0350
新收　人口　1　男子不成丁１，男：像 萬曆８年生
事產
正收　塘　0.1700　麥３合６勺，米９合１勺
開除　人口　1　男子不成丁１，男：信 萬曆７年故
事產　5.1016　麥１斗１合６勺，米２斗１升７合５勺
正除　1.3146

田　0.4530
地　0.3200
山　0.5416
轉除　3.7870　麥7升7合4勺，米1斗8升5合4勺
田　3.1750
賣與本都本圖人戶　萬曆10年　朱世明　1.2400
萬曆3年　朱世明　0.2500
萬曆7年　朱世明　0.5000
萬曆10年　朱世明　0.7000
萬曆8年　朱八奠　0.4850
地　0.3200
賣與本都本圖人戶　萬曆10年　朱世明　0.2000
萬曆2年　程賀成　0.1200
山　0.2920
賣與本都本圖人戶　萬曆7年　朱世明　0.1000
萬曆10年　朱景和　0.0420
萬曆2年　程賀成　0.1500
實在　人口　3　男子成丁1，本身40歲
不成丁1，男：像3歲
婦　女1，妻：吳氏39歲
事產　5.0054　麥1斗3合5勺，米2斗4升5合7勺
田　3.7200
地　0.9140
山　0.2014
塘　0.1700
民瓦房　2間
民水牛　1頭
復查實徵　4.8504　麥1斗5勺，米2斗3升9合6勺
田　3.7210
地　0.7580
山　0.2014
塘　0.1700

……………………………………………………………………

10年-Ⅲ-9　甲首　劉巴山　民下戶
舊管　人口　2　男子1，婦女1
事產　3.2200　麥5升8合2勺，米1斗1升9合
田　1.7320
地　0.4880
山　1.0000

開除　事産　　3.2200　麥５升８合２勺，米１斗１升９合
　正除　　3.2200
實在　人口　2　男子成丁１，本身32歳
　　婦　　女１，母：吳氏65歳
　事産
　　民瓦房　３間

……………………………………………………………………………………

10年-Ⅲ-10　甲首　**朱興元**　民下戸
舊管　人口　3　男子２，婦女１
　事産　　22.4180　麥４斗７升７合１勺，米１石１斗８升８合８勺
　　田　22.1700
　　地　0.2480
新收　人口　1　男子不成丁１，男：盛　萬暦９年生
　事産　　6.9499　麥１斗３升２勺，米２斗８升９合４勺
　正收　　2.5549　麥３升６合１勺，米５升４合４勺
　　地　0.9190
　　山　1.6049
　　塘　0.0310
　轉收　　4.3950　麥９升４合１勺，米２斗３升５合
　　田　4.3850
　　買５都４圖人戸　　萬暦10年　朱應珪　4.3850
　　地　0.0100
　　買本都本圖人戸　　萬暦10年　朱景和　0.0100
開除　人口　1　男子不成丁１，男：盛　萬暦10年故
　事産　　3.2260　麥６升９合，米１斗７升２合２勺
　正除　　3.2010　麥６升８合５勺，米１斗７升１合２勺
　　田　3.2010
　轉除　　0.0250　麥５勺，米１合
　　地　0.0250
　　賣與本都本圖人戸　　萬暦11年　朱　護　0.0250
實在　人口　3　男子成丁１，本身39歳
　　不 成 丁１，男：生２歳
　　婦　　女１，妻：宋氏40歳
　事産　　26.1429　麥５斗３升８合３勺，米１石３斗６合
　　田　23.3540
　　地　0.9040
　　山　1.8529
　　塘　0.0310
　民瓦房　３間

民水牛　1頭
復査實徵　26.2220　麥5斗4升1勺，米1石3斗1升7勺
田　23.4480
地　0.8970
山　1.8460
塘　0.0310

10年-Ⅲ-11　甲首　**項興才**　民下戸
舊管　人口　4　男子3，婦女1
事産　10.4950　麥2斗3合6勺，米3斗4升5合6勺
田　2.3750
地　6.1400
山　2.0000
新收
事産
今奉清丈　4.7730　麥9升8合1勺，米2斗2升2合5勺
正收　1.0990　麥2升2合6勺，米5升6勺
田　0.5490
地　0.5500
轉收　3.6740　麥7升5合5勺，米1斗7升1合9勺
田　2.1960
買本都1圖人戸　萬曆6年　朱　法　0.4290
買26都5圖人戸　萬曆5年　僧普源　1.7570
地　1.3780
買本都1圖人戸　萬曆7年　吳天志　1.3780
山　0.1000
買本都1圖人戸　萬曆7年　黄　時　0.1000
開除　事産　7.0590　麥1斗3升3合1勺，米1斗9升3合2勺
正除
地　1.1000
轉除　5.9590
田　1.1420
撥與本都本圖人戸　萬曆2年　劉再得　0.7120
賣與本都本圖人戸　萬曆5年　金社保　0.4300
地　2.8170
撥與本都本圖人戸　萬曆2年　劉再得　2.8170
山　2.0000
撥與本都本圖人戸　萬曆2年　劉再得　2.0000
實在　人口　4　男子成丁2，弟：記42歲，姪：曜得30歲

不 成 丁１，本身90歳
婦　　女１，妻：呉氏90歳
事産　8.2290　麥１斗６升８合６勺，米３斗７升４合６勺
田　3.9780
地　4.1510
山　0.1000
民瓦房　半間
復査實徴　8.2360　麥１斗６升８合９勺，米３斗７升５合
田　3.9810
地　4.1550
山　0.1000

10年-Ⅲ-12　甲首　**金　黑**　民下戸
舊管　人口　3　男子２，婦女１
事産　2.6130　麥５升４合１勺，米９升２合６勺
田　0.5750
地　1.8690
山　0.1690
開除　人口　1　男子不成丁１，弟：天生 萬暦元年故
事産　2.6130　麥５升４合１勺，米９升２合６勺
正除　2.6130
實在　人口　2　男子成丁１，本身35歳
婦　　女１，母：程氏70歳
事産
民瓦房　３間
民水牛　１頭

10年-Ⅲ-13　**汪慶祐**　軍戸　（絕）
舊管　人口　1　男子１
實在　人口　1　男子不成丁１，本身194歳
事産
民瓦房　２間

10年-Ⅲ-14　**陳舟興**　軍戸　（絕）
舊管　人口　1　男子１
實在　人口　1　男子不成丁１，本身194歳
事産
民瓦房　３間

10年-Ⅲ-15　朱添助　軍戶　(絕)

舊管　人口　1　男子1

實在　人口　1　男子不成丁1，本身208歲

事產

民瓦房　1間

....

10年-Ⅲ-16　甲首　朱社學　民戶　承原籍故外祖詹惠

舊管　人口　2　男子1，婦女1

事產　4.3430　麥7升4合1勺，米1斗2升5合1勺

田　0.8610

地　1.4990

山　1.7570

塘　0.2260

新收　人口　1　男子成丁1，本身 隆慶元年外祖詹惠摘□爲嗣，今自收籍當差

事產

今奉清丈　3.7630　麥7升6合，米1斗7升3合6勺

正收　0.5750　麥1升2合3勺，米3升9勺

田　0.5440

地　0.0310

轉收　3.1880　麥6升3合7勺，米1斗4升3合1勺

田　1.8340

買本都本圖人戶　萬曆10年　金漢萬　1.7620

撥本都1圖人戶　萬曆10年　朱　法　0.0720

地　1.0900

撥本都 1 圖人戶　萬曆8年　朱　法　0.8850

買本都 1 圖人戶　萬曆7年　陳寓祿　0.2050

山　0.2640

買本都本圖人戶　萬曆9年　朱　洪　0.1800

撥本都1 圖人戶　萬曆10年　朱　法　0.0840

開除　人口　2　男子不成丁1，外祖：詹惠 萬曆6年故

婦　女　1，外祖伯母：畢氏 萬曆4年故

事產

正除　4.3430　麥7升4合，米1斗2升5合1勺

田　0.8610

地　1.4990

山　1.7570

塘　0.2260

實在　人口　1　男子成丁1　本身26歲

事產　3.7630　麥7升6合，米1斗7升3合6勺

田　2.3780
地　1.1210
山　0.2640
民瓦房　3間
復査實徵　3.4550　麥6升9合1勺，米1斗5升5合
田　1.9340
地　1.2570
山　0.2640

…………………………………………………………………………

10年-Ⅲ-17　甲首　**王宗林**　民戸
舊管　人口　4　男子1，婦女3
事産　3.6470　麥6升8合9勺，米1斗3升5合5勺
田　1.6260
地　1.0740
山　0.8570
塘　0.0900
開除　事産
正除　3.6470　麥6升8合9勺，米1斗3升5合5勺
實在　人口　4　男子不成丁1，本身83歲
婦　女　3，伯母：汪氏110歲，嫂：許氏90歲，妻：汪氏86歲

第4甲

10年-Ⅳ　排年　**王　時**　下戸　充當萬曆14年里長
舊管　人口　29　男子20，婦女9
事産　57.3670　麥1石2升5合，米1石8斗1合5勺
田　16.7830　麥3斗5升9合2勺，米8斗9升7合8勺
地　21.3310　麥4斗5升6合5勺，米6斗8升4合7勺
山　18.9490　麥2斗2合8勺，米2斗2合8勺
塘　0.3040　麥6合5勺，米1升6合2勺
新收　人口　12
正收　10　成　丁2，姪：汝作 隆慶元年生 前册漏報，孫：良忠 隆慶元年生 前册漏報
不成丁5，姪：汝億 萬曆7年生，姪：汝伏 萬曆7年生，姪：汝佛 萬曆9年生，姪：汝侃 萬曆6年生，姪：汝仲 萬曆9年生
婦　女　3，男婦：陳氏 萬曆4年娶到本都陳賢女，姪婦：許氏 萬

曆元年 娶到8都許相女，姪婦：吳氏 萬曆元年娶到30都吳松女

事產
今奉清丈　20.6480　麥3斗8升1合5勺，米8斗6升7勺
正收丈收　19.3630　麥3斗5升4合4勺，米7斗9升6合2勺
田　13.3070　麥2斗8升4合8勺，米7斗1升2合
山　5.5990　麥5升9合8勺，米5升9合8勺
塘　0.4570　麥9合8勺，米2升4合4勺
轉收　1.2850　麥2升7合1勺，米6升4合5勺
田　1.0000　麥2升1合4勺，米5升3合5勺
買本圖人戶　9年買5甲　陳　章　1.0000
地　0.2850　麥5合7勺，米1升1合
買本圖人戶　4年買1甲　王　茂　0.2850

開除　人口　6　成　丁5，兄：吉 萬曆5年故，弟：禓 萬曆5年故，弟：利 萬曆6年故，弟：松 萬曆4年故，弟：禮 萬曆8年故
不成丁1，姪：汝佮 萬曆7年故
婦　女3，嫂：陳氏 萬曆7年故，嫂：程氏 萬曆4年故，嫂：朱氏 萬曆7年故
事產　9.5700　麥2斗2升2合3勺，米2斗4升1合
正除丈除　6.7250　麥1斗6升6合3勺，米1斗1升8合9勺
地　6.7250
轉除　2.8450　麥5升6合，米1斗2升2合1勺
田　1.3350　麥5升8合6勺，米7升1合4勺
賣本圖人戶　4年賣　王　茂　1.3350
地　1.2350　麥2升4合5勺，米4升7合8勺
賣本圖人戶　9年賣　王　茂　0.0700
賣本都1圖人戶　元年賣　陳　興　0.3000
4年賣　王　爵　0.4250
4年賣　王　爵　0.4400
山　0.2750
賣本圖人戶　5年賣　王　茂　0.2750

實在　人口　30　成　丁14，本身62歲，兄：碧65歲，兄：應齊65歲，兄：應雲63歲，男：汝佳33歲，姪：汝俸33歲，姪：汝傳25歲，姪：汝仁25歲，姪：汝信23歲，姪：汝儀24歲，姪：汝像16歲，孫：良忠16歲，姪：汝他16歲，姪：汝作16歲
不成丁7，姪：汝僅12歲，姪：汝億4歲，姪：汝伏4歲，姪：汝侃5歲，姪：汝倫12歲，姪：汝佛2歲，姪：汝仲2歲
婦　女9，妻：金氏60歲，嫂：江氏52歲，弟婦：汪氏50歲，弟婦：吳氏49歲，弟婦：汪氏30歲，男婦：陳氏30歲，男婦：

陳氏16歲，姪婦：許氏25歲，姪婦：吳氏26歲
事産　68.4450
田　29.7560
地　13.6640
山　24.2640
塘　0.7610
民瓦房　6間
萬曆16年復査造實徵册
復査實徵　68.9190
田　29.6140
地　13.0220
山　25.4810
塘　0.8010

10年-Ⅳ-1　甲首　王　曜　民下戶
舊管　人口　5　男子4，婦女1
事産　3.5000
田　1.1500
地　0.0500
山　2.3000
開除　事産
轉除　3.5000
田　1.1500
賣與本都本圖人戶　萬曆7年　王　茂　0.6000
賣與本都1圖人戶　萬曆4年　王　爵　0.5500
地　0.0500
賣與本都本圖人戶　萬曆7年　王　茂　0.0500
山　2.3000
賣與本都1圖人戶　萬曆8年　陳　興　2.3000
實在　人口　5　男子成丁2，男：互57歲，姪：才23歲
不成丁2，本身73歲，姪：法13歲
婦　女1，妻：李氏70歲
事産
民草房　1間

10年-Ⅳ-2　甲首　汪福壽　民下戶
舊管　人口　3　男子2，婦女1
事産　3.9980
田　3.9930

塘　0.0050
新收　事産
今奉清丈
正收　0.9840
田　0.9290
塘　0.0550
開除　事産
轉除　3.4820
田　3.4220
賣與4都4圖人戶　萬暦6年　張　海　1.5000
賣與4都4圖人戶　萬暦9年　吳榮祖　1.9220
塘　0.0600
賣與4都4圖人戶　萬暦9年　吳榮祖　0.0600
實在　人口　3　男子成丁2，本身：35歲，弟：泉25歲
婦　女1，母：吳氏60歲
事産　1.5000
田　1.5000
民瓦房　2間

10年-Ⅳ-3　甲首　朱世明　民下戶
舊管　人口　2　男子1，婦女1
事産　37.3230　麥7斗1升8勺，米1石5斗7升2合3勺
田　25.4570
地　3.4080
山　8.2140
塘　0.2440
新收　人口　1　男子不成丁1，孫：大興 萬暦7年生
事産
今奉清丈　22.6685　麥4斗5升3合3勺，米1石1斗7合2勺
正收　13.5035　麥2斗8升1合1勺，米7斗2升5勺
田　10.1075
地　1.6560
塘　1.7400
轉收　9.1650　麥1斗7升2合2勺，米3斗8升6合7勺
田　5.9600
買本都本圖人戶6甲　萬暦2年　朱　廣　0.7500
萬暦6年　朱　社　0.4000
萬暦3年　朱文樞　2.7400
萬暦2年　朱文魁　1.3700

萬曆２年　朱文魁　0.7000

地　0.8900

買本都本圖人戶　萬曆２年　朱文魁　0.6900

萬曆10年　朱文樞　0.2000

山　2.1150

買本都本圖人戶　萬曆２年　朱文魁　2.0000

萬曆７年　朱文樞　0.1000

萬曆３年　朱文槐　0.0150

塘　0.2000

買本都本圖人戶　萬曆３年　朱　護　0.2000

開除　事產　19.4790　麥３斗４升６合３勺，米７斗５升１合３勺

正除　1.6880

山　1.6880

轉除　17.7199　麥３斗２升８合２勺，米７斗３升３合２勺

田　11.7675

賣與本圖人戶　萬曆10年　程賀成　10.4900

萬曆７年　朱八僎　1.2775

地　1.2724

賣與本圖人戶　萬曆６年　程賀成　0.6400

萬曆10年　朱社嵩　0.6324

山　4.5800

賣與本圖人戶　萬曆４年　程賀成　2.5000

萬曆10年　朱社嵩　2.0800

塘　0.1000

賣與本圖人戶　萬曆７年　程賀成　0.1000

實在　人口　3　男子成丁１，本身54歲

不成丁１，孫：大興４歲

婦　女１，妻：程氏56歲

事產　40.5836　麥８斗１升７合８勺，米１石９斗２升８合２勺

田　29.7570

地　4.6816

山　4.0610

塘　2.0840

復查實徵　41.6340　麥８斗３升６合３勺，米１石９斗６升９合

田　30.4880

地　4.6170

山　4.4420

塘　2.0870

10年-Ⅳ-4　甲首4　**汪　山**　民下戸

舊管　人口　3　男子2，婦女1

新收　人口　1　男子成丁1，孫：九顯 隆慶元年生，前册漏報

開除　人口　1　男子不成丁1，外甥：朱仁 萬曆5年故

實在　人口　3　男子成丁1，孫：九顯16歲

不成丁1，本身73歲

婦女1，母：明氏90歲

事産

民瓦房　3間

10年-Ⅳ-5　甲首　**朱文魁**　民下戸

舊管　人口　4　男子3，婦女1

事産　7.4330　麥1斗4升5合6勺，米3斗1合1勺

田　4.1470

地　1.9990

山　1.2610

塘　0.0260

新收　人口　2　男子不成丁1，姪：祿 萬曆9年生

婦女1，妻：汪氏 萬曆5年娶13都王錫女

事産

今奉清丈

正收　1.1860　麥1升1合6勺，米3升2合3勺

地　0.1910

山　0.9680

塘　0.0270

開除　人口　3　男子成丁1，伯：世欽 萬曆2年故

不成丁1，姪：岩生 萬曆9年故

婦女1，伯母：徐氏 萬曆元年故

事産　6.7250　麥1斗9升9合9勺，米2斗5升7合9勺

正除　0.0300

田　0.0300

轉除　6.6950　麥1斗2升5勺，米2斗5升6合3勺

田　3.6850

賣與本圖人戸			
	萬曆2年	朱世明	1.3700
	萬曆2年	朱世明	0.7000
	萬曆4年	程賀成	1.0000
	萬曆3年	朱社嵩	0.2370
	萬曆4年	朱　鐘	0.3780

地　0.9600

賣與本圖人戶　　萬曆元年　朱文槐　0.2200
萬曆3年　程賀成　0.0500
萬曆2年　朱世明　0.6900
山　2.0500
賣與本圖人戶　　萬曆2年　朱世明　2.0000
賣與13都1圖人戶　萬曆7年　汪　興　0.0500
實在　人口　4　男子成丁1，本身24歲
不成丁1，姪：祿2歲
婦　女2，伯母：舒氏50歲，妻：王氏24歲
事産　1.8940　麥3升6合7勺，米7升5合5勺
田　0.4320
地　1.2300
山　0.1790
塘　0.0530
民瓦房　3間
復査實徵　2.4575　麥4升4合6勺，米8升7合4勺
田　0.4350
地　1.4360
山　0.5335
塘　0.0530

10年-Ⅳ-6　甲首　**王　法**　民下戶
舊管　人口　7　男子4，婦女3
事産　9.9200　麥2斗5合4勺，米4斗4升6合7勺
田　6.3760
地　2.6280
山　0.6480
塘　0.2680
新收　人口　2　男子不成丁1，叔：賢 萬曆8年生
婦　女　1，弟婦：汪氏 萬曆6年娶本都汪順女
事産
今奉清丈
正收　2.6390　麥3升2合9勺，米4升6合9勺
田　0.4350
山　2.2040
開除　人口　2　男子成丁1，叔：遲 萬曆7年故
婦　女1，母：汪氏 萬曆元年故
事産　3.3950　麥7升5合7勺，米1斗5升3合2勺
正除　0.8900　麥2升2合，米1升9合2勺

地　0.7530
塘　0.1370
轉除　2.5050　麥5升3合7勺，米1斗3升4合
田　2.5050
賣與本圖人戶　萬曆3年　王　茂　1.8200
萬曆2年　王　茂　0.6850
實在　人口　7　男子成丁2，本身43歳，弟：美22歳
不 成 丁2，男：應雷13歳，叔：賢3歳
婦　女3，叔母：金氏55歳，妻：朱氏40歳，弟婦：汪氏22歳
事産　9.1640　麥1斗6升2合6勺，米3斗4升4勺
田　4.3060
地　1.8750
山　2.8520
塘　0.1310
民瓦房　3間
復査實徵　9.0210　麥1斗6升1合，米3斗3升8合
田　4.3010
地　1.8620
山　2.7370
塘　0.1210

10年-Ⅳ-7　甲首　朱景和　民下戶
舊管　人口　3　男子2，婦女1
事産　15.7660　麥2斗8升2合，米5斗8升1合1勺
田　7.3660
地　1.9190
山　5.1710
塘　1.3100
新收　人口　2　男子不成丁1，義姪：得盛 萬曆8年生
婦　女　1，妻：陳氏 萬曆元年娶到杭州陳德女
事産
今奉清丈　4.5010　麥7升4合8勺，米1斗6升4合
正收　4.4610　麥7升4合4勺，米1斗6升3合6勺
田　1.2940
地　1.7040
山　1.4630
轉收　0.0400
山　0.0400　麥4勺，米4勺
買本圖人戶　萬曆10年　朱文樞　0.0400

開除　人口　　2　男子不成丁1，姪：岩求 萬曆6年故
婦　　女　1，嬸：金氏 萬曆元年故
事產　　4.8760　麥6升6合4勺，米1斗1合
正除
塘　0.5320　麥1升1合4勺，2升8合4勺
轉除　　4.3040　麥5升5合，米7升2合6勺
地　0.9300
賣與本圖人戶　　萬曆4年　程賀成　0.1000
萬曆10年　朱興元　0.0100
萬曆10年　朱社嵩　0.8200
山　3.3740
賣與本圖人戶　　萬曆10年　朱社嵩　3.3740
實在　人口　　3　男子成丁1，本身44歲
不 成 丁1，義姪：得盛3歲
婦　　女1，妻：陳氏32歲
事產　　15.3910　麥2斗9升4勺，米6斗4升4合1勺
田　8.6600
地　2.6930
山　3.2600
塘　0.7780
民瓦房　2間
復查實徵　　15.9660　麥3斗5合，米6斗7升5合3勺
田　8.6230
地　3.6720
山　2.9110
塘　0.7600

10年-Ⅳ-8　甲首　倪　十　民下戶
舊管　人口　　3　男子2，婦女1
事產　　7.5820　麥1斗2升3合3勺，米1斗6升5合2勺
地　3.9310
山　3.6510
開除　事產　　7.5510　麥1斗2升1合9勺，米1斗6升3合8勺
正除　　6.9260　麥1斗1升2合6勺，米1斗4升8合1勺
地　3.5360　麥7升6合3勺，米1斗1升1合8勺
山　3.3900
轉除　　0.5250　麥9合3勺，米1升5合7勺
地　0.3950
賣與本圖人戶　　萬曆3年　王　茂　0.1850

萬曆2年　王　茂　0.2100
山　0.1300
賣與本圖人戸　萬曆8年　謝　社　0.1300
實在　人口　3　男子成丁1，本身47歲
不 成 丁1，男：四儀14歲
婦　女3，母：程氏70歲
事産　0.1310
山　0.1310
民瓦房　1間

…………………………………………………………………………………

10年-Ⅳ-9　甲首　**程大賓**　鑄匠
舊管　人口　16　男子11，婦女5
事産　71.7650　麥1石6斗2合5勺，米3石8斗2升5合3勺
官田地塘　3.4790　麥2斗3升9合8勺，米7斗1合2勺
田　3.0290
地　0.1840
塘　0.2660
民田地山塘　68.2860　麥1石3斗6升2合7勺，米3石1斗2升4合1勺
田　52.2050
地　6.3060
山　9.2120
塘　0.5630
新收　人口　6　男子成丁1，姪孫：友儀 隆慶2年生，前册漏報
不 成 丁3，姪孫：文 萬曆8年生，姪孫：多 萬曆9年生，姪孫：興 萬曆10年生
婦　女2，姪孫婦：汪氏 萬曆9年娶到無爲州汪臣女，姪孫婦：洪氏 萬曆10年娶到17都洪員女
事産
今奉清丈　12.1280　麥2斗1升1合1勺，米4斗3升2合1勺
正收　12.0540　麥2斗9合5勺，米4斗2升8合1勺
地　6.5950
山　3.5920
塘　1.8670
轉收　0.0740　麥1合6勺，米4合
田　0.0740
買到本都1圖人戸　萬曆5年　程　員　0.0740
開除　人口　6　男子成丁3，姪：爵 萬曆6年故，姪：萬曆4年故，姪：天盖 萬曆8年故
不 成 丁1，姪孫：洪 萬曆9年故

婦　　女２，姪婦：戴氏 萬曆２年故，男婦：金氏 萬曆３年故

事產　31.7570　麥８斗１升３合８勺，米２石２升８合６勺

正除　1.2160　麥２升４勺，米５斗７升１合７勺

田　0.9300

地　0.2860

轉除　30.5410　麥６斗１升３合４勺，米１石４斗５升６合９勺

田　25.2870

賣與本圖人戶	萬曆２年	朱社嵩	6.1000
	萬曆２年	朱社嵩	6.6200
賣與本都１圖人戶	萬曆５年	程　員	0.2500
賣與本都３圖人戶	萬曆４年	金　志	1.2290
	萬曆８年	金　錦	0.8100
	萬曆５年	金　辨	0.8000
賣與本都６圖人戶	萬曆３年	徐　保	1.1200
	萬曆７年	徐　保	2.5940
	萬曆３年	金有禮	0.6740
	萬曆４年	金　河	0.9900
	萬曆５年	朱隱顯	0.8500
	萬曆５年	程玄保	1.2500
	萬曆５年	程玄保	2.0000

地　1.8300

賣與本圖人戶	萬曆５年	朱八凳	0.9140
賣與本都１圖人戶	萬曆元年	程　員	0.4580
賣與本都３圖人戶	萬曆４年	金有翼	0.0150
賣與本都６圖人戶	萬曆元年	徐朝用	0.3000
賣與13都４圖人戶	萬曆元年	戴　洪	0.1430

山　3.5040

賣與本都１圖人戶	萬曆８年	程　員	0.2700
賣與本都３圖人戶	萬曆元年	朱天一	0.4250
	萬曆４年	金有翼	1.3640
	萬曆６年	金　寶	0.0500
賣與11都３圖人戶	萬曆５年	金　瑤	0.6500
賣與13都４圖人戶	萬曆９年	戴　洪	0.6650
賣與14都６圖人戶	萬曆７年	黃河源	0.0800

實在　人口　16　男子成丁７，男：天錫50歲，姪：天虎23歲，姪：珂33歲，姪：遞昊16歲，姪：遞俯16歲，姪孫：接儀15歲，姪孫：友儀15歲

不成丁４，本身93歲，姪孫：文３歲，姪孫：多２歲，姪孫：興１歲

婦　　女5，妻：汪氏75歲，男婦：金氏45歲，姪婦：徐氏40歲，
姪婦：洪氏25歲，姪孫婦：汪氏18歲

事産　52.1360　麥9斗9升5合8勺，米2石2斗2升8合8勺
田　29.1710
地　10.9690
山　9.3000
塘　2.6960
民瓦房　6間
民水牛　1頭

復査實徵　53.3505　麥1石2升1合6勺，米2石2斗7升1合5勺
田　29.3350
地　11.7780
山　9.5475
塘　2.6900

10年-Ⅳ-10　甲首　朱　象　民下戸

舊管　人口　4　男子2，婦女2
事産　1.2480　麥2升6合4勺，米5升4合3勺
田　0.6650
地　0.5360
山　0.0220
塘　0.0250

新收　人口　1　婦　女1，弟婦：項氏 萬曆元年娶到11都項白個女
事産
今奉清丈
正收　0.1310　麥1合7勺，米8合7勺
地　0.1000
山　0.0100
塘　0.0210

開除　人口　1　婦　女1，母：高氏 萬曆3年故
事産
正除　0.2540　麥5合4勺，米1升3合6勺
田　0.2540

實在　人口　4　男子成丁2，本身55歲，弟：俗35歲
婦　　女2，妻：巴氏40歲，弟婦：項氏30歲
事産　1.1250　麥2升2合7勺，米4升9合4勺
田　0.4110
地　0.6360
山　0.0320

塘　0.0460
民瓦房　２間
民水牛　１頭
復查實徵　1.4360　麥２升６合，米５升２合７勺
田　0.4100
地　0.6360
山　0.3440
塘　0.0460

10年-Ⅳ-11　甲首　王　英　民下戶
舊管　人口　3　男子２，婦女１
事產　0.3440　麥７合４勺，米１升１合
地　0.3440
開除　事產
正除　0.1340　麥３合２勺，米２合９勺
地　0.1340
實在　人口　3　男子成丁２，本身53歲，弟：勢45歲
婦　女１，母：吳氏87歲
事產　0.2100　麥４合２勺，米８合１勺
地　0.2100
民瓦房　３間

10年-Ⅳ-12　甲首　吳　琯　民下戶
舊管　人口　2　男子２
事產　14.0700　麥３斗１合２勺，米７斗３升６合
田　13.2500　麥２斗８升３合６勺，米７斗８合９勺
地　0.7800
塘　0.0400
新收　人口　2　男子不成丁１，男：琢　萬曆９年生
婦　女　１，妻：鄭氏　萬曆７年娶到８都鄭鑑女
事產
今奉清丈　0.8010　麥１升４合１勺，米３升６合１勺
正收　0.2710　麥５合，米２升５合６勺
地　0.2710
轉收　0.5300　麥９合９勺，米２升５勺
地　0.5300
買７都１圖人戶　萬曆８年　吳時鉉　0.5300
開除　人口　1　男子不成丁１，義姪：生　萬曆６年故
事產　1.4400　麥３升６勺，米７升４合７勺

正除　1.2890
田　1.2570　麥2升6合9勺，米6升7合2勺
塘　0.0320　麥7勺，米1合7勺
轉除　0.1510　麥3合，米5合8勺
地　0.1510
賣與4都2圖人戶　萬曆10年　吳　權　0.1510
實在　人口　3　男子成丁1，本身25歳
不成丁1，弟：琢2歳
婦　女1，妻：鄭氏21歳
事産　13.4310　麥2斗8升5合5勺，米6斗9升7合4勺
田　11.9930　麥2斗5合6勺，米6斗4合1勺
地　1.4300　麥2升8合6勺，米5升5合3勺
塘　0.0080　麥2勺，米4勺
民瓦房　3間
復査實徵　12.7440　麥2斗6升9合，米6斗4升6合7勺
田　10.3520
地　2.3650
塘　0.0270

10年-Ⅳ-13　**陳個成**　民下戶　（絶）
舊管　人口　3　男子2，婦女1
事産　1.0310　麥2升2合，米3升3合1勺
地　1.0310
開除　事産
正除　1.0310　麥2升2合，米3升3合1勺
地　1.0310
實在　人口　3　男子不成丁2，本身90歳，弟：救80歳
婦　女　1，妻：王氏75歳
事産
民瓦房　3間

10年-Ⅳ-14　**朱稅童**　軍戶　（絶）
舊管　人口　1　男子1
實在　人口　1　男子不成丁1，本身193歳
事産
民瓦房　2間

10年-Ⅳ-15　**朱宗得**　軍戶　（絶）
舊管　人口　2　男子2

事產　　4.6470　麥5升4合，米6升6合7勺
　　山　4.2510　麥4升5合5勺，米4升5合5勺
　　塘　0.3960　麥8合5勺，米2升1合2勺
開除　事產
　　正除　4.6470　麥5升4合，米6升6合7勺
實在　人口　2　男子不成丁2，本身210歲，弟：高林196歲
　　事產
　　　民瓦房　1間

10年-Ⅳ-16　　陳　法　軍戶（絕）
舊管　人口　3　男子3
實在　人口　3　男子不成丁3，本身206歲，弟：用198歲，弟：宜198歲
　　事產
　　　民瓦房　8間

10年-Ⅳ-17　甲首　汪　得　民下戶
舊管　人口　3　男子2，婦女1
新收　人口　1　男子不成丁1，義男：生 萬曆9年
開除　人口　1　男子不成丁1，男：成才 萬曆5年故
實在　人口　3　男子成丁1，本身57歲
　　　　　不 成 丁1，義男：生2歲
　　　　　婦　　女1，母：楊氏100歲
　　事產
　　　民瓦房　2間
　　　民黃牛　1頭

10年-Ⅳ-17　甲首　徐　灼　民下戶
舊管　人口　2　男子1，婦女1
　　事產　　0.2440　麥5合2勺，米7合8勺
　　　地　0.2440
開除　事產
　　正除　0.2440　麥5合2勺，米7合8勺
實在　人口　3　男子成丁1，本身44歲
　　　　　婦　　女1，伯母：王氏80歲
　　事產
　　　民瓦房　3間

第５甲

10年-Ⅴ　排年　陳　章　中戸　充當萬暦15年里長

舊管　人口　29　男子18，婦女11

事産　172.6355　麥３石３斗９升５合４勺，米７石６斗７升２合２勺

田　126.9265

地　17.2070

山　27.9340

塘　0.5680

新收　人口　3

正收　成　丁１，姪：志遠 隆慶元年生 前册漏報

不成丁２，姪孫：玄 萬暦９年生，姪孫：誠議 萬暦10年生

事産

今奉清丈　60.8595　麥１石２斗９合５勺，米２石８斗６升３合５勺

正收丈收　31.4975　麥６斗７升４合１勺，米１石６斗８升５合２勺

田　31.3115

塘　0.1860

轉收　29.3620　麥５斗３升５合４勺，米１石１斗７升８合３勺

田　18.6180

買本圖人戸	５年買	王　茂	1.2720
	10年買	朱勝付	7.0300
	10年買	陳　宣	1.1030
	10年買	陳　新	2.3030
	10年買	陳新漢	0.2700
買本都１圖人戸	６年買	陳　晉	2.7460
	５年買	陳岩求	1.6600
	元年買	陳寓祿	1.0390
買11都３圖人戸	３年買	金　成	0.8700
買26都５圖人戸	９年買	畢勝互	0.3250

地　2.4050

買本圖人戸	９年買	陳　宣	1.0220
	10年買	陳　旦	0.2310
	７年買	朱勝付	0.9940
買本都１圖人戸	７年買	陳　軒	0.1460
	９年買	陳　□	0.0120

山　8.3390

買本圖人戸	５年買	陳新漢	5.3950
	８年買	朱勝付	1.7600
	10年買	陳　宣	1.1840

開除　人口　3　成丁3　兄：德 萬曆3年故，兄：時 萬曆5年故，姪：尚應 萬曆9年故

事產　53.8510　麥1石1斗2升3合1勺，米2石4斗9升4合7勺

正除丈除　5.0350　麥1斗7合5勺，米2升3合7勺

地　2.9860

山　2.0445

轉除　48.8205　麥1石1升5合6勺，米2石4斗7升1合

田　43.6590

賣本圖人戶		5年賣	劉再得	2.6510
		4年賣	王　茂	1.3830
		10年賣	陳信漢	0.9260
	4甲	9年賣	王　時	1.0000
賣本都1圖人戶		9年賣	陳　貴	1.9780
		元年賣	王　爵	4.0800
		5年賣	陳寓祿	1.4440
		3年賣	朱　法	2.9770
		2年賣	朱　法	2.8600
		9年賣	陳振達	0.8850
		5年賣	陳　善	6.3400
		8年賣	陳　興	2.2630
		8年賣	陳社護	1.1840
		10年賣	陳　興	2.0000
		8年賣	陳尚仁	4.1270
賣13都2圖人戶		4年賣	程　文	4.5110
賣26都2圖人戶		9年賣	朱　敖	3.0500

地　2.8260

賣本圖人戶	10年賣	陳　新	2.8260

山　2.3155

賣本圖人戶	10年賣	陳　新	1.3155
	5年賣	王　茂	1.0000

塘　0.0200

賣本圖人戶	6年賣	王　茂	0.0200

實在　人口　29　成　丁13，本身52歲，弟：廷椿40歲，弟：成富25歲，弟：天漢37歲，姪：旦35歲，姪：成堅34歲，姪：信33歲，姪：笎25歲，姪：志道25歲，姪：尚思23歲，姪：志遠16歲，姪孫：香18歲，姪孫：奎光17歲 前減年甲

不成丁5，男：文明11歲，姪：廷綱12歲，姪：廷憲13歲，姪孫：玄2歲，姪孫：誠議1歲

婦　女11，嫂：葉氏 59歲，嫂：汪氏55歲，嫂：朱氏60歲，嫂：

金氏50歲，姪婦：汪氏36歲，姪婦：汪氏40歲，弟婦：朱氏30歲，姪婦：汪氏30歲，姪婦：吳氏30歲，弟婦：汪氏30歲，妻：朱氏48歲

事產		179.6440	麥3石4斗8升1合8勺，米8石4斗4升1合
	田	133.1970	
	地	13.8000	
	山	31.9130	
	塘	0.7340	
	民瓦房	3間	

萬曆16年奉上司明文復查，改造實徵册

復查實徵		179.2800	麥3石4斗7升5合3勺，米8石2升2合4勺
	田	132.4650	
	地	14.3040	
	山	31.7190	
	塘	0.7920	

10年-Ⅴ-1　甲首　**朱勝付**　民下戶　充萬曆15年甲首

舊管　人口　4　男子3，婦女1

事產		19.3230	麥3斗9升1合5勺，米9斗1升8合4勺
	田	16.0100	
	地	1.2400	
	山	2.0530	
	塘	0.0200	

新收　事產

今奉淸丈

正收		0.2500	麥5合，米9合8勺
	地	0.2400	
	塘	0.0100	

開除　事產		10.0850	麥1斗9升5合7勺，米4斗3升4合6勺
正除		0.2470	麥6合7勺，米1合2勺
	地	0.2400	
	山	0.0070	
轉除		9.7840	麥1斗8升9合，米4斗3升3合4勺
	田	7.0300	
	賣與本圖人戶	萬曆4年　陳　章	7.0300
	地	0.9940	
	賣與本圖人戶	萬曆7年　陳　章	0.9940
	山	1.7600	
	賣與本圖人戶	萬曆3年　陳　章	1.7600

實在　人口　　4　男子成丁２，婿：陳方64歳，甥：盛25歳
不 成 丁１，本身104歳
婦　　女１，女弟娘：50歳
事産　　9.5420　麥２斗８勺，米４斗９升４合６勺
田　8.9800
地　0.2460
山　0.2860
塘　0.0300
民瓦房　2間
復査實徵　　9.4680　麥１斗９升９合７勺，米４斗９升２合８勺
田　8.9820
地　0.2060
山　0.2500
塘　0.0300

10年-Ⅴ-2　甲首　**陳　新**　民下戸
舊管　人口　　5　男子２，婦女３
事産　　8.5657　麥１斗６升５合，米３斗７升９合３勺
田　6.4010
地　0.2490
山　1.7210
塘　0.1940
新收　人口　　1　婦女１，妻：葉氏 萬曆元年娶到17都葉靑女
事産
今奉清丈　　17.3910　麥２斗６升５合７勺，米４斗５升５合９勺
正收　　6.9470　麥７升９合１勺
山　6.5000
塘　0.4470
轉收　　10.4440　麥１斗８升６合６勺，米３斗６升２合５勺
田　2.0910
買11都３圖人戸　萬曆10年　金文獻　2.0910
地　5.6520
買本圖人戸　萬曆10年　陳　章　2.8260
買本都１圖人戸　萬曆10年　陳振達　2.8260
山　2.6310
買本圖人戸　萬曆10年　陳　章　1.3150
買本都１圖人戸　萬曆10年　陳振達　1.3155
塘　0.0700
買11都３圖人戸　萬曆10年　金文獻　0.0700

開除　人口　１　婦女１，叔母：呉氏 萬曆４年故
事産　2.3507　麥５升7合，米１斗２升３合５勺
正除　0.0477　麥１合４勺，米３勺
地　0.0477
轉除　2.3030
田　2.3030
賣與本圖人戸　萬曆10年　陳　章　2.3030
實在　人口　５　男子成丁１，本身32歳
不 成 丁１，姪：輅14歳
婦　女３，妻：葉氏25歳，嫂：汪氏70歳，嫂：金氏55歳
事産　23.6060　麥３斗８升，米７斗１升１合７勺
田　6.1890
地　5.8540
山　10.8520
塘　0.7110
民瓦房　２間
復查實徵　22.7360　麥３斗６升８合３勺，米６斗９升５合３勺
田　6.2240
地　5.5420
山　10.2600
塘　0.7100

10年-Ⅴ-3　甲首　**陳信漢**　民下戸
舊管　人口　２　男子１，婦女１
事産　22.0000　麥４斗２升４合３勺，米９斗６升３合１勺
田　16.6130
地　0.5170
山　5.3950
新收　事産
轉收　0.9260　麥１升９合８勺，米４升９合５勺
田　0.9260
買本圖人戸　萬曆10年　陳　章　0.9260
開除　事産　8.5090　麥１斗２升４合８勺，米２斗１升７合７勺
正除　2.8440　麥６升１合３勺，米１斗４升５合６勺
田　2.6270
地　0.2170
轉除　5.6650　麥６升３合５勺，米７升２合１勺
田　5.6650
賣與本圖人戸　萬曆６年　陳　章　0.2700

萬曆5年　陳　章　5.3950
實在　人口　2　男子成丁1，本身29歳
婦　女1，妻：楊氏30歳
事産　14.9420　麥3斗1升9合3勺，米7斗9升4合9勺
田　14.6420
地　0.3000
民瓦房　3間
復査實徵　16.0620　麥3斗4升3合5勺，米8斗5升7合7勺
田　15.9540
地　0.1080

10年-V-4　甲首　金社保　竹匠
舊管　人口　12　男子7，婦女5
事産　19.7740　麥3斗8升8合3勺，米7斗1升7勺
田　0.6816
地　9.6930
山　3.2650
新收　人口　1　男子不成丁1，姪：廷端　萬曆9年生
事産
今奉清丈　18.6480　麥3斗4升9合，米7斗1升7合3勺
正收　13.5560　麥2斗4升2合7勺，米4斗4升3合5勺
田　2.0000
地　8.3090
山　3.2470
轉收　5.0920　麥1斗6合3勺，米2斗5升3合8勺
田　4.0480
買本圖人戶　萬曆5年　項興才　0.4300
買26都5圖人戶　萬曆8年　僧普源・朱　勝　3.6180
地　0.9300
買本圖人戶　萬曆7年　汪　琰　0.9300
山　0.1140
買本都3圖人戶　萬曆6年　金　永　0.1140
開除　人口　1　男子成丁1，男：成　萬曆2年故
事産　3.6180　麥8升4合5勺，米7升2合3勺
正除　2.0000
地　2.0000
轉除　1.6620　麥2升9合9勺，米5升9合
田　0.3260
賣與本都1圖人戶　萬曆2年　朱　曜　0.3260

地　0.9920
賣與本都3圖人戸　萬暦10年　朱玄貴　0.9920
山　0.3440
賣與本圖3甲人戸　萬暦10年　朱　清　0.0940
萬暦6年　金　永　0.2500
實在　人口　12　男子成丁4，姪：47歳，弟：社得36歳，姪：琦33歳，姪：岩壽16歳　前減年甲，今後實報
不成丁3，本身95歳，姪：岩生12歳，姪：廷端2歳
婦　女5，妻：汪氏86歳，弟婦：胡氏70歳，弟婦：李氏61歳，男婦：程氏52歳，姪婦：鐘氏46歳
事産　34.8040　麥6斗5升2合7勺，米1石3斗5升5合7勺
田　12.5380
地　15.9400
山　6.3260
民瓦房　3間
復査實徵　34.8010　麥6斗5升4合，米1石3斗5升8合9勺
田　12.5360
地　16.0590
山　6.2060

10年-V-5　甲首　**呉　京**　民下戸
舊管　人口　5　男子3，婦女2
事産　25.4760　麥5斗3升8合9勺，米1石2斗7升3合2勺
田　18.1200
地　6.2660
山　0.6000
塘　0.4900
新收　人口　1　男子不成丁1，男：碧 萬暦8年生
事産
今奉清丈　7.8930　麥1斗5升9合2勺，米3斗4升1合4勺
正收　2.1810　麥4升3合3勺，米8升4合4勺
地　2.1810
轉收　5.7120　麥1斗1升5合9勺，米2斗5升6合6勺
田　2.7830
買3都5圖人戸　萬暦7年　呉玄仁　0.3140
買7都1圖人戸　萬暦8年　呉時鐸　1.4900
買17都2圖人戸　萬暦4年　王本堅　0.9790
地　2.7290
買3都2圖人戸　萬暦8年　金文祥　1.1000

　　　　　　買３都４圖人戶　　　萬曆５年　任廷源　0.8410
　　　　　　買15都１圖人戶　　　萬曆８年　汪汝和　0.8780
　　　　　山　0.2000
　　　　　　買３都２圖人戶　　　萬曆７年　金文祥　0.2000
開除　人口　　１　男子不成丁１，孫：壽 萬曆３年故
　　　事產　　　　8.8970　麥１斗９升１合２勺，米３斗８升４合７勺
　　　　正除　　　8.4640　麥１斗８升２合６勺，米３斗６升７合９勺
　　　　　田　6.2910
　　　　　地　1.2000
　　　　　山　0.6000
　　　　　塘　0.3730
　　　　轉除　　　0.4330　麥８合６勺，米１升６合８勺
　　　　　地　0.4330
　　　　　　賣與３都８圖人戶　　萬曆７年　胡天貴　0.3590
　　　　　　賣與本都人戶　　　　萬曆２年　吳　□　0.0740
實在　人口　　５　男子成丁２，本身58歲，男：隆39歲
　　　　　　　　　不 成 丁１，男：碧３歲
　　　　　　　　　婦　　女２，妻：程氏50歲，男婦：汪氏35歲
　　　事產　　　　24.4720　麥５斗６合９勺，米１石１斗５升９合５勺
　　　　　田　14.6120
　　　　　地　9.5430
　　　　　山　0.2000
　　　　　塘　0.1170
　復查實徵　　　　25.3100　麥５斗２升４合９勺，米１石３斗１升５合４勺
　　　　　田　（原　缺）
　　　　　地　（原　缺）
　　　　　山　0.4080
　　　　　塘　0.2330

10年-Ⅴ-6　甲首　**陳　旦**　民下戶
舊管　人口　　７　男子４，婦女３
　　　事產　　　　4.0720
　　　　　田　1.6690
　　　　　地　2.3250
　　　　　塘　0.0780
開除　事產　　　　3.3860
　　　　正除　　　2.6050
　　　　　田　1.6690
　　　　　地　0.8580

塘　0.0780
轉除　0.7810
地　0.7810
賣與本圖人戸　萬曆10年　陳　章　0.2310
萬曆10年　陳　祥　0.5500
實在　人口　7　男　子4
婦　女3
事產　0.6860
地　0.6860
民瓦房　2間

10年-V-7　甲首　汪義曜　民下戸
舊管　人口　4　男子2，婦女2
事產　0.7510
田　0.5160
地　0.2350
新收　人口　1　男子不成丁1
開除　人口　1　男子不成丁1
事產　0.7510
正除　0.5970
田　0.5160
地　0.0810
轉除　0.1540
地　0.1540
賣與本圖人戸　萬曆10年　朱　清　0.1540
實在　人口　4　男　子2
婦　女2
事產
民瓦房　4間

10年-V-8　甲首　謝　友　民下戸
舊管　人口　4　男子2，婦女2
新收　人口　1　婦　女1
開除　人口　1　婦　女1
實在　人口　4　男子成丁2
婦　女2
事產
民瓦房　3間

10年-Ⅴ-9　甲首　謝雲玘　民下戶
舊管　人口　4　男子２，婦女２
事産　1.1130
地　0.2540
山　0.8590
新收　人口　1　婦　女１
開除　人口　1　婦　女１
事産　0.0870
正除　0.0870
地　0.0870
實在　人口　4　男子成丁２
婦　女２
事産　1.0260
地　0.1670
山　0.8590
民瓦房　1間
復査實徴　1.1605
地　0.1770
山　0.9830

10年-Ⅴ-10　甲首　王　鍾　民下戶
舊管　人口　4　男子１，婦女３
事産　1.4600
山　1.4600
新收　人口　1　婦　女１
事産
今奉清丈
正收　0.1200
地　0.1200
開除　人口　2　婦　女２
事産　1.2600
正除　1.2300
山　1.2300
轉除　0.0300
山　0.0300
賣與本圖人戶　萬曆６年　王　茂　0.0300
實在　人口　3　男子成丁１
婦　女２
事産　0.3200

地　0.1200
山　0.2000
民瓦房　2 間
復查遺漏實徵　0.3610
地　0.1610
山　0.2000

10年-Ⅴ-11　甲首11　程眞來　民下戸
舊管　人口　2　男子 2
事産　0.6890
田　0.5550
地　0.1340
開除　事産
正除　0.6890
實在　人口　3　男子成丁 2
事産
民瓦房　2 間

10年-Ⅴ-12　甲首　陳　宜　民下戸
舊管　人口　3　男子 2，婦女 1
事産　10.4860
田　8.2800
地　1.0220
山　1.1840
新收　事産
今奉清丈
正收　0.2000
地　0.2000
開除　事産　6.0880
正除　0.2000
地　0.2000
轉除　5.8880
田　3.6820
賣與本圖人戸　萬曆10年　陳　章　1.1030
賣與本都 1 圖人戸　萬曆元年　王　爵　2.5790
地　1.0220
賣與本圖人戸　萬曆10年　陳　章　1.0220
山　1.1840
賣與本圖人戸　萬曆10年　陳　章　1.1840

實在　人口　3　男　子 2
婦　女 1
事産　4.5980
田　4.5980
民瓦房　3間

10年-Ⅴ-13　**陳原得**　軍戶　（絕）
舊管　人口　1　男子 1
事産　10.4860
民瓦房　2間

10年-Ⅴ-14　**陳道壽**　軍戶　（絕）
舊管　人口　3　男子 2，婦女 1
事産
民瓦房　1間

10年-Ⅴ-15　**周淮得**　軍戶　（絕）
舊管　人口　2　男子 2
事産　6.7850
田　0.7770
地　6.0080
開除　事産
正除　6.7850
實在　人口　2　男子不成丁 2

10年-Ⅴ-16　**吳佛保**　軍戶　（絕）
舊管　人口　4　男子 4
實在　人口　4　男子不成丁 4
事産
民瓦房　3間
民黄牛　1頭

10年-Ⅴ-17　**詹　曜**　民戶　（絕）
舊管　人口　4　男子 2，婦女 2
事産　1.9470
田　0.1050
地　1.8070
山　0.0350
開除　事産

正除　1.9470
實在　人口　4　男子不成丁2，婦女2
事産
民瓦房　3間

第6甲

10年-VI　排年　朱　廣　中戸
舊管　人口　16　男子8，婦女8
事産　129.6385
田　78.2550
地　19.9635
山　25.2690
塘　6.1410
新收　人口　9
正收　成　丁3
奉例告明收入三甲下歸併　成　丁2　孫：社　原立本三甲首，今併入本戸當差，義賢　併入本戸當差
婦　女4
事産
今奉清丈　62.1750
正收丈收　34.3950
田　13.5140
地　17.8265
塘　3.0500
奉例告明收入朱社戸歸併
27.7800
田　27.6550
塘　0.1250
開除　人口　7　成　丁4
婦　女3
事産　76.6881
正除丈除　8.0420
地　5.0000
山　3.0420
轉除　68.6461
田　58.4930

	賣本圖人戶	5年賣	陳　進	10.2000
		2年賣	朱世明	0.7500
		6年賣	程賀成	12.3500
		8年賣	朱　互	1.7000
		2年賣	朱八貧	3.2590
		3年賣	朱八魚	1.8070
		6年賣	朱八魚	3.7440
		2年賣	朱社嵩	0.7630
	賣本都3圖人戶	6年賣	金　甫	1.1000
		6年賣	金有翌	3.7400
		6年賣	金文澤	3.7700
		5年賣	金福迋	2.3500
		4年賣	程玄保	0.8000
	賣本都6圖人戶	5年賣	吳　法	2.2550
		5年賣	吳文茂	2.3450
		5年賣	李文光	6.4600
		5年賣	徐　弘	1.1000
地　1.7300				
	賣本圖人戶	5年賣	朱　互	1.4640
		2年賣	朱社嵩	0.2660
山　8.1541				
	賣本圖人戶	7年賣	朱　鏜	1.4550
		7年賣	朱　鏜	1.0600
		6年賣	朱　互	4.0263
		4年賣	程賀成	0.3834
		3年賣	朱社嵩	0.5738
		6年賣	朱社嵩	0.0560
		元年賣	朱之棟	0.6000
	賣24都6圖人戶	10年賣	程時言	0.0100
塘　0.2690				
	賣本圖人戶	4年賣	朱社嵩	0.2390
		元年賣	朱之棟	0.0300

實在　人口　18　成　丁8

不成丁1

婦　女9

事產　115.1190

田　60.9310

地　31.3170

山　14.2080

塘　9.0200

10年-Ⅵ-1　甲首　**朱　護**　民下戸　充萬曆16年甲首

舊管　人口　3　男子2，婦女1
　　事産　32.4530
　　田　24.1140
　　地　0.1790
　　山　7.9600
　　塘　0.2000

新收　人口　1
　　不成丁1
　　事産　13.7430
　今奉清丈
　　正收　4.7300
　　田　3.9520
　　地　0.7780
　　轉收　8.9443
　　田　3.3400

買本圖人戸	8年	朱　廣	1.7000
買本都1圖人戸	元年	程　元	0.6000
買本都6圖人戸	10年	吳文茂	1.0400

　　地　1.4930

買本圖人戸	5年	朱　廣	1.4640
買本都人戸	11年	朱興元	0.0250
	10年	吳文茂	0.0040

　　山

買本圖人戸	6年	朱　廣	4.0263

　　塘　0.0850

買本都1圖人戸	元年	程　元	0.0310
買本都戸	10年	吳文茂	0.0540

開除　人口　1
　　成丁1
　　事産　0.4000
　　正除　0.4000
　　地　0.2000
　　塘　0.2000

實在　人口　3　男子成丁1
　　不成丁1
　　婦　女1

事產			45.7273	
		田	31.4060	
		地	2.2500	
		山	11.9863	
		塘	0.0850	
復査實徵			45.6545	
		田	31.3750	
		地	2.2500	
		山	11.9445	
		塘	0.0850	

10年-Ⅵ-2　甲首　王　科　匠下戶

舊管	人口	3	男子１，婦女２	
	事產		1.9530	
		地	1.5530	
		山	0.4000	
新收	事產		0.4330	
今奉清丈				
	正收		0.4330	
		田	0.4330	
開除	事產			
	正除		0.7920	
		地	0.5960	
		塘	0.1960	
實在	人口	3	男子成丁１	
			婦　　女２	
	事產		1.5940	
		田	0.4330	
		地	0.9570	
		山	0.2040	
		民瓦房	６間	
		民水牛	１頭	
復査實徵			1.5860	
		田	0.4270	
		地	0.9550	
		山	0.2040	

10年-Ⅵ-3　甲首　朱　鍠

舊管	人口	2	

事産　28.1350
田　26.3510
地　1.6130
塘　0.1710

新收
事産
今奉清丈　5.4065
正收丈收　1.5090
田　0.8820
地　0.6090
塘　0.0180
轉收　3.8975
田　1.1680
買本都6圖人戶　元年賣　吳　朗　0.5900
買本圖人戶　3年賣　朱文魁　0.3780
山　2.7105
買本圖人戶　7年賣　朱　廣　1.4505
7年賣　朱　廣　1.0160
7年賣　朱　廣　0.0440
元年賣　朱文魁　0.2000
塘　0.0190
3年賣　朱文魁　0.0190

開除　事産　7.8980
正除丈除　0.3500
地　0.3500
轉除　7.5480
田　7.5480
賣本圖人戶　元年賣　朱之棟　3.5480
元年賣　朱　嵩　4.0000

實在　人口　2　成　丁1
婦　女1
事産　25.6435
田　20.8530
地　1.8720
山　2.7105
塘　0.2080
復查實徵　25.6600
田　20.8590
地　1.8800

山　2.7110
塘　0.2100

………………………………………………………………………………

10年-Ⅵ-4　甲首　金　玹　民下戸　原籍故父金岩壽　全戸萬曆20年黄册推與11都□圖當差

舊管　人口　6　男子4，婦女2
事産　4.5850
田　0.1320
地　2.8060
山　1.5510
塘　0.0960
新收　人口　1
不成丁1
事産　0.2340
今奉清丈
正收　0.2340
田　0.2340
開除　人口　1
不成丁1
事産　3.5250
正除　3.5250
地　2.2340
山　1.1950
塘　0.0960
實在　人口　6　男　子4
婦　女2
事産　1.2840
田　0.3560
地　0.5720
山　0.3560
民瓦房　3間
復査實徵　1.8970
田　0.3560
地　0.3850
山　1.1560

………………………………………………………………………………

10年-Ⅵ-5　甲首　朱　龍　匠下戸

舊管　人口　10　男子6，婦女4
事産　33.0220

田　8.3580
地　14.8180
山　9.8460
新收　人口　4　男子2，婦女2
事産
今奉清丈
正收　3.5800
田　3.1050
地　4.0000
塘　0.0750
開除　人口　5　男子3，婦女2
事産　9.8785
正除　7.0685
地　2.6820
山　4.3865
轉除　2.8100
田　1.6890
賣本圖人戶3甲　8年賣　朱　清　0.4590
6年賣　朱　淸　0.8960
5年賣　朱　淸　0.3340
地　0.8110
賣本圖人戶　9年賣　朱　曜　0.2000
賣本都3圖人戶　9年賣　朱玄貴　0.6110
山　0.3100
賣本圖人戶3甲　9年賣　朱　淸　0.1500
9年賣　朱玄貴　0.1600
實在　人口　9　男子5，婦女4
事産　26.7235
田　9.7740
地　11.7250
山　5.1495
塘　0.0750
復查實徵　26.7415
田　9.7630
地　11.7540
山　5.1495
塘　0.0750

…………………………………………………………………………………………

10年-Ⅵ-6　甲首　汪　琰　民下戶

舊管	人口	6	男子3，婦女3			
	事產		24.0907			
		田	11.6690			
		地	7.2807			
		山	4.4990			
		塘	0.6420			
新收	人口	1	男子不成丁1			
	事產					
今奉清丈						
	正收		0.4610			
		田	0.1610			
		地	0.3000			
開除	事產		4.5947			
	正除		2.9617			
		地	1.2837			
		山	1.1490			
		塘	0.5290			
	轉除		1.6330			
		地	1.5330			
			賣本圖人戶	7年賣	金社保	0.9300
			賣本都1圖人戶	6年賣	陳天盛	0.1370
			賣本都3圖人戶	4年賣	金　永	0.4660
		山	0.1000			
			賣本圖人戶	9年賣	王　茂	0.1000
實在	人口	7	男子4，婦女3			
	事產		19.9570			
		田	11.8300			
		地	4.7640			
		山	3.2500			
		塘	0.1130			
	民瓦房		3間			
復查實徵			20.7220			
		田	12.6630			
		地	4.6920			
		山	3.2500			
		塘	0.1130			

10年-Ⅵ-7　甲首　汪　洞　民下戶

舊管　人口　2
事產　4.5843
田　0.6370
地　0.8083
山　2.7640
塘　0.3750
新收　人口　1　婦女1
事產
今奉清丈
正收　3.5590
田　3.4590
地　0.1000
開除　事產
正除　3.3503
地　0.2113
山　2.7640
塘　0.3750
實在　人口　2　男子成丁1，婦女1
事產　4.7930
田　4.0960
地　0.6970
復査實徵　4.7530
田　4.0560
地　0.6970

10年-Ⅵ-8　甲首　汪　龍　民下戶

舊管　人口　6　男子3，婦女3
事產　3.1320
地　2.5650
山　0.5500
塘　0.0170
新收　人口　1　婦女1
事產　1.2200
今奉清丈
正收丈收　0.2500
山　0.2500
轉收　0.9700
地　0.1900

買本圖人戶　5年賣　王　茂　0.1900
山　0.7800
買本圖人戶　2年賣　王　茂　0.6500
3年賣　王齊興　0.1300
開除　人口　1　婦女1
事產
正除丈除　0.5260
地　0.5090
塘　0.0170
實在　人口　6　男子3，婦女3
事產　3.8260
地　2.2460
山　1.5800
民瓦房　2間
民水牛　1頭
復查實徵　3.8100
地　2.2300
山　1.5800

10年-Ⅵ-9　甲首　**朱　曜**　民下戶
舊管　人口　3　男子2，婦女1
事產　18.3720
田　15.0730
地　3.1300
山　0.1140
塘　0.0550
新收　事產
今奉清丈
正收丈收　5.4700
田　5.4700
開除　事產
正除丈除　3.2990
地　3.1300
山　0.1140
塘　0.0550
實在　人口　3　男子成丁1，婦女1
事產　20.5430
田　20.5430
民瓦房　3間

10年-Ⅵ-10　甲首　王　良　民下戶

舊管　人口　4　男子3，婦女1
　　事產　　4.2530
　　田　3.7140
　　地　0.2790
　　山　0.1300
　　塘　0.1300
新收　人口　2
　　事產　　8.4610
　今奉清丈
　　正收　　1.2860
　　地　1.2860
　　轉收　　7.1750
　　田　4.2500
　　　買本都1圖人戶　5年　任　森　3.6530
　　　買17都2圖人戶　10年　王本堅　0.5970
　　地　1.8950
　　　買本都1圖人戶　6年　任　森　1.8950
　　山　1.0300
　　　買3都1圖人戶　6年　任　森　1.0300
開除　人口　1
　　成丁1
　　事產　　2.8970
　　正除　　1.3570
　　田　1.0470
　　地　0.0500
　　山　0.1300
　　塘　0.1300
　　轉除　　1.5400
　　田　0.7550
　　　賣3都人戶　7年　吳文邦　0.3000
　　　賣5都2圖人戶　8年　胡應元　0.4550
　　地　0.7850
　　　賣4都5圖人戶　7年　方天誚　0.7850
實在　人口　5　男子3，婦女2
　　事產　　9.8170
　　田　6.1620
　　地　2.6350
　　山　1.0300

民瓦房　２間
復查實徵　9.8010
田　6.1460
地　2.6350
山　1.0300

10年-Ⅵ-11　甲首　**朱社嵩**　民下戶　原籍故義父汪起
舊管　人口　2
事產　2.1950
田　1.7110
地　0.4840
新收　人口　9
轉收　男婦２
本身原本甲朱嵩戶次第，係萬曆四年來繼義父汪起爲嗣，今承籍當差
事產　36.7884
今奉清丈
正收丈收　2.2760
田　2.2760
轉收　34.5124
田　26.1080
買本都１圖人戶　２年　吳岩定　0.3840
元年・３年　程　員　2.6710
４年　吳　祿　2.7770
買本都３圖人戶　３年　金忠社　3.3330
買本都６圖人戶　２年　吳　鎭　2.2000
３年　吳文茂　1.2600
買本圖人戶　３年　程大賓　6.1000
２年　朱　廣　0.7630
２年　程大賓　6.6200
地　1.6664
買本圖人戶　10年　朱達明　0.6324
10年　朱景和　0.8200
３年　朱　廣　0.1300
５年　朱廷坤　0.0840
山　6.4990
買本圖人戶　10年　朱達明　2.0800
10年　朱景和　3.4140
元年　程　朗　0.3750

3年　朱　廣　0.5740
6年　朱　廣　0.0560
塘　0.2390
買本圖人戶　4年　朱　廣　0.2390
開除　人口　2
事產　0.4840
正除丈除　0.4840
地　0.4840
實在　人口　2
事產　38.4994
田　30.0950
地　1.6664
山　6.4990
塘　0.2390
復查實徵　37.6330
田　30.1020
地　0.8470
山　6.4430
塘　0.2400

10年-Ⅵ-12　甲首　程賀成　民下戶
舊管　人口　2
事產　0.3440
地　0.2470
塘　0.0950
新收　人口　1
成丁1
事產　41.4860
今奉清丈
正收　4.8930
田　4.1280
地　0.7650
轉收　36.5934
田　28.8400
買本圖人戶　6年　朱　廣　12.3500
7年　朱達明　10.4900
4年　朱達欽　1.0000
4年　朱文槐　2.2000
4年　程　朗　0.8000

　　　　　買本都1圖人戶　8年　程　元　0.5000
　　　　　買本都6圖人戶　元年　吳　朗　1.5000
　　　　地　1.9710
　　　　　買本圖人戶　4年　朱達明　0.6400
　　　　　　　　　　　4年　朱達欽　0.0500
　　　　　　　　　　　2年　朱文樞　0.1200
　　　　　　　　　　　4年　朱景和　0.1000
　　　　　　　　　　　9年　朱文槐　0.3000
　　　　　　　　　　　5年　程　朗　0.7000
　　　　　買本都6圖人戶　4年　朱隱顯　0.0614
　　　　山　5.6724
　　　　　買本圖人戶　4年　朱達明　2.5000
　　　　　　　　　　　4年　朱文槐　1.7540
　　　　　　　　　　　元年　朱文樞　0.1500
　　　　　　　　　　　4年　朱　廣　0.3830
　　　　　買本都6圖人戶　4年　朱隱顯　0.2850
　　　　　買11都3圖人戶　9年　范　辛　0.6000
　　　　塘　0.1100
　　　　　買本圖人戶　7年　朱達明　0.1000
　　　　　　　　　　　5年　程　朗　0.0100
開除　人口　1
　　　　　　成丁1
　　事產　0.4000
　　　正除　0.4000
　　　　地　0.2000
　　　　塘　0.2000
實在　人口　3　男子2，婦女1
　　事產　41.6334
　　　　田　32.9680
　　　　地　2.8830
　　　　山　5.6724
　　　　塘　0.1100
　　　民瓦房　3間
　　　民水牛　1頭
　復查實徵　41.6360
　　　　田　32.9770
　　　　地　2.8770
　　　　山　5.6720
　　　　塘　0.1100

……………………………………………………………………………………

10年-Ⅵ-13　汪記遠　軍戸　(絶)
舊管　人口　3　男子2，婦女1
事産　2.5110
田　0.6610
地　0.2440
山　1.6060
開除　事産
正除丈除　2.5110
實在　人口　3　男子2，婦女1
事産
民瓦房　3間

....

10年-Ⅵ-14　汪添興　軍戸　(絶)
舊管　人口　1　男子1
實在　人口　1　男子不成丁1
事産
民瓦房　3間

....

10年-Ⅵ-15　呉社童　軍戸　(絶)
舊管　人口　1　男子1
事産　1.4780
地　1.4780
開除　事産
正除丈除　1.4780
實在　人口　1　男子不成丁1
事産
民瓦房　3間
民水牛　1頭

....

10年-Ⅵ-16　甲首　陳記生　軍戸
舊管　人口　2
事産　0.1580
地　0.1580
開除　事産
正除丈除　0.0550
實在　人口　2
事産
地　0.1030
民瓦房　3間

復査實徵　　0.0965
　　地　0.0965

……………………………………………………………………………………

10年-Ⅵ-17　甲首　金　盛　民下戶
舊管　人口　4　男子２，婦女２
　事產　　0.0700
　　地　0.0500
　　山　0.0200
新收　事產
　正收　　0.1400
　　地　0.1400
開除　事產
　正除丈除　0.0200
　　山　0.0200
實在　人口　4　男子２，婦女２
　事產　　0.1900
　　地　0.1900
　　民瓦房　２間

……………………………………………………………………………………

10年-Ⅵ-18　甲首　倪壽得　民下戶
舊管　人口　2
　事產　　2.0940
　　田　1.1850
　　地　0.4090
　　山　0.5000
新收　人口　1　男子不成丁１
　事產
今奉清丈
　正收　　0.1250
　　山　0.1250
　開除
　事產　　1.8440
　正除　　1.5940
　　田　1.1850
　　地　0.4090
　轉除　　0.2500
　　山　0.2500
　　賣本圖人戶　８年　謝　社　0.2500
實在　人口　3　男子２，婦女１

事產　0.3750
山　0.3750
民瓦房　1間
奉例告明併入15都5圖全戶一戶

10年-Ⅵ-19　甲首　朱　嵩　民下戶
舊管　人口　3　男子2，婦女1
事產　20.3050
田　17.4050
地　1.0000
山　1.8500
塘　0.0500
新收　事產　14.3560
今奉清丈
正收丈收　4.3560
田　0.1590
地　3.2000
塘　0.9970
轉收　4.0000
田　4.0000
買本圖人戶　元年　朱　鏜　4.0000
開除　人口　1　男子成丁1
轉除　弟社嵩于萬曆4年出繼于本汪起爲嗣
事產　0.8200
正除丈除　0.8200
地　0.2200
山　0.6000
實在　人口　2
事產　33.8410
田　27.5640
地　3.9800
山　1.2500
塘　1.0470
復查實徵　33.9740
田　27.6860
地　3.9890
山　1.2500
塘　1.0490
奉例告明併入15都5圖全戶一戶

10年-Ⅵ-20　甲首　朱之棟　民下戸
　舊管　人口　1　男子１
　　　事産　18.6950
　　　　田　17.9950
　　　　地　0.6000
　　　　塘　0.1000
　新收　人口　1　婦女１
　　　事産　14.6630
　今奉清丈
　　　正收　10.2300
　　　　田　8.1050
　　　　地　1.5020
　　　　山　0.1240
　　　　塘　0.4990
　　　轉收　4.4330
　　　　田　3.5480
　　　　　買本圖人戸　元年　朱　鏜　3.5480
　　　　地　0.2850
　　　　　買本圖人戸　３年　朱文槐　0.2850
　　　　山　0.6000
　　　　　買本圖人戸　２年　朱　廣　0.6000
　開除　事産　0.1500
　　　正除　0.1500
　　　　地　0.1500
　實在　人口　2　男子１，婦女１
　　　事産　33.2080
　　　　田　29.6480
　　　　地　2.2370
　　　　山　0.7240
　　　　塘　0.5990
　復査實徴　33.2240
　　　　田　29.6560
　　　　地　2.2340
　　　　山　0.7240
　　　　塘　0.6100

……………………………………………………………………………………

新立一戸
10年-Ⅵ-21　甲首　朱八奠　民下戸
　新收　人口　1

正收　男子成丁１，本身原在嘉興府生長，今回原籍置有田，奉例告明隨產附入本，本六甲下立戶當差

事產　32.8130

今奉清丈

正收　10.5740

田　9.8710

地　0.7030

轉收　22.2390

田　21.1890

買本圖人戶	４年	程大賓	0.9900
	２年	朱　廣	3.2590
	７年	朱達明	1.2770
	７年	朱文樞	0.4805
	５年	朱達欽	0.2370
	３年	朱　廣	1.8700
	６年	朱　廣	3.7440
買本都６圖人戶	５年	吳玄爐	4.9760
	２年	徐　玘	2.3970
買５都４圖人戶	５年	朱應珪	2.0160

地　1.0500

買本圖人戶	５年	程大賓	0.9140
買５都４圖人戶	５年	朱　廣	0.1360

實在　人口　１　男子成丁１

事產　32.8130

田　31.0600

地　1.7530

復查實徵　32.8630

田　31.1060

地　1.7570

第７甲

10年-Ⅶ　排年　**王齊興**　軍戶

舊管　人口　51　男子37，婦女14

事產　107.8190

官田　0.6420

民田　107.1770

田　32.0860
地　31.5790
山　34.7500
塘　5.7620
新收　人口　6
正收　成丁1，不成丁5
事産
今奉清丈　33.1240
正收丈收　31.5670
田　16.4330
地　15.1340
轉收　1.5570
田　1.5570
買本都1圖人戶　4年　陳積社　1.5570
開除　人口　5　成丁5
事産　32.2500
正除丈除　7.9860
田　0.2000
地　6.0000
山　0.0310
塘　1.7550
轉除　24.2640
田　13.9660
賣本圖人戶　5年賣　王　茂　1.1260
6年賣　王　茂　1.3200
元年賣　金萬政　0.9500
6年賣　朱　清　0.6620
賣本都1圖人戶　元年賣　陳　興　1.3100
元年賣　朱　法　1.3550
9年賣　陳達曜　1.9110
2年賣　陳祖暘　1.6160
7年賣　汪　忠　1.0000
8年賣　陳天盛　0.3000
賣本都3圖人戶　8年賣　朱玄貴　1.2900
賣13都2圖人戶　4年賣　程　文　1.1200
地　5.4370
賣本圖人戶　4年賣　王繼成　0.0600
4年賣　王　茂　0.2570
賣本都1圖人戶　元年賣　王　爵　1.7360

3年賣　朱　法　0.1770
5年賣　陳　興　2.8800
10年賣　陳二同　0.3270
山　4.8610
賣本圖人戶　4年賣　王　茂　0.8700
賣本都1圖人戶　元年賣　王　爵　2.6260
3年賣　朱　法　1.3650

實在　人口　52　成　丁30
不成丁8
婦　女14
事產　108.6930
田　39.5520
地　35.2760
山　29.8580
塘　4.0070
民瓦房　6間
民水牛　1頭
復查實徵　107.7800
田　39.1830
地　35.2700
山　29.5060
塘　3.8120

10年-Ⅶ-1　甲首　潘吉祥　民下戶
舊管　人口　3　男子2，婦女1
事產　1.7600
田　0.1000
地　1.3000
山　0.3600
新收　事產　1.7180
今奉清丈
正收　1.7180
地　1.5650
山　0.1530
開除　事產　0.3500
正除　0.3500
田　0.1000
地　0.2500
實在　人口　3　男子成丁2，婦女1

事産　3.1280
地　2.6150
山　0.5130
復査實徵　3.2690
地　2.7560
山　0.5130

……………………………………………………………………………………

10年-Ⅶ-2　甲首　朱　才　民下戸
舊管　人口　4　男子2，婦女2
事産　1.4450
地　1.4450
開除　事産　1.4450
正除　1.4450
地　1.4450
實在　人口　4　男子成丁2，婦女2
事産
民瓦房　1間

……………………………………………………………………………………

10年-Ⅶ-3　甲首　吳　仁　民下戸
舊管　人口　3　男子2，婦女1
事産　10.3590
田　10.0090
地　0.2000
塘　0.1500
新收　人口　2
事産　6.2540
今奉清丈
正收丈收　4.0340
地　3.7840
山　0.2500
轉收　2.2200
田　2.2200
買本圖人戸　2年　郭　印　2.2200
開除　人口　2
事産　4.8670
正除丈除　4.8670
田　4.6770
地　0.0400
塘　0.1500

實在　人口　3　男子2，婦女1
事產　11.7460
田　7.5520
地　3.9440
塘　0.2500
復査實徴　11.6720
田　7.4750
地　3.9470
山　0.2500

10年-Ⅶ-4　甲首　汪　義　民下戶
舊管　人口　3　男子2，婦女1
事產　1.1700
地　1.0420
山　0.1280
新收　事產　0.0720
今奉清丈
正收丈收　0.0720
山　0.0720
開除　事產　1.1720
正除丈除　1.0420
地　1.0420
轉除　0.1300
山　0.1300
買本圖人戶　3年　汪　龍　0.1300
實在　人口　3　男子成丁2，婦女1
事產　0.0700
山　0.0700

10年-Ⅶ-5　甲首　汪　平　軍下戶
舊管　人口　4　男子3，婦女1
事產　3.3270
田　2.1970
地　1.1300
新收　人口　1　男子不成丁1
事產
今奉清丈
正收丈收　0.6730
地　0.6730

開除　人口　1　不成丁１
事產　2.5070
正除丈除　2.4170
田　2.1970
地　0.2200
轉除　0.0900
地　0.0900
買本都１圖人戶　２年　汪　勝　0.0900
實在　人口　4　男子成丁２，不成丁１，婦女１
事產　1.4940
地　1.4940
民瓦房　６間

....

10年-Ⅶ-6　甲首　**潘　傑**　民下戶　原籍故叔潘欽
舊管　人口　5　男子３，婦女２
事產　2.8340
官地　0.5910
民田　2.2430
田　1.5350
地　0.1760
山　0.4750
塘　0.0570
新收　人口　2　男子不成丁１，婦女１
事產　6.5990
今奉清丈
正收　2.3760
地　0.8990
山　1.4770
轉收　4.2230
田　2.0000
買３都10圖人戶　６年　吳務實　0.7520
地　1.4710
買３都10圖人戶　10年　任　應　0.0820
買４都３圖人戶　５年　汪一榜　1.3300
10年　金岩討　0.0590
開除　人口　2
事產
正除　1.0480
田　0.7910

地　0.2000
塘　0.0570
實在　人口　5　男子成丁2，不成丁1，婦女2
事產　8.3850
田　3.4960
地　2.9370
山　1.9520
民瓦房　1間
復查實徵　8.2990
田　3.4980
地　2.8690
山　1.9320

10年-Ⅶ-7　甲首　程義祥　民下戶
舊管　人口　4　男子2，婦女2
事產　1.9290
田　1.0000
地　0.8990
塘　0.0300
新收　事產　0.0950
今奉清丈
正收丈收　0.0950
山　0.0950
開除　事產　1.8580
正除丈除　1.8580
田　0.9590
地　0.8990
實在　人口　4　男子成丁2，婦女2
事產　0.1660
田　0.0410
山　0.1250
民瓦房　3間

10年-Ⅶ-8　甲首　吳存孝　民下戶
舊管　人口　2
事產　27.3620
田　21.1910
地　4.8150
山　0.9680

塘　0.3880
新收　事產　1.6460
今奉清丈
正收　0.7400
田　0.5280
塘　0.2120
轉收　0.9060
地　0.7760
買７都１圖人戶　８年　吳時鐸　0.7760
塘　0.1300
買７都１圖人戶　８年　吳時鐸　0.1300
開除　事產　8.5310
正除　3.4160
地　2.4480
山　0.9680
轉除　5.1150
田　5.1150
賣３都４圖人戶　10年　吳　達　5.1150
實在　人口　2
事產　20.4770
田　16.6040
地　3.1430
塘　0.7300
民瓦房　３間
復查實徵　20.5890
田　16.5850
地　3.2720
塘　0.7320

10年-Ⅶ-9　甲首　潘　亮　民下戶　原籍故父潘華
舊管　人口　3　男子２，婦女１
事產　3.3750
官地　0.1480
民田　3.2070
田　0.0790
地　3.1280
塘　0.0200
開除　人口　1　男子不成丁１
事產

正除　　3.3750
田　0.0790
地　3.1280
塘　0.0200
實在　人口　2

10年-Ⅶ-10　甲首　陳玄道　民下戶
舊管　人口　3　男子2，婦女1
事產　　0.9990
田　0.0520
地　0.0750
山　0.8720
開除　事產
正除　　0.9990
實在　人口　3　男子2，婦女1
事產
民瓦房　3間

10年-Ⅶ-11　甲首　潘希遠　民下戶　原籍故父恩重
舊管　人口　5　男子3，婦女2
事產　　5.3760
田　2.7720
地　1.3180
山　1.2830
塘　0.0030
新收　人口　1　男子不成丁1
事產
今奉淸丈
正收　　4.9190
地　4.7020
山　0.2170
開除　人口　1　男子成丁1
事產　　3.7500
正除　　1.9750
田　1.6720
地　0.3000
塘　0.0030
轉除　　0.4000
地　0.4000

賣３都８圖人戸　８年　任廷相　0.4000

實在　人口　5　男子成丁２，不成丁１，婦女２
事産　7.9200
田　1.1000
地　5.3200
山　1.5000
民瓦房　３間
復査實徴　8.6180
田　1.0940
地　5.8240
山　1.7000

10年-Ⅶ-12　甲首　程周宣　民下戸
舊管　人口　2
事産　3.8800
田　3.4300
地　0.4500
新收　事産
今奉清丈
正收　0.2500
地　0.2500
開除　事産　0.2340
正除　0.2340
田　0.1340
地　0.1000
實在　人口　2
事産　3.8960
田　3.2960
地　0.6000
復査實徴　4.0950
田　3.4950
地　0.6000

10年-Ⅶ-13　方　記　軍戸　(絶)
舊管　人口　4　男子３，婦女１
事産　2.4290
地　1.0270
山　1.4200
開除　事産　2.4290

正除　　2.4290
地　1.0270
山　1.4200
實在　人口　4　男子不成丁3，婦女1
事產
民瓦房　3間

10年-Ⅶ-14　　陳永得　軍戶　（絕）
舊管　人口　2　男子2
實在　人口　2　男子不成丁2
事產
民瓦房　3間

10年-Ⅶ-15　　李社祖　軍戶　（絕）
舊管　人口　1　男子1
實在　人口　1　男子不成丁1
事產
民瓦房　1間

10年-Ⅶ-16　　陳兆均　軍戶　（絕）
舊管　人口　5　男子4，婦女1
實在　人口　5　男子不成丁4，婦女1
事產
民瓦房　3間

10年-Ⅶ-17　甲首　汪文傑　民下戶　（絕）
舊管　人口　3　男子2，婦女1
事產　　0.2540
地　0.0040
山　0.2500
開除　事產　　0.2540
正除　　0.2540
實在　人口　3　男子不成丁2，婦女1
事產
民瓦房　3間

新立一戶
10年-Ⅶ-18　甲首　潘天遂　民下戶
新收　人口　3

正收　3　男子2，婦女1
事産　11.6000
今奉清丈
正收　1.2670
田　0.2580
地　1.0090
轉收　10.3330
田　5.3810
買3都4圖人戶　9年　任　富　1.0970
9年　吳　富　1.0510
買5都2圖人戶　5年　吳廷瓚　2.6800
買17都6圖人戶　4年　任良珍　0.5530
地　4.9390
買3都4圖人戶　8年　汪文振　0.7770
5年　任尙光　0.5810
買3都6圖人戶　8年　任汝洪　0.9520
買7都1圖人戶　9年　吳時玄　0.0330
買14都10圖人戶　5年　程　相　1.5710
買17都6圖人戶　9年　任良珍　1.0250
山　0.0130
買7都1圖人戶　9年　吳時玄　0.0130
實在　人口　3　男子成丁1，不成丁1，婦女1
事産　11.6000
田　5.6390
地　5.9480
山　0.0120
復查實徵　11.5140
田　5.5410
地　5.9500
山　0.0250

第8甲

10年-Ⅷ　排年　**陳　滄**　中戶　軍戶
舊管　人口　31　男子23，婦女8
事産　75.7150
官田　8.3920

田　4.1740
山　4.2180
民田　67.3230
田　16.2470
地　32.8710
山　18.0030
塘　0.2020
新收　人口　4
正收　男子不成丁4
事産
今奉清丈　20.8700
正收丈收　16.5580
田　9.2880
地　0.5000
山　6.7700
轉收　4.3120
田　0.9050
買本都1圖人戶　6年　陳寓祿　0.9050
地　0.1240
買本都1圖人戶　2年　陳寓祿　0.1240
山　3.2830
買本圖人戶　3年　王　茂　1.3300
買本都1圖人戶　3年　黄時雲　1.3330
9年　陳寓祿　0.0700
9年　程岩大　0.1000
買8都1圖人戶　4年　葉　鱗　0.4500
開除　人口　4　男子4
事産　10.1160
正除丈除　7.4680
田　0.4980
地　5.9700
山　1.0000
轉除　2.6480
田　0.8210
賣本圖人戶　8年賣　王　茂　0.3790
5年賣　劉再德　0.4420
地　0.1730
賣本圖人戶　4年賣　王　茂　0.1000
賣本都1圖人戶　2年賣　陳　本　0.0330

賣本都6圖人戶　8年賣　陳　文　0.0400
山　1.6540
賣本圖人戶　7年賣　王　茂　1.6540
實在　人口　31　男子成丁14，不成丁9，婦女8
事產　86.4690
田　29.2950
地　27.3520
山　29.6200
塘　0.2020
民瓦房　3間
復查實徵　87.0860
田　29.6220
地　27.0840
山　30.1780
塘　0.2020

……………………………………………………………………………………

10年-Ⅷ-1　甲首　**王繼成**　民下戶
舊管　人口　4　男子2，婦女2
事產　12.5470
田　8.0030
地　2.2990
山　2.0460
塘　0.2000
新收　事產　0.6570
今奉清丈
正收　0.4130
地　0.4130
轉收　0.2440
地　0.2290
買本圖人戶　4年　王齊興　0.0600
買26都4圖人戶　10年　王　森　0.1690
山　0.0150
買26都4圖人戶　10年　王　森　0.0150
開除　事產
正除　2.9860
田　0.9360
地　0.4500
山　1.4000
塘　0.2000

實在　人口　４　男子成丁２，婦女２
事産　10.2190
田　7.0670
地　2.4910
山　0.6610
民瓦房　２間
復查實徵　10.2060
田　7.0670
地　2.4780
山　0.6610

10年-Ⅷ-2　甲首　**吳　魁**　民下戶
舊管　人口　６　男子４，婦女２
開除　人口　２
實在　人口　４　男子成丁３，不成丁１，婦女１
事産
民瓦房　３間

10年-Ⅷ-3　甲首　**朱　瑾**　民下戶
舊管　人口　５　男子３，婦女２
事産　45.4196
田　43.6546
地　0.5800
山　1.1350
塘　0.0500
新收　人口　２
事産　6.9404
今奉清丈
正收　4.0129
田　2.6384
地　1.2275
山　0.1470
轉收　2.9276
田　1.8600
買本圖人戶　３年　朱廷鶴　1.8600
地　0.3575
買本圖人戶　９年　朱　隆　0.1975
10年　朱　洪　0.1600
山　0.7100

買本圖人戶　　８年　朱　隆　0.5905
10年　金萬政　0.1200

開除　事產　2.7680
正除　0.1420
地　0.1200
塘　0.0220
轉除　2.6260
田　2.6260
賣本都１圖人戶　９年賣　王　爵　2.6260

實在　人口　5　男子成丁１，不成丁２，婦女２
事產　49.5920
田　45.5270
地　2.0450
山　1.9920
塘　0.0280
民瓦房　２間
復查實徵　49.4890
田　45.5610
地　2.0970
山　1.8310

10年-Ⅷ-4　甲首　**汪　奎**　民下戶

舊管　人口　4　男子２，婦女２
事產　9.8700
地　9.7350
塘　0.1350

開除　事產
正除　9.8700

實在　人口　4　男子成丁２，婦女２

10年-Ⅷ-5　甲首　**王應元**　民下戶　原籍故伯王桂

舊管　人口　5　男子３，婦女２
事產　20.8350
田　17.3110
地　2.3910
山　0.9650
塘　0.1680

新收　人口　2
事產

今奉清丈　1.8680
正收　1.8530
田　1.3230
山　0.4780
塘　0.0520
轉收　0.0150
地　0.0150
買11都１圖人戸　４年　汪　育　0.0150
開除　事産　0.7460
正除　0.7460
地　0.7460
實在　人口　５　男子成丁２，不成丁１，婦女２
事産　21.9570
田　18.6340
地　1.6600
山　1.4430
塘　0.2200
民瓦房　６間
復査實徵　21.9820
田　18.6480
地　1.7140
山　1.4430
塘　0.1770

10年-Ⅷ-6　甲首　**朱添芳**　民下戸
舊管　人口　３　男子２，婦女１
事産　1.8970
田　0.8840
地　0.6550
山　0.3580
開除　事産　1.8970
正除　1.8970
實在　人口　３　男子２，婦女２
事産
民瓦房　３間

10年-Ⅷ-7　甲首　**程　學**　民下戸
舊管　人口　６　男子４，婦女２
事産　11.1350

官田　0.7100
民田　10.4250
田　6.4140
地　2.8950
山　0.9760
塘　0.1400
新收　人口　2
事產　5.2290
今奉清丈
正收　4.8290
田　4.8290
轉收　0.4000
田　0.4000
買本圖人戶　７年　吳　和　0.4000
開除　人口　2
事產　3.3190
正除　3.3190
田　0.5000
地　2.0420
山　0.7620
塘　0.0150
實在　人口　6　男子成丁２，不成丁２，婦女２
事產　13.0450
田　11.8530
地　0.8530
山　0.2140
塘　0.1250
民瓦房　２間
復查實徵　13.3240
田　11.8730
地　0.9140
山　0.2140
塘　0.3230

10年-Ⅷ-8　甲首　**朱文槐**　民下戶
舊管　人口　6　男子４，婦女２
事產　15.7300
田　11.6260
地　1.9770

山　2.0890
塘　0.0390
新收　事產　0.9410
今奉清丈
正收　0.7210
地　0.6250
塘　0.0960
轉收　0.2200
地　0.2200
買本圖人戶　元年　朱文魁　0.2200
開除　人口　2　男子不成丁 2
事產　12.1410
正除　4.7790
田　4.2510
地　0.4000
山　0.1280
轉除　7.3620
田　5.2930
賣本圖人戶　9 年　程賀成　2.2000
賣26都 1 圖人戶　3 年　汪　法　3.0930
地　0.3000
賣本圖人戶　9 年　程賀成　0.3000
山　1.7690
賣本圖人戶　4 年　程賀成　1.7540
9 年　朱世明　0.0150
實在　人口　6　男子成丁 2，不成丁 2，婦女 2
事產　4.5300
田　2.0810
地　2.1220
山　0.1920
塘　0.1350
民瓦房　1 間
復查實徵　6.8050
田　2.6820
地　2.6080
山　1.1900
塘　0.3250

…………………………………………………………………………………………

10年-Ⅷ-9　甲首　**陳　進**　民下戶

舊管	人口	1	男子不成丁１
	事產		0.0810
		田	0.0810
新收	人口	2	
	事產		17.8710
今奉清丈			
	正收		0.6910
		田	0.6910
	轉收		17.1800
		田	17.0290
			買本圖人戶　　5年　朱　廣　10.2000
			買５都４圖人戶　6年　朱應珪　6.8290
		地	0.1510
			買５都４圖人戶　6年　朱應珪　0.1510
實在	人口	3	男子成丁１，不成丁１，婦女１
	事產		17.9520
		田	17.8010
		地	0.1510
	民瓦房		１間
復查實徵			18.0910
		田	17.9400
		地	0.1510

………………………………………………………………………………………………

10年-Ⅷ-10　甲首　**郭正耀**　民下戶　原籍故父郭鵬

舊管	人口	5	男子４，婦女１
	事產		5.1810
		田	4.4380
		地	0.6630
		山	0.0400
		塘	0.0400
新收	人口	3	男子不成丁２，婦女１
	事產		7.7060
今奉清丈			
	正收		7.7060
		地	7.1810
		山	0.2400
		塘	0.2850
開除	人口	2	成丁１，不成丁１

事產　10.2460
正除　2.1880
田　2.0380
地　0.1500
轉除　8.0580
田　2.0730
賣4都5圖人戶　10年賣　方　成　1.0050
賣4都6圖人戶　5年賣　汪　節　1.0650
地　5.5600
賣本圖人戶　10年賣　郭　印　0.7530
賣3都8圖人戶　5年賣　郭岩畢　3.2640
賣3都10圖人戶　5年賣　胡世春　0.3000
賣3都8圖人戶　2年賣　郭正焰　0.0700
7年賣　張信祖　0.2770
賣4都5圖人戶　10年賣　方　成　0.0800
賣2都4圖人戶　9年賣　許正遇　0.8160
山　0.1000
賣3都10圖人戶　5年賣　胡世春　0.1000
塘　0.3250
賣4都6圖人戶　5年賣　汪節興　0.3250
實在　人口　6　男子成丁2，不成丁2，婦女2
事產　2.6410
田　0.3270
地　2.1340
山　0.1800
民瓦房　1間
復查實徵　2.7140
田　0.3270
地　2.2070
山　0.1800

10年-Ⅷ-11　帶管　**陳　仕**　民下戶
舊管　人口　3　男子2，婦女1
事產　0.3600
地　0.3600
開除　事產　0.3600
正除　0.1270
地　0.1270
轉除　0.2330

地　0.2330
賣3都9圖人戶　3年賣　金　成　0.2330
實在　人口　3　男子成丁1，不成丁1，婦女1
事產
民瓦房　3間

10年-Ⅷ-12　帶管　**黃記大**　民下戶
舊管　人口　3　男子3
事產　3.3000
田　1.3000
地　2.0000
開除　事產　3.3000
正除　3.3000
實在　人口　3　男子成丁1，不成丁2
事產
民瓦房　1間

10年-Ⅷ-13　帶管　**朱永清**　軍戶　(絕)
舊管　人口　4　男子3，婦女1
事產　0.2210
田　0.2080
山　0.0130
開除　事產　0.2210
正除　0.2210
實在　人口　4　男子不成丁3，婦女1
事產
民瓦房　3間

10年-Ⅷ-14　帶管　**朱　和**　軍戶　(絕)
舊管　人口　7　男子5，婦女2
事產　0.1250
田　0.1250
開除　事產　0.1250
正除　0.1250
田　0.1250
實在　人口　7　男子不成丁5，婦女2
事產
民瓦房　3間
民水牛　1頭

10年-Ⅷ-15　帯管　汪計宗　軍戸　（絶）
　舊管　人口　　3　男子3
　實在　人口　　3　男子不成丁3
　　　　事産
　　　　　　民瓦房　3間

……………………………………………………………………………………

10年-Ⅷ-16　帯管　汪社曜　軍戸
　舊管　人口　　1　男子1
　　　　事産　　　　1.7270
　　　　　　　　田　1.1550
　　　　　　　　地　0.5040
　　　　　　　　山　0.0680
　開除　事産　　　　1.6060
　　　　　正除　　　1.6060
　　　　　　　　田　1.1550
　　　　　　　　地　0.3830
　　　　　　　　山　0.0680
　實在　人口　　1　男子成丁1
　　　　事産
　　　　　　　　地　0.1210
　　　　　官民房屋　4間
　　　　　　官瓦房　1間　任鈔375文
　　　　　　民瓦房　3間

第9甲

10年-Ⅸ　排年　王　初　下戸　匠戸
　舊管　人口　　35　男子22，婦女13
　　　　事産　　　　30.9460
　　　　　　　　田　16.2210
　　　　　　　　地　9.1240
　　　　　　　　山　5.3520
　　　　　　　　塘　0.2490
　新收　人口　　12
　　　　正收　　　男子成丁4，不成丁4，婦女4
　　　　事産　　　　8.9730
　　今奉清丈

正收丈收　3.3100
山　3.0090
塘　0.3010
轉收　5.6630
田　5.5760
買11都１圖人戶　10年　汪天法　3.7670
買13都３圖人戶　４年　吳天然　0.1000
買13都４圖人戶　６年　汪　貴　1.7092
地　0.0870
買本圖人戶　10年　王　榮　0.0470
買13都４圖人戶　９年　吳天福　0.0400
開除　人口　11　成丁６，不成丁１，婦女４
事產　6.5200
正除丈除　2.0400
田　0.4460
地　1.5950
轉除　4.4790
田　4.4790
賣本圖人戶　４年賣　王　茂　0.4000
買13都４圖人戶　６年　汪　貴　0.8690
買30都３圖人戶　８年　吳　享　3.2100
實在　人口　36　男子成丁17，不成丁６，婦女13
事產　33.3990
田　16.8720
地　7.6160
山　8.3610
塘　0.5500
民瓦房　７間
復查實徵　34.2310
田　18.6730
地　8.0750
山　6.9330
塘　0.5500

……………………………………………………………………………………

10年-Ⅸ-1　甲首　朱　得　民下戶
舊管　人口　3　男子２，婦女１
事產　0.7780
田　0.7200
地　0.0580

新收　人口　1　婦女1
　　事産
　今奉清丈
　　　正收　0.7190
　　　　地　0.6390
　　　　山　0.0800
開除　人口　1　婦女1
　　事産
　　　正除　0.8200
　　　　田　0.7200
　　　　地　0.1000
實在　人口　3　男子成丁1，不成丁1，婦女1
　　事産　0.6770
　　　　地　0.5970
　　　　山　0.0800
　　　民瓦房　3間
　復査實徵　0.6150
　　　　地　0.5890
　　　　山　0.0260

……………………………………………………………………………………

10年-Ⅸ-2　甲首　呉文軒　民下戶
舊管　人口　2　男子2
　　事産　1.5650
　　　　山　1.5650
開除　事産　1.5650
　　　正除　1.5650
　　　　山　1.5650
實在　人口　2　男子不成丁2
　　事産
　　　民瓦房　3間

……………………………………………………………………………………

10年-Ⅸ-3　甲首　畢　盛　民下戶
舊管　人口　11　男子7，婦女4
　　事産　11.1090
　　　　田　8.4280
　　　　地　0.8840
　　　　山　0.5420
　　　　塘　1.2550
新收　人口　1　男子不成丁1

事産　4.3180
今奉清丈
正收　3.8130
地　2.1070
山　1.7060
轉收　0.5050
田　0.3450
買本圖人戶　10年　金萬政　0.3450
地　0.1600
買本都１圖人戶　９年　陳　軒　0.1600
開除　事産　1.9000
正除　1.8950
田　0.4800
地　0.1600
塘　1.2550
轉除　0.0050
地　0.0050
賣本都１圖人戶　10年賣　陳　加　0.0050
實在　人口　11　男子成丁４，不成丁３，婦女４
事産　13.5270
田　8.2930
地　2.9860
山　2.2480
民瓦房　２間
復查實徵　13.6500
田　8.4000
地　2.9990
山　2.2510

10年-Ⅸ-4　甲首　**朱廷鶴**　民下戶
舊管　人口　2
事産　4.1310
新收
今奉清丈
正收　2.7510
田　0.7440
地　1.2570
山　0.7500
轉收　1.3800

田　0.3450

　買本圖人戶　3年　朱　洪　0.1100

地　0.2700

（以下，缺損）

萬曆20年册

第１甲

20年-Ⅰ　排年　**王　茂**　上戸　軍戸
舊管　人口　　男婦69　男57，女12
　　事産
　官民田地山塘　546.9155　麥10石３斗，米23石１斗
　　　　　田　347.7118
　　　　　地　76.0925
　　　　　山　119.5122
　　　　　塘　3.5990
　　　民　房　6間
新收　人口　　16
　　事産
　民田地山塘　37.9143
　　正收
　民田地山　0.6573
　　　　地　0.0475
　　　　山　0.6078
　　轉收
　民田地山塘　37.4570　麥６斗７升６合１，米１石49升51
　　　　　田　24.6070
　　本圖　田　1.3000　萬曆11年買８甲朱□□戸
　　　　　田　0.9840　萬曆11年買10甲朱　湖戸
　　　　　田　0.4610　萬曆16年買10甲陳　祥戸
　　　　　田　0.7920　萬曆18年買５甲陳　章戸
　　　　　田　0.9310　萬曆18年買５甲畢　顯戸
　　　　　田　1.0500　萬曆19年買10甲金萬鍾戸
　　　　　田　1.0500　萬曆20年買10甲陳　祥戸
　　本都１圖　田　4.8700　萬曆10年買７甲陳　軒戸
　　　　　田　0.1500　萬曆18年買７甲吳　法戸
　　　　　田　0.6000　萬曆12年買２甲朱添生戸
　　　　　田　0.8370　萬曆18年買７甲陳　金戸
　　　　　田　4.6320　萬曆19年買４甲陳積裕戸
　　　　　田　2.3750　萬曆19年買３甲王　爵戸
　　　　　田　0.0200　萬曆19年買３甲王　爵戸
　　　　　田　1.4990　萬曆17年買10甲陳　浩戸

11都3圖　田　2.7060　萬曆15年買9甲金川積戸

地　1.7290

本圖　地　0.0580　萬曆16年買8甲陳　倉戸

地　0.0130　萬曆20年買8甲王繼成戸

地　0.0160　萬曆11年買4甲王　美戸

本都1圖　地　0.1360　萬曆13年買3甲王　爵戸

地　0.0750　萬曆15年買3甲陳添貴戸

地　0.6550　萬曆19年買7甲陳　軒戸

26都5圖　地　0.0580　萬曆14年買　甲吳積富戸

地　0.7280　萬曆14年買　甲朱立鵠戸

山　11.1110

本圖　山　0.1630　萬曆13年買2甲朱　洪戸

山　0.0870　萬曆11年買4甲王　美戸

山　0.1500　萬曆19年買5甲陳　章戸

本都1圖　山　0.0770　萬曆16年買10甲陳　浩戸

山　0.0500　萬曆17年買5甲陳社曜戸

山　7.8000　萬曆19年買7甲陳　軒戸

山　1.3900　萬曆19年買3甲王　爵戸

山　0.0080　萬曆16年買

山　0.0820　萬曆16年買5甲陳　晉戸

山　0.6000　萬曆14年買陳廷端戸

本都2圖　山　0.1800　萬曆16年買3甲陳玄法戸

本都3圖　山　0.3000　萬曆15年買6甲汪國賢戸

山　0.2240　萬曆12年買3甲汪　隆戸

塘　0.0100

本都1圖　塘　0.0100　萬曆20年買4甲陳積裕戸

開除　人口　男子6

事産

民田地山塘　175.8043　麥3石5斗，米8石3斗7

正除

田地　1.6298

田　1.6208

地　0.0090

轉除

田地山　174.7745

田　138.5620

田　2.4320　萬曆19年賣本圖9甲王　初戸

田　0.7260　萬曆13年賣本圖4甲王正芳戸

田　0.9010　萬曆13年賣本圖7甲王齊興戸

田　12.6920　萬暦12・16・17・18年賣本圖７甲王齊興戸
田　7.6270　萬暦16・17・18年賣本圖７甲王齊興戸
田　1.6470　萬暦11年賣本圖３甲汪興項戸
田　1.9710　萬暦13年賣本圖５甲金社保戸
田　0.7450　萬暦19年賣本圖５甲陳　方戸
田　0.6980　萬暦10年賣本圖３甲朱社學戸
田　0.0770　萬暦20年賣本圖２甲朱添資戸
田　0.8830　萬暦19年賣本圖８甲王繼成戸
田　0.0770　萬暦20年賣本圖２甲朱師孔戸
田　0.0770　萬暦20年賣本圖２甲朱　淳戸
田　0.7610　萬暦14年賣本圖３甲劉保應戸
田　1.8700　萬暦20年賣本圖３甲朱學源戸
田　0.4000　萬暦20年賣本圖８甲王繼成戸
田　2.4200　萬暦18年賣本都１圖９甲汝　加戸
田　7.6230　萬暦11・16年賣本都１圖９甲陳　保戸
田　2.3780　萬暦12年賣本都１圖９甲陳文儀戸
田　2.1170　萬暦12年賣本都１圖１甲陳　善戸
田　1.0440　萬暦19年賣本都１圖９甲陳長壽戸
田　8.9800　萬暦17年賣本都１圖３甲王　爵戸
田　0.9600　萬暦14年賣本都１圖７甲汪　志戸
田　1.0520　萬暦20年賣本都１圖５甲陳社澤戸
田　9.5830　萬暦16年賣本都１圖10甲陳　浩戸
田　1.0370　萬暦20年賣本都１圖９甲金　曜戸
田　4.0910　萬暦13年賣本都１圖５甲陳添相戸
田　2.9800　萬暦13年賣本都１圖５甲陳添相戸
田　4.2070　萬暦16年賣本都１圖２甲朱　成戸
田　4.2310　萬暦14年賣本都１圖10甲朱伯和戸
田　0.9400　萬暦19年賣本都１圖６甲陳世曜戸
田　1.9010　萬暦19年賣本都１圖４甲陳三同戸
田　2.1730　萬暦17年賣本都２圖４甲朱　魁戸
田　1.9550　萬暦17年賣本都２圖３甲陳玄法戸
田　7.8100　萬暦14年賣本都２圖８甲葉錦奎戸
田　1.8020　萬暦14年賣本都２圖８甲葉　有戸
田　10.0840　萬暦12・19年賣本都２圖１甲朱　曜戸
田　萬暦14年賣本都２圖１甲師福壽戸
田　1.1200　萬暦11・14年賣本都２圖10甲朱　法戸
田　8.4740　萬暦11・13・14年賣本都２圖６甲朱玄貴戸
田　1.0050　萬暦16年賣本都２圖３甲朱茂榮戸
田　0.8720　萬暦18年賣本都２圖７甲汪應遠戸

田　1.5500　萬曆13年賣本都2圖6甲葉　道戶
田　1.8220　萬曆12年賣本都2圖7甲汪大有戶
田　2.7920　萬曆15年賣本都2圖7甲汪　忠戶
田　0.8830　萬曆16年賣本都2圖1甲朱三元戶
田　6.0000　萬曆20年賣本都7圖6甲師祀先戶
田　0.3930　萬曆17・18・20年賣本都3圖4甲金　建戶
田　1.2500　萬曆19年賣11都3圖9甲湯義隆戶
田　0.9960　萬曆20年賣11都3圖2甲吳小保戶
田　4.6100　萬曆12年賣13都2圖4甲程世道戶
地　21.3650
地　0.4850　萬曆20年賣本都2圖吳天保戶
地　0.1600　萬曆19年賣本都本圖4甲王富萬戶
地　0.0200　萬曆11年賣本圖4甲王正芳戶
地　0.1800　萬曆11年賣本圖8甲程　學戶
地　0.3170　萬曆16・18・20年賣本圖7甲王齊興戶
地　0.1150　萬曆19年賣本圖6甲王　科戶
地　1.2860　萬曆18年賣本圖2甲朱師顏戶
地　1.3254　萬曆　年賣本圖2甲朱添資戶
地　0.4850　萬曆20年賣本都1圖1甲朱　相戶
地　0.4455　萬曆17年賣本都1圖3甲王　爵戶
地　0.0890　萬曆19年賣本都1圖9甲陳長壽戶
地　0.3710　萬曆13年賣本都1圖9甲陳光儀戶
地　0.2180　萬曆19年賣本都1圖6甲陳社互戶
地　0.8000　萬曆19年賣本都1圖6甲陳堯曜戶
地　1.5520　萬曆11年賣本都1圖4甲陳三同戶
地　0.0240　萬曆15年賣本都2圖6甲陳玄法戶
地　9.6040　萬曆18年賣本都3圖4甲金　建戶
地　2.1450　萬曆19年賣本都6圖3甲李堯仁戶
地　1.0200　萬曆20年賣4都7圖6甲師祀先戶
地　0.0910　萬曆17年賣26都3圖5甲汪子貴戶
地　0.1810　萬曆17年賣26都3圖5甲汪新國戶
山　14.2790
山　0.1170　萬曆11年賣本圖8甲程　學戶
山　0.7700　萬曆16・17・18年賣本圖7甲王齊興戶
山　0.2290　萬曆20年賣本甲金　清戶
山　4.5660　萬曆15・20年賣本圖7甲王齊興戶
山　0.2589　萬曆20年賣本圖2甲朱添資戶
山　0.2589　萬曆20年賣本圖2甲朱師孔戶
山　0.2589　萬曆20年賣本圖2甲朱　淳戶

山　0.0300　萬曆20年賣本圖２甲朱師顏戶
山　1.2000　萬曆13年賣本都１圖９甲陳光儀戶
山　0.3580　萬曆19年賣本都１圖６甲陳社互戶
山　0.1780　萬曆16年賣本都１圖３甲王　爵戶
山　0.2650　萬曆14年賣本都１圖５甲陳時暘戶
山　0.8400　萬曆15年賣本都１圖４甲陳三同戶
山　0.4700　萬曆19年賣本都２圖６甲朱玄貴戶
山　1.3400　萬曆18年賣本都３圖４甲金　建戶
山　1.2250　萬曆14年賣本都２圖８甲葉錦奎戶
山　0.5900　萬曆13年賣25都３圖８甲汪元瑞戶
山　0.6880　萬曆20年賣25都２圖４甲程阿李戶
山　0.0140　萬曆17年賣26都３圖汪子貴戶
山　0.0270　萬曆17年賣26都３圖５甲汪新國戶
山　0.0900　萬曆14年賣26都４圖９甲洪聲遠戶
山　0.4050　萬曆17年賣26都６圖１甲李敦甫戶
山　0.0700　萬曆17年賣26都４圖10甲洪應秋戶
塘　0.4450
塘　0.2450　萬曆13年賣本圖７甲王齊興戶
塘　0.0080　萬曆19年賣本圖10甲金萬鍾戶
塘　0.0500　萬曆12年賣本都１圖９甲陳光儀戶
塘　0.0070　萬曆12年賣本都１圖５甲陳添相戶
塘　0.0500　萬曆20年賣本都１圖10甲陳　浩戶
塘　0.0500　萬曆15年賣本都１圖４甲陳三同戶
塘　0.0150　萬曆12年賣本都２圖１甲朱　曜戶
塘　0.0100　萬曆19年賣本都２圖７甲汪　忠戶
塘　0.0100　萬曆20年賣17都２圖２甲吳小保戶

實在　人口　69
事產　412.1040
田　259.0250
地　56.7850
山　116.9250
塘　3.1950
民　房　６間

………………………………………………………………………………………

20年-Ⅰ-1　甲首　**程　相**　民下戶

舊管　人口　男婦２
事產　民田地山塘　13.3410
田　10.6230
地　0.9580

山　1.3250
塘　0.4350
民　房　3 間
新收　事産　民田地山　5.6590
正收　地山　1.6940
地　1.3140
山　0.3800
轉收　田　3.9650
本圖田　1.3490　萬曆19年買５甲陳　章戶
本都１圖田　2.6160　萬曆19年買４甲陳積裕戶
開除　事産　民田地塘　1.4350
正除　田塘　0.1330
田　0.0940
塘　0.0390
轉除　民田地　1.3020
田　1.2900
本都１圖田　0.8600　萬曆20年賣５甲陳世曜戶
0.4300　萬曆17年賣買本都２圖３甲陳玄法戶
地　0.0130
0.0130　萬曆14年賣本都２圖３甲陳玄法戶
實在　人口　3
事産　民田地山塘　15.8710
田　13.2040
地　0.9460
山　1.3250
塘　0.3960
民　房　3 間

20年-Ⅰ-2　甲首　王　富　承故兄榮
舊管　人口　男婦８
事産　民田地山塘　14.2460
田　7.6080
地　4.7248
山　1.8380
塘　0.0310
民瓦房　3 間
新收　人口　2
事産　民田地山塘　1.9340
正收　民田山　0.7820

田　0.4720
山　0.3100
轉收　田地塘　1.1670
田　1.1320　萬曆20年買本都1圖4甲陳積裕戶
地　0.0150　萬曆20年買本圖9甲王　初戶
塘　0.0200　萬曆20年買本都1圖4甲陳積裕戶
開除　人口　男婦3
事產　民田地山　7.7418
正除　地　0.7348
轉除　民田地山　7.0070
田　4.1820
田　2.2070　萬曆16年賣本圖7甲王齊興戶
田　0.7800　萬曆11年賣本圖6甲王　科戶
田　1.1950　萬曆14年賣本圖3甲王　爵戶
地　1.5250
地　0.1600　萬曆19年賣本圖4甲王富萬戶
地　0.0050　萬曆11年賣本圖4甲陳三同戶
地　1.3600　萬曆17・21年賣本都6圖3甲李大光戶
山　1.3000　萬曆17年賣本都6圖3甲李大光戶
實在　人口　7
事產　民田地山塘　8.6390
田　5.0800
地　2.6700
山　0.8480
塘　0.0410
民　房　3間

20年-Ⅰ-3　甲首　金　清　竹匠
舊管　人口　男婦13
事產　民田地山　96.8265
田　39.1490
地　26.1975
山　31.4800
民　房　5間
黃　牛　1頭
新收　人口　3
事產
正收　民田地山　0.2315
田　0.0215

山　0.2100
轉收　田山　2.8150
田　2.5860
本圖田　0.9850　萬曆14年買5甲陳　章戶
本圖田　1.6010　萬曆17年買6甲吳　志戶
山　0.2290
本圖山　0.2290　萬曆24年買1甲王　茂戶
開除　人口　3
事產　民田地山　4.3650
正除　田　0.2520
轉除　民田地山　4.1130
田　2.8250
田　0.7380　萬曆18年賣本都2圖4甲朱　魁戶
0.7030　萬曆21年賣本圖8甲吳　魁戶
田　1.4390　萬曆17年賣本都2圖朱　曜戶
田　0.1450　萬曆15年賣本都2圖3甲朱茂榮戶
地　0.3780
地　0.2160　萬曆19年賣本都2圖6甲朱玄貴戶
地　0.1620　萬曆16年賣本都6圖6甲金文富戶
山　0.9100
山　萬曆19年賣本都2圖10甲朱　法戶
山　萬曆15年賣26都4圖9甲洪聲遠戶
實在　人口　13
事產　民田地山　95.5080
田　38.6580
地　25.8410
山　31.0090
民　房　5間
黄　牛　1頭

20年-Ⅰ-4　甲首　**郭　印**　民
舊管　人口　男婦5
事產　民田地山　10.0825
田　4.6650
地　5.1475
山　0.2700
新收　人口　1
事產　民田地　0.7045
正收　民田地　0.1585

田　0.0030

地　0.1555

轉收　地　0.5460

地　0.2260　萬曆18年買３都４圖７甲何文秀戶

地　0.3200　萬曆21年買３都８圖８甲郭玄鏡戶

開除　人口　1

事產

轉除

田　4.6680

田　2.9000　萬曆12年賣本圖７甲潘天遂戶

田　1.7680　萬曆15年賣本圖４甲吳　琯戶

地　0.5550

地　0.4900　萬曆18年賣３都８圖１甲師□昇戶

地　0.0650　萬曆19年賣４都９圖10甲吳　松戶

山　0.2700　萬曆19年賣４都８圖５甲鄭文輝戶

實在　人口　5

事產　民地　5.2950

20年-Ⅰ-5　甲首　王　盛　民　承故孫元

舊管　人口　男婦５

事產　民田地山塘　4.8180

田　1.4200

地　1.6120

山　0.5780

塘　0.2080

新收　人口　3

事產　民田地山　16.5010

轉收　田　16.3520

田　1.0500　萬曆17年買13都１圖４甲汪　興戶

田　0.0440　萬曆14年買13都１圖４甲汪有益戶

田　0.9650　萬曆21年買13都２圖８甲汪　個戶

田　3.6490　萬曆16年買13都３圖２甲汪應端戶

田　4.6480　萬曆16年買13都３圖２甲汪　倉戶

田　1.9300　萬曆16年買13都３圖６甲汪　栢戶

田　1.4400　萬曆16年買13都３圖６甲汪仲英戶

田　2.0500　萬曆17年買13都３圖９甲程　富戶

田　0.5760　萬曆18年買13都４圖10甲吳　史戶

地　0.0450　萬曆14年買13都１圖４甲汪有益戶

山　0.1040

山　0.0310　萬曆16年買13都1圖3甲吳日永戶
山　0.0730　萬曆16年買13都1圖4甲汪　奥戶
開除　人口　男婦3
事産　民田地山　0.9390
正除　田　0.4230
轉除　田地山　0.5160
田　0.3150　萬曆16年賣13都4圖9甲吳宗慶戶
地　0.1880　萬曆16年賣13都4圖9甲吳宗慶戶
山　0.0130　萬曆15年賣13都4圖9甲吳宗慶戶
實在　人口　5
事産　民田地山塘　20.3800
田　17.0340
地　2.4690
山　0.6690
塘　0.2080

20年-Ⅰ-6　甲首　**方廷貴**　承故孫侃
舊管　人口　男婦4
事産　民田地山　2.4300
田　0.8460
地　1.0540
山　0.5300
新收　人口　1
開除　人口　1
事産　民田地山　2.3780
正除　地山　0.2540
地　0.2490
山　0.0050
轉除　地山　2.1240
田　0.8460　萬曆10年賣3都7圖9甲吳時學戶
地　0.7530　萬曆10年賣3都7圖9甲吳時應戶
山　0.5250
山　0.0150　萬曆10年賣3都7圖9甲吳時學戶
山　0.5100　萬曆11年賣西南隅1圖10甲萩　敔戶
實在　人口　4
事産　民地　0.0520

20年-Ⅰ-7　甲首　**高　曜**　民　承故父金
舊管　人口　男婦4

	事産	民田地山		2.9880	
			田	1.1270	
			地	1.5510	
			山	0.3100	
		民　房		1間	
新收	人口	2			
	事産				
	正收			0.1070	
開除	人口	2			
	事産	民地山		1.0420	
	正除		地	0.0480	
	轉除	地山		0.9940	
			地	0.6690	
			地	0.5120	萬曆16年賣本都1圖8甲程　負戸
			地	0.0120	萬曆13年賣本都6圖2甲黄天赦戸
			地	0.0200	萬曆19年賣本都6圖朱遅毛戸
			地	0.1500	萬曆17年賣本都6圖4甲程立保戸
			山	0.3250	萬曆17年賣本都6圖5甲金有華戸
實在	人口	4			
	事産	民田地山		2.0530	
			田	1.2340	
			地	0.8090	
			山	0.0100	
		民　房		1間	

20年-Ⅰ-8　甲首　陳　使　軍

舊管	人口	男婦3		
	事産	民地		0.1960
			地	0.1960
		民瓦房		3間
實在	人口	3		
	事産	民地		0.1960
			地	0.1960
		民瓦房		3間

20年-Ⅰ-9　甲首　謝　使　民　承故孫謝

舊管	人口	男婦8		
	事産	民田地山		3.9585
			地	2.2925

山　1.6660
民　房　3間
新收　人口　1
開除　人口　5
事產　民地山　3.5225
正除　地　1.9635
轉除　地山　1.5590
地　0.2830　萬曆18年析出5都10圖5甲謝　森戶
山　1.2760　萬曆18年析出5都10圖5甲謝　森戶
實在　人口　4
事產　民田地山　0.4360
地　0.0460
山　0.3900
民　房　3間

20年-Ⅰ-10　甲首　**程　興**　民
舊管　人口　男婦5
事產　民田地山　9.2480
田　3.0840
地　0.4610
山　5.4830
新收　事產　民田地山　2.2890
正收　田山　1.2360
田　0.6160
山　0.6200
轉收　民田山　1.0620
田　0.4040　萬曆18年買本都2圖6甲朱玄貴戶
地　0.4500　萬曆15年買本都1圖2甲李　□戶
山　0.2080　萬曆14年買本都1圖2甲朱添生戶
開除　事產
轉除　山　1.3000　萬曆12年賣本都本圖8甲陳　倉戶
實在　人口　2
事產　民田地山　10.0260
田　4.1400
地　0.9110
山　5.0110

20年-Ⅰ-11　甲首　**程保同**　民
舊管　人口　男婦4

　　事產　　　民　房　２間
實在　人口　４
　　事產　　　民　房　２間

20年-Ⅰ-12　甲首　王顯富　民
舊管　人口　男婦３
　　事產　　　民　房　３間
實在　人口　４
　　事產　　　民　房　３間

20年-Ⅰ-13　徐文錦　民　（絕）
舊管　人口　男婦２
　　事產　　　民　房　２間
實在　人口　２
　　事產　　　民　房　２間

20年-Ⅰ-14　甲首　詹　祐　民
舊管　人口　２
　　事產　　　民　房１間
實在　人口　２
　　事產　　　民　房１間

20年-Ⅰ-15　陳紹怡　軍　（絕）
舊管　人口　５
　　事產　　　民房６間
　　　　　　　水牛１頭
實在　人口　５
　　事產　　　民房６間
　　　　　　　水牛１頭

20年-Ⅰ-16　陳　舟　軍　（絕）
舊管　人口　２
　　事產　　　民　房３間
實在　人口　２
　　事產　　　民　房３間

20年-Ⅰ-17　朱兆壽　軍　（絕）
舊管　人口　２
　　事產　　　民　房１間

第２甲

20年-Ⅱ　排年　朱　洪　中戸　民戸
舊管　人口　男婦25　男17，女８
事産
民田地山塘　203.6334　麥３石96983勺，米９石１斗3969勺
田　146.1560　麥３石96983勺，米９石１斗3969勺
他等正地　1.6400
地　19.6314
山　34.2840
塘　1.4220
民　房　６間
新收　人口　４
事産
正收
民田山塘　0.4180
遵奉萬曆11年恩詔摘查改正
田　0.2710
山　0.0230
塘　0.1240
開除　人口　11
事産
轉除
民田地山塘　125.6587
田　83.3539
田　27.9707　萬曆19年分析朱淳另戸當差
田　25.7820　萬曆19年分析本甲朱信另戸當差
田　27.9707　萬曆19年分析本甲朱師孔戸當差
田　2.1880　萬曆19年扒本甲王護戸
他等正地　1.6400
地　0.8200　萬曆19年分析與本甲朱淳戸
地　0.8200　萬曆19年分析與本甲朱師孔戸
地　13.9805
地　4.6959　萬曆19年分析與本甲朱淳戸
地　4.2625　萬曆19年分析與本甲朱信戸
地　4.5995　萬曆19年分析與本甲朱師孔戸
地　0.6382　萬曆15年扒與本甲朱添資戸
地　0.0150　萬曆16年賣本圖10甲朱國錢戸
山　25.4841

山　8.6952　萬暦19年分析與本甲朱淳戶
山　8.6952　萬暦19年分析與本甲朱師孔戶
山　7.2627　萬暦19年分析與本甲朱信戶
山　0.6260　萬暦19年賣本甲朱添資戶
山　0.0320　萬暦16年賣本圖10甲朱國錢戶
山　0.1630　萬暦13年賣本圖１甲王茂戶
山　0.0100　萬暦15年賣本都６圖３甲李廣仁戶
塘　1.1982
塘　0.3994　萬暦19年分析本甲朱淳戶
塘　0.3994　萬暦19年分析本甲朱信戶
塘　0.3994　萬暦19年分析本甲朱師孔戶

實在　人口　18
事産
民田地山塘　78.3947
田　63.5731
地　5.2609
山　8.8229
塘　0.3478
民　房　6間

20年-Ⅱ-1　甲首　**朱祖耀**　民下戶

舊管　人口　男婦６
事産　民田地山　16.6770
田　12.7870
地　1.6260
山　2.4670
民　房　２間

新收　事産
正收　田　0.1380

開除　人口　1
事産
轉除　民地山　0.1850
地　0.0250　萬暦11年賣本圖10甲朱國錢戶
山　0.1825　萬暦11年賣本圖10甲朱國錢戶

實在　人口　5
事産　民田地山　17.1400
田　13.3120
地　1.6010
山　2.3040

民瓦房　2間

20年-Ⅱ-2　甲首　**朱　寛**　民下戶

舊管　人口　男婦5
事産　民田地山　5.9910
田　2.6620
地　0.9290
山　2.4000
新收　人口　1
開除　人口　1
實在　人口　5
事産　民田地山　5.9910
田　2.6620
地　0.9290
山　2.4000

20年-Ⅱ-3　甲首　**胡齊鳳**　民戶　承故父天法

舊管　人口　男婦3
事産　民田地山塘　2.9860
田　0.6470
地　2.3130
山　0.0100
塘　0.0160
民　房　2間
開除　人口　1
事産
民田地塘　1.1480
正除　民地　0.0820
轉除　民田地塘　1.4660
田　0.7080　萬曆17年賣26都6圖1甲李敦甫戶
地　0.7420　萬曆17年賣26都6圖1甲李敦甫戶
塘　0.0160　萬曆17年賣26都6圖1甲孫　元戶
實在　人口　2
事産　民田地山　1.8380
田　0.1390
地　1.6890
山　0.0100
民　房　2間

20年-Ⅱ-4　甲首　**吳天保**　民戶　承故祖吳和

舊管	人口	男婦９			
	事產	民田地山塘		21.5670	
			田	2.5790	
			地	6.9630	
			山	11.8250	
			塘	0.2000	
新收	人口	7			
	事產	民田地山		0.4980	
	正收	民田地		0.0150	
			田	0.0130	
			地	0.0020	
	轉收		地	0.4850	萬曆20年買本圖１甲王　茂戶
開除	人口	5			
	事產				
		民田地山		2.8910	
	正除	民山		0.0150	
	轉除	民田地山		2.8760	
			田	0.2860	萬曆19年賣本都１圖３甲王　爵戶
		地		1.5250	
			地	0.0450	萬曆17年賣本圖５甲陳　方戶
			地	0.1710	萬曆16年賣本都１圖５甲陳　貴戶
			地	0.2820	萬曆20年賣本都２圖甲陳　僎戶
			地	1.0270	萬曆17年賣本圖７甲王齊興戶
		山		1.0650	
			山	0.2800	萬曆18年賣本圖７甲王齊興戶
			山	0.1850	萬曆17年賣本圖５甲陳　方戶
			山	0.6000	萬曆17年賣本都１圖５甲陳　貴戶
實在	人口	11			
	事產	民田地山塘		19.1740	
			田	2.3060	
			地	5.9250	
			山	10.7450	
			塘	0.2000	
		民	房	3間	

20年-Ⅱ-5　甲首　**朱　欽**　民戶　承故祖隆

舊管	人口	男婦８	
	事產	民田地山	48.2000

田　43.2960
地　2.1460
山　2.7580
民　房　5間
水　牛　1頭
新收　人口　2
事產
正收　民地山　0.0870
地　0.0830
山　0.0040
開除　人口　4
事產
民田地山　18.3490
正除　民田　0.0810
轉除　民田地山　18.2680
田　16.9340
田　6.7740　萬曆17年賣本甲朱師顔戶
田　6.9300　萬曆12年賣本圖10甲朱國錢戶
田　3.2390　萬曆14年賣本都1圖9甲陳　保戶
地　0.2714
地　0.1694　萬曆18年賣本陳師顔戶
地　0.1020　萬曆17年賣本圖10甲朱國錢戶
山　1.0540
山　1.0540　萬曆17年賣本圖10甲朱國錢戶
實在　人口　6
事產　民田地山　29.9380
田　26.2720
地　1.9580
山　1.7080
民　房　3間
水　牛　1頭

20年-Ⅱ-6　甲首　王　洪　民戶
舊管　人口　男婦4
事產　民田地塘　2.2120
田　0.9300
地　1.1620
塘　0.1200
民　房　1間

新收　人口　2
　　事產
　　　正收　　民田地　1.1340
　　　　　　　　　田　0.5650
　　　　　　　　　地　0.5690
開除　人口　1
　　事產
　　　轉除　　民地塘　1.9510
　　　　　　　　田　0.1000
　　　　　　　　　田　0.1000　萬曆21年賣3都8圖5甲胡琦珍戶
　　　　　　　　地　1.7310
　　　　　　　　　地　1.5200　萬曆17年賣本都3圖3甲畢　林戶
　　　　　　　　　地　0.0300　萬曆12年賣8都3圖10甲昌應三戶
　　　　　　　　　地　0.0580　萬曆15年賣3都8圖6甲胡生應戶
　　　　　　　　　地　0.1230　萬曆20年賣3都8圖5甲胡琦珍戶
　　　　　　　　塘　0.1200
　　　　　　　　　塘　0.1200　萬曆17年賣本都3圖3甲畢　林戶
實在　人口　5
　　事產　　　民田　1.3950
　　　　　　　民　房　1間

20年-Ⅱ-7　甲首　**吳　興**　民戶　承故父吳四保
舊管　人口　男婦6
　　事產　　民田地　6.9275
　　　　　　　　　田　4.7825
　　　　　　　　　地　2.3450
　　　　　　　民　房　1間
新收　人口　4　男子2，婦女2
　　事產
　　　正收　　　　民山　0.7500
開除　人口　4
　　事產
　　　　　　民田地山　2.2665
　　　正除　　民田地　0.0145
　　　　　　　　田　0.0150
　　　　　　　　地　0.0130
　　　轉除　民田地山　2.2520
　　　　　　　田　1.8820
　　　　　　　　田　0.2510　萬曆17年賣本圖6甲汪　節戶

田　0.9300　萬曆19年賣本都1圖6甲陳堯曜戶
田　0.2510　萬曆17年賣本都1圖7甲汪　志戶
田　0.4500　萬曆17年賣本都1圖9甲陳　保戶
地　0.2200　萬曆17年賣本圖6甲汪　節戶
山　0.1500　萬曆15年賣26都4圖9甲洪　壽戶

實在　人口　6
事產　民田地山　5.4011
田　2.6990
地　2.1120
山　0.6000
民　房　1間

20年-Ⅱ-8　甲首　朱添資

舊管　人口　男婦3
事產　民田　1.3670
民　房　3間

新收　人口　1
事產
轉收　民田地山塘　27.2220
田　16.2100
田　2.7270　萬曆20年買本圖10甲陳　祥戶
田　2.2560　萬曆20年買本圖8甲程　學戶
田　0.0770　萬曆20年買本圖1甲王　茂戶
田　0.6960　萬曆20年買本都1圖6甲陳　大戶
田　2.8000　萬曆20年買本都1圖4甲陳積裕戶
田　0.6340　萬曆20年買本都2圖3甲陳玄法戶
田　6.0710　萬曆15年買5都10圖5甲謝廷鑑戶
田　1.9486　萬曆15年買5都10圖5甲謝廷憲戶
地　8.6820
地　1.3540　萬曆20年買本圖1甲王　茂戶
地　0.0285　萬曆20年買本圖9甲王　初戶
地　0.6380　萬曆15年買本甲朱　洪戶
地　0.0067　萬曆20年買本圖3甲朱學源戶
地　6.3600　萬曆20年買本都1圖4甲陳積裕戶
地　0.2245　萬曆20年買本都1圖8甲陳　祭戶
地　0.0997　萬曆20年買本都2圖1甲朱　曜戶
山　2.3150
山　0.4400　萬曆20年買本圖6甲朱永承戶
山　0.6260　萬曆16年買本甲朱　洪戶

山　0.2890　萬暦20年買本圖１甲王　茂戶
山　0.0667　萬暦20年買本都１圖３甲王　爵戶
山　0.5430　萬暦20年買本都１圖４甲陳積裕戶
山　0.3500　萬暦20年買本都６圖２甲吳　祿戶
塘　0.0150
塘　0.0150　萬暦20年買本都１圖４甲陳積裕戶

實在　人口　4
事産　民田地山塘　28.7890
田　17.7770
地　8.6820
山　2.3150
塘　0.0150
民　房　2間

20年-Ⅱ-9　甲首　**朱師顔**　民戶　承故外祖汪岩亮

舊管　人口　男婦3

新收　人口　1
事産
轉收　民田地山　32.1782
田　30.1860
田　22.5420　萬暦17年買本圖８甲朱得九戶
田　6.7740　萬暦17年買本甲朱　欽戶
田　0.8700　萬暦20年買５都10圖５甲謝廷憲戶
地　1.7943
地　0.1694　萬暦10買本甲朱　欽戶
地　1.2860　萬暦10年買本圖１甲王　茂戶
地　0.3388　萬暦10年買本圖８甲朱得九戶
山　0.1980
山　0.0300　萬暦20年買本圖１甲王　茂戶
山　0.0200　萬暦20年買本都１圖３甲王　爵戶
山　0.1480　萬暦10年買11都３圖２甲陳　廣戶

實在　人口　1
事産　民田地山　32.1782
田　30.1860
地　1.7942
山　0.1980

20年-Ⅱ-10　**胡　下**　民戶　（絕）

舊管　人口　男婦２

事産　　民　房　2間
實在　人口　男婦2
事産　　民　房　2間

20年-Ⅱ-11　帯管　汪　護　民戸
舊管　人口　男婦2
事産　　民　房　2間
新收　人口　1
事産
轉收　民田地山　16.9160
田　12.2660
田　2.1880　萬暦19年買本甲朱　洪戸
田　3.2630　萬暦14・16・19年買本圖8甲朱得九戸
田　4.5670　萬暦14・16・19年買本圖10甲朱時選戸
田　1.3720　萬暦21年買本圖5甲陳　章戸
田　0.4990　萬暦21年買本都1圖3甲王　爵戸
田　0.3770　萬暦21年買本都1圖10甲陳　浩戸
地　4.2400
地　4.2400　萬暦21年買本都1圖4甲陳積裕戸
山　0.4100
山　0.1100　萬暦21年買本圖10甲詹應星戸
山　0.3000　萬暦21年買本都1圖4甲陳積裕戸
實在　人口　3
事産　民田地山　16.9160
田　12.2660
地　4.2400
山　0.4100
民　房　2間

20年-Ⅱ-12　朱時應　民戸
舊管　人口　男婦3
事産　民田地山　25.3660
田　22.7290
地　1.1460
山　1.4910
民　房　4間
新收　人口　1
事産　民田地山　0.1820
正收　民田　0.0060

	轉收	民地山	0.1760	
		地	0.1440	
		地	0.0290	萬暦10年買本圖10甲朱祖光戸
		地	0.1150	萬暦16年買本圖10甲朱時選戸
		山	0.0320	
		山	0.0320	萬暦16年買本圖10甲朱時選戸
開除	人口	1		
	事産			
		民地山	0.6340	
	正除	民山	0.0010	
	轉除	民地山	0.6330	
		地	0.0330	萬暦13年賣本圖４甲朱岩志戸
		山	0.6000	萬暦17年賣本都６圖４甲朱玄保戸
實在	人口	3		
	事産	民田地山	24.9470	
		田	22.7350	
		地	1.2900	
		山	0.9220	
		民　房	3間	

20年-Ⅱ-13　**朱神祖**　軍戸 （絶）

舊管	人口	2	
	事産	民　房	1間
實在	人口	2	
	事産	民　房	1間

20年-Ⅱ-14　**朱留住**　軍戸 （絶）

舊管	人口	2	
	事産	民　房	3間
實在	人口	2	
	事産	民　房	3間

20年-Ⅱ-15　**陳清和**　軍戸 （絶）

舊管	人口	2	
	事産	民　房	3間
實在	人口	2	
	事産	民　房	3間

20年-Ⅱ-16　告明分析　朱　淳　民戶　係朱洪戶出
新收　人口　1
事産
轉收　民田地山塘　43.2719
田　28.4858
田　27.9707　萬曆19年析與朱　洪戶
田　0.0770　萬曆20年買本圖1甲王　茂戶
田　0.4367　萬曆15年買5都10圖5甲謝廷憲戶
一等正地　0.8200　萬曆19年買本甲朱　洪戶
地　4.5659
地　4.4595　萬曆19年析與本甲朱　洪戶
地　0.0997　萬曆20年買本都2圖1甲朱　曜戶
地　0.0067　萬曆20年買本圖3甲朱學源戶
山　9.0008
山　8.6952　萬曆19年析與本甲朱　洪戶
山　0.2589　萬曆28年買本圖1甲王　茂戶
山　0.0467　萬曆19年買本都1圖3甲王　爵戶
塘　0.3994
塘　0.3994　萬曆19年析與本甲朱　時戶
實在　人口　1
事産　民田地山塘　43.2719
田　28.4858
一等正地　0.8200
地　4.5659
山　9.0008
塘　0.3994

20年-Ⅱ-17　告明分析　朱　信　民戶　係朱洪戶分出
新收　人口　2
事産
轉收　民田地山塘　36.7547
田　25.2238　萬曆19年析與本甲朱　洪戶
地　3.8685　萬曆19年析與本甲朱　洪戶
山　7.2630　萬曆19年析與本甲朱　洪戶
塘　0.3994　萬曆19年析與本甲朱　洪戶
實在　人口　2
事産　民田地山塘　36.7547
田　25.2238
地　3.8685

山　7.2630
塘　0.3994

20年-Ⅱ-18　告明分析　**朱師孔**　民戸　係朱洪戸分出
新收　人口　2
事產
轉收　民田地山塘　43.2719
田　28.4858
田　27.9707　萬曆19年析與本甲朱　洪戸
田　0.0770　萬曆20年買本圖1甲王　茂戸
田　0.4367　萬曆15年買5都10圖5甲謝廷憲戸
地隅一等正地　0.8200　萬曆19年買本甲朱　洪戸
地　4.5609
地　4.3995　萬曆19年析與本甲朱　洪戸
地　0.0067　萬曆20年買本圖3甲朱學源戸
地　0.0977　萬曆20年買本都2圖1甲朱　曜戸
山　9.0008
山　8.7024　萬曆19年析與本甲朱　洪戸
山　0.2589　萬曆20年買本圖1甲王　茂戸
山　0.0467　萬曆19年買本都1圖3甲王　爵戸
塘　0.3994
塘　0.1994　萬曆19年析與本甲朱　洪戸
塘　0.2000　萬曆19年析與本甲朱　洪戸
實在　人口　1
事產　民田地山塘　43.2119
田　28.4858
隅一等正地　0.8200
地　4.5095
山　9.0008
塘　0.3994

第3甲

20年-Ⅲ　排年　**朱學源**　上戸　匠戸
舊管　人口　男婦48　男34，女14
事產
民田地山塘　305.0825

田　184.6260
地　51.6010
山　68.6625
塘　0.1930
民　房　3間
黄　牛　1頭
新收　人口　9
事産
民田地山塘　42.1036
正收
地　0.2990
遵奉萬曆11年恩詔摘査改正
轉收
民田地山塘　41.8046
田　29.8960
田　1.8700　萬曆　年買本圖1甲王　茂戸
田　1.2700　萬曆　年買本圖5甲金社保戸
田　1.1440　萬曆　年買本圖5甲金社保戸
田　0.4630　萬曆　年買本圖5甲陳　章戸
田　2.4950　萬曆　年買本圖6甲朱　龍戸
田　0.3420　萬曆　年買本圖6甲朱　龍戸
田　1.2380　萬曆　年買本圖9甲畢　顯戸
田　2.4300　萬曆　年買本都1圖4甲陳積裕戸
田　3.7320　萬曆　年買本都1圖4甲陳積裕戸
田　3.6040　萬曆　年買本都1圖4甲陳四同戸
田　1.6300　萬曆　年買本都1圖6甲陳　生戸
田　0.3730　萬曆　年買本都1圖5甲陳社澤戸
田　0.9520　萬曆　年買本都1圖9甲陳當仁戸
田　1.4560　萬曆　年買本都1圖10甲陳　浩戸
田　2.1000　萬曆　年買本都2圖1甲陳　曜戸
田　2.4120　萬曆　年買本都2圖1甲朱　曜戸
田　1.0660　萬曆　年買本都2圖6甲朱玄貴戸
田　0.8100　萬曆　年買本都2圖6甲朱玄貴戸
田　0.5090　萬曆　年買本都2圖7甲汪　忠戸
地　8.3396
地　0.6000　萬曆　年買本甲項興才戸
地　0.4920　萬曆　年買本甲項興才戸
地　0.3200　萬曆　年買本圖6甲朱　龍戸
地　0.1000　萬曆　年買本圖7甲汪　平戸

地	2.4580	萬暦	年買本都１圖６甲吳　志戶
地	0.4270	萬暦	年買本都１圖９甲陳應元戶
地	0.1000	萬暦	年買本都１圖胡五龍戶
地	0.53849	萬暦	年買本都２圖１甲朱　曜戶
地	0.2814	萬暦	年買本都２圖１甲朱　曜戶
地	0.2000	萬暦	年買本都２圖１甲朱　法戶
地	0.6890		
地	0.0987	萬暦	年買本都２圖６甲朱玄貴戶
地	0.4400	萬暦	年買本都２圖９甲吳　榮戶
地	0.7880	萬暦	年買本都２圖９甲吳　榮戶
地	0.0720	萬暦	年買本都２圖９甲吳　榮戶
地	0.4860	萬暦	年買本都３圖５甲金　永戶
地	0.1920	萬暦	年買本都３圖５甲金　永戶
地	0.0520	萬暦	年買本都３圖５甲金　永戶
地	0.0050	萬暦	年買本都３圖５甲金永義戶
山	3.5080		
山	0.0800	萬暦	年買本圖６甲朱　龍戶
山	0.2600	萬暦	年買本都２圖６甲朱玄貴戶
山	0.3150	萬暦	年買本都２圖９甲吳　榮戶
山	0.1950	萬暦	年買本都２圖９甲吳　榮戶
山	0.8000	萬暦	年買本都２圖９甲吳　榮戶
山	0.0500	萬暦	年買本都２圖９甲吳　榮戶
山	0.1666	萬暦	年買本都２圖９甲吳　榮戶
山	0.4500	萬暦	年買本都２圖９甲吳　榮戶
山	0.4500	萬暦	年買本都２圖９甲吳　榮戶
山	0.2250	萬暦	年買本都２圖９甲吳　榮戶
山	0.2340	萬暦	年買本都２圖９甲吳　榮戶
山	0.0300	萬暦	年買本都３圖５甲朱永義戶
山	0.0625	萬暦	年買本都６圖　甲朱　護戶
山	0.1875	萬暦	年買本都６圖　甲朱　護戶
塘	0.0610		
塘	0.0410	萬暦	年買本圖６甲朱　龍戶
塘	0.0100	萬暦	年買本圖６甲朱　龍戶
塘	0.0100	萬暦	年買本圖６甲朱　龍戶

開除　人口　9

事産

民田地山　9.6715

正除

田山　0.7265

		遵奉恩詔摘查改正			
			田	0.7170	
			山	0.0095	
	轉除				
	民田地山			8.9450	
		田		3.7470	
			田	0.4130	朱三元戶
			田	2.0160	萬暦　年本都2圖6甲朱立貴戶
			田	0.6180	萬暦　年本都2圖9甲朱福茂戶
			田	0.7000	
		地		1.3730	
			地	0.3810	
			地	0.1210	
			地	0.1340	
			地	0.5170	萬暦　年賣本都2圖9甲
			地	0.0165	萬暦　年賣本都2圖10甲朱　法戶
			地	0.0330	
			地	0.0165	
			地	0.06116	
			地	0.06116	萬暦　年賣本都2圖10甲朱　法戶
			地	0.0200	
		山		3.8250	
			山	0.5000	萬暦　年賣本都2圖1甲朱　曜戶
			山	1.5000	萬暦　年賣本都2圖6甲朱立貴戶
			山	0.7500	萬暦　年賣本都2圖9甲朱福茂戶
			山	1.0000	萬暦12年賣本都2圖10甲朱　法戶
			山	0.0770	萬暦　年賣本圖8甲陳　倉戶
實在	人口	48			
	事產			337.5130	
		田		210.0880	
			本都田	206.4290	
			11都田	0.5920	
			26都田	3.0370	
		地		58.8664	
			本都地	57.8276	
			26都地	0.9680	
		山		68.3355	
			本都山	67.6340	
			11都山	0.5620	

26都山　0.1700
塘
本都溪塘　0.2540
溪　0.0200
塘　0.0243
民　房　3間
黄　牛　1頭

……………………………………………………………………………………

20年-Ⅲ-1　甲首　**李　成**　民戶
舊管　人口　男婦５
事產　民田地　4.2430
田　3.7860
地　0.4570
新收　事產　民田地塘　0.1990
正收　田塘　0.0220
田　0.0020
塘　0.0200
轉收　民地　0.1750　萬暦16年買本都１圖　甲陳廷端戶
開除　事產
轉除　民田塘　0.5330
田　0.5130　萬暦15年賣本都２圖１甲朱　曜戶
塘　0.0200　萬暦15年賣本都２圖１甲朱　曜戶
實在　人口　5
事產　民田地　3.9070
田　3.2750
地　0.6320

……………………………………………………………………………………

20年-Ⅲ-2　甲首　**吳天龍**　承故孫個
舊管　人口　男婦６
事產　民地　0.8580
新收　人口　1
開除　人口　1
轉除　民地　0.2500　萬暦15年賣26都４圖程　法戶
實在　人口　6
事產　民地　0.6080
本都　0.4900

……………………………………………………………………………………

20年-Ⅲ-3　甲首　**宋甲毛**　民戶　承故兄積高
舊管　人口　男婦４

事産　民田地山　2.4850
田　1.5140
地　0.9110
山　0.0600
新收　人口　2
開除　人口　2
事産
轉除　民地　0.1440
地　0.0200　萬暦17年賣24都1圖　甲金有才戶
地　0.1240　萬暦17年賣本都2圖1甲余　元戶
實在　人口　4
事産　民田地山　2.3410
田　24都　1.5140
地　24都　0.7670
山　24都　0.0600

20年-Ⅲ-4　甲首　胡　曜　民戶
舊管　人口　3
事産　民田地山　1.8760
田　0.0410
地　1.8150
山　0.0200
民　房　1間
開除　事産
轉除　民地山　0.0620
地　0.0520　萬暦11年賣本都6圖汪　隆戶
山　0.0100　萬暦11年賣本都6圖汪　隆戶
實在　人口　3
事産　民田地山　1.8140
田　0.0470
地　1.7630
山　0.0100
民　房　1間

20年-Ⅲ-5　甲首　劉再得　民戶
舊管　人口　3
事産　民田地山　18.8790
田　11.0560
地　3.8230

山　4.0000
民　房　２間
新收　事産
轉收　民田山　1.7060
田　1.4360
田　0.7360　萬曆16年買本都１圖３甲王　爵戸
田　0.7000　萬曆14年買20都４圖　甲洪　君戸
山　0.2700　萬曆17年買本都２圖６甲朱玄貴戸
開除　事産　民田地　1.4440
正除　田地　0.0330
田　0.0110
地　0.0220
轉除　民田　1.4110
田　0.4430　萬曆13年賣本都１圖５甲陳時暘戸
田　0.9690　萬曆19年賣本都１圖９甲金　曜戸
實在　人口　3
事産　民田地山　19.1740
田　11.0700
本都田　8.0790
26都田　2.9910
本都地　3.8010
本都山　4.2700
民　房　２間

20年-Ⅲ-6　甲首　朱大儀　民戸　承故父文樞
舊管　人口　3
事産　民田地山塘　5.0054
田　3.7200
地　0.9140
山　0.2014
塘　0.1700
民　房　２間
水　牛　１頭
新收　人口　1
開除　人口　2
事産　民田地山　4.1120
正除　地　0.1550
轉除　田地山　3.9570
田　3.7200

田　0.5700　萬曆17年賣本都６圖朱　楷戶
田　0.4200　萬曆12年賣本都８甲朱文林戶
田　2.2040　萬曆17年賣本都６圖３甲李惟喬戶
田　0.5270　萬曆20年賣本都６圖３甲李世福戶
地　0.1450
地　0.1100　萬曆17年賣本都６圖朱　楷戶
地　0.0350　萬曆12年賣本圖８甲朱文林戶
山　0.0920
山　0.0420　萬曆17年賣本都６圖朱　楷戶
山　0.0250　萬曆17年賣本都３圖９甲金星耀戶
山　0.0250　萬曆20年賣26都２圖９甲汪應麟戶
塘　0.0810　萬曆17年賣本都６圖３甲李惟喬戶

實在　人口　2
事產　民地山塘　0.8124
地本都　0.6140
山本都　0.1094
塘本都　0.0890
民　房　２間
水　牛　１頭

20年-Ⅲ-7　甲首　**朱興元**　民戶

舊管　人口　3
事產　民田地山塘　26.1420
田　23.3540
地　0.9040
山　1.8530
塘　0.0310
民　房　３間
水　牛　１頭

新收　人口　1
事產　民田地山塘　10.7210
正收　民田　0.0940
轉收　民田地山塘　10.6370
田　8.7010
田　0.1810　萬曆14年買本圖６甲朱　貴戶
田　0.3780　萬曆20年買本圖６甲朱法厚戶
田　2.0060　萬曆19年買本圖８甲朱陳進戶
田　6.1360　萬曆18・19年買本圖４甲宋大興戶
地　0.4590

地　0.1970　萬曆18年買本圖４甲朱大興戶
地　0.1900　萬曆12年買本圖６甲朱　貴戶
地　0.0720　萬曆21年買本圖４甲朱景和戶
山　1.1740
山　1.0760　萬曆18年買本圖６甲朱　貴戶
山　0.0570　萬曆19年買本圖８甲朱文林戶
山　0.0410　萬曆　年買本圖４甲朱大興戶
塘　0.3030
塘　0.0630　萬曆18年買本圖４甲朱大興戶
塘　0.2400　萬曆18年買本圖４甲朱景和戶
開除　人口　1
事産　民田地山　7.3919
正除　民地山　0.0209
地　0.0140
山　0.00099
轉除　民田　7.3710
田　2.8600　萬曆19年賣本圖８甲陳　進戶
田　2.9260　萬曆12・17年賣本圖６甲朱　楷戶
田　1.5850　萬曆13年賣本都６圖徐　春戶
實在　人口　3
事産　民田地山塘　29.4400
田　24.7780
地　1.3490
山　5.9990
塘　0.3340
民　房　3間
水　牛　1頭

20年-Ⅲ-8　甲首　朱社學　民戶
舊管　人口　1
事産　民田地山　3.7630
田　2.3780
地　1.1210
山　0.2640
民　房　3間
新收　事産　民田地　4.2380
正收　0.1360
轉收　民田地　4.1024
田　4.0770

田　0.6980　萬曆15年買本圖1甲王　茂戶
田　0.9890　萬曆19年買本圖5甲陳　章戶
田　1.7300　萬曆12年買本都1圖5甲陳天相戶
田　0.6600　萬曆17年買本都1圖10甲陳　浩戶
地　0.0250
地　0.0250　萬曆11年買本都1圖10甲陳　浩戶
開除　事產　民田　2.3780
正除　田　0.4440
轉除　田　1.9340
實在　人口　1
事產　民田地山　5.6230
田　4.0770
地　1.2820
山　0.2640
民　房　3間

20年-Ⅲ-9　甲首　項興才　民戶
舊管　人口　4
事產　民田地山　8.2290
田　3.9780
地　4.1510
山　0.1000
民　房　半間
新收　人口　1
事產　民田地　1.6540
正收　田地　0.0070
田　0.0030
地　0.0040
轉收　民田　1.6470　萬曆10年買本圖1甲王　茂戶
開除　人口　1
事產　民田地　1.5120
轉除　田　0.4200　萬曆18年賣本都2圖10甲宋　法戶
地　1.0920
地　0.4920　萬曆12年賣本圖3甲朱學源戶
地　0.6000　萬曆17年賣本圖3甲朱學源戶
實在　人口　4
事產　民田地山　8.3710
田　5.1120
本都田　0.3445

地　　3.0630
山　　0.1000
民　房　　半間

20年-Ⅲ-10　甲首　**呉初保**　民戸
舊管　人口　2
事産　民　房　1間
實在　人口　2
事産　民　房　1間

20年-Ⅲ-11　甲首　**劉巴山**　民戸
舊管　人口　2
事産　民　房　3間
實在　人口　2
事産　民　房　3間

20年-Ⅲ-12　甲首　**劉得應**　民戸　承故義父金黑
舊管　人口　2
事産　民　房　3間
水　牛　1頭
新收　人口　1
事産
轉收　民田　4.4220
田　0.7610　萬曆14年買本圖１甲王　茂戸
田　1.0700　萬曆20年買本圖５甲陳　章戸
田　0.6500　萬曆13年買本都１圖４甲陳　長戸
田　1.6600　萬曆13年買本都１圖５甲陳時暘戸
田　0.2810　萬曆14年買本都１圖10甲陳　浩戸
開除　人口　1
實在　人口　2
事産　民田　4.4220
民瓦房　3間
水　牛　1頭

20年-Ⅲ-13　**汪慶祐**　軍戸　（絕）
實在　人口　1
事産　民　房　2間

20年-Ⅲ-14　**陳舟興**　軍戸　(絕)
實在　人口　1
事産　民　房　3間

20年-Ⅲ-15　**朱添助**　軍戸　(絕)
實在　人口　1

20年-Ⅲ-16　**徐　奉**　軍戸　(絕)
實在　人口　2
事産　民　房　3間

20年-Ⅲ-17　甲首　**王宗林**　民戸
實在　人口　4

第4甲

20年-Ⅳ　排年　**王正芳**　下戸　匠戸
舊管　人口　男婦30
事産
民田地山塘　68.4450
田　29.7560
地　13.6640
山　24.2640
塘　0.7610
民　房　6間
新收　人口　8
事産
民田地山塘　8.4350
正收民山塘　1.2570　遵奉萬曆11年恩詔摘查改正
山　1.2170
塘　0.0400
轉收
民田地山　7.1780
田　4.8880
田　0.7260　萬曆16年買本圖1甲王　茂戸
田　0.4670　萬曆19年買本圖7甲王齊興戸
田　0.5800　萬曆20年買本圖9甲王　初戸

田　2.3150　萬暦20年買本都1圖4甲陳積裕戸
田　0.8000　萬暦20年買本都1圖10甲陳　浩戸
地　0.9200
地　0.0240　萬暦11年買本圖1甲王　茂戸
地　0.7860　萬暦16年買本圖5甲陳　章戸
地　0.1100　萬暦17・18年買本圖9甲王　初戸
山　1.3700
山　1.3700　萬暦15年買11都3圖5甲倪　暹戸
開除　人口　11
事產
民田地山　11.7660
正除
民田地　0.7830　遵奉萬暦11年恩詔摘査改正
田　0.1420
地　0.6410
轉除
民田地山　10.9830
田　6.9530
田　1.7800　萬暦17・19年賣本圖7甲王齊興戸
田　0.2860　萬暦14年賣本圖5甲金社保戸
田　0.8410　萬暦11年賣本圖9甲王　初戸
田　1.4000　萬暦20年賣本都1圖10甲陳　浩戸
田　2.6460　萬暦13年賣本都2圖9甲朱玄貴戸
地　0.2200
地　0.0900　萬暦20年賣甲王富萬戸
地　0.0800　萬暦19年賣本圖6甲王　科戸
地　0.0500　萬暦20年賣本圖9甲王　初戸
山　3.8100
山　3.8100　萬暦17年賣26都6圖1甲李墩甫戸
實在　人口　27
事產
民田地山塘　65.1120
田　27.5470
地　13.7230
山　23.0410
塘　0.8100
民　房　6間

……………………………………………………………………………………………………

20年-Ⅳ-1　甲首　**汪福壽**　民戶
實在　人口　4
事産　民田　1.5000
民房　2間

....

20年-Ⅳ-2　甲首　**朱大興**　民戶　承故祖世明
舊管　人口　3
事産
民田地山　40.5836
田　29.7570
地　4.6816
山　2.0840
新收　人口　1
事産
民田地山　0.5610
正收　田　0.4790
轉收　地　0.0830
地　0.0390　萬曆18年買本圖8甲朱文林戶
地　0.0150　萬曆18年買本圖8甲朱文林戶
地　0.0290　萬曆15年買本甲朱文魁戶
開除　人口　2
事産
民田地山塘　39.1516
轉除
田　30.1030
田　0.0780　萬曆18年賣本甲朱岩志戶
田　6.1360　萬曆18年賣本圖3甲朱興元戶
田　14.3800　萬曆16年賣本圖6甲朱　楷戶
田　0.4780　萬曆12年賣本圖6甲朱　俊戶
田　1.0000　萬曆20年賣本都3圖3甲金　果戶
田　4.5310　萬曆17年賣本都6圖3甲李世裕戶
田　3.5000　萬曆11年賣11都3圖9甲湯　暘戶
地　3.6956
地　0.3760　萬曆18・21年賣本甲朱岩志戶
地　1.4436　萬曆21年賣本甲朱景和戶
地　0.1970　萬曆18年賣本圖3甲朱興元戶
地　0.1250　萬曆20年賣本都3圖3甲金　果戶
地　1.4800　萬曆19年賣本都6圖2甲黃天赦戶
地　0.1000　萬曆21年賣11都3圖吳連富戶

山　3.4260
山　1.6770　萬曆18年賣本甲朱岩志戶
山　0.3620　萬曆18年賣本圖６甲朱　楷戶
山　0.8620　萬曆21年賣本圖６甲朱景和戶
山　0.3800　萬曆12年賣本圖６甲朱　俊戶
山　0.0410　萬曆21年賣本圖３甲朱興元戶
山　0.1450　萬曆21年賣本都６圖３甲李惟喬戶
塘　1.9270
塘　0.2460　萬曆21年賣本甲朱景和戶
塘　0.0630　萬曆18年賣本圖３甲朱興元戶
塘　1.4360　萬曆16年賣本圖６甲朱　楷戶
塘　0.1820　萬曆11年賣11都３圖９甲湯　曜戶

實在　人口　2
事產
民田地山塘　1.9940
田　0.1320
地　1.0690
山　0.6350
塘　0.1570

……………………………………………………………………………………

20年-Ⅳ-3　甲首　**朱文魁**　民戶

舊管　人口　4
事產
民田地山塘　1.8940
田　0.4320
地　1.2300
山　0.1790
塘　0.0530
民　房　３間

新收　人口　1
事產
民田地山　1.1500
正收　田山　0.1360
田　0.1340
山　0.0020
轉收
民田地山塘　1.0140
田　0.0170　萬曆15年買本圖８甲朱文林戶
地　0.8580

地　0.6740　萬曆15・21年買本圖８甲朱文林戶
地　0.1840　萬曆21年買本甲朱景和戶
山　0.0270
山　0.0120　萬曆21年買本甲朱景和戶
山　0.0150　萬曆21年買本圖８甲朱文林戶
塘　0.0520
塘　0.0100　萬曆21年買本甲朱景和戶
塘　0.0420　萬曆21年買本圖８甲朱文林戶

開除　人口　2
事産
民田地山　0.8320
正除　地　0.1570
轉除
田地山　0.6750
田　0.4370
田　0.4370　萬曆20年賣本都６圖３甲李世福戶
地　0.1610
地　0.0290　萬曆15年賣本甲朱大興戶
地　0.0860　萬曆14年賣本甲朱岩志戶
地　0.0140　萬曆16年賣本圖６甲朱　楷戶
地　0.0320　萬曆20年賣本都６圖３甲李世福戶
山　0.0770
山　0.0100　萬曆20年賣本都６圖３甲李世福戶
山　0.0500　萬曆12年賣８都４圖５甲徐　彬戶
山　0.0170　萬曆20年賣26都２圖９甲汪應麒戶

實在　人口　3
事産
民田地山塘　2.2120
田　0.2060
地　1.7700
山　0.1310
塘　0.1050
民　房　3間

20年-Ⅳ-4　甲首　王　美　民戶　承故兄王法

舊管　人口　7
事産
民田地山塘　9.1640
田　4.3060

地　　1.8750
山　　2.8520
塘　　0.1310
民　房　　3 間
新收　人口　4
開除　人口　5
事產
民田地山塘　　1.1400
正除
民田地山塘　　0.1430
田　　0.0050
地　　0.0130
山　　0.1150
塘　　0.0100
轉除
民田地山　　0.9970
田　　0.7300　萬曆16年賣本圖７甲王齊興戶
地　　0.1800
地　　0.0160　萬曆11年賣本圖１甲王　茂戶
地　　0.1440　萬曆11年賣本圖８甲程　學戶
地　　0.0200　萬曆11年賣本都１圖４甲陳三同戶
山　　0.0870　萬曆11年賣本圖１甲王　茂戶
實在　人口　6
事產
民田地山塘　　8.0240
田　　3.5710
地　　1.6820
山　　2.6500
塘　　0.1210
民　房　　3 間

20年-Ⅳ-5　甲首　朱景和　民戶
舊管　人口　3
事產
民田地山塘　　15.3910
田　　8.6600
地　　2.6930
山　　3.2600
塘　　0.7780

民　房　2間
新收　人口　1
事産
民地山塘　2.7896
正收　山　0.1710
轉收
地山塘　2.6186
地　1.5006
地　0.0570　萬曆18・15年買本圖8甲朱文林戶
地　1.4436　萬曆20年買本甲朱大興戶
山　0.8720
山　0.8670　萬曆20年買本甲朱大興戶
山　0.0050　萬曆15年買本甲朱文魁戶
塘　0.2460　萬曆20年買本甲朱大興戶
開除　人口　1
事産
民田地山塘　12.6066
正除
田地塘　1.1036
田　0.3570
地　0.5806
塘　0.1660
轉除
民田地山塘　11.5030
田　6.7540
田　2.2640　萬曆12年賣本圖6甲朱　俊戶
田　2.3640　萬曆18年賣本都6圖3甲李大光戶
田　2.0760　萬曆18年賣本都6圖3甲李惟喬戶
田　0.0500　萬曆20年賣本都6圖3甲李世福戶
地　0.7890
地　0.5070　萬曆13・19年賣本甲朱岩志戶
地　0.2100　萬曆21年賣本甲朱文魁戶
地　0.0720　萬曆21年賣本圖3甲朱興元戶
山　3.2590
山　0.0120　萬曆21年賣本甲朱文魁戶
山　0.1500　萬曆15・17年本甲朱岩志戶
山　2.3870　萬曆12年賣本圖6甲朱　俊戶
山　0.0100　萬曆15年賣本都3圖9甲金星煌戶
山　0.7000　萬曆19年賣本都6圖2甲黃天赦戶

塘　0.7010
塘　0.2900　萬暦19年賣本都６圖３甲李惟喬戶
塘　0.0210　萬暦21年賣本甲朱文魁戶
塘　0.2400　萬暦18年賣本圖３甲朱興元戶
塘　0.1500　萬暦12年賣本圖６甲朱　俊戶

實在　人口　3
事產
民田地山塘　5.2380
田　1.2130
地　2.8240
山　1.0440
塘　0.1570
民　房　３間

………………………………………………………………………………

20年-Ⅳ-6　甲首　**倪四保**　民戶

舊管　人口　3
事產
民山　0.1310
民　房　１間

新收　人口　1
事產
民地　1.9100
地　0.9700　萬暦20年買本圖５甲金社保戶
地　0.6000　萬暦19年買本圖３甲金　永戶
地　0.1700　萬暦16年買26都１圖10甲程文錦戶
地　0.1740　萬暦20年買26戶５圖７甲汪　起戶

開除　人口　2

實在　人口　2
事產
民地山　2.0410
地　1.9100
山　0.1210
民　房　１間

………………………………………………………………………………

20年-Ⅳ-7　甲首　**程友儀**　匠戶

舊管　人口　16
事產
民田地山塘　52.1360
田　29.1710

地　10.9690
山　9.3000
塘　2.6960
民　房　6間
水　牛　1頭
新收　人口　7
事産
民田地山塘　9.6480
正收
民田地山　6.4860
田　0.1640
地　0.8090
山　5.5130
轉收
民田山　3.1620
田　3.0620
田　0.5910　萬曆19年買本都3圖1甲金鳴時戸
田　0.6710　萬曆19年買本都3圖1甲金鳴玉戸
田　1.8000　萬曆19年買本都6圖4甲程玄保戸
山　0.1000　萬曆19年買本都6圖4甲程玄保戸
開除　人口　5
事産
民田地山塘　31.3550
正除
塘　0.0060
轉除
民田地山塘　31.3490
田　12.9560
田　0.2900　萬曆21年賣本都1圖8甲程　負戸
田　2.9150　萬曆17年賣本都3圖4甲金有聲戸
田　1.0100　萬曆15年賣本都6圖5甲金有葉戸
田　1.3760　萬曆14年賣本都6圖3甲李惟喬戸
田　4.3890　萬曆17年賣本都6圖3甲李廣仁戸
田　2.5520　萬曆16年賣本都6圖4甲程玄保戸
田　0.4240　萬曆20年賣本都3圖10甲金　志戸
地　5.9450
地　1.2620　萬曆15・21年賣本都1圖9甲程　負戸
地　0.6300　萬曆10年賣本都3圖8甲金　建戸
地　0.4680　萬曆17年賣本都3圖2甲金有翌戸

地　1.7170　萬曆17年賣本都３圖４甲金有聲戶
地　0.0300　萬曆15年賣本都６圖４甲程玄保戶
地　0.5600　萬曆17年賣本都６圖３甲李廣仁戶
地　0.2100　萬曆17年賣本都６圖３甲李惟喬戶
地　0.0380　萬曆18年賣本都６圖１甲汪　南戶
地　0.0600　萬曆18年賣11都３圖９甲金川積戶
地　1.2300　萬曆20年賣24都３圖３甲黃世隆戶
山　11.3700
山　3.1520　萬曆12・18年賣本都１圖８甲程　負戶
山　0.0050　萬曆15年本都３圖２甲金永祀戶
山　0.0840　萬曆10年賣本都３圖４甲金　建戶
山　0.0270　萬曆15年賣本都３圖２甲金有翌戶
山　4.6140　萬曆15年賣本都３圖４甲金有聲戶
山　0.0470　萬曆17年賣本都６圖３甲李廣仁戶
山　0.2480　萬曆16年賣本都６圖４甲程玄保戶
山　0.1040　萬曆17年賣本都６圖３甲李惟喬戶
山　0.1650　萬曆18年賣11都３圖９甲金川積戶
山　2.9000　萬曆20年賣24都３圖３甲黃世隆戶
塘　1.0780
塘　0.0740　萬曆17年賣本都１圖８甲程　負戶
塘　0.4000　萬曆19年賣本都３圖２甲金永祀戶
塘　0.3540　萬曆20年賣本都６圖２甲李廣仁戶
塘　0.2500　萬曆16年賣本都６圖４甲程玄保戶

實在　人口　18
事產
民田地山塘　30.4290
田　19.4470
地　5.8330
山　3.5430
塘　1.6120
民　房　6間

20年-Ⅳ-8　甲首　朱　象　軍戶
舊管　人口　4
事產
民田地山塘　1.1250
田　0.4110
地　0.6360
山　0.0320

塘　0.0460
民　房　2間
水　牛　1頭
新收　人口　2
開除　人口　2
事産
轉除
民田地　0.9900
田　0.4110
田　0.0630　萬曆16年賣本圖6甲朱　俊戶
田　0.3480　萬曆20年賣本都6圖3甲李世福戶
地　0.5790
地　0.5500　萬曆16年賣本圖6甲朱　楷戶
地　0.0240　萬曆16年賣本圖6甲朱　俊戶
實在　人口　4
事産
民地山塘　0.1350
地　0.0570
山　0.0320
塘　0.0460
民　房　2間

20年-Ⅳ-9　甲首　王　英　民戶
舊管　人口　3
事産
民地　0.2100
民　房　3間
實在　人口　3
事産
民地　0.2100
民　房　3間

20年-Ⅳ-10　甲首　吳　琯　民戶
舊管　人口　3
事産
民田地山塘　13.4310
田　11.9930
地　1.4300
塘　0.0800

民　房　　３間
新收　人口　１
事產
民田地塘　4.5370
正收
地　0.9350
塘　0.0190
轉收
民田地　3.5830
田　2.1120
田　1.7680　萬曆15年買本圖１甲郭　印戶
田　0.3440　萬曆11年買３都６圖４甲汪可行戶
地　1.4710
地　0.9300　萬曆21年買３都６圖９甲吳必開戶
地　0.5500　萬曆20年買３都６圖10甲程　曜戶
開除　人口　１
事產
轉除
民地　0.0720
地　0.0500　萬曆18年賣４都10圖３甲朱　千戶
地　0.0170　萬曆11年賣４都３圖３甲吳　裕戶
實在　人口　３
事產
民田地塘　17.8960
田　14.1050
地　3.7640
塘　0.0270
民　房　１間

20年-Ⅳ-11　甲首　楊　曜　民戶
實在　人口　５
事產　民草房　１間

20年-Ⅳ-12　甲首　汪文晁　民戶　承故孫祖山
舊管　人口　３
事產　民　房　３間
新收　人口　２
事產
民田地　2.6460

田　1.7840　萬曆20年買３都８圖５甲任　祐戶
地　0.8620　萬曆20年買３都10圖６甲吳　拱戶
實在　人口　2
事產
民田地　2.6460
田　1.7840
地　0.8620
民　房　3間

……………………………………………………………………………………

20年-Ⅳ-13　甲首　朱岩志　民戶　承故外祖汪得
舊管　人口　3
事產　民　房　2間
黃　牛　1頭
新收　人口　2
事產
民田地山　3.4870
轉收
田　0.4440　萬曆18年買本甲朱大興戶
地　1.2160
地　0.3510　萬曆18・21年買本甲朱大興戶
地　0.5070　萬曆13・19年買本甲朱景和戶
地　0.0860　萬曆14年買本甲朱文魁戶
地　0.1720　萬曆13年買本圖３甲朱大儀戶
地　0.0170　萬曆13年買本圖10甲朱廷瑚戶
地　0.0170　萬曆13年買本圖９甲朱廷瑤戶
地　0.0330　萬曆13年買本圖２甲朱時應戶
地　0.0330　萬曆13年買本圖10甲朱祖先戶
山　1.8270
山　1.6770　萬曆18年買本甲朱大興戶
山　0.1500　萬曆15・19年買本甲朱景和戶
開除　人口　3
實在　人口　2
事產
民田地山　3.4870
田　0.4440
地　1.2160
山　1.8270
民　房　2間
水　牛　1頭

……………………………………………………………………………………

20年-Ⅳ-14　　陳個成　軍戸　(絕)
　實在　人口　3
　　事產　民　房　3間

20年-Ⅳ-15　　朱税童　軍戸　(絕)
　實在　人口　1
　　事產　民　房　2間

20年-Ⅳ-16　　朱宗得　軍戸　(絕)
　實在　人口　2
　　事產　民　房　1間

20年-Ⅳ-17　　陳　法　軍戸　(絕)
　實在　人口　3
　　事產　民　房　8間

20年-Ⅳ-18　甲首　汪富美　民戸　告明立戸
　新收　人口　1
　　事產
　　　民田地　1.8140
　　　　田　1.5400　萬暦19年買本都１圖４甲陳積裕戸
　　　　地　0.2740
　　　　　地　0.1600　萬暦19年買本圖１甲王　富戸
　　　　　地　0.0900　萬暦20年買本圖４甲王正芳戸
　　　　　地　0.0240　萬暦19年買本圖９甲王　初戸
　實在　人口　1
　　事產
　　　民田地　1.8140
　　　　田　1.5400
　　　　地　0.2740

第５甲

20年-Ⅴ　排年　陳　章　中戸　民戸
　舊管　人口　男婦29　男18，女11
　　事產
　　　民田地山塘　179.6440

田　133.1197
地　13.8000
山　31.9130
塘　0.7340
民　房　3間
新收　人口　4
事產
民田地山塘　3.2200
正收　民田塘　0.5600　恩詔摘查改正
地　0.5400
塘　0.0560
轉收
民田地山　1.6420
田　本圖田
1.3720　萬曆17年買金萬鍾戶
地　本都1圖
0.1000　萬曆19年買6甲陳世曜戶
山　本都1圖
0.1700　萬曆20年買7甲陳　軒戶
開除　人口　4
事產
民田地山　91.8900
正除
民田山　0.9970　遵奉恩詔摘查改正
田　0.7840
山　0.2130
轉除
民田地山　90.8930
田　76.4530
田　1.3490　萬曆19年賣本圖1甲陳　相戶
田　6.2560　萬曆12年賣本圖7甲王齊興戶
田　1.7240　萬曆11年賣本圖9甲王　初戶
田　0.9850　萬曆14年賣本圖1甲金　淸戶
田　1.7930　賣本甲金社保戶
田　1.5950　萬曆19年賣本圖7甲王齊興戶
田　0.7920　萬曆18年賣本圖1甲王　茂戶
田　1.0700　萬曆20年賣本圖3甲劉得應戶
田　0.9890　萬曆19年賣本圖3甲朱社學戶
田　0.4620　萬曆19年賣本圖3甲朱學源戶

田　0.7900　萬曆20年賣本圖８甲程　學戶
田　1.3140　萬曆15年賣本都１圖９甲陳光儀戶
田　4.1900　萬曆14年賣本都１圖９甲陳　保戶
田　0.5670　萬曆11年賣本都１圖９甲陳　大戶
田　1.8860　萬曆20年賣本都１圖５甲陳社澤戶
田　1.8350　萬曆14年賣本都１圖３甲王　爵戶
田　0.2300　萬曆13年賣本都２圖８甲葉　富戶
田　0.4420　萬曆11年賣本都１圖５甲陳天相戶
田　1.5800　萬曆16年賣本都１圖２甲汪　班戶
田　3.7280　萬曆13年賣本都１圖５甲陳　貴戶
田　2.4770　萬曆11年賣本都１圖10甲陳　浩戶
田　1.1630　萬曆13年賣本都１圖９甲陳應元戶
田　8.6160　萬曆19年賣本都１圖５甲陳世曜戶
田　3.5410　萬曆17年賣本都１圖７甲陳　鉤戶
田　0.7630　萬曆12年賣本都１圖９甲金　曜戶
田　0.6990　萬曆13年賣本都１圖４甲陳積裕戶
田　0.6950　萬曆15年賣本都２圖８甲葉錦聰戶
田　5.3720　萬曆15年賣本都２圖１甲朱　曜戶
田　0.4900　萬曆19年賣本都２圖10甲朱　法戶
田　1.6030　萬曆12年賣本都２圖６甲朱玄貴戶
田　1.1000　萬曆17年賣本都２圖８甲葉廷松戶
田　2.3380　萬曆16年賣本都２圖７甲汪應遠戶
田　3.1750　萬曆13年賣本都２圖６甲朱玄貴戶
田　0.9960　萬曆14年賣本都３圖１甲朱三元戶
田　0.4310　萬曆19年賣本都２圖１甲朱　曜戶
田　1.1000　萬曆17年賣本都３圖４甲金　建戶
田　1.3000　萬曆20年賣11都３圖２甲汪國英戶
田　0.8080　萬曆13年賣11都３圖９甲金川積戶
田　0.7990　萬曆15年賣11都１圖１甲周　個戶
田　4.9900　萬曆13年賣13都２圖４甲程世通戶
田　1.6890　萬曆14年賣本都２圖１甲朱　曜戶
地　4.5820
地　0.7860　萬曆16年賣本圖４甲王正芳戶
地　0.9720　萬曆14年賣本圖８甲程　學戶
地　0.4400　萬曆14年賣本都１圖４甲陳三同戶
地　0.0600　萬曆16年賣本都１圖６甲陳玄法戶
地　0.3420　萬曆16年賣本都１圖９甲吳玄黃戶
地　0.6380　萬曆19年賣本都１圖５甲陳世曜戶
地　0.1870　萬曆19年賣本都２圖10甲朱　法戶

地　1.1570　萬曆16年賣11都2圖4甲程世通戶
山　9.8260
山　0.1500　萬曆19年賣本圖1甲王　茂戶
山　2.1130　萬曆14年賣本都1圖9甲陳長壽戶
山　0.3330　萬曆15年賣本都1圖3甲王　爵戶
山　1.3300　萬曆16年賣本都1圖9甲吳玄黄戶
山　0.0050　萬曆17年賣本都1圖5甲陳時暘戶
山　2.8550　萬曆19年賣本都1圖5甲陳世曜戶
山　0.1000　萬曆20年賣本都1圖陳三同戶
山　0.1300　萬曆19年賣本都2圖10甲朱　法戶
山　0.7000　萬曆13年賣本都3圖9甲金星煌戶
山　2.1130　萬曆14年賣13都2圖4甲程世通戶
塘　0.0320
塘　0.0120　萬曆11年賣本圖9甲王　初戶
塘　0.0200　萬曆17年賣本都1圖7甲陳　鍧戶

實在　人口　29
事產
民田地山塘　89.3850
田　55.9600
地　9.6230
山　23.0440
塘　0.7580
民　房　3間

20年-V-1　甲首　**陳　方**　民戶　承故外父朱勝付

舊管　人口　4
事產　民田地山塘　9.5420
田　8.9820
地　0.2440
山　0.2860
塘　0.0300
民　房　2間

新收　人口　2
事產　民田地山塘　1.5900
正收　民塘　0.1000　遵奉恩詔摘查改正
轉收　民田地山　1.5500
田　1.2900
本圖田　0.5450　萬曆19年買1甲王　茂戶
本都1圖田　0.7450　萬曆19年買5甲陳天相戶

地　0.0750
本圖地　0.0750　萬曆17年買２甲吳大保戶
山　0.1850
本圖山　0.0600　萬曆17年買２甲吳大保戶
0.1250　萬曆17年買２甲吳大保戶
開除　人口　1
事產　民田地山塘　2.2460
正除　地山　0.0740　遵奉恩詔摘查改正
地　0.0380
山　0.0360
轉除　民田地　2.1720
田　2.0720
田　0.6590　萬曆14年賣本都６圖汪　節戶
田　1.4130　萬曆13年賣本都１圖３甲王　爵戶
塘　0.1000　萬曆14年賣本都６圖汪　節戶
實在　人口　5
事產　民田地山　8.8860
田　8.2000
地　0.2510
山　0.4350
民　房　2間

……………………………………………………………………………………………………

20年-Ⅴ-2　甲首　陳　新　民戶
舊管　人口　5
事產　民田地山塘　23.6060
田　6.1890
地　5.8540
山　10.8520
塘　0.7110
民　房　2間
新收　人口　1
事產
正收　民田　0.0350　遵奉恩詔摘查改正
開除　人口　1
事產　民田地山塘　1.4740
正除　民地山　0.9040　遵奉恩詔摘查改正
地　0.3120
山　0.5930
轉除　民田地　0.5700

田　0.5200　萬曆17年賣本都１圖７甲陳　鉤戶
地　0.0500　萬曆12年賣本都１圖７甲陳　鉤戶
實在　人口　5
事産　民田地山塘　22.1670
田　5.7040
地　5.4920
山　10.2600
塘　0.7110
民　房　２間

20年-Ⅴ-3　甲首　陳信漢　民戶
舊管　人口　2
事産　民田地　14.9420
田　14.6420
地　0.3000
民　房　３間
新收　事産
正收　民田　1.3120　遵奉恩詔摘查改正
開除　事産　民田地　0.5920
正除　0.1920　遵奉恩詔摘查改正
轉除　民田　0.4000　萬曆18年賣本都１圖10甲陳　浩戶
實在　人口　2
事産　民田地　15.6620
田　15.5540
地　0.1080
民　房　３間

20年-Ⅴ-4　甲首　金社保　竹匠
舊管　人口　12
事産
民田地山　34.8040
田　12.5380
地　15.9400
民　房　３間
新收　人口　2
事産
民田地　7.2340
正收　民地　0.1190　遵奉恩詔改正
轉收

民田地　7.1150
田　6.7980
本圖田　1.7930　萬暦17年買本甲陳　章戸
本圖田　0.2860　萬暦13年買４甲王正芳戸
本圖田　1.9710　萬暦10年買１甲王　茂戸
本都１圖田　0.8920　萬暦17年買７甲汪　曜戸
22都３圖田　1.2100　萬暦15年買10甲朱廷珮戸
26都５圖田　0.6460　萬暦18年買６甲陳文賓戸
地　0.3170
本圖地　0.1500　萬暦14年買７甲汪　平戸
本都２圖地　0.0900　萬暦15年買８甲汪宗政戸
本都６圖地　0.0420　萬暦17年買本甲朱　祿戸
13都２圖地　0.0350　萬暦20年買13都２圖２甲朱　棨戸

開除　人口　3
事産
民田地山　3.8140
正除　山　0.1200　遵奉恩詔改正
轉除
民田地　3.6940
田　2.4140
田　1.1440　萬暦19年賣本圖３甲朱學源戸
田　1.2700　萬暦17年賣本圖３甲朱學源戸
地　1.2800
地　0.9700　萬暦20年賣本圖４甲倪四保戸
地　0.1000　萬暦16年賣本都２圖６甲朱玄貴戸
地　0.2100　萬暦14年賣本都２圖10甲朱　法戸

實在　人口　12
事産
民田地山　38.2240
田　16.9220
地　15.0960
山　6.2060
民　房　3間

……………………………………………………………………

20年-Ⅴ-5　甲首　呉　京　民戸

舊管　人口　5
事産
民田地山塘　24.4720
田　14.6720

地　9.5430
山　0.3000
塘　0.1170
新收　事産
正收　民田山塘　2.1680　遵奉恩詔改正
田　1.8440
山　0.2080
塘　0.1160
開除　人口　1
事産
正除　民地　1.3390　遵奉恩詔改正
實在　人口　4
事産
民田地山塘　25.3010
田　16.4560
地　8.2040
山　0.4080
塘　0.3330

20年-V-6　甲首　陳　旦　民戸
舊管　人口　7
事産
民地　0.6860
民　房　2間
新收　人口　1
開除　人口　2
實在　人口　6
事産
民地　0.6850
民　房　2間

20年-V-7　甲首　謝廷文　民戸
舊管　人口　4
事産
民田地山　1.0260
地　0.1670
山　0.8590
民　房　1間
新收　人口　1

事産
正收
民地山　0.1350　恩詔摘查改正
地　0.0100
山　0.1250
開除　人口　1
實在　人口　4
事産
民地山　1.1610
地　0.1770
山　0.9840
民　房　1間

……………………………………………………………………………………………

20年-Ⅴ-8　甲首　王　鍾　民戶
舊管　人口　3
事産
民地山　0.3200
地　0.1200
山　0.2000
民　房　2間
新收　事産
正收
民地山　0.0410　遵奉恩詔摘查改正
開除　事産
轉除　民地　0.0500　萬曆13年賣本都１圖陳三同戶
實在　人口　3
事産
民地山　0.3560
地　1.5560
山　0.2000
民　房　2間

……………………………………………………………………………………………

20年-Ⅴ-9　甲首　陳　宜　民戶
舊管　人口　3
事産
民地 0.7980
民　房　3間
新收　人口　1
開除　人口　1

實在　人口　　3
事産
民地　4.5980
民　房　3間

20年-Ⅴ-10　甲首　汪義曜　民戶
實在　人口　　3
事産
民　房　4間

20年-Ⅴ-11　帯管　謝　友　民戶　（絕）
舊管　人口　　4
事産
民　房　3間
實在　人口　　4
事産
民　房　3間

20年-Ⅴ-12　　程眞來　民戶　（絕）
實在　人口　　2
事産
民　房　2間

20年-Ⅴ-13　　陳原得　軍戶　（絕）
實在　人口　　1
事産
民　房　2間

20年-Ⅴ-14　　陳道壽　軍戶　（絕）
實在　人口　　3
事産
民　房　1間

20年-Ⅴ-15　　周准得　軍戶　（絕）
實在　人口　　2
事産
民　房　1間

20年-Ⅴ-16　　吳佛保　軍戶　（絕）

舊管　人口　　4
　　　事産
　　　　　民　房　3間
　　　　　黃　牛　1頭
實在　人口　　4
　　　事産
　　　　　民　房　3間
　　　　　黃　牛　1頭

20年-Ⅴ-17　　　詹　曜　民戶　(絕)
舊管　人口　　4
　　　事産
　　　　　民　房　3間
實在　人口　　4
　　　事産
　　　　　民　房　3間

第6甲

20年-Ⅵ　排年　朱　貴　中戶　民戶　承故孫祖廣
舊管　人口　　男婦18　男9，女9
　　　事産
　　　民田地山塘　115.1200
　　　　　　　田　60.9310
　　　　　　　地　31.0600
　　　　　　　山　14.0730
　　　　　　　塘　9.0470
　　　　　民　房　2間
開除　人口　　2
　　　事産
　　　民田地山塘　37.6360
　　　　正除　0.0270　遵守恩詔摘查改正
　　　　轉除
　　　　田地山塘　37.6090
　　　　　　田　30.3760
　　　　　　　田　0.1810　萬曆14年賣本圖3甲朱興元戶
　　　　　　　田　2.4710　萬曆16年賣本圖6甲朱　楷戶

田　1.5760　萬曆19年賣本甲朱　楷戶
田　1.5400　萬曆14年賣本甲朱　楷戶
田　11.7630　萬曆14年賣本甲朱　俊戶
田　1.8200　萬曆17年賣本都6圖3甲李　齊戶
田　4.0980　萬曆13年賣本都6圖3甲李世仁戶
田　6.9810　萬曆15年賣26都1圖1甲汪其儉戶
地　2.8180
地　1.1630　萬曆12・13・16年賣本甲朱　俊戶
地　1.4350　萬曆11・14・17年賣本甲朱　楷戶
地　0.1900　萬曆13年賣本圖3甲朱興元戶
地　0.0300　萬曆19年賣本11都3圖1甲金　龍戶
山　3.9920
山　1.8800　萬曆11・14・16・19年賣本甲朱　龍戶
山　0.3170　萬曆19年賣本甲朱楷戶
山　0.5880　萬曆18年賣本圖3甲朱興元戶
山　0.0200　萬曆13年賣本都3圖9甲金星煌戶
山　0.6930　萬曆18年賣26都6圖1甲李敦甫戶
山　0.0060　萬曆19年賣11都3圖金　龍戶
塘　0.4230
塘　0.3100　萬曆14年賣本甲朱　楷戶
塘　0.0200　萬曆16年賣26都1圖1甲汪其儉戶
塘　0.0530　萬曆28年賣26都6圖1甲李敦甫戶
塘　0.0400　萬曆11年賣本都6圖9甲吳　儒戶

實在　人口　16
事產　77.4750
田　30.5550
地　28.2420
山　10.0810
塘　8.5970
民　房　2間

20年-Ⅵ-1　甲首　朱　護　民戶

舊管　人口　3
事產　民田地山塘　45.7273
田　31.4060
地　2.2500
山　11.9863
塘　0.0850

新收　人口　1

開除	人口	1		
	事産	民田地山	0.3873	
	正除	田山	0.0723	遵守恩詔改正
		田	0.0310	
		山	0.0413	
	轉除	民地山	0.3150	
		地	0.0300	萬曆20年賣本都6圖5甲金永恩戶
		山	0.2850	萬曆20年賣本都6圖5甲金永恩戶
實在	人口	3		
	事産	民田地山塘	45.3400	
		田	31.3750	
		地	2.2200	
		山	11.6600	
		塘	0.0850	
		民　房	2間	

20年-Ⅵ-2　甲首　王　科　匠戶

舊管	人口	3		
	事産	民田地山	1.5940	
		田	0.4330	
		地	0.9570	
		山	0.2040	
		民　房	6間	
		水　牛	1頭	
新收	人口	2		
	事産	民田地	0.9750	
		田	0.7800	萬曆11年買本圖1甲王　富戶
		地	0.1950	
		地	0.1150	萬曆19年買本圖1甲王　茂戶
		地	0.0800	萬曆19年買本圖4甲王正芳戶
開除	人口	2		
	事産	民田地	0.0110	
	正除	田	0.0060	
	轉除	地	0.0050	萬曆13年賣本都1圖4甲陳三同戶
實在	人口	3		
	事産	民田地山	2.5580	
		田	1.2070	
		地	1.1470	
		山	0.2040	

民　房　6 間
水　牛　1 頭

20年-Ⅵ-3　甲首　朱德厚　民戶
舊管　人口　　2
事産
民田地山塘　25.6440
田　20.8520
地　1.8700
山　2.7200
塘　0.2100
新收　人口　　1
事産
正收民田地　0.0160
田　0.0060
地　0.0100
開除　人口　　1
事産
轉除　田地　1.2900
田　1.2900
田　0.7950　萬曆20年賣本甲朱　俊戶
田　0.3780　萬曆20年賣本圖 3 甲朱興元戶
田　0.1170　萬曆13年賣本甲朱　楷戶
實在　人口　　2
事産
民田地山塘　24.3700
田　19.6960
地　1.7630
山　2.7200
塘　0.2100

20年-Ⅵ-4　甲首　朱　龍　匠戶
舊管　人口　　9
事産
民田地山塘　26.7240
田　0.9940
地　11.7250
山　5.1500
塘　0.0750

民　房　3間
新收　人口　1
事產　民田地　0.2650
正收　地　0.0290
轉收　田　0.2360　萬曆18年買本圖６甲朱玄貴戶
開除　人口　1
事產
民田地山　4.7520
正除　田　0.0110
轉除
田地山塘　4.7410
田　2.8970
田　2.8370　萬曆20年賣本圖３甲朱學源戶
田　0.0600　萬曆14年賣本都２圖10甲朱　法戶
地　0.6000
地　0.3200　萬曆18年賣本圖３甲朱學源戶
地　0.0200　萬曆18年賣本都２圖６甲朱玄貴戶
地　0.0600　萬曆19年撥賣本都２圖６甲朱世義戶
地　0.2000　萬曆14年賣本都２圖10甲朱　法戶
山　1.1830
山　0.0800　萬曆18年賣本圖３甲朱學源戶
山　0.0630　萬曆18年賣本都２圖６甲朱玄貴戶
山　0.0400　萬曆13年賣本都２圖７甲汪大有戶
山　0.0100　萬曆14年賣本都２圖10甲朱　法戶
塘　0.0610　萬曆17年賣本圖３甲朱學源戶
實在　人口　9
事產
民田地山塘　22.2370
田　7.1420
地　11.1540
山　3.9670
塘　0.0140
民　房　3間

20年-Ⅵ-5　甲首　汪　節　民戶　承故父琰
舊管　人口　7
事產
民田地山塘　19.9570
田　11.8300

地　4.7640
山　3.2500
塘　0.1130
民　房　3間
新收　人口　1
事産
民田地山塘　4.7970
正收　田　0.8330
轉收
田地塘　3.9640
田　3.6440
田　0.6950　萬曆14年買本圖5甲陳　章戸
田　0.2510　萬曆17年買本圖2甲吳　興戸
田　0.0960　萬曆18年買本都1圖9甲陳應元戸
田　0.9380　萬曆17年買本都1圖3甲呂當弘戸
田　1.7000　萬曆17・21年買本都1圖10甲陳　浩戸
地　0.2200　萬曆17年買本圖2甲吳　興戸
塘　0.1000　萬曆14年買本圖5甲陳　章戸
開除　人口　3
事産
民田地山　4.5640
正除　民地　0.0680
轉除
民田地山　4.4960
田　3.4370
田　1.4090　萬曆20年賣本圖10甲朱　雷戸
田　0.8400　萬曆19年賣本都1圖7甲程三個戸
田　1.7850　萬曆14年賣本都2圖1甲朱　曜戸
地　1.0620　萬曆11年賣本都2圖1甲朱　曜戸
實在　人口　6
事産
民田地山塘　20.1900
田　12.8730
地　4.9160
山　2.1880
塘　0.2130
民　房　3間

20年-Ⅵ-6　甲首　汪　瑞　民戶　承故兄泂
舊管　人口　2
事產
民田地　4.7930
田　4.0960
地　0.6970
新收　人口　2
事產
轉收
田　2.2930
田　1.5300　萬曆19年買26都５圖５甲□　義戶
田　0.7630　萬曆19年買26都５圖８甲□　昌戶
開除　人口　2
事產
正除　民田　0.0400
實在　人口　2
事產
民田地　7.0460
田　6.3490
地　0.6970

………………………………………………………………………………………

20年-Ⅵ-7　甲首　汪廷眞　民戶　承故孫龍
舊管　人口　6
事產
民地山　3.8260
地　2.2460
山　1.5800
民　房　２間
新收　人口　3
事產
正收　民地　0.0160
開除　人口　2
事產
轉除　民地　0.0700
實在　人口　7
事產
民地山　3.8100
地　2.2300
山　1.5800

民　房　2間

20年-Ⅵ-8　甲首　朱　曜　民戶
舊管　人口　3
事產
民田　20.5430
開除　事產
轉除　田　3.3990　萬曆14・16・17年賣本甲朱　俊戶
實在　人口　3
事產
民田　17.1440

20年-Ⅵ-9　甲首　王起鳳　民戶　承故祖良
舊管　人口　5
事產
民田地山　9.8170
田　6.1620
地　2.6250
山　1.0300
民　房　2間
新收　人口　1
開除　人口　3
事產
民田地山　6.8365
正除　田　0.0160
轉除
田地山　6.8205
田　3.0320
田　1.1530　萬曆17年賣本圖10甲王玄覽戶
田　0.7340　萬曆17年賣3都4圖9甲任　天戶
田　0.7950　萬曆21年賣3都8圖9甲胡　珍戶
田　0.9500　萬曆14年賣4都7圖6甲程亨有戶
地　2.3585
地　0.1830　萬曆14年賣本圖10甲王雲覽戶
地　0.2530　萬曆14年賣3都4圖2甲陳邦印戶
地　0.0325　萬曆17年賣3都8圖6甲胡生應戶
地　1.8900　萬曆14年賣4都7圖6甲程亨有戶
山　1.0300　萬曆14年賣4都7圖6甲程亨有戶
實在　人口　3

事產
民田地　2.9805
田　2.7140
地　0.2665
民　房　2 間

20年-Ⅵ-10　甲首　**朱社嵩**　民戶
舊管　人口　2
事產
民田地山塘　38.5000
田　30.0950
地　1.6660
山　6.4990
塘　0.2400
民　房　1 間
新收　人口　1
事產
正收　民田　0.0060
開除　事產
正除　地山　0.8750
地　0.8190
山　0.0560
實在　人口　3
事產
民田地山塘　37.6310
田　30.1010
地　0.8470
山　6.4430
塘　0.2400
民　房　1 間

20年-Ⅵ-11　甲首　**朱永承**　承故義父程賀成
舊管　人口　3
事產
民田地山塘　41.6330
田　32.9670
地　2.8830
山　5.6720
塘　0.1110

民　房　3間
水　牛　1頭
新收　人口　2
事産
正收　田　0.0100
開除　人口　2
事産
民田地山　1.1920
正除　地　0.0060
轉除　田山　1.1860
田　0.7460　萬曆20年賣本圖10甲程　産戸
山　0.4400　萬曆20年賣本圖2甲朱添資戸
實在　人口　3
事産
民田地山塘　40.4510
田　32.2310
地　2.8770
山　5.2320
塘　0.1110
民　房　3間

20年-VI-12　甲首　朱　嵩　民戸
舊管　人口　2
事産
民田地山塘　33.8410
田　27.5640
地　3.9800
山　1.2500
塘　1.0470
新收　事産
正收
田地塘　0.1330
田　0.1320
地　0.0090
塘　0.0020
開除　事産
轉除　地　0.1160　萬曆15年賣26都6圖10甲朱永隆戸
實在　人口　2
事産

民田地山塘　33.8580
田　27.6860
地　3.8730
山　1.2500
塘　1.0490

………………………………………………………………………………

20年-Ⅵ-13　甲首　**朱之楝**　民戶

舊管　人口　2
事產
民田地山塘　33.2080
田　29.6480
地　2.2370
山　0.7240
塘　0.5990

新收　人口　1
事產
正收
民田地　0.0190
田　0.0800
地　0.0110

開除　事產
正除　地　0.0030

實在　人口　3
事產
民田地山塘　33.2240
田　29.6560
地　2.2340
山　0.7240
塘　0.6100

………………………………………………………………………………

20年-Ⅵ-14　甲首　**朱八奐**　民戶

舊管　人口　1
事產
民田地　32.8130
田　31.0600
地　1.7530

新收　人口　2
事產
正收

民田地　0.0500
田　0.0460
地　0.0040
實在　人口　3
事產
民田地　32.8630
田　31.1060
地　1.7570

20年-Ⅵ-15　甲首　金　盛　民戶
舊管　人口　4
事產
民田　0.1900
民　房　2間
新收　事產
轉收　地　0.0800　萬曆13年買3都8圖3甲汪　爵戶
實在　人口　3
事產
民地　0.2700
民　房　2間

20年-Ⅵ-16　甲首　倪壽得　民戶
舊管　人口　3
事產
民　山　0.3750
民　房　1間
實在　人口　3
事產
民　山　0.3750
民　房　1間

20年-Ⅵ-17　甲首　陳記生　軍戶（絕）
舊管　人口　2
事產
民地　0.1030
民　房　3間
開除　事產
轉除
民地　0.1030

實在　人口　　2
　　　事産
　　　　民　房　3間

………………………………………………………………………………………

20年-Ⅵ-18　　　　汪記遠　軍戸　(絕)
舊管　人口　　3
　　　事産
　　　　民　房　3間
實在　人口　　3
　　　事産
　　　　民　房　3間

………………………………………………………………………………………

20年-Ⅵ-19　　　　汪添興　軍戸　(絕)
實在　人口　　1
　　　事産
　　　　民　房　3間

………………………………………………………………………………………

20年-Ⅵ-20　　　　吳社童　軍戸　(絕)
實在　人口　　1
　　　事産
　　　　民　房　3間
　　　　水　牛　1頭

………………………………………………………………………………………

20年-Ⅵ-21　告明立戸　朱　楷　民戸
新收　人口　　1
　　　事産
　　　　轉收
　　　　民田地山塘　36.2280
　　　　　　　田　28.2800
　　　　　　　　田　5.5330　萬暦14・16・19年買本甲朱　廣戸
　　　　　　　　田　2.9260　萬暦12・17年買３甲朱興元戸
　　　　　　　　田　13.2900　萬暦16年買４甲朱大興戸
　　　　　　　　田　1.0900　萬暦16年買４甲朱大興戸
　　　　　　　　田　0.9620　萬暦14年買８甲朱文林戸
　　　　　　　　田　2.2220　萬暦16年買本圖８甲陳　進戸
　　　　　　　　田　0.5700　萬暦17年買本圖３甲朱大儀戸
　　　　　　　　田　1.6780　萬暦17年買11都３圖２甲陳　廣戸
　　　　　　　地　2.7790
　　　　　　　　地　1.4350　萬暦11・14・17年買本甲朱　廣戸

地　0.1910　萬曆17年買3甲朱大儀戶
地　0.5980　萬曆13年買8甲朱文林戶
地　0.5550　萬曆16年買4甲朱　象戶
地　0.1170　萬曆13年買本甲朱法厚戶
地　0.0140　萬曆16年買4甲朱文魁戶
山　3.3820
山　0.3170　萬曆16・17・19年買本甲朱　廣戶
山　0.0420　萬曆17年買3甲朱大儀戶
山　0.0210　萬曆13年買8甲朱文林戶
山　0.3620　萬曆18年買4甲朱大興戶
山　2.6400　萬曆15年買4甲朱　福戶
塘　1.7880
塘　萬曆14年買本甲朱　廣戶
塘　1.4630　萬曆16年買本圖4甲朱大興戶
塘　0.0415　萬曆14年買本圖8甲朱文林戶

實在　人口　1
事産
民田地山塘　36.2280
田　28.2800
地　2.3820
山　3.3820
塘　1.7870

20年-Ⅵ-22　告明立戶　**朱　俊**　民戶

新收　人口　2
事産
民田地山塘　26.5150
轉收
田　18.9460
本圖田　11.7630　萬曆14年買本甲朱　廣戶
田　0.4780　萬曆12年買4甲朱大興戶
田　2.2640　萬曆12年買4甲朱景和戶
田　0.1850　萬曆19年買8甲朱文林戶
本圖田　0.0620　萬曆16年買4甲朱　象戶
田　0.7950　萬曆20年買本甲朱法厚戶
田　3.3990　萬曆14・16・17年買本甲朱曜戶
地　2.4430
本圖地　0.1630　萬曆12・13・16年買本甲朱　廣戶
地　1.1410　萬曆12年買4甲朱大興戶

地　0.0190　萬暦19年買８甲朱文林戶
地　0.0240　萬暦16年買４甲朱　象戶
山　4.9700
本圖山　1.8800　萬暦11・14・16年買本甲朱　廣戶
山　0.3800　萬暦12年買４甲朱大興戶
山　2.3870　萬暦12年買４甲朱景和戶
山　0.3230　萬暦19年買本甲朱文林戶
塘　0.1560
本圖塘　0.1500　萬暦12年買４甲朱景和戶
塘　0.0060　萬暦19年買８甲朱文林戶
實在　人口　2
事產
民田地山塘　26.5150
田　18.9460
地　2.4430
山　4.9700
塘　0.1560

第７甲

20年-Ⅶ　排年　王齊興　軍戶
舊管　人口　男婦52
事產
民田地山塘　108.1930
田　39.5520
地　35.2760
山　29.3580
塘　4.0070
民　房　６間
民水牛　１頭
新收　人口　12
事產
民田地山塘　66.5210
正收　民山　0.1740
轉收
民田地山塘　66.3740
田　54.2250

本圖田	0.9010	萬曆13年買1甲王　茂戶
田	0.6950	萬曆13年買5甲陳　章戶
田	1.5780	萬曆12年買1甲王　茂戶
田	2.2070	萬曆16年買1甲王　富戶
田	4.6050	萬曆16年買1甲王　富戶
田	7.0460	萬曆18年買1甲王　富戶
田	4.0680	萬曆17年買1甲王　富戶
田	1.6870	萬曆12年買10甲金萬鍾戶
田	6.2560	萬曆12年買5甲陳　章戶
田	0.7300	萬曆16年買4甲王　美戶
田	0.9100	萬曆13年買10甲陳　祥戶
田	2.3400	萬曆17年買1甲王　茂戶
田	0.9000	萬曆19年買4甲王正芳戶
田	0.9000	萬曆19年買5甲陳　章戶
田	0.3900	萬曆17年買7甲王　初戶
田	0.8800	萬曆17年買4甲王正芳戶
本都1圖田	1.8710	萬曆21年買呂當弘戶
田	0.2400	萬曆19年買1甲朱　相戶
田	2.0550	萬曆19年買5甲陳世曜戶
田	1.1810	萬曆19年買3甲王　爵戶
田	3.1120	萬曆16年買10甲陳　浩戶
田	1.0260	萬曆16年買5甲陳天相戶
田	0.7850	萬曆17年買10甲陳　浩戶
田	3.3770	萬曆11・16・20年買4甲陳積裕戶
11都3圖田	1.8100	萬曆17年買9甲金川積戶
26都4圖田	2.9010	萬曆17年買3甲洪有守戶
地	4.9910	
本圖地	0.3170	萬曆15年買1甲王　茂戶
地	1.0270	萬曆17年買2甲吳天保戶
1圖地	0.0050	萬曆20年買3甲王　爵戶
地	1.0170	萬曆16・19・20年買4甲陳積裕戶
地	0.5710	萬曆20年買4甲陳三同戶
地	1.9000	萬曆19年買4甲陳三同戶
6圖地	0.2000	萬曆11年買8甲陳　雲戶
山	6.9330	
本圖山	5.3360	萬曆15・16年買1甲王　茂戶
1圖山	0.2800	萬曆17年買2甲吳天保戶
山	1.3170	萬曆19年買3甲王　爵戶
塘	0.2250	

本圖塘　0.2050　萬曆13年買1甲王　茂戶
1圖塘　0.0200　萬曆18年買4甲陳積裕戶
開除　人口　14
事產
民田地山塘　1.8670
正除
民田地塘　0.5700
田　0.3690
地　0.0060
塘　0.1950
轉除
民田地塘　1.2970
田　0.4670　萬曆19年賣本圖4甲王正芳戶
地　0.7800
地　0.1000　萬曆20年賣本圖8甲王繼成戶
地　0.0200　萬曆11年賣本都1圖4甲陳積裕戶
地　0.6600　萬曆11年賣本都1圖4甲陳三同戶
塘　0.0500　萬曆20年賣本都2圖10甲陳　浩戶
實在　人口　52
事產
民田地山塘　172.8470
田　92.9410
地　39.4810
山　36.4380
塘　3.9870
民　房　6間
民水牛　1頭

20年-Ⅶ-1　甲首　潘吉祥
舊管　人口　3
事產　民地山　3.1280
地　2.6150
山　0.5130
新收　事產
正收　0.1410
開除　事產
轉除　民地　0.6000　萬曆14年賣17都2圖10甲鄭　壽戶
實在　人口　3
事產　民地山　2.6690

地　2.1560
山　0.5130

20年-Ⅶ-2　甲首　吳　仁　民戶
舊管　人口　3
事產
民田地山　11.7460
田　7.5520
地　3.9440
山　0.2500
民　房　3 間
新收　事產
轉收
民地　0.4790
地　0.4790　萬曆14年買本圖10甲吳　積戶
開除　事產
民田地　1.9100
正除
田地　0.0800
田　0.0770
地　0.0030
轉除
田　1.8300　萬曆19年賣 3 都 8 圖 6 甲胡生應戶
實在　人口　3
事產
民田地山　10.3150
田　5.6450
地　4.4200
山　0.2500
民　房　2 間

20年-Ⅶ-3　甲首　汪　義　民戶
舊管　人口　3
事產
民山　0.0700
民　房　1 間
新收　人口　1
開除　事產
正除

民山　0.0700
實在　人口　4
事產
民　房　1間

……………………………………………………………………………………

20年-Ⅶ-4　甲首　汪　平　軍戶
舊管　人口　4
事產
民地　1.4930
民　房　6間
開除　人口　1
事產
轉除
民地　0.3150
地　0.1500　萬曆14年本圖５甲金社保戶
地　0.1000　萬曆14年本圖３甲朱學源戶
地　0.0650　萬曆20年本都３圖５甲金　永戶
實在　人口　3
事產
民地　1.1780
民　房　6間

……………………………………………………………………………………

20年-Ⅶ-5　甲首　潘　傑　民戶
舊管　人口　5
事產
民田地山　8.3850
田　3.4960
地　2.9270
山　1.9520
民　房　1間
新收　人口　1
事產
轉收
民田地　4.6150
田　3.3750
田　1.0000　萬曆18年買３都４圖１甲何　儒戶
田　1.8250　萬曆17年買15都５圖７甲徐　恆戶
田　0.5500　萬曆20年買17都２圖６甲金　貳戶
地　1.2400

地　0.0420　萬暦11年買3都10圖6甲吳任應戸
地　0.5680　萬暦18年買5都2圖1甲鄭文遠戸
地　0.6300　萬暦18年買15都5圖7甲徐　恆戸
開除　人口　1
事産
民地山　0.6660
正除　民地山　0.0880
地　0.0680
山　0.0200
轉除　民山　0.1780　萬暦20年賣本甲潘天遂戸
實在　人口　5
事産　民田地山　12.7340
田　6.8710
地　4.1090
山　1.7540
民　房　1間

20年-Ⅶ-6　甲首　程義祥　民戸
舊管　人口　4
事産　民田山　0.1660
田　0.0410
山　0.1250
民　房　3間
新收　人口　1
開除　人口　1
實在　人口　4
事産　民田山　0.1660
田　0.0410
山　0.1250
民　房　3間

20年-Ⅶ-7　甲首　吳　榛　民戸　承故伯存孝
舊管　人口　2
事産　民田地塘　20.4770
田　16.6040
地　3.1430
塘　0.7300
民　房　3間
新收　人口　1

事產
　正收　民地塘　0.1310
　　　　地　0.1290
　　　　塘　0.0020
開除　人口　1
　事產
　正除　田　0.0190
實在　人口　2
　事產　民田地塘　20.5890
　　　　田　16.5850
　　　　地　3.2720
　　　　塘　0.7320
　　民　房　3間

……

20年-Ⅶ-8　甲首　潘希遠　民戶
舊管　人口　5
　事產　民田地山塘　7.9200
　　　　田　1.1000
　　　　地　5.3200
　　　　山　1.5000
　　民　房　3間
新收　事產
　正收　民地山　0.7040
　　　　地　0.5040
　　　　山　0.2000
開除　人口　1
　事產　民田地　0.5560
　正除　民田　0.0060
　轉除　地　0.5500　萬曆18年賣３都１圖１甲閔　玘戶
實在　人口　4
　事產　民田地山　8.0680
　　　　田　1.0940
　　　　地　5.2740
　　　　山　1.7000
　　民　房　3間

……

20年-Ⅶ-9　甲首　程周宣　民戶
舊管　人口　2
　事產　民田地　3.8960

		田	3.2960	
		地	0.6000	
新收	事産	民田	2.3620	
	正收	田	0.1990	
	轉收	民田	2.1630	
		本都１圖田	0.9230	萬曆18年買２甲呂當弘戸
		田	1.2400	萬曆12年買９甲陳應元戸
實在	人口	2		
	事産	民田地	6.2580	
		田	5.6580	
		地	0.6000	

20年-Ⅶ-10　甲首　潘天遂　民戸

舊管	人口	3		
	事産	民田地山	11.6000	
		田	5.6900	
		地	5.9480	
		山	0.0130	
新收	人口	1		
	事産	民地山	0.1900	
	正收	地山	0.0120	
		地	0.0020	
		山	0.0100	
	轉收	山	0.1780	萬曆20年買本甲潘　傑戸
開除	人口	1		
	事産	民田地	1.1290	
	正除	民田	0.0980	
	轉除	民田地	1.0310	
		田	0.1310	萬曆19年賣17都２圖10甲湯天昱戸
		地	0.9000	萬曆19年賣17都２圖10甲湯天昱戸
實在	人口	3		
	事産	民田地山	10.6610	
		田	5.4100	
		地	5.0500	
		山	0.2010	

20年-Ⅶ-11　甲首　潘　亮　民戸

舊管	人口	2
新收	人口	2

事産　　　民地　1.9280
　轉收　３都４圖地　1.3600　萬暦18年買８甲吳文付戸
　　　　５都２圖地　0.5680　萬暦18年買１甲鄭文遠戸
開除　人口　1
實在　人口　3
　　　事産　　　民地　1.9280

20年-Ⅶ-12　甲首　**王承興**　民戸　承故民陳玄道
舊管　人口　3
　　　事産　　民　房　3間
新收　人口　3
　　　事産
　轉收　民田地塘　11.8060
　　　　田　11.4560
　　　　本圖田　5.5780　萬暦16・19年買８甲王應元戸
　　　　田　5.8760　萬暦15・19年買８甲王應元戸
　　　　本圖地　0.2000　萬暦16年買８甲王世元戸
　　　　本圖塘　0.1500　萬暦15年買８甲王應元戸
開除　人口　3
實在　人口　3
　　　事産　民田地塘　11.8060
　　　　田　11.4560
　　　　地　0.2000
　　　　塘　0.1500
　　　　民　房　3間

20年-Ⅶ-13　告明立戸　**潘承鳳**　民戸
新收　人口　1
　　　事産
　轉收
　　民田地　13.0400
　　　田　11.8950
　　本圖田　2.9000　萬暦12年買１甲郭　印戸
　３都１圖田　3.7700　萬暦18年買３甲任南害戸
　３都４圖田　1.1580　萬暦17年買７甲何文活戸
　３都９圖田　2.8010　萬暦18年買９甲汪鎭愷戸
　５都４圖田　0.8870　萬暦18年買10甲汪秀隆戸
　17都２圖田　0.3500　萬暦11年買３甲何　珊戸
　　　地　1.1450

地　1.0950　萬曆12年買３甲任南軎戶
地　0.0500　萬曆17年買７甲徐　恆戶
實在　人口　2
事產
民田地　13.0400
田　11.8950
地　1.1450

20年-Ⅶ-14　方　記　軍戶　(絕)
實在　人口　4
事產
民　房　3間

20年-Ⅶ-15　陳永得　軍戶　(絕)
實在　人口　2
事產
民　房　3間

20年-Ⅶ-16　李社祖　軍戶　(絕)
實在　人口　1

20年-Ⅶ-17　陳兆均　軍戶　(絕)
實在　人口　5
事產
民　房　3間

20年-Ⅶ-18　汪文傑　民戶　(絕)
實在　人口　3
事產
民　房　3間

第８甲

20年-Ⅷ　排年　陳　滄　中戶　軍戶
舊管　人口　男婦31
事產
民田地山塘　86.4690

田　29.2950

地　27.3520

山　29.6200

塘　0.2020

民　房　3間

新收　人口　7

事產

民田地塘　19.9710

正收　田山　0.8850　遵奉萬曆11年恩詔摘査改正

田　0.3270

山　0.5580

轉收

民田山塘　19.0860

田　17.6110

本都1圖田　0.3900　萬曆20年買2甲朱天生戶

田　1.2000　萬曆20年買4甲陳天相戶

田　4.1670　萬曆20年買4甲陳三同戶

田　2.9400　萬曆20年買10甲陳　浩戶

田　7.6170　萬曆20年買4甲陳積裕戶

本都2圖田　1.2970　萬曆20年買10甲黄　雲戶

山　1.3750

本圖山　1.3000　萬曆12年買1甲程　興戶

山　0.0750　萬曆20年買3甲朱學源戶

塘　0.1000

本都1圖塘　0.0500　萬曆20年買4甲陳積裕戶

塘　0.0500　萬曆20年買4甲陳三同戶

開除　人口　7

事產

民田地山　9.5850

正除

民地　0.2680

轉除

民田地山　9.3170

田　2.3230

田　0.0450　萬曆14年賣本都1圖5甲陳時暘戶

田　2.2780　萬曆12年賣26都5圖2甲宋灵松戶

地　0.2710

地　0.0580　萬曆16年賣本圖1甲王　茂戶

地　0.2130　萬曆20年賣本都6圖10甲陳　文戶

山　6.7230
山　1.6350　萬暦14年賣本都１圖５甲陳時暘戶
山　1.0500　萬暦16年賣本都１圖２甲朱　成戶
山　0.6800　萬暦16年賣本都１圖２甲朱天成戶
山　0.4350　萬暦18年賣本都１圖４甲陳積裕戶
山　2.5330　萬暦12年賣26都５圖２甲宋灵松戶
山　0.3900　萬暦17年賣26都４圖７甲汪　法戶

實在　人口　31
事産
民田地山塘　96.8550
田　44.9100
本都田　43.4700
26都田　1.4400
地　26.8130
本都地　26.0730
26都地　0.7400
山　24.8300
本都山　20.7830
26都山　4.0470
塘　0.3210
本都塘　0.3210
民　房　３間

20年-Ⅷ-1　甲首　王繼成　民戶

舊管　人口　4
事産
民田地山　10.2190
田　7.0670
地　2.4910
山　0.6610
民　房　２間

新收　人口　2
事産
轉收
民田地山　2.7890
田　2.2670
本圖田　0.8800　萬暦19年買１甲王　茂戶
田　1.3870　萬暦20年買10甲陳　祥戶
地　0.1000

本圖地　0.1000　萬暦20年買７甲王齊興戶
山　0.4220
本都１圖山　0.3270　萬暦14年買２甲朱天生戶
本都２圖山　0.0950　萬暦20年買３甲朱茂榮戶
開除　人口　1
事産
民田地　1.3260
正除　地　0.0130
轉除
民田地　1.3313
田　1.3000　萬暦13年賣本都１圖５甲陳天相戶
地　0.0130　萬暦20年賣本圖１甲王　茂戶
實在　人口　5
事産
民田地山　12.0820
田　8.4340
地　2.5650
山　1.0830
民　房　2間

20年-Ⅷ-2　甲首　朱得九　民戶　承故朱瑾
舊管　人口　5
事産
民田地山塘　49.5920
田　45.5270
地　2.0450
山　1.9920
塘　0.0660
民　房　2間
新收　事産
正收
民田地　0.0860
田　0.0340
地　0.0500
開除　人口　1
事産
民田地山　38.5010
正除
民田山　0.1610

轉除
民田地　38.3400
田　37.5960
田　1.3000　萬曆18年賣本圖１甲王　茂戶
田　7.9780　萬曆12年賣本圖10甲朱國錢戶
田　3.2630　萬曆14年賣本圖２甲汪　護戶
田　22.5420　萬曆17年賣本圖２甲朱師顏戶
田　2.0440　萬曆11年賣本都１圖３甲王　爵戶
地　0.7440
地　0.3390　萬曆18年賣本圖２甲朱師顏戶
地　0.4050　萬曆15年賣本圖10甲朱國錢戶
實在　人口　2
事産
民田地山塘　11.1770
田　7.9650
地　1.3570
山　1.8310
塘　0.0280
民　房　2間

20年-Ⅷ-3　甲首　王應元　民戶
舊管　人口　5
事産
民田地山塘　21.9570
田　18.6340
地　1.6700
山　1.4430
塘　0.2200
民　房　6間
新收　人口　2
事産
正收
民田地　0.0730
田　0.0190
地　0.0540
開除　人口　2
事産
民田地塘　11.8490
正除

塘　0.0430
轉除
民田地塘　11.8060
田　11.4560
田　5.5780　萬曆16・17年賣本圖７甲王承興戶
田　5.8780　萬曆15・19年賣本圖７甲王承興戶
地　0.2000　萬曆16年賣本圖７甲王承興戶
塘　0.1500　萬曆15年賣本圖７甲王承興戶
實在　人口　5
事產
民田地山塘　9.9610
田　7.1970
地　1.2940
山　1.4430
塘　0.0270
民　房　6 間

20年-Ⅷ-4　甲首　**程　學**　民戶
舊管　人口　6
事產
民田地山塘　13.0450
田　11.8520
地　0.8530
山　0.2140
塘　0.1250
民　房　2 間
新收　人口　2
事產
民田地山塘　10.6380
正收
田地塘　0.2790
田　0.0200
地　0.0610
塘　0.1980
轉收
田地塘　10.3590
田　6.3170
本圖田　0.7900　萬曆20年買５甲陳　章戶
本都１圖田　3.5480　萬曆20年買４甲徐積裕戶

田　0.2500　萬曆16年買７甲吳　法戸
11都３圖田　1.7290　萬曆20年買９甲金川積戸
地　3.6950
本圖地　0.1800　萬曆11年買１甲王　茂戸
地　0.1440　萬曆11年買４甲王　美戸
地　0.9720　萬曆14年買５甲陳　章戸
本都１圖地　0.0940　萬曆19年買４甲陳鶴裕戸
地　0.7300　萬曆16年買７甲吳　法戸
地　0.1220　萬曆15・21年買３甲陳玄法戸
２都５圖地　1.4530　萬曆15年買10甲金綋蔭戸
山　0.1270
本圖山　0.1170　萬曆11年１甲王　茂戸
本都２圖山　0.0100　萬曆19年買本都１圖４甲陳積裕戸
塘　0.2200

開除　人口　2
事産
民田塘　8.1620
田　8.0820
田　1.2560　萬曆20年賣本圖２甲朱添資戸
田　6.8260　萬曆20年賣本都１圖１甲李顯法戸
塘　0.0800　萬曆20年賣11都１圖１甲李顯法戸

實在　人口　5
事産
民田地山塘　15.5210
田　10.1080
地　4.6090
山　0.3410
塘　0.4630
民　房　２間

……………………………………………………………………………………

20年-Ⅷ-5　甲首　朱文林　民戸　承故兄文槐

舊管　人口　6
事産
民田地山塘　4.5300
田　2.0810
地　2.1220
山　0.1920
塘　0.1350
民　房　１間

新收　人口　1
事產
民田地山塘　2.2750
正收
民田地山塘　2.2750
田　0.6010
地　0.4860
山　0.9980
塘　0.1900
轉收
民田地山塘　2.0000
田　1.5990
本圖田　0.4200　萬曆12年買３甲朱大儀戶
本都２圖田　0.8250　萬曆11年買２甲吳　富戶
6圖田　0.3540　萬曆11年買２甲吳積玉戶
地　0.3010
26都３圖地　0.2610　萬曆13年買７甲師應魁戶
本圖地　0.0400　萬曆12年買３甲朱大儀戶
山　0.0460　萬曆13年26都３圖７甲師應魁戶
塘　0.0540　萬曆11年本都６圖２甲吳積玉戶
開除　人口　2
事產
轉除
民田地山塘　3.3900
田　2.0150
田　0.0770　萬曆15年賣本圖４甲朱文魁戶
田　0.9620　萬曆14年賣本圖６甲朱　楷戶
田　0.1850　萬曆19年賣本圖６甲朱　俊戶
田　0.1050　萬曆20年賣本都６圖３甲李世福戶
田　0.6860　萬曆17年賣11都３圖９甲湯　曜戶
地　0.7760
地　0.6740　萬曆15・21年賣本圖４甲朱文魁戶
地　0.0450　萬曆18年賣本圖４甲朱大興戶
地　0.0570　萬曆18年賣本圖４甲朱景和戶
山　0.5100
山　0.0150　萬曆21年賣本圖４甲朱文魁戶
山　0.3230　萬曆19年賣本圖６甲朱　俊戶
山　0.0570　萬曆19年賣本圖３甲朱興元戶
山　0.0210　萬曆13年賣本圖６甲朱　楷戶

山　0.0310　萬曆13年賣本都 3 圖 9 甲金星煌戶
山　0.0320　萬曆12年賣本都 6 圖 9 甲吳文茂戶
山　0.0310　萬曆11年賣11都 3 圖 9 甲湯　曜戶
塘　0.0890
塘　0.0420　萬曆21年賣本圖 4 甲朱文魁戶
塘　0.0060　萬曆19年賣本圖 6 甲朱　俊戶
塘　0.0410　萬曆14年賣本圖 6 甲朱　楷戶

實在　人口　5
事産
民田地山塘　5.4150
田　2.2660
地　2.1330
山　0.7260
塘　0.2900
民　房　1 間

20年-Ⅷ-6　甲首　**陳　進**　民戶

舊管　人口　3
事産
民田地　17.9520
田　17.8010
地　0.1510
民　房　1 間

新收　事産
民田　2.9990
正收　民田　0.1390
轉收　田　2.8600　萬曆19年買 3 甲朱興元戶

開除　事産
民田　10.4320
田　2.0060　萬曆19年賣本圖 3 甲朱興元戶
田　2.2220　萬曆16年賣本圖 6 甲朱　楷戶
田　0.8200　萬曆20年賣本都 6 圖 3 甲李□□戶
田　0.5790　萬曆13年賣本都 6 圖 3 甲李達仁戶
田　0.9350　萬曆20年賣本都 6 圖 9 甲吳可□戶
田　3.8700　萬曆13年賣本都 6 圖 1 甲李墩甫戶

實在　人口　3
事産
民田地　10.5190
田　10.3680

地　0.1510
民　房　1間

……………………………………………………………………

20年-Ⅷ-7　甲首　**郭正耀**　民戸
舊管　人口　6
事産
民田地山　2.6410
田　0.3270
地　2.1340
山　0.1800
民　房　1間
新收　事産
正收
民地　0.0730
開除　事産
轉除　地　0.6520　萬暦14年賣３都１圖８甲□敬初戸
實在　人口　6
事産
民田地山　2.0620
田　0.3270
地　1.5550
山　0.1800
民　房　1間

……………………………………………………………………

20年-Ⅷ-8　甲首　**汪社曜**　軍戸
舊管　人口　1
事産
民地　0.1210
官民房　4間（官１，民３）
實在　人口　2
事産
民地　0.1210
官民房　4間（官１，民３）

……………………………………………………………………

20年-Ⅷ-9　甲首　**呉　魁**　民戸
舊管　人口　4
事産
民　房　3間
新收　人口　1

事產
轉收　田　0.5030　萬暦18年買本圖１甲金　淸戶
開除　人口　1
實在　人口　4
事產
民田　0.5030
民　房　３間

20年-Ⅷ-10　甲首　汪腊黎　民戶
實在　人口　3

20年-Ⅷ-11　甲首　朱添芳　民戶
實在　人口　3
事產　民　房　３間

20年-Ⅷ-12　甲首　陳　仕　民戶
實在　人口　3
事產　民　房　３間

20年-Ⅷ-13　甲首　黃記大　民戶
實在　人口　3
事產　民　房　１間

20年-Ⅷ-14　朱永淸　軍戶　（絕）
實在　人口　4
事產　民　房　３間

20年-Ⅷ-15　朱　和　軍戶　（絕）
實在　人口　7
事產　民　房　３間
民水牛　１頭

20年-Ⅷ-16　汪計宗　軍戶　（絕）
實在　人口　3
事產　民　房　３間

第９甲

20年-Ⅸ　排年　王　初　匠戶

舊管	人口	男婦36		
	事產			
	民田地山塘		33.3990	
		田	16.8720	
		地	7.6160	
		山	8.3610	
		塘	0.5500	
	民　房		7間	
新收	人口	8		
	事產			
	民田地山塘		8.6740	
	正收			
		田地	2.2600	遵11年恩詔摘查改正
		田	1.8010	
		地	0.4590	
	轉收			
		民田塘	6.4140	
		田	6.3520	
		田	2.4320	萬曆19年買本圖１甲王　茂戶
		田	0.8410	萬曆11年買本圖４甲王正芳戶
		田	0.7240	萬曆11年買本圖５甲陳　章戶
		田	1.2000	萬曆19年買本都１圖４甲陳積裕戶
		田	0.1550	萬曆19年買13都３圖２甲吳應瑞戶
		地	0.0500	萬曆20年買本圖４甲王正芳戶
		塘	0.0120	萬曆11年買本圖５甲陳　章戶
開除	人口	11		
	事產			
	民田地山		17.3510	
	正除			
		民山	1.4280	
	轉除			
	民田地山		15.9330	
		田	13.1150	
		田	0.5800	萬曆20年賣本圖４甲王正芳戶
		田	0.9310	萬曆20年賣本圖10甲朱　瑚戶
		田	0.6230	萬曆20年賣13都４圖８甲汪　添戶

田　0.7660　萬曆15年賣13都4圖8甲汪　禧戶
田　5.8310　萬曆17年賣30都3圖9甲吳玄瑞戶
田　0.3900　萬曆17年賣本圖7甲王齊興戶
田　0.2140　萬曆20年賣13都4圖5甲吳宗慶戶
地　0.2880
地　0.0150　萬曆20年賣本圖1甲王　富戶
地　0.0240　萬曆19年賣本圖4甲王富萬戶
地　0.1100　萬曆18年賣本圖4甲王正芳戶
地　0.0290　萬曆20年賣本圖2甲朱添資戶
地　0.1000　萬曆17年賣本都1圖3甲王　爵戶
地　0.0100　萬曆10年賣本都1圖4甲陳三同戶
山　2.5300
山　1.5300　萬曆17年賣26都6圖1甲李敦甫戶
山　1.0000　萬曆20年賣30都3圖9甲吳玄瑞戶

實在　人口　33
事產
民田地山塘　25.1680
田　12.3660
地　7.8370
山　4.4030
塘　0.5620
民　房　7間

20年-Ⅸ-1　甲首　**朱法隆**　民戶
實在　人口　3
事產
民地山　0.6770
地　0.5970
山　0.0800
民　房　3間

20年-Ⅸ-2　甲首　**畢　顯**　民戶　承故兄盛
舊管　人口　11
事產
民田地山　13.5270
田　8.2930
地　2.9860
山　2.2480
民　房　2間

新收　人口　3
事產
正收
民田地　0.1200
田　0.1470
地　0.0130
開除　人口　6
事產
轉除
田地山　9.2630
田　7.9900
田　0.9310　萬暦19年賣本圖１甲王　茂戶
田　1.2380　萬暦21年賣本圖３甲朱學源戶
田　1.2330　萬暦18年賣本都１圖10甲陳　浩戶
田　1.2500　萬暦18年賣本都２圖１甲朱三元戶
田　2.7980　萬暦18年賣本都２圖８甲葉錦成戶
田　0.5400　萬暦17年賣本都２圖８甲葉廷松戶
地　0.8450
地　0.0050　萬暦19年賣本都１圖９甲陳　加戶
地　0.5400　萬暦18年賣26都５圖９甲吳　高戶
地　0.3000　萬暦19年賣11都３圖９甲金川積戶
山　0.4280
山　0.2500　萬暦19年賣本都１圖５甲陳時暘戶
山　0.7780　萬暦19年賣11都３圖９甲金川積戶
實在　人口　8
事產
民田地山塘　4.3840
田　0.4100
地　2.1540
山　1.8200
民　房　２間

20年-Ⅸ-3　甲首　朱　瑤　民戶
舊管　人口　2
事產
民田地山　20.6650
田　16.5130
地　1.5990
山　2.5550

新收　人口　3
事産
正收
民田地　0.0360
田　0.0080
地　0.0210
開除　人口　2
事産
民地山　0.5160
正除
民山　0.4990
轉除
民地　0.0170
實在　人口　2
事産
民田地山　20.1850
田　16.5210
地　1.6080
山　2.0560

20年-IX-4　甲首　王茂伍　匠戸
舊管　人口　33
事産
民田地山塘　23.7580
田　9.3880
地　10.3880
山　3.9650
塘　0.0470
民　房　4間
新收　人口　6
事産
民田地山　32.3330
正收
民地山　0.6290
地　0.2390
山　0.3900
轉收
民田地山　31.7040
田　26.7890

田　3.0710　萬曆16年買11都３圖２甲汪國英戶
田　1.2570　萬曆15年買11都３圖２甲汪國英戶
田　6.4250　萬曆13・19年買13都１圖４甲汪　興戶（4.9000，1.7200）
田　2.4530　萬曆19年買13都１圖２甲金　法戶
田　2.2700　萬曆18年買13都４圖８甲吳　禎戶
田　2.2590　萬曆16年買13都４圖10甲吳邦濟戶
田　0.3040　萬曆16年買13都３圖９甲戴　石戶
田　3.2400　萬曆16年買13都３圖９甲戴　雙戶
田　5.5100　萬曆17年買31都１圖５甲吳□法戶
地　0.8210
地　0.0600　萬曆13年買本都２圖３甲朱茂榮戶
地　0.0870　萬曆17年買13都４圖８甲吳　興戶
地　0.2460　萬曆13年買13都４圖８甲吳　器戶
地　0.0880　萬曆17年買13都４圖８甲吳　瑄戶
地　0.0200　萬曆17年買13都４圖８甲戴　元戶
地　0.0470　萬曆12年買13都４圖２甲宋世芳戶
地　0.1360　萬曆14年買13都４圖９甲戴有□戶
地　0.0200　萬曆13年買13都４圖４甲戴可權戶
地　0.0200　萬曆18年買13都10甲戴添賜戶
地　0.0100　萬曆15年買13都３圖３甲吳永仙戶
地　0.0535　萬曆12・20年買13都１圖４甲汪興戶（0.0385，0.0150）
地　0.0250　萬曆17年買13都４圖10甲戴　時戶
山　4.0940
山　0.0600　萬曆13年買本都２圖３甲朱茂榮戶
山　3.6500　萬曆19・21年買13都１圖４甲汪興戶（0.7500，0.0200，2.8800）
山　0.0300　萬曆21年買13都４圖８甲吳法和戶
山　0.2000　萬曆19年買13都４圖３甲吳玄伍戶
山　0.0100　萬曆14年買13都４圖４甲戴可權戶
山　0.0400　萬曆17年買13都４圖１甲吳　菌戶
山　0.1000　萬曆16年買13都４圖10甲戴　時戶
開除　人口　8
事產
民田地山　4.1040
正除　田　0.1230
轉除
民田地山　3.9810
田　3.7500
田　0.5500　萬曆14年賣本都１圖10甲陳　浩戶

田　3.2000　萬曆20年賣11都3圖2甲朱國英戶
地　0.1050
地　0.0200　萬曆16年賣13都1圖4甲汪　興戶
地　0.0330　萬曆13年賣13都4圖9甲戴宗拾戶
地　0.0090　萬曆11年賣13都4圖6甲吳　興戶
地　0.0090　萬曆11年賣13都4圖8甲吳汪光戶
地　0.0440　萬曆15年賣13都3圖9甲戴宗大戶
山　0.1260
山　0.0200　萬曆20年賣13都4圖5甲吳天選戶
山　0.1060　萬曆15年賣13都3圖9甲戴宗大戶

實在　人口　31
事產
民田地山塘　51.9870
田　32.3040
地　11.3230
山　8.3230
塘　0.0470
民　房　4間

……………………………………

20年-Ⅸ-5　甲首　洪　龍　民戶
實在　人口　2
事產　民　房　3間

……………………………………

20年-Ⅸ-6　甲首　李　得　民戶
實在　人口　4
事產　民　房　3間

……………………………………

20年-Ⅸ-7　甲首　金　廣　民戶
實在　人口　2
事產　民　房　3間
水　牛　1頭

……………………………………

20年-Ⅸ-8　甲首　朱　輔　民戶
實在　人口　3
事產　民　房　2間

……………………………………

20年-Ⅸ-9　甲首　汪三富　民戶
實在　人口　4
事產　民　房　1間

……………………………………

20年-Ⅸ-10　甲首　呉文軒　民戸
　實在　人口　　2
　　　　事産　民　房　3間

20年-Ⅸ-11　　　　汪　振　民戸
　實在　人口　　1
　　　　事産　民　房　1間

20年-Ⅸ-12　　　　朱　雲　民戸
　實在　人口　　1
　　　　事産　民　房　3間

20年-Ⅸ-13　　　　朱　彬　軍戸
　實在　人口　　3
　　　　事産　民　房　3間
　　　　　　　水　牛　1頭

20年-Ⅸ-14　　　　黄關童　軍戸
　實在　人口　　4

20年-Ⅸ-15　　　　潘玹童　軍戸
　實在　人口　　1
　　　　事産　民　房　2間

20年-Ⅸ-16　　　　王文正　軍戸
　實在　人口　　1
　　　　事産　民　房　3間

20年-Ⅸ-17　　　　汪　榮　民戸
　實在　人口　　1

第10甲

20年-Ⅹ　排年　金萬鍾　中戸　軍戸
　舊管　人口　　男婦45
　　　　事産
　　　　民田地山塘　　138.7560

田　83.1730
地　21.3890
山　31.9390
塘　2.2550
民　房　6 間
水　牛　1 頭
新收　人口　10
事産
民地塘　8.4250
正收　田地　0.5440
田　0.0180
地　0.5260
轉收
田地塘　7.8810
田　7.8640
本都田　0.5100　萬曆11年買本圖本甲朱祖先戶
田　2.0120　萬曆20年買 1 圖10甲陳　浩戶
田　1.1200　萬曆19年買 1 圖 3 甲王　爵戶
田　0.4150　萬曆20年買本甲陳　祥戶
田　3.8050　萬曆19年買 1 圖陳積裕戶
本都地　0.0090　萬曆19年買 1 甲王　茂戶
塘　0.0080　萬曆19年買 1 甲王　茂戶
開除　人口　11
事産
民田地山塘　12.8930
正除
民塘　0.9840
轉除
民田地山　11.9090
田　11.3890
本都田　1.1300　萬曆13年賣 2 圖汪應元戶
田　1.4000　萬曆19年賣 1 甲王　茂戶
田　0.4770　萬曆17年賣 2 圖朱玄貴戶
田　1.3720　萬曆17年賣 5 甲陳　章戶
田　1.1380　萬曆16年賣11都 3 圖 2 甲吳小保戶
田　1.6870　萬曆12年賣 7 甲王齊興戶
田　1.1080　萬曆12年賣 1 圖10甲陳　浩戶
田　1.1170　萬曆19年賣 1 圖 3 甲王　爵戶
田　0.5600　萬曆19年賣 1 圖 9 甲陳　保戶

田　1.4000　萬曆20年賣1圖6甲陳世曜戶
地　0.2000
本都地　0.2000　萬曆13年賣1甲王　茂戶
山　0.3200
本都山　0.2500　萬曆13年賣1甲王　茂戶
山　0.0700　萬曆21年賣1圖4甲陳積裕戶

實在　人口　44
事產
民田地山塘　134.1880
田　79.6660
地　21.6240
山　31.6190
塘　1.2790
民　房　6間
黃　牛　1頭

……………………………………………………………………………………

20年-Ⅹ-1　甲首　**汪應明**　民戶　承故父汪敏

舊管　人口　5
事產
民田地山塘　13.5750
田　9.5130
地　2.5730
山　1.4500
塘　0.0390
民　房　3間

新收　人口　4
事產
民田地山　0.5130
正收
地山　0.0700
地　0.0600
山　0.0100
轉收
田地　0.4430
26都田　0.1900　萬曆13年買1圖2甲汪廷魁戶
26都地　0.2530　萬曆12年買3圖3甲金　義戶

開除　人口　3
事產
轉除

地山　0.7640
地　0.3640　萬曆17年賣26都 2 圖 9 甲汪　過戶
山　0.4000
山　0.3000　萬曆15年賣26都 6 圖10甲朱本玄戶
山　0.1000　萬曆17年賣26都 2 圖 9 甲汪　過戶
實在　人口　6
事產
民田地山塘　13.3240
田　9.7030
地　2.5220
山　1.0600
塘　0.0390

20年-Ⅹ-2　甲首　詹應星　民戶
舊管　人口　3
事產
民地山　0.3910
地　0.1780
山　0.1230
新收　事產
轉收
田　0.6300　萬曆21年買本都 1 圖 4 甲陳積裕戶
開除　事產
轉除
山　0.1100　萬曆20年賣本圖 2 甲朱天資戶
實在　人口　2
事產
民田地山　0.9110
田　0.6300
地　0.1780
山　0.1030

20年-Ⅹ-3　甲首　朱　雷　民戶　承故兄朱太
舊管　人口　4
事產
民田地山　1.9150
田　0.5350
地　0.5550
山　0.8250

民　房　　3 間
新收　人口　2
事產
民田地　5.2880
正收　田　0.0150
轉收　田地　5.2730
田　5.2490
本都田　2.7330　萬曆19年買３圖１甲金鳴達戶
田　1.1070　萬曆20年買本甲朱時選戶
田　1.4900　萬曆20年買６甲汪　節戶
地　0.0240　萬曆20年買本甲朱時選戶
開除　人口　3
實在　人口　3
事產
民田地山　7.2030
田　5.7990
地　0.5790
山　0.8250

……

20年-X-4　甲首　汪　才　民戶　承故兄祿
舊管　人口　12
事產
民田地山塘　20.8660
田　16.7220
地　2.0400
山　1.9040
塘　0.2000
新收　事產
民田地山　0.2880
正收
田山　0.1440
田　0.0520
山　0.0900
轉收
民地　0.1460　萬曆18年買本都１圖９甲陳應元戶
開除　人口　1
事產
轉除
民田　2.2130　萬曆19年賣26都２圖８甲葉錦聰戶

實在　人口　11
事產
民田地山塘　18.9140
田　14.5610
地　2.1860
山　1.9940
塘　0.2000

20年-Ⅹ-5　甲首　王雲覽　民戶
舊管　人口　5
事產
民田地塘　4.2540
田　2.6460
地　1.4880
塘　0.1200
新收　人口　1
事產
民田地　2.2900
正收
田地　0.4990
田　0.0020
地　0.4970
轉收
田地　1.7910
田　1.5180
田　1.1530　萬曆17年買14都本圖 6 甲王起鳳戶
田　0.3660　萬曆19年買 3 都 6 圖 5 甲任萬丁戶
地　0.2030
3 都地　0.1830　萬曆17年買本圖 6 甲王起鳳戶
地　0.0078　萬曆12年買 4 圖 6 甲師永慶戶
地　0.0380　萬曆12年買 4 圖 6 甲師永茂戶
地　0.0840　萬曆12年買 4 圖 6 甲師關五戶
山　0.0700
山　0.0273　萬曆12年買 4 圖 6 甲師永慶戶
山　0.0133　萬曆12年買 4 圖 6 甲師永茂戶
山　0.0294　萬曆12年買 4 圖 6 甲師關五戶
開除　人口　1
事產
轉除

民田地塘　2.4970
田　0.3920
３都田　0.0800　萬曆20年本都３圖10甲昌應龍戶
田　0.3120　萬曆21年３都８圖５甲胡□珍戶
地　2.1050
３都地　0.2080　萬曆18年買３都８圖６甲胡生應戶
３都地　1.5200　萬曆17年賣４都３圖３甲畢　林戶
地　0.2570　萬曆21年賣３都８圖５甲胡□珍戶
３都地　0.1200　萬曆17年賣４都３圖３甲畢　林戶

實在　人口　5
事產
民田地山　4.0470
田　3.7740
地　0.2030
山　0.0700

20年-Ⅹ-6　甲首　**朱時選**　民戶　承故父祐

舊管　人口　3
事產
民田地山塘　39.2190
田　30.5610
地　3.2470
山　3.3110
塘　0.1000

新收　人口　4
事產
民地　0.0890
正收　地　0.0270
轉收
本都地　0.0680　萬曆12年買本甲朱祖先戶

開除　人口　2
事產
轉除
田地山塘　12.1860
本都田　1.0660　萬曆17年賣本都３圖10甲金廷儒戶
田　1.1070　萬曆20年賣本甲朱　雷戶
田　4.6490　萬曆17年賣26都６圖１甲李敦甫戶
田　0.5260　萬曆17年賣本甲朱國錢戶
田　2.2450　萬曆21年賣本圖２甲汪　護戶

田　2.3220　萬曆16年賣本圖 2 甲汪　護戶
地　0.1390
本都地　0.1150　萬曆16年賣本圖 2 甲朱時應戶
地　0.0240　萬曆20年賣本甲朱　雷戶
本都山　0.0320　萬曆16年賣本圖 2 甲朱時應戶
本都塘　0.1000　萬曆21年賣26都 6 圖 1 甲李敦甫戶
實在　人口　5
事産
民田地山　27.1220
田　20.6460
地　3.1970
山　3.2970

20年-X-7　甲首　陳　祥　軍戶
舊管　人口　11
事産
民田地山　61.3490
田　48.3840
地　9.9230
山　3.0420
民　房　3 間
水　牛　1 頭
新收　事産
民田　1.3920
正收　0.0140
轉收　田　1.3780　萬曆11年買本都 1 圖 3 甲王　爵戶
開除　事産
民田地山　22.0900
正除
地山　0.6280
地　0.5080
山　0.1200
轉除
田　21.4620
本都田　1.1370　萬曆20年賣本都 2 圖 7 甲汪應遠戶
田　3.3100　萬曆19年賣本都 2 圖 7 甲汪大有戶
田　7.9620　萬曆16年賣本都 1 圖 3 甲王　爵戶
田　1.1130　萬曆20年賣本都 2 圖 1 甲朱　曜戶
田　0.9100　萬曆19年賣 7 甲王齊興戶

田　0.4610　萬曆16年賣１甲王　茂戶
田　0.4190　萬曆20年賣本甲金萬鍾戶
田　1.4500　萬曆19年賣１王　茂戶
田　2.7270　萬曆21年賣２甲汪　護戶
田　0.5860　萬曆19年賣１圖５甲陳世曜戶
田　1.3870　萬曆20年賣８甲王維成戶
實在　人口　11
事產
民田地山　40.6510
田　28.3140
地　9.4150
山　2.9220

………………………………………………………………………………………………

20年-Ⅹ-8　甲首　**朱祖光**　民戶　承故孫朱社
舊管　人口　6
事產
民田地山　5.2200
田　2.3470
地　1.8260
山　1.0470
新收　人口　2
開除　人口　5
事產
轉除
田地山　1.4660
本都田　0.5100　萬曆11年賣本甲金萬鍾戶
地　0.9060
本都地　0.0680　萬曆12年賣朱時選戶
地　0.0290　萬曆16年賣２甲朱時應戶
地　0.7600　萬曆16年賣６圖３甲李□□戶
地　0.0330　萬曆13年賣４甲朱岩志戶
本都山　0.0500　萬曆16年賣６圖３甲李□□戶
實在　人口　3
事產
民田地山　3.7540
田　1.8370
地　0.9200
山　0.9970

………………………………………………………………………………………………

20年-X-9　甲首　吳　璜　民戶　承故父吳積

舊管　人口　4
　　　事産
　　　　民田地　14.9310
　　　　　　田　11.7460
　　　　　　地　3.1850
新收　人口　1
　　　事産
　　　　正收
　　　　民田塘　0.9960
　　　　　　田　0.8570
　　　　　　塘　0.1390
開除　人口　1
　　　事産
　　　　轉除
　　　　民田地　15.1490
　　　　　　田　12.3230
　　　　3都田　1.2100　萬曆13年賣17都2圖10甲潘　茂戶
　　　　　　田　2.0800　萬曆15年賣3都8圖10甲關　諫戶
　　　　　　田　1.2800　萬曆15年賣3都10圖8甲汪　淇戶
　　　　　　田　0.5790　萬曆19年賣4都9圖9甲吳　瑞戶
　　　　　　田　1.2410　萬曆15年賣3都10圖8甲汪　珠戶
　　　　　　田　2.7950　萬曆19年賣8都3圖昌應龍戶
　　　　　　地　2.8260
　　　　3都地　0.4790　萬曆14年賣本圖7甲吳存存戶
　　　　　　地　0.3000　萬曆19年賣3都7圖10甲吳宗祐戶
　　　　　　地　0.9200　萬曆19年賣3都7圖7甲吳時仁戶
　　　　　　地　1.1270　萬曆12年賣3都8圖汪　鎭戶
實在　人口　4
　　　事産
　　　　民田地塘　0.7780
　　　　　　田　0.2800
　　　　　　地　0.3590
　　　　　　塘　0.1390

………………………………………………………………

20年-X-10　甲首　汪　顯　民戶

舊管　人口　3
　　　事産
　　　民田地山塘　30.0860

田　27.6560
地　0.1560
山　2.1660
塘　0.0980
實在　人口　3
事産
民田地山塘　30.0860
田　27.6560
地　0.1560
山　2.1660
塘　0.0980

……………………………………………………………………………………

20年-Ⅹ-11　甲首　朱　瑚　民戶
舊管　人口　2
事産
民田地山　8.3265
田　6.8280
地　0.6875
山　0.8100
新收　人口　1
事産
轉收
民本都田　0.9310　萬曆20年買９甲王　初戶
開除　事産
轉除
民田地　2.4620
田　2.4350
本都田　0.9840　萬曆11年賣本圖１甲王　茂戶
田　1.4510　萬曆17年賣本甲朱國錢戶
地　0.0270
本都地　0.0100　萬曆20年賣本甲吳國錢戶
地　0.0170　萬曆13年賣本都４甲朱岩志戶
實在　人口　3
事産
民田地山　6.7955
田　5.3240
地　0.6605
山　0.8110

……………………………………………………………………………………

20年-Ⅹ-12　甲首　朱　福　軍戶
舊管　人口　2
事産
民田地　3.0290
田　2.9690
地　0.0600
實在　人口　2
事産
民田地　3.0290
田　2.9690
地　0.0600

20年-Ⅹ-13　甲首　程　產　民戶　承故父程郎
舊管　人口　4
事産
民田地山塘　2.7260
田　0.1100
地　2.1620
山　0.2440
塘　0.2100
新收　人口　1
事産
民田地山　1.6840
正收
民田地山　0.9380
田　0.5550
地　0.2370
山　0.1460
轉收
民田　0.7460　萬曆20年買本圖 6 甲朱永承戶
開除　人口　1
事産
轉除
田地　0.6290
本都田　0.5550　萬曆16年賣11都 3 圖 1 甲金隆良戶
地　0.0740　萬曆16年賣11都 3 圖 1 甲金隆良戶
實在　人口　4
事産
民田地山塘　3.7810

田　0.8560
地　2.3990
山　0.3900

……………………………………………………………………………………………

20年-Ⅹ-14　甲首　**吳　濵**　民戶
舊管　人口　3
事產
民田地　9.7920
田　5.8780
地　3.9140
新收　人口　1
開除　人口　1
事產
民田地　9.1460
正除　田地　0.4270
田　0.0080
地　0.4190
轉除
田地　9.3190
田　5.8700
３都田　0.5920　萬曆16年賣３都７圖７甲吳時仁戶
３都田　0.7100　萬曆19年賣８都３圖10甲昌應龍戶
田　0.5790　萬曆19年賣８都３圖10甲昌應龍戶
田　0.7300　萬曆16年賣１都４圖７甲光　浩戶
田　3.2590　萬曆13年賣３都７圖黃　玘戶
地　3.4490
３都地　2.2800　萬曆13年賣３都８圖６甲汪時遞戶
地　0.4000　萬曆16年賣３都５圖１甲吳　道戶
地　0.4240　萬曆19年賣14都７圖１甲胡　琦戶
地　0.3450　萬曆17年賣６都２圖２甲胡文光戶
實在　人口　3
事產
民田　0.0460

……………………………………………………………………………………………

20年-Ⅹ-15　新立一戶　**朱國錢**　民戶
新收　人口　1
事產
民田地山　18.6890
田　16.8860

本都田　6.9300　萬曆12年買２甲朱　欽戶
田　7.9790　萬曆12年買８甲朱湯九戶
田　1.4510　萬曆10年買本甲朱　瑚戶
田　0.5260　萬曆17年買本甲朱時選戶
地　0.5570
本都地　0.1020　萬曆17年買２甲朱　欽戶
地　0.0250　萬曆11年買２甲朱祖耀戶
地　0.4050　萬曆15年買８甲朱湯九戶
地　0.0100　萬曆20年買本甲朱　瑚戶
地　0.0150　萬曆16年買２甲朱　洪戶
山　1.2460
山　1.0540　萬曆16年買２甲朱　欽戶
山　0.1600　萬曆11年買２甲朱祖耀戶
山　0.0320　萬曆16年買２甲朱　洪戶

實在　人口　1
事產
民田地山　18.6890
田　16.8860
地　5.5700
山　1.2460

20年-Ｘ-16　**金廷貴**　民戶
實在　人口　4
事產
民 房　２間

20年-Ｘ-17　**朱記友**　軍戶　(絕)
實在　人口　1

20年-Ｘ-18　**朱　遠**　軍戶　(絕)
實在　人口　4

20年-Ｘ-19　**朱永壽**　軍戶　(絕)
實在　人口　1
事產
民　房　半間

萬暦30年册

第１甲

30年-Ⅰ　排年　**王　茂**　軍戸

舊管　人口　69　男子57，婦女12

事産

民田地山塘	403.4785	夏麥７石２斗９升６合６勺，秋米15石７斗４升６合
田	226.8890	麥４石８斗５升５合４勺，米12石１斗３升８合６勺
地	56.4250	麥１石２斗２升１合４勺，米２石１斗８升５合１勺
山	116.9520	麥１石２斗５升１合４勺，米１石２斗５升１合４勺
塘	3.1950	麥６升８合４勺，米１斗７升９合
民瓦房	６間	

新收　人口　16　男子不成丁12，孫：文昉26年生,侄孫：三鎭26年生,侄孫：延用27年生，侄孫：三魁27年生，侄孫：德華28年生，侄孫：玄鎬28年生，侄孫：玄鉅28年生，侄孫：三良28年生，侄孫：智晉29年生，侄孫：玄錄29年生，侄孫：國文29年生，侄孫：本忠29年生

婦　　女　４，侄孫婦：俞氏 娶13都俞興女，侄孫婦：汪俞氏 娶本圖汪元女，侄孫婦：金氏 娶本都金盛女，侄孫婦：朱氏 娶本都朱法女

事産

轉收

民田地山塘	63.5513	夏麥１石２斗８升，秋米３石１斗７升５合	
田	49.7240	麥１石６斗４升，米２石６斗６升２合	
買本圖田	1.0080	21年買５甲陳　章戸田	得
	1.7900	24年買５甲金岩武戸田	得
		23年買６甲汪　瑞戸田	必
	2.0530	21年買７甲王永興戸田	得
	0.5400	27年買９甲畢　賓戸田	必
	0.9130	26年買10甲金萬鍾戸田	得
	1.7010	27年買10甲金萬鍾戸田	得
	0.2100	買10甲金萬鍾戸田	得
	0.5625	買10甲金萬鍾戸田	得
	0.4530	買10甲金萬鍾戸田	得
	1.7300	23年買10甲陳　新戸田	得
	0.4200	24年買10甲陳　新戸田	得
	2.5930	24年買10甲陳　新戸田	得

	0.4000	21年買10甲汪　鶴戸田	得
買1圖田	0.3700	30年買1甲朱　相戸田	得
	2.4360	28年買3甲王　爵戸田	得
	0.0800	買王　爵戸田	得
	1.5530	買王　爵戸田	得
	0.3650	買王　爵戸田	得
	0.8780	28年買4甲陳積裕戸田	得
	0.9830	28年買4甲陳　瑾戸田	得
	1.0000	26年買5甲陳添相戸田	得
	1.8980	30年買5甲陳祖暘戸田	得
	1.8560	27年買6甲陳世曜戸田	得
	1.7700	26年買7甲汪　志戸田	必
	0.8000	22年買7甲汪　志戸田	必
	1.9440	30年買7甲吳廷起戸田	得
	0.3000	26年買7甲陳　軒戸田	必
	1.6000	25年買7甲汪　明戸田	得
	1.7100	24年買7甲汪德裕戸田	必
	0.3210	27年買8甲程曜德戸田	得
	0.1200	22年買10甲陳　涉戸田	淡
買本都2圖田	0.5000	27年買3甲朱茂榮戸田	必
	0.1329	30年買4甲朱　魁戸田	必
	2.6460	27年買6甲朱正昌戸田	得
	2.4280	27年買6甲朱正昌戸田	得
	1.1700	26年買8甲陳廷僎戸田	得
	1.1000	21年買8甲葉廷松戸田	必
買11都3圖田	0.4830	26年買2甲吳小保戸田	得
	0.5200	26年買2甲吳小保戸田	得
買26都4圖田	1.0000	26年買6甲洪應聘戸田	
地	7.2123	麥1斗4升3合3勺，米2斗7升9合2勺	
買本圖地	0.0285	30年買2甲朱伯才戸地	得
地	0.0700	30年買5甲陳　章戸地	得
地	0.0280	24年買7甲王齊興戸地	得
地	0.1180		必
地	0.0125	22年買陳元和戸地	必
地	0.1180	22年買8甲陳元和戸地	必
地	0.0090	22年買10甲金萬鍾戸地	得
地	0.0200	31年買10甲陳　新戸地	得
地	0.1500	27年買陳元和戸地	必
地	0.1570	27年買10甲陳元和戸地	必

地	3.0100	30年買陳　新戶地	得
地	0.0300	22年買10甲詹應星戶地	得
買1圖地	0.1750	22年買3甲王　爵戶地	得
地	0.0270	22年買王　爵戶地	得
地	0.0200	22年買王　爵戶地	得
地	0.0880	21年買王　爵戶地	得
地	0.0073	30年買王　爵戶地	得
地	1.8370	30年買4甲陳三同戶地	得
地	0.3000	26年買4甲陳四同戶地	得
地	0.0250	30年買4甲程　式戶地	得
地	0.0600	30年買7甲陳　軒戶地	必
地	0.2000	28年買7甲吳廷起戶地	得
地	0.1500	27年買10甲陳　涉戶地	必
買本都6圖地	0.4000	27年買10甲陳　文戶地	必
買8都1圖地	0.0400	25年買2甲葉　帳戶地	必
山	6.4450	麥6升9合，米6升9合	
買本圖山	0.0650	30年買2甲吳天保戶山	得
山	0.1100	25年買2甲朱祐生戶山	得
山	1.7000	22年買5甲陳　章戶山	得
山	0.0700	22年買陳　章戶山	
山	0.0250	22年買陳　章戶山	得
山	0.0800	22年買7甲陳齊興戶山	
山	0.0530	25年買8甲買陳元和戶山	必
山	0.1000	31年買10甲陳　新戶山	
買1圖山	0.3000	26年買3甲王　爵戶山	得
山	2.0640	26年買3甲王　爵戶山	得
山	0.1000	26年買3甲王　爵戶山	得
山	0.0400	30年買4甲陳三同戶山	得
山	0.2700	30年買陳三同戶山	得
山	0.0500	30年買4甲陳積裕戶山	得
山	0.0200	30年買4甲陳　瑾戶山	得
山	0.0100	30年買4甲程　式戶山	得
山	0.0600	23年買10甲陳　涉戶山	得
買2圖山	1.2000	26年買3甲朱茂榮戶山	必
山	0.0800	30年買3甲陳玄法戶山	得
山	0.0180	30年買4甲朱　魁戶山	必
塘	0.1700	麥3合6勺，米9合	
買1圖塘	0.1700	30年買3甲王　爵戶塘	得

開除　人口　16　男子12，成　丁10，侄：成24年故，侄：本22年故，侄：慶22年故，

侄孫：季元28年故，侄孫：弘25年故，侄孫：涪28年故，侄孫：云漢23年故，侄孫：愛25年故，侄孫：應時25年故，義男：金遠27年故
不成丁2，侄孫：玄張24年故，侄孫：守義25年故
婦　女4，侄婦：朱氏23年故，侄婦：金氏22年故，侄婦：陳氏25年故，侄孫婦：吳氏27年故

事產
轉除
民田地山塘　83.2921　夏麥1石7斗1升9合，秋米4石9升1合
田　68.4500
推入本圖
得田　0.5270　22年賣本甲程　相戶
得田　1.9130　28年賣與2甲朱　作戶
得田　1.4850　30年賣與2甲朱　偉戶
得田　0.4740
得田　2.3700　賣與2甲朱裕生戶
得田　1.5300　賣與2甲朱裕生戶
得田　1.0000　30年賣與2甲朱裕生戶
得田　0.8070　22年賣與2甲朱裕生戶
得田　0.8300　22年賣與2甲朱裕生戶
得田　0.2520　22年賣與2甲朱裕生戶
得田　0.9010　30年賣與2甲朱　汶戶
得田　0.9150　29年賣與2甲朱誠侄戶
必田　1.7080　26年賣與3甲朱學源戶
必田　0.6600　30年賣與3甲朱社學戶
必田　0.5920　27年賣與3甲劉得應戶
得田　0.8080　26年賣與4甲王正芳戶
得田　1.0640　26年賣與4甲王正芳戶
得田　0.9400　27年賣6甲汪　瑞戶
得田　0.5520　31年賣與7甲程繼周戶
得田　0.2550　30年賣與7甲王齊興戶
得田　0.3390　30年賣與7甲王齊興戶
得田　1.7400　30年賣與7甲王齊興戶
得田　2.2060　30年賣與7甲王齊興戶
得田　0.7700　30年賣與8甲程延隆戶
得田　2.1660　22年賣與10甲朱德昌戶
必田　1.6400　24年賣與10甲朱德昌戶
得田　0.5200　30年賣與10甲金萬鍾戶
得田　0.4280　23年賣與10甲朱　雷戶

得田　2.1340　30年賣與10甲朱時新戶

推入1圖田

必田　0.7450　30年賣入2甲朱　成戶

必田　0.5500　29年賣入2甲朱有俊戶

必田　1.0700　30年賣入6甲陳世曜戶

得田　0.9960　27年賣入6甲張曜得戶

必田　0.1450　29年賣入9甲金　曜戶

必田　1.5900　29年賣入9甲金　曜戶

必田　0.8000　21年賣入10甲陳　涉戶

必田　0.6040　29年賣入10甲陳　涉戶

必田　1.2580　30年賣入10甲胡天渠戶

必田　0.4640　賣入10甲胡天渠戶

推入2圖田

得田　0.5480　23年賣入1甲朱　曜戶

得田　0.5640　29年賣入1甲朱　曜戶

得田　0.5810　23年賣入1甲朱　曜戶

得田　0.4800　23年賣入3甲陳玄法戶

必田　0.5330　30年賣入3甲朱三元戶

過田　0.7330　29年賣入6甲朱正昌戶

得田　1.2000　28年賣入10甲朱　法戶

得田　1.0200　28年賣入10甲朱　法戶

推入3圖田

得田　1.0260　30年賣入4甲金　建戶

推入6圖田

才田　0.9020　28年賣入1甲黃　大戶

得田　0.4830　21年賣入3甲李宣春戶

推入11都3圖田

必田　1.4200　30年賣入2甲汪闔英戶

必田　7.1950　賣入2甲汪闔英戶

必田　1.7220　賣入2甲汪闔英戶

得田　1.7360　31年賣入11都3圖2甲汪闔英戶

得田　3.4310　31年賣入11都3圖2甲汪闔英戶

得田　2.2230　31年賣入11都3圖2甲汪闔英戶

推入13都2圖田

得田　0.1700　26年10月賣入4甲程　文戶

推入26都6圖田

得田　0.9600　28年賣入1甲李　華戶

得田　1.0300　28年賣入1甲李　華戶

得田　0.7450　28年賣入1甲李　華戶

地　　9.1565　麥1斗8升1合，米3斗5升4合
推入本圖
　得地　0.0090　30年賣本甲程　相戶
　得地　1.9500　22年賣入2甲朱祐生戶
　得地　0.0160　24年賣入4甲王正芳戶
　得地　2.3740　30年賣入7甲王齊興戶
　得地　0.0200　30年賣入8甲程延隆戶
推入1圖
　得地　0.1100　27年賣入1圖10甲陳　涉戶
推入2圖
　得地　0.0750　23年賣入10甲朱　法戶
推入3圖
　得地　3.7420　30年8月賣入4甲金　建戶
推入4都7圖
　得地　　　　　21年4月賣入6甲張祀先戶
推入11都8圖
　得地　0.0420　22年賣入1甲金文昪戶
推入26都3圖
　過地　0.6385　26年賣入5甲汪　齊戶
山　　5.3666　麥5升7合，米5升7合
推入本圖
　得山　0.0860　30年賣入本甲程　相戶
　過山　0.0200　29年賣入本甲金尙伊戶
　得山　0.0350　24年賣入2甲朱　偉戶
　得山　0.0450　24年賣入2甲朱祐生戶
　得山　0.5360　21年賣入2甲朱　信戶
　得山　0.0960　30年賣入8甲程延隆戶
　得山　0.0063　23年賣入8甲朱良祐戶
　得山　0.0013　23年賣入朱良祐戶
　得山　0.0050　賣入朱良祐戶
　得山　0.0440　23年賣入8甲朱良祐戶
推入1圖
　必山　0.0100　30年賣2甲朱　成戶
　必山　0.5000　28年6甲賣入9甲金　曜戶
推入2圖
　得山　0.1200　30年賣2圖1甲朱　曜戶
　得山　0.0800　22年賣入3甲陳玄法戶
推入11都1圖
　得山　0.0200　30年賣入1甲項　富戶

推入11都３圖
　必山　1.0000　22年賣入11都３圖９甲金初孫戶
　淡山　1.4000　22年賣入11都３圖９甲金初孫戶
　淡山　0.9210　22年賣入９甲金初孫戶
推入11都８圖
　得山　0.1000　22年賣入11都８圖１甲金文昇戶
推入26都４圖
　過山　0.0460　22年賣入８甲吳守忠戶
推入26都５圖
　過山　0.3000　26年賣入10甲宋雲會戶
塘　0.3190　麥６合８勺，米１升７合
推入本圖
　得塘　0.0300　30年賣入本甲程　相戶
　得塘　0.0300　30年賣入３甲朱社學戶
　得塘　0.1000　30年賣入７甲王齊興戶
　得塘　0.0300　24年賣入７甲王齊興戶
　得塘　0.0390　30年賣入８甲程延隆戶
推入２圖塘
　得塘　0.0300　23年賣入３甲陳玄法戶
推入26都６圖塘
　得塘　0.0600　28年賣入６圖１甲李　華戶

實在　人口　69　男子57，成丁39，侄：岩印67，侄：用賢52，侄：岩壽24，侄：進賢55，侄孫：應得60，侄孫：廷長46，侄孫：文元45，侄孫：應元45，侄孫：守和42，侄孫：樓39，侄孫：仁元35，侄孫：新元35，侄孫：伯元35，侄孫：文華35，侄孫：玄錫36，侄孫：元壽36，侄孫：積應36，侄孫：應受35，侄孫：玄齡25，侄孫：齡祿25，侄孫：三錫25，侄孫：文旦25，侄孫：岩周25，侄孫：得元34，侄孫：守忠34，侄孫：文明47，侄孫：挺53，侄孫：曉28，侄孫：漢算24，侄孫：貞元23，侄孫：祖應22，侄孫：進愛22，侄孫：禮元15，侄孫：三益17，侄孫：三鑑16，侄孫：淑15，侄孫：守信15，義男：得志33，義男：婢妾27

不成丁18，本身93，侄孫：守益14，侄孫：意元13，侄孫：保應13，侄孫：應正12，侄孫：守仁12，侄孫：文昉５，侄孫：三鎮５，侄孫：廷用３，侄孫：德華３，侄孫：三魁３，侄孫：玄鎬３，侄孫：玄鉅３，侄孫：三良３，侄孫：智晉２，侄孫：

玄祿2，侄孫：國文2，侄孫：本中2
婦女12，侄婦：金氏55，侄婦：金氏48，侄婦：朱氏50，侄孫婦：金氏55，侄孫婦：金氏48，侄孫婦：吳氏54，侄孫婦：吳氏46，侄孫婦：俞氏30，侄孫婦：汪氏19，侄孫婦：金氏21，侄孫婦：朱氏23

事產
民田地山塘　383.7377　夏麥6石8斗6升5合，秋米14石6斗7升2合4勺
　田　208.1630　麥4石4斗5升4合7勺，米11石1斗3升6合7勺
　地　54.4983　麥1石8升2合9勺，米2石1斗9合9勺
　山　118.0304　麥1石2斗6升2合9勺，米1石2斗6升2合9勺
　塘　3.0460　麥6升5合2勺，米1斗6升3合
民瓦房　6間

30年-Ⅰ-1　甲首有糧第一戶　**程　相**　民戶
舊管　人口　2　男子1，婦女1
事產
民田地山塘　15.8710　夏麥3斗2升4合，秋米7斗7升8合4勺
　田　13.2040　麥2斗8升2合6勺，米7斗6合4勺
　地　0.9460　麥2升8合8勺，米3升6合6勺
　山　1.3250　麥1升4合2勺，米1升4合2勺
　塘　0.3960　麥8合5勺，米2升1合2勺
新收　人口　2　男子不成丁1，男：富 29年生
　婦　女　1，妻：韓氏 娶韓大女
事產
轉收
民田地　5.4080　夏麥1斗1升2合2勺，秋米2斗7升5合2勺
　田　4.9740　麥1斗6合4勺，米2斗6升6合
買本圖得田　0.5270　21年買本甲王　茂戶田
　得田　0.2540　30年買10甲金萬鍾戶田
買1圖必田　1.3000　28年買4甲陳積裕戶田
　得田　0.2260　30年買4甲陳積裕戶田
　得田　1.0110　30年買6甲陳世曜戶田
　得田　0.1200　28年買10甲陳　浩戶田
買2圖得田　0.7950　28年買3甲陳玄法戶田
　得田　0.7410　30年買8甲陳司田戶田
　地　0.0972　麥1合9勺，米3合8勺
買本圖得地　0.0090　30年買本甲王　茂地
　得地　0.0050　24年買7甲吳廷起戶
　得地　0.0830　24年買3甲陳玄法地

山　0.2960　麥２合２勺，米３合２勺
買本圖得山　0.0860　30年買本甲王　茂山
買１圖得山　0.0475　30年買３甲王　爵山
得山　0.0400　30年買６甲陳世曜戸山
買２圖得山　0.1225　23年買３甲陳玄法山
塘　0.0408　麥８合，米２合
買本圖得塘　0.0300　30年買本甲王　茂塘
買２圖得塘　0.0108　29年買３甲陳玄法塘

開除　人口　婦女１，義叔母余氏25年故
事産
轉除
民田地山　5.7810　夏麥１斗２升３合６勺，秋米３斗８合５勺
田　5.7510　麥１斗２升３合，米３斗７升７合
推入本圖田
得田　1.7290　26年賣入７甲王齊興戸
得田　1.2020　25年賣入７甲王齊興戸
得田　1.4300　22年賣入８甲朱良祐戸
得田　0.3800　30年賣入10甲金萬鍾戸
推入２圖田
必田　1.0200　23年賣入10甲朱　法戸
地　0.0200　麥４合，米７合
推入本圖
得地　0.0200　24年賣入４甲王　美戸
山　0.0100　麥１合，米１合
推入本圖
得山　0.0100　24年賣入４甲王　美戸

實在　人口　3　男子２，成丁１　本身40，不成丁１　男：富年20
婦女１，妻：韓氏35
事産
民田地山塘　15.4980　夏麥３斗１升２合８，秋米７斗４升５合
田　12.4270　麥２斗６升５合９，秋米６斗６升４合８
地　1.0232　麥２升３合，米３升９合６
山　1.6110　麥１升７合２，米１升７合３
塘　0.4368　麥９合，米２升３合３
民瓦房　3間

30年-Ⅰ-2　甲首有糧第二戸　王　富　民戸
舊管　人口　7　男子４，婦女３
事産

民田地山塘　8.6390　夏麥1斗7升1合9勺，秋米3斗8升6合5勺
田　5.0800　麥1斗8合7勺，米2斗7升1合8勺
地　2.6700　麥5升3合2勺，米1斗3合4勺
山　0.8480　麥9合，米9合1
塘　0.0410　米2合2勺
民瓦房　3間

開除　事産
轉除
民田地　0.7270　夏麥1升5合2勺，秋米3升5合2勺
推入26都6圖
必田　0.4720　27年賣入1甲李發盛戶　麥1升1合，米2升5合2勺
地　0.2550　麥5合，米9合9勺
推入本圖
地　0.2400　22年賣入4甲王正芳戶
得地　0.0150　30年賣入4甲王正芳戶

實在　人口　7　男子4，成　丁3，本身44，侄：德寬32，侄：法25
不成丁1，侄：伸13
婦女3，嫂：吳氏56，妻：程氏42，侄婦：程氏32

事産
民田地山塘　7.9120　夏麥1斗5升6合6勺，秋米3斗5升1合3勺
田　4.6080　麥9升8合6勺，米2斗4升6合5勺
地　2.4150　麥4升8合，米9升3合5勺
山　0.8480　麥9合，米9合1
塘　0.0410　麥9合，米2合2勺
民瓦房　3間

……………………………………………………………………………………

30年-Ⅰ-3　甲首有糧第三戶　**金尚伊**　匠戶　承伯祖金清

舊管　人口　13　男子8，婦女5
事産
民田地山塘　95.5080　夏麥1石6斗7升2合6勺，秋米3石4斗3升
田　38.6580　麥8斗2升7合2勺，米2石6升8合3勺
地　25.8410　麥5斗1升3合8勺，米3斗3升1合8勺
民瓦房　5間
民黃牛　1頭

新收　人口　5　男子不成丁1，侄：積　29年生
婦　女　4，妻：項氏　娶本都項互女，媳：奚氏　娶1都奚是女，
侄婦：程氏　娶本都程同女，侄婦：汪氏　娶本都程
汪得女

事産

轉收

民田地山	2.3550	夏麥4升9合6勺，秋米1斗1升9合8勺
田	1.9760	麥4升2合2勺，米1斗5升7合
買2圖必田	0.4890	31年買10甲朱　法戶田
買6圖過田	1.1100	29年買6圖6甲金　淮戶田
買26都4圖過田	0.3770	24年買8甲朱文質戶田
地	0.3590	麥7合，米1升3合9勺
買6圖必地	0.2930	30年買6甲金　淮戶地
買1都1圖昃地	0.0200	29年買7甲汪廷　戶地
買9都1圖昃地	0.0460	30年9月買2甲程　壽戶地
山	0.0200	麥2合，米2合
買本圖過山	0.0200	29年買1甲王　茂山

開除　人口　　7　男子3，成　丁1，兄：法27年故
不成丁2，伯祖淸21年故，侄：黑30年故
婦女4，伯祖母：汪氏23年故，叔祖母：余氏24年故，叔母：朱氏25年故，嫂：朱氏27年故

事產

轉除

民田地山	15.5805	夏麥2斗8升4合3勺，秋米6斗3升6合5勺
田	10.9655	麥2斗3升4合7毛，米5斗8升6合6勺
推入5圖		
必田	5.8230	26年賣入3甲朱學源戶
推入本圖	0.8550	
必田	0.7800	27年賣入3甲劉得應戶
必田	0.4000	28年賣入8甲吳　魁戶
推入1圖		
必田	1.0050	30年1圖9甲金　曜戶
必田	0.5030	29年10甲胡天渠戶
推入2圖		
必田	0.8930	27年賣入6甲朱正昌戶
必田	0.3925	29年賣入9甲朱福茂戶
必田	0.2870	30年10甲朱　法戶
地	0.0190	麥4合，米7合
推入2圖		
必地	0.0190	31年10甲朱　法戶
山	4.5960	麥4升9合1勺，米4升9合2勺
推入本圖		
必山	0.6840	35年3甲朱學源戶
過山	0.2900	25年3甲朱學源戶

推入2圖
必山　1.9500　29年1甲朱曜戶
必山　0.2290　27年6甲朱正昌戶
必山　1.3400　27年10甲朱　法戶
推入26都4圖
過山　0.1000　22年8甲吳守忠戶
實在　人口　11　男子6，成　丁5，本身26，兄：鼎36，兄：記得35，侄：文魁26，
侄：有鎭25
不成丁1，侄：積2
婦女5，妻：項氏25，嫂：宋氏33，嫂：奚氏30，侄婦：程氏21，
侄婦：汪氏20
事産
民田地山　82.2825　夏麥1石4斗3升7合9勺，秋米2石8斗8升3合
6勺
田　29.6685　麥6斗3升4合9勺，米1石5斗8升7合3勺
地　26.1810　麥5斗2升2合，米1石1升3合5勺
山　26.4330　麥2斗8升2合8勺，米2斗8升2合8勺
民瓦房　5間
黄　牛　1頭

30年-Ⅰ-4　甲首有糧第四戶　**郭節華**　民戶　承叔印
舊管　人口　5　男子3，婦女2
事産
夏麥1斗5合2勺，秋米2斗4合9勺
新收　人口　2　男子不成丁1，男：添生28年生
婦　女　1，妻：朱氏 娶3都朱有女
事産
轉收
買3都8圖呂地　0.2770　30年4甲張　明戶　麥5合，米1升8合
開除　人口　2　男子1　成丁1，叔：印26年故
婦女1，伯祖母：汪氏24年故
實在　人口　5　男子3，成　丁1，本身23
不成丁2，弟：望麟14，男：添生3
婦女2，妻：朱氏20，母：程氏66
事産
民地　5.5710　夏麥1斗1升7合，秋米2斗1升5合7勺

30年-Ⅰ-5　甲首有糧第五戶　**王　盛**　民戶
舊管　人口　5　男子3，婦女2

事産
民田地山塘　20.3800　夏麥４斗２升５合４勺，秋米１石２升５合２勺
田　17.0340　麥３斗６升４合６勺，米９斗１升１合３勺
地　2.4690　麥４升９合，米９升５合６勺
山　0.6690　麥７合，米７合１勺
塘　0.2080　麥４合５勺，米１升１合５勺
新收　人口　1　男子成丁１，男：天善16年生，前册未報
開除　人口　2　男子成丁１，弟：貴27年故
轉除　不成丁１，男：琴　自幼出繼本甲房兄王勝宗爲嗣
事産
轉除
民田　2.6060　夏麥５升５合８勺，秋米１斗３升９合４勺
推入本圖
羽田 2.0390　30年賣入本甲金宗社戶
推入13都４圖
羽田 0.5760　30年９甲吳自傑戶
實在　人口　4　男子成丁２，本身28，男：天善15
婦　女２
事産
民田地山塘　17.7740　夏麥３斗６升９合６勺，秋米８斗８升５合８勺
田　14.4280　麥３斗８合８勺，米７斗７升１合９勺
地　2.4690　麥４升９合，米９升５合６勺
山　0.6690　麥７合２勺，米７合２勺
塘　0.2080　麥４合５勺，米１升１合５勺

30年-Ⅰ-6　甲首有糧第六戶　**余　鐸**　民戶　承故舅方廷貴
舊管　人口　4　男子３，婦女１
事産
民地　0.0520　夏麥１合，秋米２合
開除　人口　2　男子成丁１，舅：方廷貴30年故
不成丁１，舅：應箕25年故
實在　人口　2　男子不成丁１，本身14
婦　女　1，舅母：程氏60
事産
民地　0.0520　夏麥１合，秋米２合

30年-Ⅰ-7　甲首有糧第七戶　**高　曜**　民戶
舊管　人口　4　男子２，婦女２
事産

民田地山塘　2.0530　夏麥4升2合6勺，秋米9升7合4勺
田　1.2340　麥2升6合4勺，米6升6合
地　0.8090　麥1升6合，米3升1合3勺
山　0.0100　麥1合，米1合
民瓦房　1間
開除　事産
轉除
民地　0.0290　30年賣入本都1圖8甲程　曜戶
夏麥7合，秋米1合2勺
實在　人口　4　男子2，成　丁1，本身30
不成丁1，男：盛12
婦女2，母：胡氏70，妻：張氏29
事産
民田地山　2.0240　夏麥4升1合9勺，秋米9升6合2勺
田　1.2340　麥2升6合4勺，米6升6合
地　0.7800　麥1升5合5勺，米3升2合
山　0.0100　麥1合，米1合
民瓦房　1間

30年-Ⅰ-8　甲首有糧第八戶　**謝廷奉**　民戶　承故兄使
舊管　人口　4　男子3，婦女1
事産
民地山　0.4360　夏麥5合，秋米5合8勺
地　0.0460　麥9合，米1合7勺
山　0.3900　麥4合，米4合
民瓦房　3間
新收　人口　1　男子成丁1，弟：岩16年生，前册未報
開除　人口　1　男子成丁1，兄：使25年故
實在　人口　4　男子成丁3，本身36，叔：眞47，弟：岩15
婦　女1，母：汪氏53
事産
民地山　0.4360　夏麥5合，秋米5合8勺
地　0.0460　麥9合，米1合7勺
山　0.3900　麥4合1勺，米4合1勺
民瓦房　3間

30年-Ⅰ-9　甲首有糧第九戶　**程義龍**　民戶　承父興
舊管　人口　2　男子2
事産

民田地山　10.0260　夏麥1斗5升9合5勺，秋米3斗8升4合
田　4.1040　麥8升7合，米2斗1升9合6勺
地　0.9110　麥4升8合，米3升5合2勺
山　5.0110　麥5升3合6勺，米5升3合6勺
新收　人口　1　男子不成丁1，弟：有龍 27年生
開除　人口　1　男子成　丁1，父：興30年故
事產
轉除
民田地山　5.6180　夏麥8升8合7勺，秋米1斗7升2合
田　2.2520　麥4升8合2勺，米1斗2升5合
必田　0.5090　22年賣入本圖3甲朱學源戶
必田　1.7430　23年賣入本都2圖6甲朱正昌戶
地　0.4900　麥9合7勺，米1升8合9勺
必地　0.4500　27年2圖6甲朱正昌戶
必地　0.0150　26年3圖8甲金　挪戶
必地　0.0250　30年26都2圖6甲汪登用戶
山　2.8760　麥3升8合，米3升8合
必山　2.5630　30年1圖2甲朱有芳戶
必山　0.1250　28年2圖6甲朱正昌戶
必山　0.1250　26年3圖8甲金　挪戶
必山　0.0630　30年26都2圖6甲汪登用戶
實在　人口　2　男子2，成　丁1，本身23
不成丁1，弟：有龍4
事產
民田地山　4.4080　夏麥7升8合，秋米1斗3升8合2勺
田　1.8520　麥3升9合6勺，米9升9合1勺
地　0.4300　麥8合4勺，米1升6合3勺
山　2.1350　米2升2合8勺

30年-Ⅰ-10　甲首有糧第十戶　**王　琴**　民戶　承故祖顯富
舊管　人口　3　男子2，婦女1
事產
民瓦房　3間
新收　人口
轉收　男子成丁1，本身自幼繼父勝宗爲嗣，今承戶當差
事產
轉收
民田地　17.11195　夏麥3斗5升9合9勺，秋米8斗9升3合
田　16.5234　麥3斗5升3合6勺，米8斗8升4合

買13都1圖𪽉田　0.0350　30年買4甲汪　成戶
𪽉田　1.1600　27年買4甲汪　興戶
𪽉田　0.7849　30年買7甲朱子佑戶田
𪽉田　1.5870　23年買汪　興戶田
𪽉田　0.8500　30年買7甲汪元道戶田
𪽉田　1.8500　4甲汪　興戶田
𪽉田　1.2000　26年買7甲畢聯兆戶田
𪽉田　1.4000　25年買9甲吳祖蔭戶田
𪽉田　0.9524　25年買8甲吳元立戶田
𪽉田　1.4000　27年買9甲吳祖蔭戶田
買13都3圖𪽉田　0.6200　28年買6甲汪梓才戶田
𪽉田　2.0100　26年買1甲汪　濠戶田
𪽉田　0.4200　27年買10甲吳松戶田
𪽉田　0.4200　27年買10甲吳鎭戶田
買13都4圖𪽉田　1.4605　27年買4甲吳昇戶田
𪽉田　0.3800　30年買9甲吳尙德戶田
山　0.58855　麥6合3勺，米6合3勺
買11都3圖𪽉山　0.45855　30年買2甲汪圖燕戶山
買13都3圖𪽉山　0.1300　26年買1甲汪　濠戶山
開除　人口　2　男子不成丁2，祖：顯富22年故，父：勝宗23年故
實在　人口　2　男子成　丁1，本身15
婦　女　1，祖母：戴氏120
事產
民田山　17.11195　夏麥3斗5升9合9勺，秋米8斗9升3合
田　16.5234　麥3斗5升3合6勺，米8斗8升4合
山　0.58855　麥6合3勺，米6合3勺
民瓦房　3間

30年-Ⅰ-11　甲首有糧第十一戶　**金宗社**　民戶　承外祖詹祐
舊管　人口　男子1
事產
民瓦房　1間
新收　人口　男子成丁1，本身係萬曆11年生
事產
轉收
民田地山塘　12.8610　夏麥2斗7升2合6勺，秋米6斗7升7合2勺
田　12.5710　麥2斗6升9合，米6斗7升2合5勺
買本圖𪽉田　2.0300　30年買本甲王盛戶田
買13都1圖𪽉田　0.9360　21年買4甲汪成戶田

羽田　0.9530　30年買４甲汪興戸田
羽田　0.4190　31年買５甲戴伯龍戸田
羽田　0.5750　24年買５甲戴錫戸田
羽田　0.3840　21年買７甲汪元道戸田
買13都２圖羽田　0.8450　24年買８甲汪　個戸田
買12都２圖羽田　0.4940　22年買７甲呉宗興戸田
買13都３圖羽田　0.1150　30年買１甲汪繼臣戸田
羽田　0.2220　22年買２甲呉學進戸田
羽田　1.1670　21年買５甲汪　鎰戸田
羽田　0.5500　22年買７甲汪楠戸田
買13都４圖羽田　0.1100　22年買４圖５甲呉　那戸田
羽田　3.0000　22年買９甲呉尙德戸田
羽田　0.7700　22年買９甲呉尙德戸田
山　0.2500　麥２合７勺，米２合７勺
買13都３圖羽山　0.1250・0.1250　21年買８甲呉□戸山
塘　0.0400　麥９合，米２合
買13都２圖羽塘　0.0400　24年買８甲汪文溪戸田塘
開除　人口　男子不成丁１，外祖：詹祐 萬曆□年故
實在　人口　男子成　丁１，本身20
事產
民田地山塘　12.8610　夏麥２斗７升２合６勺，秋米６斗７升７合２勺
田　12.5710　麥２斗６升９合，米６斗７升２合５勺
山　0.2500　麥２合７勺，米２合７勺
塘　0.0400　麥９合，米２合
民瓦房　１間

30年-Ⅰ-12　甲首第十二戸　**陳　使**　軍戸
舊管　人口　3　男子２，婦女１
事產
民地　0.1960　麥３合９勺，米７合６勺
民瓦房　３間
民黄牛　１頭
開除　事產
轉除
必地　0.1960　27年12月賣與１圖10甲陳　浩戸丁象坟地
麥３合９勺，米７合６勺
實在　人口　3　男子成丁１，本身55
婦　女２，母：金氏80，妻：何氏48
事產

民瓦房　3間
民黄牛　1頭

30年-Ⅰ-13　甲首第十三戸　**程保同**　民戸
舊管　人口　4　男子3，婦女1
事產
民瓦房　2間
新收　人口　男子不成丁1，孫：招28年生
開除　人口　男子不成丁1，男：才22年故
實在　人口　4　男子3，成　丁1，侄：義富22
不成丁2，本身104，孫：招2
婦女1　妻：戴氏120
事產
民瓦房　2間

30年-Ⅰ-14　**徐文錦**　民戸　絕戸
實在　人口　2　男子不成丁1，本身124
婦　女　1，姐：來126
事產
民瓦房　2間

30年-Ⅰ-15　**陳紹怡**　絕軍
實在　人口　5　男子不成丁3，本身169，侄：儼149，侄：士鑑151
婦　女　2，妻：李氏195，姐：章176
事產
民瓦房　6間
民黄牛　1頭

30年-Ⅰ-16　**陳　舟**　絕軍
實在　人口　2　男子不成丁1，本身114
婦　女　1，妻：程氏242
事產
民瓦房　3間

30年-Ⅰ-17　**朱兆壽**　絕軍
實在　人口　男子不成丁2，本身135，侄：千里215
事產
民瓦房　1間

第2甲

30年-Ⅱ　排年　朱　洪　民戸
舊管　人口　18　男子11，婦女7
事産
民田地山塘　77.3652　夏麥1石5斗5升2合6勺，秋米3石6斗7升7合9勺
田　62.5436　麥1石3斗3升8合4勺，米3石3斗4升6合1勺
地　5.6509　麥1斗1升2合2勺，米2斗1升8合8勺
山　8.8229　麥9升4合4勺，米9升4合4勺
塘　0.3478　麥7合5勺，米1升8合6勺
民瓦房　6間
新收　人口　3　男子不成丁2，侄孫：國29年生，侄孫：文至28年生
婦　女　1，侄孫婦：吳氏 本都吳法女
事産
轉收
民田地山　5.5783　夏麥1斗1升7合4勺，秋米2斗9升3合
田　5.3790　麥1斗1升5合1勺，米2斗8升7合8勺
得田　0.5100　22年買10甲朱祖光戸
買本都1圖田
得田　2.5550　21年買3甲王　爵戸
得田　1.0840　28年買4甲劉　瑾戸
得田　1.2300　28年買7甲陳　鈞戸
地　0.0130　麥3合，米5合
得地　0.0130　23年買本圖8甲朱得九戸
山　0.1863　麥2合，米2合
得山　0.0313　30年買10甲朱　瑚戸
得山　0.1550　30年買1圖3甲王　爵戸
開除　人口　3　男子成丁2，侄：文大23年故，侄孫：仲 奉例告明，別戸當差
婦　女1，嫂：金氏25年故
事産
轉除
民田地山　9.0709　夏麥1斗4升9合，秋米2斗9升5合9勺
田　3.9790　麥8升5合，米2斗1升2合9勺
田　3.9790　30年12月賣26都6圖1甲李世蕃戸
地　1.0179　麥2升4合，米3升9合4勺
得地　0.13625　21年扒入本甲朱誠侄戸
得地　0.0320　22年扒入本甲朱誠侄戸

得地　0.0687　22年扒入本甲朱誠侄戶
必地　0.0770　扒入本甲朱誠侄戶
得地　0.0220　扒入本甲朱誠侄戶
得地　0.13625　扒入本甲朱　汶戶
得地　0.0320　扒入本甲朱　汶戶
得地　0.0687　扒入本甲朱　汶戶
必地　0.0770　扒入本甲朱　汶戶
得地　0.0150　扒入本甲朱　汶戶
得地　0.0800　30年賣入8甲朱良佑戶
改地　0.2800　25年賣入6圖3甲李祀產戶
山　4.0740　麥4升3合6勺，米4升3合6勺
得山　0.6650　24年賣入本甲朱　信戶
得山　0.8980　23年賣入本甲朱良佑戶
得山　0.1210　16年賣入10甲朱國錢戶
得山　0.0750　15年賣入10甲朱國錢戶
得山　0.7150　18年賣入10甲朱國錢戶
改山　1.6000　25年10月賣入6圖3甲李祀產戶

實在　人口　18　男　子11，成　丁6，侄：濱48，侄孫：德侄30，侄孫：俸25，侄孫：新祀38，侄孫：魁34，侄孫：重喜23
不成丁5，本身88，孫：富13，孫：貴12，孫：國2，侄孫：文至3
婦　女7，妻：史氏80，弟媳：吳氏80，弟媳：呂氏75，侄媳：汪氏70，侄媳：洪氏60，侄媳：程氏60，侄孫媳：吳氏25

事產
民田地山塘　73.8726　夏麥1石5斗2升1合，秋米3石6斗7升2合3勺
田　63.9436　麥1石3斗6升8合4勺，米3石4斗2升1合
地　4.6460　麥9升2合3勺，米1斗7升9合9勺
山　4.9352　麥5升2合8勺，米5升2合8勺
塘　0.3478　麥7合5勺，米1升8合6勺
民瓦房　6間

30年-Ⅱ-1　甲首有糧第一戶　**朱祖耀**　民戶

舊管　人口　5　男子2，婦女3

事產
民田地山　16.4920　夏麥3斗2升5合9勺，秋米7斗6升1合
田　12.5870　麥2斗6升9合4勺，米6斗7升3合4勺
地　1.6010　麥3升1合8勺，米6升2合
山　2.3040　麥2升4合8勺，米2升4合8勺
民瓦房　2間

新收　人口　　男子不成丁１，男：茂 29年生
　　事産
　　　轉收
　　　民田地山　　　1.7020　夏麥３升３合８勺，秋米８升
　　　　　　田　　　1.3920　　麥２升９合８勺，米７升４合５勺
　　　　　　　得田　1.3920　23年買５甲陳信漢戶田
　　　　　　地　　　0.0800　　麥１合６勺，米３合１勺
　　　　　　　得地　0.0800　23年買10甲朱時選戶地
　　　　　　山　　　0.2300　　麥２合４勺，米２合４勺
　　　　　　　得山　0.2300　23年買１圖10甲陳　浩山
開除　人口　　男子不成丁１，侄：節27年故
　　事産
　　　轉除
　　　　民田地　　　7.8955　夏麥１斗６升８合８勺１，秋米４斗２升５合
　　　　　　田　　　7.7610　　麥１斗６升６合，米４斗１升５合２勺
　　　　　　　得田　3.3820　21年賣本甲朱師孔戶
　　　　　　　得田　1.6500　21年賣本甲朱師顏戶
　　　　　　　得田　1.7690　21年賣本甲朱師顏戶
　　　　　　　能田　0.9600　23年賣入26都６圖１甲李　華戶
　　　　　　地　　　0.1355　　麥２合７勺，米５合２勺
　　　　　　　得地　0.0755　26年賣入本甲朱時應戶
　　　　　　　得地　0.0600　26年賣入本甲朱時應戶
實在　人口　　５　男子２，成　丁１，本身50
　　　　　　　　　　　　　不成丁１，男：茂２
　　　　　　　　婦女３，祖母：汪氏90，伯母：王氏88，妻：汪氏49
　　事産
　　民田地山　　　10.2975　夏麥１斗９升９合，秋米４斗１升９合６勺
　　　　　田　　　6.2180　　麥１斗３升３合，米３斗３升２合６勺
　　　　　地　　　1.5455　　麥３升７合，米５升９合９勺
　　　　　山　　　2.5340　　麥３升７合２，米２升７合
　　　民瓦房　　　２間

30年-Ⅱ-2　甲首有糧第二戶　**朱社稷**　民戶
舊管　人口　　５　男子２，婦女３
　　事産
　　民田地山　5.9910　夏麥１斗１合２勺，秋米２斗４合
　　　　　田　2.6620　　麥５升７合，米１斗４升２合４勺
　　　　　地　0.9290　　麥１升８合５勺，米３升６合
　　　　　山　2.4000　　麥２升４合７勺，米２升４合７勺

實在　人口　5　男子2，成　丁1，本身36
不成丁1，義父：寬91
婦女3，妻：金氏36，嫂：金氏43，嫂：金氏36
事産
民田地山　5.9910　夏麥1斗1合2勺，秋米2斗4合
田　2.6620
地　0.9290
山　2.4000

30年-Ⅱ-3　甲首有糧第三戶　**胡齊鳳**　民戶
舊管　人口　2　男子1，婦女1
事産
民田地山　1.8380　夏麥3升6合6勺，秋米7升2合9勺
田　0.1390　麥3合，米7合4勺
地　1.6890　麥3升3合5勺，米6升5合4勺
山　0.0100　麥1合，米1合
民瓦房　2間
實在　人口　2　男子1，成丁1，本身25
婦女1，母：朱氏40
事産
民田地山　1.8380　夏麥3升6合6勺，秋米7升2合9勺
田　0.1390
地　1.6890
山　0.0100
民瓦房　2間

30年-Ⅱ-4　甲首有糧第四戶　**吳天保**　民戶
舊管　人口　11　男子8，婦女3
事産
民田地山塘　19.1760　夏麥2斗8升6合，秋米4斗7升8合4勺
田　2.3060　麥4升9合4勺，米1斗2升3合
地　5.9250　麥1斗1升7合8勺，米2斗2升9合4勺
山　10.7450　麥1斗1升5合，米1斗1升5合
塘　0.2000　麥4合2勺，米1升7合
民瓦房　3間
新收　人口　男子不成丁2，侄：瑚27年生，侄：文邦28年生
開除　人口　2　男子成　丁1，弟：應龍23年故
不成丁1，侄孫：萬金26年故
事産

轉除
民田地山　0.9240　夏麥1升4合，秋米2升1合4勺
　地　0.3990　麥7合9勺，米1升5合4勺
　　得地　0.3990　30年賣入7甲王齊興戶
　山　0.5650　麥6合1勺，米6合1勺
　　得山　0.0650　30年賣入1甲王　茂戶
　　得山　0.5000　31年5月賣入24都7圖7甲巴　充戶
實在　人口　11　男子8，成　丁5，本身43，弟：應昌28，弟：應虎25，弟：天遇25，侄：天宥23
不成丁3，孫：廷爵13，孫：瑚4，侄：文邦3
婦女3，弟婦：金氏75，侄婦：朱氏33，侄婦：汪氏29
事產
民田地山塘　18.2120　夏麥2斗7升2合4勺，秋米4斗5升7合
　田　2.3060　麥4升9合4勺，米1斗2升3合4勺
　地　5.5260　麥1斗9升8合，米2斗1升4合
　山　10.1800　麥1斗8升9合，米1斗8升9合
　塘　0.2000　麥4合3勺，米1升7合
民瓦房　3間

30年-Ⅱ-5　甲首有糧第五戶　**朱　欽**　民戶
舊管　人口　6　男子4，婦女2
事產
民田地山　29.9380　夏麥6斗1升9合4勺，秋米1石4斗9升9合7勺
　田　26.2730　麥5斗6升2合3勺，米1石4斗5合6勺
　地　1.9580　麥3升8合9勺，米7升5合8勺
　山　1.7080　麥1升8合3勺，米1升8合3勺
民瓦房　1間
民水牛　1頭
新收　事產
轉收
民山　0.1300　30年2月買10都3圖9甲金以積戶山
麥1合1勺，米1合1勺
開除　事產
轉除
民田地山　4.0155　夏麥8升6合，秋米1斗9升4合
　田　3.1800　麥6升8合，米1斗7升2合
推入本圖田
　得田　1.2330　24年賣入9甲朱　瑤戶
　得田　1.6850　24年賣入10甲朱國錢戶

得田　0.2620　係朱　瑤戶　前輪漏稅
地　0.4002　麥7合9勺，米1升5合5勺
推入本圖地
得地　0.1600　27年賣入本甲朱　仲戶
得地　0.0280　24年賣入本甲朱誠侄戶
得地　0.0150　30年賣入本甲朱　信戶
得地　0.0222
得地　0.0320　24年賣入9甲朱　瑤戶
得地　0.0215　24年賣入9甲朱　瑤戶
得地　0.0215　24年賣入9甲朱　瑤戶
得地　0.1100　24年賣入10甲朱國錢戶
山　0.4353　麥4合7勺，米4合7勺
得山　0.0312　24年賣入9甲朱　瑤戶
得山　0.0355　24年賣入9甲朱　瑤戶
得山　0.1820　24年賣入9甲朱　瑤戶
得山　0.0656　24年賣入9甲朱　瑤戶
得山　0.0103　24年11月賣入9甲朱　瑤戶
得山　0.0320　24年11月賣入9甲朱　瑤戶
得山　0.0487　24年11月賣入9甲朱　瑤戶
得山　0.0300　24年11月賣入9甲朱　瑤戶
實在　人口　6　男子4，成　丁3，本身41，叔：65，男：鐸29
不成丁1，侄：良佐12
婦女2，妻：汪氏40，弟媳：陳氏29
事產
民田地山　26.0225　夏麥5斗3升9合9勺，秋米1石3斗1升4合
田　23.0920　麥4斗9升4合2勺，米1石2斗3升5合4勺
地　1.5578　麥3升1合，米6升3合
山　1.3727　麥1升4合7勺，米1升4合7勺
民瓦房　1間
民水牛　1頭

30年-Ⅱ-6　甲首有糧第六戶　**王宗元**　民戶　承故父洪
舊管　人口　3　男子2，婦女1
事產
民田　1.3950　夏麥2升9合9勺，秋米7升4合6勺
民瓦房　1間
開除　人口　1　男子不成丁1，父：洪30年故
事產
轉除

民田　　0.1100　夏麥２合２勺，秋米４合２勺
成田　0.1100　30年賣入８都３圖５甲昌統宗戸
實在　人口　　2　男子成丁１，本身33
婦　　女１，妻：呉氏32
事産
民田　　1.2850　夏麥２升７合４勺，秋米６升８合７勺
民瓦房　　1間

30年-Ⅱ-7　甲首第七戸　**呉　興**　民下戸
舊管　人口　　6　男子４，婦女２
事産
民田地山　　5.4110　夏麥１斗６合，秋米２斗３升２合６勺
田　　2.6990　　麥５升７合８勺，米１斗４升４合４勺
地　　2.1120　　麥４升１合９勺，米８升１合８勺
山　　0.6000　　麥６合４勺，米６合４勺
民瓦房　　1間
開除　事産
轉除
民田　　0.8000　夏麥１升７合３勺，秋米４升２合８勺
得田　0.8000　27年賣入２圖10甲朱　法戸
實在　人口　　6　男子４，成　丁３，本身43，弟：曜29，弟：法28
不成丁１，侄：信12
婦女２，妻：方氏39，弟婦：汪氏29
事産
民田地山　　4.6110　夏麥８升８合９勺，秋米１斗８升９合８勺
田　　1.8990　　麥４升６合，米１斗１合６勺
地　　2.1120　　麥４升１合９勺，米８升１合８勺
山　　0.6000　　麥６合４勺，米６合４勺
民瓦房　　1間

30年-Ⅱ-8　甲首第八戸　**朱伯才**　民戸　承朱添資
舊管　人口　　3　男子２，婦女１
事産
民田地山塘　　28.5890　夏麥５斗７升３合７勺，秋米１石３斗２合
田　　17.5770　　麥３斗７升６合，米９斗４升４合
地　　8.6820　　麥１斗７升１合５勺，米３斗３升６合
山　　2.3150　　麥２升４合８勺，米２升４合８勺
塘　　0.0150　　麥３合，米８合
民瓦房　　2間

新收　人口　3　男子不成丁2，男：長壽 28年生，男：積壽29年生
婦　女　1，妻：汪氏 娶本都汪貴女
事産
轉收
民田　7.7740　麥1斗6升6合4勺，秋米4斗1升5合9勺
得田　2.1430　21年買1圖7甲周　進戶田
得田　2.5900　23年買2圖8甲陳司弼
得田　3.0390　23年買2圖8甲陳司田
開除　人口　3　男子不成丁2，義父：添資22年故，男：壽29年故
婦　女　1，祖母：余氏21年故
事産
轉除
民田地　1.2885　夏麥2升7合5勺，秋米6升8合5勺
田　1.2600　麥3升7合，米6升7合4勺
得田　1.2600　23年賣入1圖6甲陳　章戶
地　0.0285　麥5合5勺，米1合5勺
得地　0.0285　30年賣入1甲王　茂戶
實在　人口　4　男子3，成　丁1，本身49
不成丁2，男：長壽3
婦女1，妻：汪氏30
事産
民田地山塘　35.0745　夏麥7斗1升2合6勺，秋米1石6斗4升9合5勺
田　24.0910　麥4斗8升1合8勺，米1斗2升8合9勺
地　8.6350　麥1斗7升2合，米3斗3升5合
山　2.3150　麥2升4合8勺，米2升4合8勺
塘　0.0150　麥3合，米8合
民瓦房　2間

30年-Ⅱ-9　甲首第九戶　朱師顏　民戶
舊管　人口　1　男子1
事産
民田地山　32.1782　夏麥6斗8升3合6勺，秋米1石6斗8升6合5勺
田　30.1860　麥6斗4升5合9勺，米1石6斗1升5合
地　1.7940　麥3升5合6勺，米6升9合5勺
山　0.1980　麥2合，米2合
新收　事産
轉收
民田　7.4135　麥1斗5升8合7勺，米3斗9升6合6勺
得田　1.6500　21年買本甲朱祖耀

得田　3.9945　27年買10甲朱時選
得田　1.7690　21年買本甲朱祖耀
實在　人口　1　男子成丁１，本身25
事產
民田地山　39.5915　夏麥８斗４升２合３勺，秋米２石８升３合２勺
田　37.5995　麥８斗４合６勺，米２石１升１合６勺
地　1.7940　麥３升５合６勺，米６升９合５勺
山　0.1980　麥２合，米２合

30年-Ⅱ-10　甲首第十戶　**朱祐生**　民戶　承義父汪護
舊管　人口　3　男子２，婦女１
事產
民田地山　16.9160　夏麥３斗５升１合２勺，秋米８斗２升４合７勺
田　12.2660　麥２斗６升２合５勺，米６斗５升６合２勺
地　4.2400　麥８升４合３勺，米１斗６升４合１勺
山　0.4100　麥４合４勺，米４合４勺
民瓦房　２間
新收　人口　2　男子不成丁１，男：添壽 29年生
婦　女　１，妻：汪氏 娶13都汪均女
事產
轉收
民田地山　20.9240　麥４斗４升２合５勺，秋米１石７升２合３勺
田　17.8090　麥３斗８升１合，秋米９斗５升２合９勺
買本圖田
得田　0.4740　買１甲王　茂戶
得田　2.3700　買１甲王　茂戶
得田　1.5300　買１甲王　茂戶
得田　0.8070　22年買１甲王　茂戶
得田　0.2520　買１甲王　茂戶
得田　0.8300　買１甲王　茂戶
得田　1.0000　買１甲王　茂戶
得田　2.4300　26年買３甲朱學源戶
得田　1.6250　23年買５甲陳　章戶
得田　1.1000　24年買７甲王齊興戶
得田　0.7200　27年買８甲王　應戶
得田　0.8000　27年買７甲王敍戶
得田　1.6710　23年買10甲金萬鍾戶
得田　1.2600　24年買10甲陳　新戶
得田　0.6360　24年買10甲陳　新戶

得田　0.3040　24年買10甲陳　新戸
地　3.0700　麥６升９合，米１斗１升８合９勺
得地　1.9500　22年買１甲王　茂戸
得地　1.1200　22年買２圖８甲陳司弼戸
山　0.0450　麥５合，米５合
得山　0.0450　24年買１甲王　茂戸

開除　人口　2　男子不成丁１，義父：汪護23年故
婦　女　１，祖母：畢氏21年故
事産
轉除
民田地山　3.3580　夏麥７升７合，秋米１斗７升５合
田　2.2480　麥６升９合５勺，米１斗７升３合９勺
得田　1.3720　31年賣入１圖６甲陳社互戸
得田　1.8760　24年賣入26都６圖１甲李　華戸
山　0.1100　麥１合２勺，米１合２勺
得山　0.1100　20年賣入

實在　人口　3　男子２，成　丁１，本身25
不成丁１，男：添壽２
婦女１，妻：王氏24
事産
民田地山　34.4820　夏麥７斗２升３合，秋米１石７斗２升１合９勺
田　26.8270　麥５斗７升４合，米１石４斗３升５合３勺
地　7.3100　麥１斗４升５合２勺，米２斗８升３合
山　0.3450　麥３合７勺，米３合７勺
民瓦房　2間

30年-Ⅱ-11　甲首第十一戸　**朱時應**　民戸

舊管　人口　3　男子２，婦女１
事産
民田地山　24.9470　夏麥５斗２升２合，秋米１石２斗７升６合２勺
田　22.7350　麥４斗８升６合５勺，米１石２斗１升６合３勺
地　1.2900　麥２升５合７勺，米５升
山　0.9220　麥９合９勺，米９合９勺
民瓦房　2間

新收　人口　1　男子不成丁１，男：宜至 29年生
事産
轉收

　　民地山　　　　　　　　　　0.2155　夏麥3合5勺，秋米6合
　　　地　　　　　　　　　　　0.1355　　麥2合7勺，米5合2勺
　　　　得地　　　　　　　　　0.0755　26年買本甲朱祖耀戶
　　　　得地　　　　　　　　　0.0600　26年買本甲朱祖耀戶
　　　山　　　　　　　　　　　0.0800　　麥8合，米8合
　　　　得山　　　　　　　　　0.0800　31年買本都1圖10甲陳　浩戶
開除　人口　　1　男子不成丁1，弟：時安23年故
　　事產
　　　轉除
　　　　民田　　　　　　　　10.6970　夏麥2斗2升9合，秋米5斗7升2合3勺
　　　推入本圖10甲朱雷戶田　　6.5120
　　　　得田　　　　　　　　　2.1220　26年賣入朱　雷戶
　　　　得田　　　　　　　　　1.0630　26年賣入朱　雷戶
　　　　得田　　　　　　　　　1.4370　26年賣入朱　雷戶
　　　　得田　　　　　　　　　1.8900　26年賣入朱　雷戶
　　　推入26都6圖1甲朱盛發戶田　4.1850
　　　　改田　　　　　　　　　1.3000　25年賣入朱盛發戶
　　　　改田　　　　　　　　　1.3000　25年賣入朱盛發戶
　　　　改田　　　　　　　　　1.2800　25年賣入朱盛發戶
　　　　改田　　　　　　　　　0.6750　25年賣入朱盛發戶
實在　人口　　3　男子2，成　丁1，本身36
　　　　　　　　　　　　不成丁1，男：宜至2
　　　　　　　　　婦女1　妻：汪氏36
　　事產
　　民田地山　　　　　　　　14.4655　夏麥2斗9升6合6勺，秋米7斗9合9勺
　　　　田　　　　　　　　　12.0380　　麥2斗5升7合6勺，米6斗4升4合
　　　　地　　　　　　　　　 1.4255　　麥2升8合3勺，米5升5合2勺
　　　　山　　　　　　　　　 1.0020　　麥1升7合，米1升7合
　　民瓦房　2間

30年-Ⅱ-12　甲首第十二戶　**朱　淳**　民戶
舊管　人口　　1　男子
　　事產
　　民田地山塘　　43.2719　夏麥8斗2升2合6勺，秋米1石8斗6升2合4勺
　　　　　田　　28.4858　　麥6斗9合6勺，米1石5斗2升4合
　　　　　地　　 5.3859　　麥1斗8合2勺，米2斗2升7合

　　　等正地　　　0.8200　　麥1升7合5勺，米4升3合9勺
　　　一則地　　　4.5659　　麥9升7合，米1斗7升6合8勺
　　　　　山　　　9.0008　　麥9升6合3勺，米9升6合3勺
　　　　　塘　　　0.3994　　麥8合5勺，米2升1合4勺
開除　事産
　　　轉除
　　　　民田　　　9.9250　夏麥2斗1升2合4勺，秋米5斗3升1合
　　　　　得田　1.8380　扒入本甲朱　仲戶
　　　　　得田　1.4410　扒入本甲朱　仲戶
　　　　　得田　1.6580　扒入本甲朱　仲戶
　　　　　得田　1.4700　扒入本甲朱　作戶
　　　　　得田　1.8900　扒入本甲朱　作戶
　　　　　得田　1.6230　扒入本甲朱　作戶
實在　人口　　1　男子成丁1，本身55
　　　事産
　　　民田地山塘　　33.3469　夏麥6斗1升2合，秋米1石3斗3升1合4勺
　　　　　　田　　18.5608　　麥3斗9升7合，米9斗9升3合
　　　　　　地　　 5.3859　　麥1斗8升2合，米2斗2升7合
　　　　等正地　　 0.8200　　麥1升7合5勺，米4升3合9勺
　　　　一則地　　 4.5659　　麥9升7合，米1斗7升6合8勺
　　　　　　山　　 9.0008　　麥9升6合2勺，米9升6合2勺
　　　　　　塘　　 0.3994　　麥8合5勺，米2升1合4勺

....

30年-Ⅱ-13　甲首第十三戶　**朱　信**　民戶
舊管　人口　　2　男子1，婦女1
　　　事産
　　　民田地山塘　　36.7547　夏麥7斗2合8勺，秋米1石5斗9升8合3勺
　　　　　　田　　25.2238　　麥5斗3升9合8勺，米1石3斗4升9合5勺
　　　　　　地　　 3.8685　　麥7升6合9勺，米1斗4升9合7勺
　　　　　　山　　 7.2630　　麥7升7合7勺，米7升7合7勺
　　　　　　塘　　 0.3994　　麥8合5勺，米2升1合3勺
新收　事産
　　　轉收
　　　民田地山　　1.2460　夏麥1升3合9勺，秋米1升4合6勺
　　　　　地　　　0.0450　　麥9合，米1升8合
　　　　　　得地　0.0150　23年買本甲朱　欽戶
　　　　　　得地　0.0300　23年買8甲朱得九戶
　　　　　山　　　1.2010　　麥1升2合9勺，米1升2合9勺
　　　　　　得山　0.5360　21年買1甲王　茂戶

得山　0.6650　24年買本甲朱　洪戶
實在　人口　2　男子成丁１，本身40
婦　女１，妻：巴氏40
事產
民田地山塘　38.0010　夏麥７斗１升６合７勺，秋米１石６斗１升２合９勺
田　25.2238　麥５斗３升９合８勺，米１石３斗４升９合５勺
地　3.9135　麥７升７合８勺，米１斗５升１合５勺
山　8.4640　麥９升６合，米９升６合
塘　0.3994　麥８合５勺，米２升１合３勺

……………………………………………………………………………………

30年-Ⅱ-14　甲首第十四戶　**朱師孔**　民戶
舊管　人口　1　男子１
事產
民田地山塘　43.2119　夏麥８斗２升１合４勺，秋米１石８斗５升９合９勺
田　28.4858　麥６斗９合６勺，米１石５斗２升４合
地　5.3259　麥１斗７合，米２斗１升８合３勺
等正地　0.8200　麥１升７合５勺，米４升３合９勺
一則地　4.5059　麥８升９合５勺，米１斗７升４合４勺
山　9.0008　麥９升６合３勺，米９升６合３勺
塘　0.3994　麥８合５勺，米２升１合３勺
新收　事產
轉收
民田地　4.8720　夏麥１斗４合２勺，秋米２斗５升９合９勺
田　4.8120　麥１斗３合，米２斗５升７合５勺
得田　3.3820　21年買本甲朱祖耀戶
得田　0.6300　27年買５甲陳信漢戶
得田　0.8000　28年買１圖３甲王　爵戶
地　0.0600　麥１合２勺，米２合４勺
得地　0.0600　30年買10甲朱　福戶
實在　人口　1　男子成丁１，本身33
事產
民田地山塘　48.0839　夏麥９斗２升５合６勺，秋米２石１斗１升９合８勺
田　33.2978　麥７斗１升２合６勺，米１石７斗８升１合５勺
地　5.3859　麥１斗８合２勺，米２斗２升７合
等正地　0.8200　麥１升７合５勺，米４升３合９勺
一則地　4.5659　麥９升７合，米１斗７升６合８勺
山　9.0008　麥９升６合３勺，米９升６合３勺
塘　0.3994　麥８合５勺，米２升１合３勺

……………………………………………………………………………………

30年-Ⅱ-15　第十五戸　立戸　朱　仲　民戸
新收　人口　男子成丁1，本身原無戸籍，告明立戸當差
事産
轉收
民田地　40.3600　夏麥8斗6升3合，秋米2石1斗5升2合7勺
田　39.9180　麥8斗5升4合2勺，米2石1斗3升5合6勺
得田　1.8380　31年扒到本甲朱　淳戸田
得田　1.4410　31年扒到本甲朱　淳戸田
得田　1.6580　31年扒到本甲朱　淳戸田
收買本都1圖田
必田　1.2730　25年買2甲朱有俊戸
必田　0.9600　28年買2甲朱有俊戸
必田　1.5350　24年買2甲朱有芳戸
必田　2.5210　23年買3甲王　爵戸
得田　2.6100　24年買4甲陳積裕戸田
得田　3.1500　28年買4甲陳有爵戸
得田　0.9910　24年買5甲陳天相戸
得田　1.3250　30年買5甲陳祖暘戸田
得田　4.8270　30年買5甲陳祖暘戸田
得田　1.0000　24年買5甲陳三暘戸
得田　0.6360　26年買7甲汪　明戸
得田　1.0500　30年買9甲陳有德戸
必田　2.0920　25年買10甲陳　浩戸
必田　2.3650　29年買10甲陳　浩戸
必田　2.4950　27年買10甲陳　浩戸
必田　2.3430　26年買10甲陳　浩戸
必田　3.6890　30年買10甲朱百和戸
必田　0.1290　25年買2圖3甲朱茂榮戸
地　0.4420　麥8合8勺，米1升7合1勺
得地　0.1600　27年買本甲朱　欽戸
得地　0.1160　30年買8甲朱得九戸
改地　0.1660　22年買本都6圖4甲朱大武戸
實在　人口　1　男子不成丁1，本身27
事産
民田地　40.3600　夏麥8斗6升3合，秋米2石1斗5升2合7勺
田　39.9180　麥8斗5升4合2勺，米2石1斗3升5合6勺
地　0.4420　麥8合8勺，米1升7合8勺

…………………………………………………………………………

30年-Ⅱ-16　第十六戸　立戸　**朱　作**　民戸

新收　人口　　男子成丁１，本身系淮安生長，今回置產當差

事產

轉收

民田地　41.6980　夏麥８斗９升１合９勺，秋米２石２斗２升６合６勺

田　41.4160　麥８斗８升６合３勺，米２石２斗１升５合７勺

收買本圖田

得田　4.9880　31年扒到本甲朱　淳戸田

得田　1.9130　21・28年買１甲王　茂戸

得田　4.1450　29年買５甲陳　章戸

得田　5.5730　29年買本甲金萬鍾戸

收買１圖田

得田　0.5800　29年買２甲朱有德戸

得田　1.4100　29年買２甲朱有俊戸

得田　2.1700　29年買３甲王　爵戸

得田　1.5800　28年買３甲王　爵戸

得田　1.7460　28年買３甲王　爵戸

得田　0.6900　30年買３甲王　爵戸

得田　0.4000　31年買４甲陳　瑾戸

得田　2.9600　28年買５甲陳添相戸

得田　0.8000　30年買５甲陳添相戸

得田　1.3100　29年買５甲陳祖暘戸

得田　1.2750　買５甲陳祖暘戸

得田　0.9400　30年買６甲陳社互戸

必田　1.4000　30年買10甲陳　浩戸

必田　1.3600　23年買10甲陳　浩戸

必田　1.6340　30年買６甲陳世曜戸

必田　1.0120　23年買７甲汪　明戸

地　0.2820　麥５合６勺，米１升９合

得地　0.1160　30年買１圖８甲朱得九戸

改地　0.1660　22年買本都６圖４甲朱大武戸

實在　人口　1　男子成丁１，本身23

事產

民田地　41.6980　夏麥８斗９升１合９勺，秋米２石２斗２升６合６勺

田　41.4160　麥８斗８升６合３勺，米２石２斗１升５合７勺

地　0.2820　麥５合６勺，米１升９合

30年-Ⅱ-17　第十七戸　立戸　**朱世蕃**　民戸

新收　人口　　男子成丁１，本身係淮安生長，今回置產立戸當差

事産
轉收
民田地山　24.4090　夏麥4斗8升4合7勺，秋米1石1斗5升1合3勺
田　20.4450　麥4斗3升7合4勺，米1石9升3合8勺
收買1圖田
得田　1.9630　24年買7甲汪　鑑戸田
必田　2.5700　24年買7甲汪　明戸
必田　1.1000　29年買10甲陳　浩戸
收買本都2圖田
得田　1.0600　30年買1甲朱　曜戸
必田　1.1000　24年買3甲朱茂榮戸
必田　2.5100　24年買4甲朱　魁戸
必田　2.0290　30年買4甲朱　魁戸
必田　2.0600　29年買4甲朱　魁戸
必田　0.2650　29年買朱世祀戸
必田　1.3100　27年買8甲葉廷松戸
必田　1.4400　26年買8甲葉廷松戸
必田　1.0300　26年買8甲葉廷松戸
得田　1.0200　29年買9甲陳　僎戸
買13都4圖田
必田　0.1880　30年買13都4圖1甲吳　蘭戸
地　0.5420　麥1升7合，米2升9合
得地　0.5000　30年買1圖4甲陳　瑾戸
得地　0.0420　27年買1圖4甲陳積裕戸
山　3.4230　麥3升6合6勺，米3升6合6勺
必山　1.1720　29年買1圖10甲陳　浩戸
必山　2.0000　29年買2圖4甲朱　魁戸
必山　0.2500　29年買2圖5甲朱世祀戸
實在　人口　1　男子成丁1，本身18
事産
民田地山　24.4090　夏麥4斗8升4合7勺，秋米1石1斗5升1合3勺
田　20.4450　麥4斗3升7合4勺，米1石9升3合
地　0.5420　麥1升7合，米2升9合
山　3.4220　麥3升6合6勺，米3升6合6勺

……………………………………………………………………………………

30年-Ⅱ-18　第十八戸　立戸　**朱　偉**　民戸
新收　人口　男子成丁1，本身系淮安生長，今回置產，奉例告明立戸當差
事産
轉收

民田地山塘　32.4845　夏麥６斗９升４合４勺，秋米１石７斗３升２合１勺
　　田　31.8165　麥６斗８升９合，米１石７斗２合２勺
　收買本圖田
　　得田　1.4850　30年買１甲王　茂戸
　　得田　0.2095　29年買10甲金萬鍾戸
　　得田　0.7660　29年買10甲金萬鍾戸
　　得田　0.6740　30年買10甲陳　新戸
　　得田　2.9760　30年買10甲朱　福戸
　收買１圖田
　　得田　0.8000　29年買３甲王　爵戸
　　得田　1.0230　29年買３甲王　爵戸
　　得田　1.4240　29年買３甲王　爵戸
　　得田　1.4450　29年買３甲王　爵戸
　　得田　1.6300　29年買３甲王　爵戸
　　得田　1.6980　29年買３甲王　爵戸
　　得田　0.5530　29年買３甲王　爵戸
　　得田　1.7880　29年買３甲王　爵戸
　　得田　0.7300　29年買３甲王　爵戸
　　得田　1.5100　29年買３甲王　爵戸
　　得田　1.1950　29年買３甲王　爵戸
　　得田　0.5220　29年買３甲王　爵戸
　　得田　0.1150　29年
　　得田　2.1080　29年
　　得田　0.3370　30年
　　得田　0.3620　30年
　　必田　1.3300　29年
　　得田　1.6400　30年７甲汪　明戸
　　得田　1.5350　21年10甲陳　浩戸
　　得田　1.6950　29年４甲陳積裕戸
　　必田　2.2560　30年10甲陳　浩戸
　　地　0.3080　麥６合，米１升１合９勺
　　得地　0.3080　21年買１圖10甲陳　浩戸
　　山　0.0300　麥３合，米３合
　　得山　0.0300　24年買本圖１甲王　茂戸
　　塘　0.3300　麥７合，米１升７合７勺
　　得塘　0.2000　29年買１圖３甲王　爵戸
　　得塘　0.0300　29年買１圖４甲陳積裕戸
　　得塘　0.1000　22年買１圖10甲陳　浩戸
實在　人口　1　男子成丁１，本身35

事産
民田地山塘　　32.4845　夏麥6斗9升4合4勺，秋米1石7斗3升2合
　　田　　31.8165　　麥6斗8升9合，米1石7斗2合2勺
　　地　　0.3080　　麥6合1勺，米1升1合9勺
　　山　　0.0200　　麥3合，米3合
　　塘　　0.3300　　麥7合，米1升7合7勺

……………………………………………………………………………………

30年-Ⅱ-19　第十九戸　立戸　朱　伊　民戸
新收　人口　男子成丁1，本身原無戸籍，奉例告明立戸
事産
轉收
民田地山塘　　34.6860　夏麥7斗7合，秋米1石6斗7升2合3勺
　　田　　27.1510　　麥5斗8升1合，米1石4斗5升2合6勺
收買1圖田
　得田　1.2340　25年買3甲王　爵戸
　得田　3.4500　28年買3甲王　爵戸
　得田　1.9800　23年買4甲陳積裕戸
　得田　1.5500　30年買5甲陳祖暘戸
　得田　1.1000　27年買5甲陳添相戸
　得田　1.1100　24年買5甲王　鑑戸
　得田　6.3280　24年買6甲陳社互戸
　得田　0.7200　23年買6甲陳春茂戸
　得田　1.3760　23年買7甲汪德祐戸
　得田　1.1900　23年買6甲陳　景戸
　得田　0.4620　22年買10甲陳　浩戸
　得田　1.7180　26年買9甲陳光儀戸
　得田　2.1670　22年買10甲陳　浩戸
收買2圖田
　得田　1.5050　26年買2圖6甲朱正昌戸
收買26都4圖田
　得田　1.2600　27年買26都4圖10甲洪天生戸
　　地　　4.9350　　麥9升8合1勺，米1斗9升1合
收買1圖地
　得地　2.6600　21年買4甲陳積裕戸
　得地　0.0210　30年買4甲陳積裕戸
　得地　0.4100　25年買7甲周　進戸
收買2圖地
　得地　1.8400　23年買2圖8甲陳　司戸
　　山　　2.5800　　麥2升7合6勺，米2升7合6勺

得山　0.0450　30年買１圖４甲陳積裕戸
得山　0.1350　30年買１圖４甲陳積裕戸
塘　0.0200　麥４合，米１合５勺
得塘　0.0200　23年買１圖４甲陳積裕戸
實在　人口　1　男子成丁１，本身30
事產
民田地山塘　34.6860　夏麥７斗７合，秋米１石６斗 7升２合３勺
田　27.1510　麥５斗８升１合，米１石４斗５升２合６勺
地　4.9350　麥９升８合１勺，米１斗９升１合
山　2.5800　麥２升７合６勺，米２升７合６勺
塘　0.0200　麥４合，米１合５勺

30年-Ⅱ-20　第二十戸　立戸　朱　汶　民戸
新收　人口　男子成丁１，本身原無戸籍，奉例告明立戸
事產
轉收
民田地山塘　17.5275　夏麥３斗６升６合９勺，秋米８斗９升９合７勺
田　16.1890　麥３斗４升６合４勺，米８斗６升６合１勺
收買本圖田
得田　0.9010　30年買１甲王　茂戸
得田　0.1650　22年買６甲王　科戸
得田　0.7120　30年買７甲王承興戸
得田　0.9550　30年買８甲王應享戸
得田　0.2770　30年買10甲金萬鍾戸
得田　1.9230　29年買10甲金萬鍾戸
得田　0.9540　30年買10甲陳　新戸
收買本都１圖田
得田　0.4700　30年買３甲王　爵戸
得田　1.2520　29年買８甲程曜得戸
得田　2.1500　30年買４甲陳積裕戸
得田　6.4000　29年買４甲陳積裕戸
得田　1.2800　22年買10甲陳　浩戸
得田　0.4300　22年買10甲陳　浩戸
收買11都３圖田
得田　1.1380　30年買11都３圖２甲吳小保戸
收買11都８圖田
得田　0.1780　22年買11都８圖１甲金　鉉戸
地　0.6665　麥１升３合２勺，米２升５合８勺
得地　0.1362　21年買本甲朱　洪戸

得地　0.0320　買本甲朱　洪戶
得地　0.0687　買本甲朱　洪戶
得地　0.0150　21年買本甲朱　洪戶
必地　0.0770　21年買本甲朱　洪戶
得地　0.0800　22年買7甲王齊興戶
得地　0.0280　24年買8甲朱得九戶
得地　0.0222　24年買8甲朱得九戶
得地　0.0150　22年買8甲王繼成戶
得地　0.0820　22年買10甲朱時選戶
得地　0.0600　31年買10甲陳　新戶
收買11都8圖地
得地　0.0500　22年買1甲金　鋐戶
山　0.6570　麥7合，米7合
得山　0.0150　23年買8圖8甲朱得九戶
得山　0.6420　30年買1圖3甲王　爵戶
塘　0.0150　麥3合，米8合
得塘　0.0050　22年買1圖10甲陳　浩戶
得塘　0.0100　30年買11都3圖2甲吳小保戶
開除　事產
開除　民田　0.4300　麥9升3合，米2升3合
31年賣與26都6圖1甲李　蕃戶
實在　人口　1　男子成丁1，本身30
事產
民田地山塘　17.09715　夏麥3斗5升7合7勺，秋米8斗 7升6合7勺
田　15.7590　麥3斗3升7合2勺，米8斗4升3合1勺
地　0.66615　麥1升3合2勺，米2升5合8勺
山　0.6570　麥7合，米7合
塘　0.0150　麥3合，米8合

30年-Ⅱ-21　第二十一戶　立戶　**朱誠侹**　民戶
新收　人口　男子成丁1，本身浙江生長，今回置產立戶
事產
轉收
民田地山塘　17.44405　夏麥3斗7升2合，秋米9斗2升2合7勺
田　16.5840　麥1斗5升3合3勺，米8斗8升3合2勺
收買本圖田
得田　0.9150　29年買1甲王　茂戶
得田　1.0050　27年買7甲王承興戶
得田　1.1650　27年買7甲王承興戶

得田　0.1650　22年買６甲王　祥戶
得田　0.2770　30年買10甲金萬鍾戶
得田　0.9350　30年買10甲金萬鍾戶
收買１圖田
得田　1.6010　28年買３甲王　爵戶
必田　0.9300　31年買４甲陳積裕戶
得田　0.5540　31年買４甲陳積裕戶
得田　0.6750　22年買４甲陳積裕戶
必田　0.2990　29年買４甲陳積裕戶
得田　1.2795　22年買４甲陳積裕戶
得田　1.1250　26年買７甲汪　明戶
得田　1.3700　29年買７甲汪　明戶
得田　0.5790　25年買７甲汪　明戶
得田　1.4355　22年買10甲陳　浩戶
得田　0.4300　22年買10甲陳　浩戶
必田　1.9954　30年買10甲陳　浩戶
得田　0.5960　26年買２圖９甲陳廷僎戶
得田　0.1780　22年11都８圖１甲金　鉉戶
地　0.65565　麥１升３合２勺，米２升５合８勺
收買本圖地
得地　0.1365　21年買本甲朱　洪戶
得地　0.0320　22年買本甲朱　洪戶
得地　0.0687　22年買本甲朱　洪戶
得地　0.0150　21年買本甲朱　洪戶
必地　0.0770　21年買本甲朱　洪戶
得地　0.0280　24年買本甲朱　欽戶
得地　0.0222　24年買本甲朱　欽戶
得地　0.0800　22年買７甲王齊興戶
得地　0.0150　22年買８甲王繼成戶
得地　0.0815　22年買10甲朱　瑚戶
得地　0.0600　30年買10甲陳　新戶
收買11都８圖地
得地　0.0500　22年買11都８圖１甲金　鉉戶
山　0.0150　麥１合，米１合
得山　0.0150　23年買８圖８甲朱得九戶
塘　0.2550　麥５升５合，米１升３合６勺
得塘　0.0200　27年買７甲王齊興戶
收買１圖塘
得塘　0.0500　29年買７甲汪德裕戶

得塘　0.0750　28年買3甲王　爵戶
得塘　0.0200　28年買3甲王　爵戶
必塘　0.0200　22年買10甲陳　浩戶
得塘　0.0200　22年買10甲陳　浩戶
必塘　0.0600　21年買10甲陳　浩戶
收買2圖塘
得塘　0.0050　26年買2圖9甲陳廷僎戶
開除　事産
開除　民田　0.4300　麥9合2勺，米2升3合
得田　0.4300　31年賣入26都6圖1甲李　蕃戶
實在　人口　1　男子成丁1，本身20
事産
民田地山塘　17.0145　夏麥3斗6升2合9勺，秋米8斗9升9合7勺
田　16.0784　麥3斗4升4合，米8斗6升2合
地　0.66565　麥1升3合2勺，米2升5合8勺
山　0.0150　麥1合，米1合
塘　0.2550　麥5升5合，米1升3合6勺

30年-Ⅱ-22　第二十二戶　立戶　朱世福　民戶
新收　人口　男子成丁1，本身原無戶籍，奉例告明立戶
事産
轉收
民田山　6.8470　夏麥1斗9合9勺，秋米2斗1升9合8勺
田　3.4250　麥7升3合3勺，米1斗8升3合2勺
必田　1.1000　29年買1圖10甲陳　浩戶
必田　2.0600　29年買2圖4甲朱　魁戶
必田　0.2650　29年買2圖5甲朱世祀戶
山　3.4220　麥3升6合6勺，米3升6合6勺
必山　1.1720　29年買1圖10甲陳　浩戶
必山　2.0000　28年買2圖4甲朱　魁戶
必山　0.2500　29年買2圖5甲朱世祀戶
實在　人口　1　男子成丁1，本身18
事産
民田山　6.8470　夏麥1斗9升9合，秋米2斗1升9合8勺
田　3.4250　麥7升3合3勺，米1斗8升3合2勺
山　3.4220　麥3升6合6勺，米3升6合6勺

30年-Ⅱ-23　第二十三戶無糧戶　胡　下　（絕）
實在　人口　2　男子不成丁1，本身100

婦　　女　1，伯母：吳氏148
事產
民瓦房　2間

30年-Ⅱ-24　第二十四戶無糧絶戶　朱神祖　軍戶
實在　人口　　1　男子不成丁1，本身223
事產
民瓦房　1間

30年-Ⅱ-25　第二十五戶無糧絶戶　朱留住　軍戶
實在　人口　　2　男子不成丁2，本身210，弟：記宗206
事產
民瓦房　3間

30年-Ⅱ-26　第二十六戶無糧絶戶　陳清和　軍戶
實在　人口　　2　男子不成丁2，本身179，弟：安177
事產
民瓦房　3間

第3甲

30年-Ⅲ　排年　朱學源　匠戶
舊管　人口　　48　男子34，婦女14
事產
民田地山塘　　337.5140　夏麥6石4斗1合5勺，秋米14石2斗6升1合9勺
田　　210.0580　麥4石4斗9升5合2勺，米11石2斗3升8合1勺
地　　58.8665　麥1石1斗6升9合7勺，米2石2斗7升9合
山　　68.3355　麥7斗3升1合2勺，米7斗3升1合2勺
塘　　0.2540　麥5合4勺，米1升3合6勺
民瓦房　3間
黃　牛　1頭
新收　人口　　15　男　子10
成　丁3，弟：仲旻元年生，弟：永壽元年生，侄：立成2年生，俱前冊未
不成丁7，侄：園成22年生，侄：湧成24年生，侄：新成25年生，侄：乾成27年生，侄：應成27年生，侄孫：正賢28年生，

姪孫：正華29年生

婦　女5，姪媳：汪氏 24都汪法女，姪媳：張氏 9都張准女，姪媳：程氏 28都程四女，姪媳：巴氏 26都巴俊女，姪孫媳：張氏 19都張忠女

事産

轉收

民田地山塘河	104.33136	夏麥2石5合8勺，秋米4石5斗4升2合		
田	69.8520	麥1石4斗9升4合8勺，米3石7斗3升7合		
必田	1.7080	26年買1甲王　茂戸	必6160號	春成
必田	0.4080	26年買1甲金尚伊戸	必6064號	春成
必田	1.0410	29年買1甲金尚伊戸	必5906號	夏成
必田	1.0410	26年原買2圖4甲朱魁戸	必5906號	新成・貞明
必田	0.7380	30年轉買2甲朱魁戸	必1981號	湧汲
必田	0.7280	30年買1甲金尚伊戸	必5787號	乾成
必田	0.4000	20年買1甲金尚伊戸		乾成
必田	0.2900	20年買1甲金尚伊戸		乾成
必田	0.1370	30年買1甲金尚伊戸	必4989號	乾成
必田	1.0500	24年買1甲金尚伊戸	必5906號	廣成
必田	0.5090	22年買1甲程義龍戸	必3417號	廷傑
必田	0.5810	20年買5甲金岩武戸	必5511號	乾成
必田	0.4820	24年買5甲金岩武戸	必	乾成
必田	0.8920	24年買5甲金岩武戸	必3218號	廣成
必田	0.17775	25年買6甲朱新風戸	必3696號	嶽
必田	0.5330	20年買6甲朱新風戸	必3696號	乾成
必田	0.1328	20年買6甲朱新風戸	必3492・3號	嶽
得田	1.1620	28年買7甲王齊興戸	得3087號	廷仁
必田	0.19319	29年買1圖2甲朱添生戸	必4554號	周和
必田	0.2400	21年買1圖2甲朱添生戸	必3834號	春成・廣成
必田	0.6900	27年買1圖2甲朱有德戸	必3311號	奇廣
必田	0.4330	26年買1圖2甲朱有德戸	必6193號	廷仁
必田	0.2500	20年買1圖2甲朱有芳戸	必5979號	奇廣
必田	1.1500	21年買1圖2甲朱有芳戸	必5955號	奇廣
必田	0.5530	21年買1圖2甲朱有芳戸	必6128號	奇廣
必田	0.5900	24年買1圖2甲朱有授戸	必5512號	乾成
必田	1.3370	28年買1圖3甲王　爵戸	必2324號	廷林
得田	0.4620	24年買1圖4甲陳積裕戸	得2701號	廣

得田　1.2640　20年買１圖４甲陳積裕戸　得2970號　乾成
必田　0.5770　26年買１圖７甲汪　志戸　必1898號　春成
必田　2.4483　21年買１圖10甲陳　浩戸　必3569號　乾成
3852號
3854號
必田　0.6800　21年買１圖10甲陳　浩戸　必5240號　老門
必田　0.7820　28年買１圖10甲朱　瓊戸　必3479號　乾成
必田　0.1800　28年買１圖10甲朱　瓊戸　必3562號　乾成
必田　0.7700　28年買１圖10甲朱　瓊戸　必3564號　乾成
必田　0.5910　28年買１圖10甲朱　瓊戸　必3603號　乾成
必田　0.4860　28年買１圖10甲朱　瓊戸　必3642號　乾成
必田　0.7280　28年買１圖10甲朱　瓊戸　必2297號　春成
必田　1.1700　24年買１圖10甲朱　瓊戸　必2166號　尙義
得田　0.4320　22年買１圖10甲朱　瓊戸　得1239號　春成
必田　0.7040　22年買１圖10甲朱　瓊戸　必6075號　强
必田　0.6680　22年買１圖10甲朱　瓊戸　必6080號　廷仁
必田　0.7370　26年買２圖３甲朱茂榮戸　必1913號　廷仁
必田　0.1670　26年買２圖３甲朱茂榮戸　必1919號　春成
必田　0.6500　26年買２圖４甲朱　魁戸　必1919號　春成
必田　0.3250　20年買２圖４甲朱　魁戸　必1915・7號　春成
必田　2.4330　26年買２圖４甲朱　魁戸　必1927・75號　夏成
必田　1.0000　26年買２圖４甲朱　魁戸　必1928號　新成
必田　1.8230　20年買２圖４甲朱　魁戸　必1845號　和成
1981・4號
必田　2.1670　25・6年買２圖６甲朱正昌戸　必5791號　廷仁
3370號
必田　2.0340　26年買２圖６甲朱正昌戸　必5971・80號　强
必田　0.7580　27年買２圖６甲朱正昌戸　必5855號　强
必田　0.6920　28年買２圖６甲朱正昌戸　必5549號　强
必田　0.5200　20年買２圖６甲朱正昌戸　必3402號　奇
必田　0.4800　20年買２圖６甲朱正昌戸　必3834號　春成・廣成
必田　1.0660　20年買２圖６甲朱正昌戸　必5692號　廣成
必田　1.5100　30年買２圖６甲朱正昌戸　必4701・2號　强
必田　2.3270　29年買２圖６甲朱正昌戸　必5524號　廷仁
得田　0.3740　20年買２圖８甲陳　司戸　得2721・2號　廣成
必田　2.4150　24年買２圖朱福茂戸　必5950號　廷仁
必田　0.5890　26年買３圖５甲金長孫戸　必5594・5號　廷仁
必田　0.5750　20年買３圖５甲金長孫戸　必5037號　周和

必田	0.2500	20年買3圖5甲金長孫戶	必4940號	乾成
必田	0.3620	30年買6圖6甲金　淮戶	必4706號	團・强
必田	2.4000	21年買8都1圖3甲葉兆戶	必3343號	新・貞
			44・45・46・47號	
必田	4.6060	26年買26都4圖1甲洪添生戶		
			必3454號	乾
			必3465號	乾
			必3605號	乾
必田	3.3610	25年買26都4圖10甲洪添生戶		
			必3404號	奇
			64號	廣
必田	1.9950	買26都4圖10甲洪添生戶	必3459號	
必田	3.0700	26年買26都4圖10甲洪添生戶	必2162號	春成
			63號	湧成
必田	1.8900	26年買26都4圖10甲洪應瑞戶	必3406號	乾成
地	15.25282	麥3斗3合，米5斗9升4合		
必地	1.6330	24年買本圖6甲朱新風戶		乾
必地	0.3975	24年買本圖6甲朱新風戶		乾
必地	0.66437	20年買本圖6甲朱新風戶		嶽
必地	0.2420	20年買本圖6甲朱新風戶	必5882號	新・貞
必地	0.0820	20年買5甲金岩武戶		乾
得地	0.0466	20年買8甲陳元和戶		學・八
必地	0.6250	20年買8甲陳元和戶	必4549・50・55號	周和
必地	0.4430	20年買8甲陳元和戶	必3520號	乾
必地	0.7200	20年買8甲陳元和戶	必3628號	乾
必地	0.7780	20年買8甲陳元和戶	必3657號	乾
必地	0.2000		必3778號	乾
必地	0.0300		必3782號	乾
必地	0.0288		必3785號	乾
必地	0.0180		必3797號	乾
必地	0.0100		必3789號	乾
必地	0.0600	20年	必3812號	周和
必地	0.4220	20年買1圖2甲朱有芳戶	必3778號	乾
必地	0.0470	30年買1圖5甲黃　尙戶	必	希
必地	0.0969	20年買1圖6甲吳天志戶	必	和・乾
必地	0.8000	20年買1圖7甲汪　明戶	必3777號	乾
必地	0.0855	27年買1圖9甲吳玄貴戶	必5517號	永壽
必地	0.0600	31年買1圖10甲	必	團
必地	0.0090	20年買1圖10甲	必5215號	和

必地	0.1030	22年買１圖10甲朱　榮戶	必5882號	新
			5917號	貞
必地	0.0380	20年買２圖１甲朱　曜戶	必	奇成
必地	0.6705	20年買２圖１甲朱　曜戶	必	廣成
必地	0.1205	23年買２圖１甲朱　曜戶	必4446號	乾成
必地	0.3880	23年買２圖１甲朱　曜戶	必4864號	存貴
必地	0.2970	23年買２圖１甲朱　曜戶	必5881號	新成
必地	0.2000	28年買２圖１甲朱　曜戶	必6075號	强
必地	0.3780	29年買２圖６甲朱正昌戶	必4419號	春成
			20・22號	
必地	0.0430	29年買２圖６甲朱正昌戶	必4414號	汲成
必地	0.2500	20年買２圖６甲朱正昌戶	必4425號	廣成
必地	0.0330	20年買２圖６甲朱正昌戶	必4420號	嶽
必地	0.5170	26年買２圖９甲朱福茂戶	必5816號	傑
			27・29號	
必地	0.05525	31年買２圖９甲朱福茂戶	必	乾
必地	0.1200	27年買２圖９甲吳　榮戶	必5893號	存貴
必地	0.0240	28年買２圖９甲吳　榮戶	必5809號	永壽
必地	0.0360	29年買２圖９甲吳　榮戶	必5910號	正華
必地	0.3000	23年買２圖９甲吳　榮戶	必5917・8號	新
			必5882號	希
必地	1.3425	27年買２圖９甲吳　榮戶	必5895・6・7號	和
			必5922號	乾
必地	0.0357	28年買２圖９甲吳　榮戶	必5897號	和
必地	0.1100	27年買２圖９甲吳　榮戶	必5893號	和
必地	0.4200	24年買２圖９甲吳　榮戶	必5911號	乾
必地	0.1785	29年買２圖９甲吳　榮戶	必5897號	乾
必地	0.0300	22年買２圖９甲吳　榮戶	必	乾
必地	0.1950	22年買２圖９甲吳　榮戶	必5943・4號	乾
必地	0.0752	22年買２圖10甲朱　法戶	必4602號	容・壽
必地	0.0243	29年買２圖10甲朱　法戶	必4628號	禮成
必地	0.0167	20年買２圖10甲朱　法戶	必4501號	和成
必地	0.5370	24年買３圖５甲金長孫戶	必4863號	和成
必地	0.0700	24年買３圖５甲金長孫戶		乾
必地	0.0300	21年買３圖５甲金長孫戶	必4811號	學門
必地	0.0300	31年買３圖５甲金長孫戶	必4811號	和成
改地	0.0135	24年買３圖５甲方時光戶	改4873號	長一房
				容壽房
必地	0.1140	29年買６圖４甲朱大武戶	必5923號	存貴

			必5928號	乾
必地	0.0620	30年買６圖５甲朱岩園戶	必5040號	乾
必地	0.7850	30年買６圖６甲金　淮戶	必4712號	團・强
山	19.01952	麥２斗３合５勺，米２斗３合５勺		
必山	0.4580	26年買本圖１甲金尙伊戶	必5077號	和
必山	0.2290	26年買本圖１甲金尙伊戶	必5077號	團・强
過山	0.2900	26年買本圖１甲金尙伊戶	過861・907號	乾
必山	0.4100	20年買本圖６甲朱新風戶	必5917號	新・希
必山	0.2540	20年買本圖６甲朱新風戶	必	嶽
必山	0.3550	20年買本圖６甲朱新風戶	必	乾
得山	0.2914	30年買本圖８甲陳元和戶	得1235號	學八
必山	0.4062	29年買本圖５甲金岩武戶	必5012號	乾
必山	0.2920	買本圖５甲金岩武戶	必5013號	乾
必山	0.0620	買本圖５甲金岩武戶	必5011號	乾
必山	0.3879	29年買本圖５甲金岩武戶	必5503・4號	乾
必山	0.3800	30年買本圖５甲金岩武戶	必	和・乾
必山	0.4146	20年買１圖２甲朱添生戶	必4549號 52・53號	和
必山	0.2000	20年買１圖２甲朱添生戶	必3656號	乾
必山	0.0800	25年買１圖５甲黃　尙戶	必5826號	希明
必山	2.1520	26年買１圖７甲汪　志戶	必1684號 90・96號	春成
必山	0.3325	27年買１圖９甲吳玄貴戶	必5534號	永壽
必山	0.6157	29年買１圖９甲吳玄貴戶	必5433・4號	乾
才山	0.0995	30年買１圖５甲吳玄貴戶	才3152號 59號	二房
必山	1.0000	21年	必5193號	團强・和・乾
必山	0.5000	21年	必5076號	團・强
必山	0.0500	31年	必	團
必山	0.1100	20年	必5264號	和
必山	0.2000	20年	必5397號	和
必山	0.1800	28年買１圖10甲朱　榮戶	必5917號	新・希
必山	2.1000	27年買吳　榮戶	必5922號	和・乾
必山	0.6500	26年買吳　榮戶	必5780號	和
必山	0.1670	26年買吳　榮戶	必5920號	乾
必山	0.1167	24年買吳　榮戶	必5925號	乾
必山	0.0500	24年買２圖９甲吳　榮戶	必5919號	乾
必山	1.0000	21年買２圖10甲朱　法戶	必5818・9號	穩・禮成

必山　0.0800　23年買3圖5甲金長孫戸　必　永壽
必山　0.1680　23年買6圖4甲朱大武戸　必5922號　存貴・乾成
必山　0.0580　30年買6圖5甲朱岩周戸　必　乾成
塘河　0.20702　麥4合4勺，米1升1合
必塘　0.1399　20年買1圖2甲朱添生戸　必4546號　和
必塘　0.0203　20年買1圖2甲朱添生戸
必塘　0.0168　20年買1圖2甲朱添生戸　必3691號　廣
必河塘　0.0300　24年買2圖6甲朱正昌戸　必4548號　良成

開除　人口　15　男子10，成　丁9，兄：嶽26年故，兄：嶅23年故，兄：密23年故，兄：晟21年故，兄：良22年故，兄：積27年故，兄：昆27年故，兄：婢妾20年故，兄：存高23年故
不成丁1，侄：爵23年故
婦女5，嫂：汪氏24年故，嬸：程氏24年故，嫂：汪氏25年故，嫂：陳氏29年故，嫂：韓氏28年故

事産
轉除
民田地山　20.9147　夏麥4斗4升6合6勺，秋米1石1斗1升1合8勺
田　20.4850　麥4斗3升8合4勺，米1石9升6合
得田　2.4350　20年賣入本圖2甲朱祐生戸　得1277號　湧・汲
必田　1.4800　20年賣入1圖10甲陳　浩戸　必2277號　廣
必田　1.3380　20年賣入1圖9甲金　曜戸　必5477號　列
必田　0.5770　31年賣入2圖5甲金進全戸　必5790號　春成
必田　2.3870　20年賣入2圖10甲朱　法戸　必5394號　6133號　列
必田　1.5500　21年賣入2圖10甲朱　法戸　必5997號　列
必田　1.0000　20年賣入2圖10甲朱　法戸　必6087號　列
得田　3.7320　21年賣入6圖3甲李寶壽戸　得1846・5號　奇
必田　1.0160　21年　必3902號　積・周・盈
淡田　0.5920　30年賣入11都3圖7甲金　越戸　淡4249號　自・成
必田　1.7200　20年賣入26都3圖5甲汪　曜戸必5361・4號　乾
過田　1.7970　20年賣入26都4圖9甲汪宗齊戸　過　新
地　0.3097　麥7合9勺，米1升5合5勺
必地　0.15266　29年賣入本甲劉得應戸　必　三房
必地　0.07654　29年賣入本甲劉得應戸　必　一房

必地　0.0687　27年賣入2圖1甲朱　曜戶　必
必地　0.0970　23年賣入2圖7甲汪應遠戶　必　仁德
必地　0.0050　31年賣入3圖5甲朱永義戶　必
山　0.0300　麥3合，米3合
必山　0.0300　31年賣入3圖5甲朱永義戶

實在　人口　48　男子34，成　丁25，本身41，兄：積三60，兄：長仁58，兄：積存56，兄：積團48，兄：椿42，兄：長二37，弟：容36，弟：存仁36，弟：積五35，弟：積强35，弟：存道35，弟：長隱30，弟：漢30，弟：永春30，弟：仲旻30，弟：傑23，弟：六德22，侄：立成29，侄：自成24，侄：鎮成23，侄：奇成21，侄：春成22，侄：良成23，侄：存貴27

不成丁9，兄：積興79，侄：周成90，侄：湧成7，侄：新6，侄：乾成4，侄：應成4，侄孫：端務11，侄孫：正賢3，侄孫：正華2

婦女14，嫂：汪氏60，嫂：胡氏60，嫂：程氏50，嫂：程氏50，嫂：黃氏45，侄媳：程氏34，侄媳：汪氏29，侄媳：金氏28，侄媳：吳氏27，侄媳：程氏28，侄媳：張氏26，侄媳：包氏24，侄媳：張氏23

事産
民田地山塘河　420.93066　夏麥7石9斗6升8合，秋米17石6斗9升2合2勺
田　258.1850　麥5石5斗5升1合6勺，米13石8斗7升9合2勺
本都田　258.1850
26都田　1.2400
地　73.71962　麥1石4斗6升4合9勺，米2石8斗5升3合9勺
本都地　72.67715
11都地　0.0710
26都地　0.9680
山　87.32502　麥9斗3升4合4勺，米9斗3升4合4勺
本都山　86.20752
11都山　0.5620
26都山　0.5555
塘河　0.46102　麥9合9勺，米2升4合7勺
本都河塘　0.0500　嶽0.0200　團0.0100　良成0.0300
民瓦房　3間

黄　牛　　　　1頭

30年-Ⅲ-1　甲首第一戸　李　成　民戸
舊管　人口　5　男子3，婦女2
事産
民田地　3.9070　夏麥8升2合7勺，秋米1斗9升9合
田　3.2750　麥7升1合，米1斗7升5合2勺
地　0.6320　麥1升2合6勺，米2升4合5勺
新收　事産
轉收
民田地　1.0420　夏麥2升2合，秋米5升3合2勺
田　0.8570　麥1升8合6勺，米4升6合4勺
得田　0.8570　27年買1圖3甲陳添貴戸
地　0.1750　麥3合5勺，米6合8勺
得地　0.1750　24年買1圖10甲陳廷瑞戸
開除　事産
轉除
民田　0.6520　夏麥1升4合，秋米3升4合9勺
得田　0.2500　23年賣入本圖6甲汪世祿戸
得田　0.4020　31年顯賣1圖10甲陳　浩戸
實在　人口　5　男子3，成　丁2，男：象42，男：奇24
不成丁1，本身72
婦女2，妻：蔡氏72，男婦：劉氏55
事産
民田地　4.2970　夏麥9升8合，秋米2斗1升8合
田　3.4900　麥7升4合7勺，米1斗8升6合7勺
地　0.8070　麥1升6合，米3升1合2勺

30年-Ⅲ-2　甲首第二戸　吳天龍　民戸
舊管　人口　6　男子4，婦女2
事産
民地　0.6080　夏麥1升2合，秋米2升3合5勺
新收　事産
轉收
民地山　0.5250　夏麥6合5勺，秋米8合2勺
地　0.0900　麥1合8勺，米3合5勺
智地　0.0900　25年買26都5甲洪慶元戸
山　0.4350　麥4合7勺，米4合7勺
必山　0.4350　23年買本圖8甲陳元新戸

實在　人口　　６　男子４，成　丁３，本身45，叔：法57，侄：長富33
不成丁１，侄：岩隆13
婦女２，叔母：宋氏60，妻：宋氏45
事産
民地山　　1.1330　夏麥１升８合５勺，秋米３升１合７勺
地　　0.6980　麥１升３合８勺，米２升７合
26都地　0.0900
山　　0.4350　麥４合７勺，米４合７勺

30年-Ⅲ-3　甲首第三戸　宋甲毛　民戸
舊管　人口　　４　男子２，婦女２
事産
民田地山　　2.3410　夏麥４升８合２勺，秋米１斗１升１合３勺
田　　1.5140　麥３升２合４勺，米８升１合
地　　0.7670　麥１升５合２勺，米２升９合７勺
山　　0.0600　麥６合，米６合
新收　人口　　男子不成丁１，男：曜29年生
開除　人口　　男子不成丁１，弟：玄25年故
事産
轉除
民地　　0.0850　夏麥１合７勺，秋米３合３勺
恭地　0.0850　25年賣入24都２圖５甲金　雲戸
實在　人口　　４　男子２，成　丁１　本身30
不成丁１　男：曜２
婦女２，母：汪氏70，妻：金氏42
事産
民田地山　　2.2560　夏麥４斗６合５勺，秋米１斗８合
田　　1.5140　麥３升２合４勺，米８升１合
地　　0.6820　麥１升３合５勺，米２升６合４勺
山　　0.0600　麥６合，米６合

30年-Ⅲ-4　甲首第四戸　胡　風　父曜　民戸
舊管　人口　　３　男子２，婦女１
事産
民田地山　　1.8140　夏麥３升６合１勺，秋米７升６合
田　　0.0410　麥９合，米２合２勺
地　　1.7630　麥３升５合１勺，米６升８合３勺
山　　0.0100　麥１合，米１合
民瓦房　　１間

新收　人口　　2　男子不成丁1，男：興29年生
　　　　　　　　婦　　女　1，妻：陳氏 娶本都陳玘女
開除　人口　　2　男子不成丁1，父：曜28年故
　　　　　　　　婦　　女　1，母：金氏28年故
　　事產
　　　轉除
　　　　民地山　　0.0510　夏麥1合1勺，秋米2合
　　　　　　地　　0.0500　　麥1合1勺，米2合
　　　　　　　能地　0.0500　29年賣入26都1圖1甲汪天生戶
　　　　　　山　　0.0010　　麥1合，米1合
　　　　　　　能山　0.0010　29年賣入26都1圖1甲汪天生戶
實在　人口　　3　男子2，成　丁1，本身22
　　　　　　　　　　　　不成丁1，男：興2
　　　　　　　　婦女1，妻：陳氏25
　　事產
　　　民田地山　　1.7630　夏麥3升5合，秋米6升8合6勺
　　　　　　田　　0.0410　　麥9合，米2合2勺
　　　　　　地　　1.7130　　麥3升4合，米6升6合3勺
　　　　　　山　　0.0090　　麥1合，米1合
　　　　民瓦房　　1間

……………………………………………………………………………………

30年-Ⅲ-5　甲首第五戶　**劉再得**　民戶
舊管　人口　　3　男子1，婦女2
　　事產
　　　民田地山　19.1410　夏麥3斗5升8合1勺，秋米7斗8升5合
　　　　　　田　11.0700　　麥2斗3升6合9勺，米5斗9升2合2勺
　　　　　　地　　3.8010　　麥7升5合5勺，米1斗4升7合1勺
　　　　　　山　　4.2700　　麥4升5合7勺，米4升5合7勺
　　　　民瓦房　2間
實在　人口　　3　男子1，成丁1，本身51
　　　　　　　　婦女2，義母：金氏68，妻：周氏53
　　事產
　　　民田地山　19.1410　夏麥3斗5升8合1勺，秋米7斗8升5合
　　　　　　田　11.0700　　麥2斗3升6合9勺，米5斗9升2合2勺
　　　　　　地　　3.8010　　麥7升5合5勺，米1斗4升7合1勺
　　　　　　山　　4.2700　　麥4升5合7勺，米4升5合7勺
　　　　民瓦房　2間

……………………………………………………………………………………

30年-Ⅲ-6　甲首第六戶　**朱大儀**　民戶

舊管　人口　2　男子1，婦女1

事産

民田地山塘　0.8124　夏麥1升5合2勺，秋米2升9合8勺

地　0.6140　麥1升2合2勺，米2升3合8勺

山　0.1094　麥1合2勺，米1合2勺

塘　0.0890　麥1合9勺，米4合8勺

民瓦房　2間

水　牛　1頭

開除　事産

轉除

民地山　0.1370　夏麥2合6勺，秋米5合

地　0.1220　麥2合4勺，秋米4合8勺

能地　0.0870　22年賣入4甲朱岩志戶

能地　0.0350　22年入6圖3甲李宣春戶

山　0.0150　麥2合，米2合

能山　0.0150　22年入6圖3甲李宣春戶

實在　人口　2　男子1，成丁1，本身27

婦女1，妻：孫氏27

事産

民地山塘　0.6754　夏麥1升2合7勺，秋米2升4合8勺

地　0.4920　麥9合8勺，米1升9合

山　0.0944　麥1合，米1合

塘　0.0890　麥1合9勺，米4合8勺

民瓦房　2間

水　牛　1頭

…………………………………………………………………………………………

30年-Ⅲ-7　甲首第七戶　**朱興龍**　民戶

舊管　人口　3　男子2，婦女1

事産

民田地山塘　29.4400　夏麥5斗9升6合1勺，秋米1石4斗2升7合6勺

田　24.7780　麥5斗3升3合，米1石3斗2升5合6勺

地　1.58848　麥3升1合5勺，米6升1合5勺

山　2.9790　麥3升1合8勺，米3升1合8勺

塘　0.3340　麥7合2勺，米1升7合9勺

（以下，缺）

…………………………………………………………………………………………

30年-Ⅲ-8　甲首第八戶　**朱社學**　民戶

舊管　人口　1　男子1

事產
　民田地山　　5.6230　夏麥１斗１升５合５勺，秋米２斗７升５合
　　田　　4.0770　　麥８升７合２勺，米２斗１升８合１勺
　　地　　1.2820　　麥２升５合５勺，米４升９合６勺
　　山　　0.2640　　麥２合８勺，米２合８勺
　民瓦房　　３間
新收　事產
　轉收
　民田塘　　0.6900　夏麥１升４合７勺，秋米３升６合９勺
　　田　　0.6600　　麥１升４合，米３升５合３勺
　　得田　0.6600　30年買１甲王　茂戶
　　塘　　0.0300　　麥６合，米１合６勺
　　得塘　0.0300　30年買１甲王　茂戶
實在　人口　　1　男子成丁１，本身46
　事產
　民田地山塘　　6.3130　夏麥１斗３升２合，秋米３斗７合４勺
　　田　　4.7370　　麥１斗１合３勺，米２斗５升３合４勺
　　地　　1.2820　　麥２升５合５勺，米４升９合６勺
　　山　　0.2640　　麥２合８勺，米２合８勺
　　塘　　0.0300　　麥６合，米１合６勺
　民瓦房　　３間

……………………………………………………………………

30年-Ⅲ-9　甲首第九戶　**項興才**　民戶
舊管　人口　　4　男子３，婦女１
　事產
　民田地山　8.3710　夏麥１斗７升３合５勺，秋米３斗９升８合３勺
　　田　5.2080　　麥１斗１升１合５勺，米２斗７升８合６勺
　　地　3.0630　　麥６升９合，米１斗１升８合６勺
　　山　0.1000　　麥１合１勺，米１合１勺
　民瓦房　半間
實在　人口　　4　男子３，成　丁２，弟：記得62，義侄：盛曜貴50
　　　　　　　　　　不成丁１，本身110
　　　　　　婦女１，弟婦：劉氏52
　事產
　民田地山　8.3710　夏麥１斗７升３合，秋米３斗９升８合３勺
　　田　5.2080　　麥１斗１升１合５勺，米２斗７升８合６勺
　　地　3.0630　　麥６升９合，米１斗１升８合６勺
　　山　0.1000　麥１合１勺，米１合１勺
　民瓦房　半間

……………………………………………………………………

30年-Ⅲ-10　甲首第十戶　**劉得應**　民戶
舊管　人口　2　男子1，婦女1
事產
民田地　4.4220　夏麥9升4合6勺，秋米2斗3升6合6勺
民瓦房　3間
民水牛　1頭
新收　事產
轉收
民田地山　7.1570　夏麥1斗4升8合4勺，秋米3斗5升3合7勺
田　5.6980　麥1斗2升1合9勺，米3斗4合8勺
必田　0.5920　29年買1甲王茂戶
必田　0.8550・0.7800　27年買1甲金尙伊戶
必田　1.2280　30年買1圖5甲陳添相戶
得田　1.2370　29年買1圖9甲陳　浩戶
才田　0.6600　27年買1圖9甲吳岩貴戶
必田　0.3460　28年買2圖6甲朱正昌戶
地　1.1890　麥2升3合6勺，米4升6合
必地　0.15266・0.07634　24年・31年買本甲朱學源戶
必地　0.3600　28年買本甲金岩武戶
必地　0.6000　30年買2圖6甲朱正昌戶
山　0.2700　麥2合9勺，米2合9勺
必山　0.2700　23年2圖6甲朱正昌戶
實在　人口　2　男子不成丁1，本身55
婦　女　1，義母：程氏90
事產
民田地　11.5790　夏麥2斗4升3合，秋米5斗9升3合
田　10.1200　麥2斗1升6合6勺，米5斗4升1合4勺
地　1.1890　麥2升3合6勺，米4升6合
山　0.2700　麥2合9勺，米2合9勺
民瓦房　3間
民水牛　1頭

30年-Ⅲ-11　甲首第十一戶　**朱　標**　民戶　外祖王宗林
舊管　人口　4　男子1，婦女3
新收　人口　男子不成丁1，本身21年生
事產
轉收
民田地山塘　17.12739　夏麥3斗3升7合4勺，秋米7斗8升2合9勺
田　12.1633　麥2斗6升3合，米6斗5升7合
能田　0.0790　24年買4甲朱文魁戶

能田　0.4000　24年買4甲朱大斌戶
能田　0.0545　23年買6甲朱　貴戶
能田　3.1962　24年買6甲朱　貴戶
能田　0.6190　23年買6甲朱　貴戶
能田　4.4770　21年買6甲朱德原戶
能田　2.8886　21年買6甲朱德原戶
能田　0.4490　31年・30年買8甲朱文林戶
地　1.92616　麥3升8合3勺
能地　0.0730　24年買4甲朱文魁戶
能地　0.0600　24年買4甲朱大興戶
能地　0.1430　24年買4甲朱大興戶
能地　0.0600　24年買4甲朱大斌戶
能地　0.1430　24年買4甲朱大斌戶
能地　0.5490　24年買4甲朱大斌戶
能地　0.3111　22年買6甲朱　貴戶
能地　0.0450　25年買6甲朱　貴戶
能地　0.18566　22年買6甲朱　貴戶
能地　0.1736　23年買6甲朱　貴戶
能地　0.0350　29年買6甲朱　貴戶
能地　0.0185　31年買6甲朱　貴戶
能地　0.0450　21年買6甲朱德原戶
能地　0.0840　30年買8甲朱文林戶
山　2.45283　麥2升6合3勺，米2升6合3勺
能山　0.0125　25年買4甲朱文魁戶
能山　0.1670・0.0840　21年・24年買4甲朱大斌戶
能山　0.6340　21年買6甲朱德原戶
能山　0.3165　21年買6甲朱德原戶
能山　0.2110　28年買6甲朱德原戶
能山　1.10583　25年買6甲朱　貴戶
能山　0.0055　31年買6甲朱　貴戶
塘　0.5851　麥1升2合5勺，米3升1合3勺
能塘　0.0350　25年買4甲朱文魁戶
能塘　0.0420　25年買4甲朱天興戶
能塘　0.0420　21年買4甲朱大斌戶
能塘　0.1634　22年買6甲朱　貴戶
能塘　0.0400　29年買6甲朱　貴戶
能塘　0.2527　29年買6甲朱　貴戶
能塘　0.0100　31年買6甲朱德原戶
開除　人口　4　男子不成丁1，外祖父：王宗林23年故

婦　　女　3，太外伯祖母：汪氏21年故，外伯祖母：許氏21年故，
外祖母：汪氏24年故

實在　人口　　1　男子不成丁1，本身10
事産
民田地山塘　　17.12739　夏麥3斗3升7合4勺，秋米7斗8升2合9勺
田　　12.1633　　麥2斗6升3合，米6斗5升7合
地　　1.92613　　麥3升8合3勺，米7升4合6勺
山　　2.45283　　麥2升6合3勺，米2升6合3勺
塘　　0.5851　　麥1升2合5勺，米3升1合3勺

……………………………………………………………………………………

30年-Ⅲ-12　第十二戸　**劉文選**　民戸　父巴山
舊管　人口　　2　男子1，婦女1
事産
民瓦房　3間
新收　人口　　1　男子成丁1，本身25　前册未報
事産
轉收
民地　0.0150　麥3合，米6合
男地　0.0150　23年25都8圖7甲王岩秀戸　男字1583號
開除　人口　　1　男子成丁1，父：巴山22年故
實在　人口　　2　男子成丁1，本身25
婦　　女1，祖母：吳氏85
事産
民地　0.0150　夏麥3合，秋米6合
民瓦房　3間

……………………………………………………………………………………

30年-Ⅲ-13　第十三戸　**吳初保**　民戸
舊管　人口　　2　男子1，婦女1
事産
民瓦房　1間
實在　人口　　2　男子成丁1，本身52
婦　　女1，母：胡氏85
事産
民瓦房　1間

……………………………………………………………………………………

30年-Ⅲ-14　第十四戸　**汪慶祐**　絶軍
實在　人口　　男子不成丁1，本身214
事産
民瓦房　2間

……………………………………………………………………………………

30年-Ⅲ-15　第十五戶　**陳舟興**　絕軍
實在　人口　　男子不成丁1，本身214
　　事產
　　　民瓦房　3間

……………………………………………………………………………………

30年-Ⅲ-16　第十六戶　**朱添助**　絕軍
實在　人口　　男子不成丁1，本身228
　　事產
　　　民瓦房　1間

……………………………………………………………………………………

30年-Ⅲ-17　第十七戶　**徐　奉**　絕匠
實在　人口　　2　男子不成丁1，本身85
　　　　　　　　婦　　女　1，妻：韓氏73
　　事產
　　　民瓦房　3間

第4甲

30年-Ⅳ　排年　**王正芳**　匠戶
舊管　人口　　27　男子17，婦女10
　　事產
　　民田地山塘　　65.1140　夏麥1石1斗2升5合8勺，秋米2石2斗9升4合5勺
　　　　　田　　27.5470　麥5斗8升9合5勺，米1石4斗7升3合8勺
　　　　　地　　13.7230　麥2斗7升2合7勺，米5斗3升1合3勺
　　　　　山　　23.0410　麥2斗4升6合5勺，米2斗4升6合5勺
　　　　　塘　　0.8010　麥1升7合1勺，米4升2合9勺
　　　民瓦房　　6間
新收　人口　　2　男子不成丁2，侄：應憲28年生，侄：懋盛28年生
　　事產
　　　轉收
　　　民田地　　7.9650　夏麥1斗6升9合1勺，秋米4斗1升1合4勺
　　　　　田　　7.0320　麥1斗5升5合，米3斗7升6合2勺
　　　　買本圖田
　　　　　得田　0.8080　26年買1甲王　茂戶
　　　　　得田　1.0640　26年買1甲王　茂戶
　　　　　得田　1.0360　21年買10甲陳　新戶

得田　1.3780　30年買10甲陳　新戶
得田　1.0300　22年買10甲陳　新戶
得田　1.1910　23年買10甲陳　新戶
買1圖田
得田　0.5250　25年買1圖6甲陳世曜戶
地　0.9350　麥1升8合6勺，米3升6合2勺
得地　0.0100　24年買1甲王　茂戶
得地　0.0060　24年買1甲王　茂戶
得地　0.2400　22年買1甲王　富戶
得地　0.0150　30年買1甲王　富戶
得地　0.0220　21年買7甲王齊興戶
得地　0.0760　24年買6甲王　科戶
得地　0.0200　27年
得地　0.0600　24年
得地　0.0500　22年買9甲王　敍戶
得地　0.0300　30年買9甲王　敍戶
得地　0.0380　買9甲王　敍戶
得地　0.1200　24年買10甲陳　新戶
買1圖地
得地　0.1080　22・23年買1圖3甲王　爵戶
得地　0.0500　23年買1圖4甲陳積裕戶
開除　人口　2　男子成丁2，兄：汝儀26年故，兄：汝作29年故
事産
轉除
民地　0.1720　夏麥3合4勺，秋米6合7勺
得地　0.1720　23年賣入1圖10甲陳　浩戶
實在　人口　27　男子17，成　丁11，本身30，兄：汝傳45，兄：汝家36，兄：汝作36，兄：汝僅32，弟：汝侃25，弟：汝億25，弟：汝仲22，侄：良忠36，侄：良佐15，義男：仔保25
不成丁6，侄：良相13，侄：良師12，侄：萬得12，侄：懋盛3，侄：懋憲3，伯：應齊85
婦女10，伯母：江氏72，叔母：汪氏70，叔母：吳氏69，叔母：汪氏50，嫂：陳氏50，嫂：許氏45，嫂：吳氏40，嫂：陳氏36，嫂：吳氏46，妻：張氏30
事産
民田地山塘　72.9070　夏麥1石2斗9升1合5勺，秋米2石7斗3合
田　34.5790　麥7斗4升，米1石8斗5升
地　14.4860　麥2斗8升7合9勺，米5斗6升9合

山　23.0410　麥2斗4升6合5勺，米2斗4升6合5勺
塘　0.8010　麥1升7合1勺，米4升2合9勺
民瓦房　6間

30年-Ⅳ-1　甲首第一戶　汪福壽　民戶
舊管　人口　4　男子2，婦女2
事產
民田　1.5000　夏麥3升2合，秋米8升3合
民瓦房　2間
實在　人口　4　男子成丁2，本身55，弟：地義得27
婦　女2，妻：方氏50，弟媳：昌氏27
事產
民田　1.5000　夏麥3升2合，秋米8升3合
民瓦房　2間

30年-Ⅳ-2　甲首有糧第二戶　朱大興　民戶
舊管　人口　2　男子1，婦女1
事產
民田地山塘　1.9940　夏麥3升4合3勺，秋米6升3合7勺
田　0.1330　麥2合9勺，米7合
地　1.0690　麥2升1合3勺，米4升1合4勺
山　0.6350　麥6合8勺，米6合8勺
塘　0.1570　麥3合4勺，米8合4勺
新收　人口　男子不成丁1，男：卽生28年生
事產
轉收
民田地山塘　1.0785　夏麥1升6合9勺，秋米2升9合
田　0.0320　麥8合，米1合7勺
能田　0.0320　29年買6甲朱　貴戶
地　0.4302　麥8合6勺，米1升6合7勺
能地　0.1395　28年買6甲朱　貴戶
能地　0.0760　29年買6甲朱　貴戶
能地　0.1777　27年買6甲朱　貴戶
能地　0.0050　30年買6甲朱　貴戶
能地　0.0320　31年買8甲朱文林戶
山　0.5183　麥5升5合，米5升5合
能山　0.0427　28年買6甲朱　貴戶
能山　0.0746　29年買6甲朱　貴戶
能山　0.3920　30年買8甲朱文林戶

塘　0.0980　麥2合，米5合2勺
能塘　0.0980　29年買6甲朱　貴戸

開除　事產

轉除

民田地山塘　1.3089　夏麥2升5合1勺，秋米4升9合4勺
田　0.1330　麥2合8勺，米7合1勺
能田　0.1330　25年賣4甲朱岩志戸
地　0.9949　麥1升9合9勺，米3升8合6勺
能地　0.1040　23年本甲朱文節戸
能地　0.2030　24年3甲朱　標戸
能地　0.0525　23年賣本甲朱岩志戸
能地　0.0340　23年賣本甲朱岩志戸
能地　0.4010　23年賣本甲朱岩志戸
能地　0.0500　23年賣本甲朱岩志戸
能地　0.0695　23年賣本甲朱岩志戸
能地　0.0166　24年賣本甲朱岩志戸
能地　0.0635　賣本甲朱岩志戸
山　0.1390　麥1合5勺，米1合5勺
改・能山　0.1340　29年本朱岩志戸
能山　0.0050　24年10甲朱國昌戸
塘　0.0420　麥9合，米2合2勺
能塘　0.0420　25年賣入3甲朱　標戸

實在　人口　3　男子2，成　丁1，　本身42
不成丁1，男：卽生2
婦女1，妻：金氏41

事產

民田地山塘　1.7636　夏麥2升6合1勺，秋米4升3合4勺
田　0.0320　麥7合，米1合7勺
地　0.5043　麥1升，米1升9合5勺
山　1.0143　麥4合6勺，米1升1合4勺

30年-Ⅳ-3　甲首有糧第三戸　**朱文魁**　民戸

舊管　人口　3　男子2，婦女1

事產

民田地山塘　2.2120　夏麥4升3合2勺，秋米8升6合5勺
田　0.2060　麥4合4勺，米1合1勺
地　1.7700　麥3升5合2勺，米6升8合5勺
山　0.1310　麥1合4勺，米1合4勺
塘　0.1050　麥2合2勺，米5合6勺

民瓦房　　3間
開除　事産
　轉除
民田地山塘　　1.2799　夏麥２升４合８勺，秋米４升８合８勺
　田　　0.0790　　麥１合７勺，米４合２勺
　　能田　0.0790　24年３甲朱　標戸
　地　　1.0799　　麥２升１合５勺，米４升１合８勺
　　能地　0.1970　30年本甲朱大斌戸
　　能地　0.0730　24年３甲朱　標戸
　　能地　0.0566　30年10甲朱國昌戸
　　能地　0.0070　20年６圖１甲汪　南戸
　　能地　0.0200　24年６圖３甲李惟喬戸
　　能地　0.0100　29年６圖７甲徐　弘戸
　　能地　0.0560　23年賣入本甲朱岩志戸
　　能地　0.2453　23年賣入本甲朱岩志戸
　　能地　0.0700　23年賣入本甲朱岩志戸
　　能地　0.1040　23年賣入本甲朱岩志戸
　　能地　0.1140　23年賣入本甲朱岩志戸
　　能地　0.0500　25年11都３圖９甲潘　全戸
　　能地　0.0770　25年11都３圖９甲潘　全戸
　山　　0.0860　　麥９合，米９合
　　能山　0.0250　23年本甲朱岩志戸
　　能山　0.0209　24年６圖３甲李惟喬戸
　　能山　0.0125　25年３甲朱　標戸
　　能山　0.0100　29年６圖７甲徐　弘戸
　　能地　0.0095　30年10甲朱國昌戸
　塘　　0.0350　　麥７合，米１合９勺
　　能塘　0.0350　25年賣入３甲朱　標戸
實在　人口　　3　男子２，成　丁１，本身44
　　　　　　　　　不成丁１，弟：文元13
　　　　　　　婦女１，妻：王氏44
　事産
民田地山塘　　0.9321　夏麥１升８合４勺，秋米３升７合７勺
　田　　0.1270　　麥２合７勺，米６合８勺
　山　　0.0450　　麥５合，米５合
　塘　　0.0700　　麥１合５勺，米３合７勺
民瓦房　　3間

…………………………………………………………………………

30年-Ⅳ-4　甲首有糧第四戸　王　美　民戸
舊管　人口　6　男子4，婦女2
事產
民田地山　7.9030　夏麥1斗3升8合2勺，秋米2斗8升4合5勺
田　3.5710　麥7升6合4勺，米1斗9升1合
地　1.6820　麥3升3合4勺，米6升5合1勺
山　2.6500　麥2升8合4勺，米2升8合4勺
民瓦房　3間
新收　事產
轉收
民田地山　0.8485　夏麥1升3合，秋米2升2合3勺
田　0.1100　麥2合4勺，米5合9勺
得田　0.1100　22年1圖4甲陳積裕戸
地　0.3055　麥6合1勺，米1升1合5勺
得山　0.0900　30年8甲王應享戸
得山　0.0830　27年8甲王應享戸
得山　0.0100　24年1甲程　相戸
得山　0.2500　22年1圖4甲陳積裕戸
開除　事產
轉除
民地　0.0080　麥2合，米3合
得地　0.0080　30年本都1圖4甲陳積裕戸
實在　人口　6　男子4，成　丁2，本身42，侄：祥26
不成丁2，男：正昇13，侄：應時12
婦女2，妻：汪氏42，侄婦：葉30
事產
民田地山　8.7435　夏麥1斗5升1合，秋米3斗6合5勺
田　3.6810　麥7升8合8勺，米1斗9升6合9勺
地　1.9795　麥3升9合3勺，米7升6合6勺
山　3.0830　麥3升3合，米3升3合
民瓦房　3間

30年-Ⅳ-5　甲首有糧第五戸　朱大斌　民戸　父景和
舊管　人口　3　男子2，婦女1
事產
民田地山塘　5.2380　夏麥9升6合7勺，秋米1斗9升3合8勺
田　1.2130　麥2升6合，米6升4合9勺
地　2.8240　麥5升6合，米1斗9合3勺
山　1.0440　麥1升1合2勺，米1升1合2勺

塘　0.1570　麥３合４勺，麥８合４勺
民瓦房　２間
新收　人口　男子成丁１，本身係11年生，前册未報
事產
轉收
民地山　0.4180　夏麥８合，秋米１升５合２勺
地　0.3830　麥７合６勺，米１升４合８勺
能地　0.1970　30年４甲朱文魁戶
能地　0.0480　31年８甲朱文林戶
能地　0.1060　30年８甲朱文林戶
能地　0.0320　30年８甲朱文林戶
山　0.0350　麥４合，米４合
能山　0.0350　31年８甲朱文林戶
開除　人口　男子２，成　丁１，父：景和29年故
不成丁１，弟：國賓27年故
事產
轉除
民田地山塘　4.42625　夏麥８升５合２勺，秋米１斗７升５合２勺
田　1.2130　麥２升６合，米６升４合９勺
能田　0.0840　28年本甲朱岩志戶
能田　0.7290　28年本甲朱岩志戶
能田　24年３甲朱　標戶
地　2.61575　麥５升２合，米１斗１升２合
改・能地　1.2510　21年賣入本甲朱岩志戶
能地　0.18375　21年賣入本甲朱岩志戶
能地　0.2600　21年賣入本甲朱岩志戶
能地　0.0695　21年賣入本甲朱岩志戶
能地　0.2870　21年賣入本甲朱岩志戶
改地　0.0635　21年賣入本甲朱岩志戶
能地　0.1260　21年賣入本甲朱岩志戶
能地　0.2030　24年賣入３甲朱　標戶
能地　0.1720　22年賣入６圖３甲李惟喬戶
山　0.5355　麥５合８勺，米５合８勺
能山　0.2000　24年賣入本甲朱岩志戶
能山　0.1675　21年賣入３甲朱　標戶
能山　0.1580　22年賣入６圖３甲李惟喬戶
能山　0.0100　30年賣入８都４圖５甲徐應春戶
塘　0.0620　麥１合４勺，米３合３勺
能塘　0.0420　25年賣入３甲朱　標戶

能塘　0.0200　30年賣入6圖3甲李惟喬戶
實在　人口　2　男子1，成丁1，本身20
婦女1，母：陳氏52
事產
民地山塘　1.22975　夏麥1升9合5勺，秋米3斗3合8勺
地　0.59125　麥1升1合7勺，米2升2合9勺
山　0.5435　麥5合8勺，米5合8勺
塘　0.0950　麥2合，米5合1勺
民瓦房　2間

30年-Ⅳ-6　甲首第六戶　**倪四保**　民戶
舊管　人口　2　男子1，婦女1
事產
民地山　2.0410　夏麥3升9合4勺，秋米7升5合3勺
地　1.9100　麥3合8勺，米7升3合9勺
山　0.1310　麥1合4勺，米1合4勺
民瓦房　1間
新收　事產
轉收
民地　0.0150　麥3合，米6合
必地　0.0150　22年本都6圖6甲金　淮戶
開除　事產
轉除
民地　0.1600　麥3合2勺，米6合2勺
必地　0.1600　29年本都1圖6甲吳天志戶
實在　人口　2　男子1，成丁1，本身30
婦女1，妻：汪氏32
事產
民地山　1.8960　夏麥3升6合5勺，秋米6升9合7勺
地　1.7650　麥3升5合1勺，米6升8合2勺
山　0.1310　麥1合4勺，米1合4勺
民瓦房　1間

30年-Ⅳ-7　甲首有糧第七戶　**程友儀**　匠戶
舊管　人口　16　男子11，婦女5
事產
民田地山塘　30.4290　夏麥6斗4合3勺，秋米1石3斗9升
田　19.4410　麥4斗1升6合，米1石4升1合
地　5.8330　麥1斗1升5合9勺，米2斗2升5合8勺

山　3.5430　麥３升７合９勺，米３升７合９勺
塘　1.6120　麥３升４合５勺，麥８升６合２勺
民瓦房　６間
民水牛　１頭
新收　人口　男子不成丁２，弟：奇29年生，侄：春30年生
開除　人口　男子不成丁３，叔：廷俯26年故，叔：桂27年故，叔：文22年故
事產
轉除
民田地山塘　10.6090　夏麥２斗６合５勺，秋米４斗８升３合
田　7.9360　麥１斗６升９合８勺，米４斗２升４合６勺
改田　0.9700　26年賣入１圖８甲程　曜戶
改田　0.6600　26年賣入１圖８甲程　曜戶
改田　0.9100　24年賣入１圖８甲程　曜戶
改田　0.2700　27年賣入１圖８甲程　曜戶
改田　0.6600　26年賣入１圖８甲程　曜戶
改田　0.6710　23年賣入６圖３甲李祀產戶
改田　1.1300　23年賣入６圖３甲李惟喬戶
改田　0.9500　25年賣入６圖４甲程天員戶
改田　0.5300　23年賣入６圖４甲程天員戶
改田　0.6340　22年賣入６圖４甲程天員戶
改田　0.5500　24年賣入26都６圖１甲李盛發戶
地　0.2870　麥５合７勺，米１升１合１勺
改地　0.0250　27年賣入１圖８甲程　曜戶
改地　0.0300　26年賣入１圖８甲程　曜戶
改地　0.0300　29年賣入１圖８甲程　曜戶
改地　0.0300　30年賣入６圖３甲盛思德戶
改地　0.0700　21年賣入６圖10甲汪志保戶
改地　0.0390　22年賣入３圖４甲金有生戶
改地　0.0300　23年賣入６圖３甲李祀產戶
改地　0.0550　24年賣入６圖３甲李祀產戶
改地　0.0200　22年賣入６圖４甲李玄保戶
改地　0.0210　29年賣入11都３圖７甲金　越戶
山　1.8760　麥２升１合，米２升１合
改山　0.0200　25年賣入１圖８甲程　曜戶
改山　0.0160　26年賣入１圖８甲程　曜戶
改山　0.2100　29年賣入１圖８甲程　曜戶
改山　0.2300　23年賣入６圖３甲李祀產戶
改山　0.3300　23年賣入３圖４甲金有生戶
改山　0.9000　23年賣入３圖４甲金有生戶

改山　0.1700　23年賣入3圖4甲金有生戸
塘　0.5100　麥1升9合，米2升7合3勺
改塘　0.1500　22年賣入3圖4甲金有生戸
改塘　0.3600　24年賣入6圖3甲李祀產戸
實在　人口　17　男子12，成　丁8，叔祖：天錫69，叔祖：天虎53，叔：廷昊36，
叔：廷雲30，叔：寬30，弟：接義25，弟：興
21，本身35
不成丁4，侄：苦12，弟：奇2，侄：春1，義男：師祥
13
婦女5，妻：顧氏32，弟婦：方氏38，叔祖母：金氏65，叔祖母：
徐氏60，叔祖母：汪氏35
事產
民田地山塘　19.8200　夏麥3斗9升7合8勺，秋米9斗7合
田　11.5050　麥2斗4升6合2勺，米6斗1升5合5勺
地　5.5460　麥1斗1升2合，米2斗1升4合7勺
山　1.6670　麥1升7合8勺，米1升7合8勺
塘　1.1020　麥2升3合6勺，米5升8 合9勺
民瓦房　6間
水　牛　1頭

30年-Ⅳ-8　甲首第八戸　朱文節　軍戸　伯象
舊管　人口　4　男子2，婦女2
事產
民田地山塘　0.1350　夏麥2合5勺，秋米5合1勺
地　0.0570　麥1合1勺，米2合2勺
山　0.0320　麥4合，米4合
塘　0.0460　麥1合，麥2合5勺
民瓦房　2間
水　牛　1頭
新收　人口　男子成丁1，弟：文光12年生，前册未報
事產　夏麥1升5合3勺，秋米3升1合5勺
田　0.1590　麥2合4勺，米8合5勺
能田　0.1590　30年8甲朱文林戸
地　0.5950　麥1升1合9勺，米2升3合
能地　0.1040　23年8甲朱大興戸
能地　0.0250　31年8甲朱文林戸
能地　0.4660　31年8甲朱文林戸
實在　人口　男子成丁2，本身30，弟：文光20
婦　女2，母：項氏50，妻：宋氏30

事產
民田地山塘　0.8890　夏麥１升７合８勺，秋米３升６合６勺
田　0.1590　麥３合４勺，米８合５勺
地　0.6520　麥１升３合，米２升５合２勺
山　0.0320　麥４合，米４合
塘　0.0460　麥１合，米2 合５勺
民瓦房　２間
水　牛　１頭

……………………………………………………………………

30年-Ⅳ-9　甲首第九戶　王　英　民戶
舊管　人口　2　男子１，婦女１
事產
民地　0.2100　夏麥４合２勺，秋米８合１勺
民瓦房　３間
實在　人口　2　男子不成丁１，本身73
婦　女　１，母：吳氏107
事產
民地　0.2100　３都５圖成字150號　夏麥４合２勺，秋米８合１勺
民瓦房　３間

……………………………………………………………………

30年-Ⅳ-10　甲首第十戶　吳　琯　民戶
舊管　人口　3　男子２，婦女１
事產
民田地塘　17.8960　夏麥３斗７升７合２勺，秋米９斗１合７勺
田　14.1050　麥３斗１合８勺，米７斗５升４合６勺
地　3.7640　麥７升４合８勺，米１斗４升５合７勺
塘　0.0270　麥６合，麥１合４勺
民瓦房　１間
新收　事產
轉收
民地　0.3000　麥６合，米１升１合６勺
成地 0.3000　23年10月５都２圖３甲吳　鄉戶
實在　人口　3　男子２，成　丁１，本身45
不成丁１，弟：惣12
婦女１，妻：鄭氏41
事產
民田地塘　18.1960　夏麥３斗８升３合２勺，秋米９斗１升３合３勺
田　14.1050　麥３斗１合８勺，米７斗５升４合６勺
地　4.0640　麥８升８合，米１斗５升７合３勺

塘　0.0270　麥6合，米1 合4勺

30年-Ⅳ-11　甲首第十一戶　**汪文昆**　民戶

舊管　人口　2　男子1，婦女1

事産

民田地　2.6460　夏麥5升5合3勺，秋米1斗2升8合8勺

田　1.7840　麥3升8合2勺，米9升5合4勺

地　0.8620　麥1升7合1勺，米3升3合4勺

民瓦房　3間

新收

事産

轉收

民地　0.3000　麥6合，米1升1合6勺

歲地　0.3000　21年賣入15都5圖7甲徐　恆戶

開除

事産

轉除

民田地　2.6500　夏麥5升5合3勺，秋米1斗2升8合8勺

田　1.7840　麥3升8合2勺，米9升5合4勺

歲田　0.8200　30年賣入3都9圖1甲汪永堅戶

歲田　0.9640　29年賣入5都2圖1甲吳世忠戶

地　0.8620　麥1升7合1勺，米3升3合4勺

陽地　0.8620　26年12月賣入3都10圖5甲呂一松戶

實在　人口　2　男子成丁1，本身30

婦　女1，妻：葉氏30

事産

民地　0.3000　夏麥6合，秋米1升1合6勺

民瓦房　3間

30年-Ⅳ-12　甲首第十二戶　**朱岩志**　民戶

舊管　人口　2　男子1，婦女1

事産

民田地山　3.4870　夏麥5升3合2勺，秋米9升4合

田　0.4440　麥9合5勺，秋米2升3合8勺

地　1.2160　麥2升4合2勺，米4升7合1勺

山　1.8200　麥1升9合5勺，米1升9合5勺

民瓦房　2間

民黃牛　1頭

新收　事産

轉收

民田地山塘	6.5387	夏麥１斗１升７合７勺，秋米２斗２升６合３勺
田	0.9460	麥２升２合，米５升６合
能田	0.7290	22年買入本甲朱大斌戶
能田	0.0840	28年買入本甲朱大斌戶
能田	0.1330	25年賣入本甲朱大興戶
地	4.0053	麥７升９合６勺，米１斗５升５合１勺
能地	0.0525	23年買入本甲朱大興戶
能地	0.0340	23年買入本甲朱大興戶
能地	0.40275	23年買　入本甲朱大興戶
能地	0.0695	23年買入本甲朱大興戶
能地	0.0500	23年買入本甲朱大興戶
改地	0.0635	23年買入本甲朱大興戶
能地	0.0560	23年買入本甲朱文魁戶
能地	0.2453	23年買入本甲朱文魁戶
能地	0.0700	23年買入本甲朱文魁戶
能地	0.1140	23年買入本甲朱文魁戶
能地	0.1040	23年買入本甲朱文魁戶
能地	0.0695	21年買入本甲朱大斌戶
能地	0.1260	21年買入本甲朱大斌戶
能地	0.18375	21年買入本甲朱大斌戶
能地	0.2870	21年買入本甲朱大斌戶
能地	0.2600	21年買入本甲朱大斌戶
能・改地	1.2510	21年買賣入本甲朱大斌戶
改地	0.0635	21年賣入本甲朱大斌戶
能地	0.0800	22年買入３甲朱大儀戶
能地	0.1950	22年買入６甲朱　貴戶
能地	0.0300	26年買入６甲朱　貴戶
能地	0.0320	25年買入６甲朱　貴戶
能地	0.0600	29年買入８甲朱文林戶
能地	0.0120	31年買入８甲朱文林戶
能・改地	0.0880	29年買入８甲朱文林戶
山	1.5140	麥１升６合，米１升６合２勺
能山	0.2000	24年買入本甲朱大斌戶
能山	0.3300	30年買入８甲朱文林戶
能山	0.0100	31年買入８甲朱文林戶
改山	0.3150	30年買入８甲朱文林戶

能山　0.0250　23年買入本甲朱文魁戶
能・改山　0.1340　29年買入本甲朱大興戶
能山　0.5000　30年買入8甲朱　貴戶
塘　0.0800　麥1合7勺，米4合3勺
能塘　0.0800　30年買入8甲朱文林戶

實在　人口　2　男子成丁1，本身30
婦　女1，妻：張氏30
事産
民田地山塘　10.0253　夏麥1斗7升9合，秋米3斗1升6合7勺
田　1.3900　麥2升9合，米7升4合4勺
地　5.2213　麥1斗3合8勺，米2斗2合2勺
山　3.3340　麥3升5合7勺，米3升5合7勺
塘　0.0800　麥1合7勺，米4合3勺
民瓦房　2間
黃　牛　1頭

30年-Ⅳ-13　甲首第十三戶　**陳富萬**　即王富萬　民戶　原本姓陳，告明復陳姓

舊管　人口　1　男子1
事産
民田地　1.8140　夏麥3升8合4勺，秋米9升3合
田　1.5400　麥3升3合，米8升2合4勺
地　0.2740　麥5合4勺，米1升6合

新收
事産
轉收
民地　0.4100　麥8合2勺，米1升5合9勺
得地　0.3500　30年賣入1圖4甲陳積裕戶
得地　0.0600　23年賣入1圖3甲陳玄法戶

開除
事産
轉除
民田　1.5400　夏麥3升3合，秋米8升2合4勺
得田　1.5400　30年賣入本圖10甲朱德昌戶

實在　人口　1　男子成丁1，本身30
事産
民地　0.6840　夏麥1升3合6勺，秋米2升6合5勺

30年-Ⅳ-14　第十四戶　無糧　**楊　曜**　民戶

舊管　人口　4　男子3，婦女1

事產
民草房　１間
開除　人口　男子成丁１，侄：長德23年故
實在　人口　3　男子２　成　丁１，男：六德29
不成丁１，本身93
婦女１　妻：李氏90
事產
民草房　１間

30年-Ⅳ-15　第十五戶　**陳個成**　絕軍
實在　人口　3　男子不成丁２，本身111，弟：救100
婦　女　１，妻：王氏95
事產
民瓦房　３間

30年-Ⅳ-16　第十六戶　**朱稅童**　絕軍
實在　人口　1　男子不成丁１，本身213
事產
民瓦房　２間

30年-Ⅳ-17　第十七戶　**朱宗得**　絕軍
實在　人口　2　男子不成丁２，本身230，弟：宗林 216
事產
民瓦房　１間

30年-Ⅳ-18　第十八戶　**陳　法**　絕軍
實在　人口　3　男子不成丁３，本身226，弟：用 218，弟：宜218
事產
民瓦房　８間

第５甲

30年-Ⅴ　排年　**陳　章**　民戶
舊管　人口　29　男子18，婦女11
事產
民田地山塘　89.3840　夏麥１石６斗５升１合７勺，秋米３石６斗５升２合８勺

田　55.9600　麥1石1斗9升7合5勺，米2石9斗9升4合
地　9.6220　麥1斗9升1合2勺，米3斗7升2合5勺
山　23.0440　麥2斗4升6合6勺，米2斗4升6合6勺
塘　0.7580　麥2升6合2勺，米4升6合
民瓦房　3間
新收　人口　3　男子不成丁2，侄孫：節27年生，侄孫：禮29年生
婦　女　1，侄婦：王氏 娶本都王今女
事産
轉收
民地山　0.6250　夏麥6合9勺，秋米7合3勺
地　0.0250　麥5合，米9合
得地　0.0250　29年買1圖7甲陳景福戶
山　0.6000　麥6合4勺，米6合4勺
得山　0.6000　29年買1圖7甲陳景福戶
開除　人口　5　男子成丁4，侄：廷春23年故，侄：尙思25年故，侄：旦25年故，
侄：成福23年故
婦　女1，嫂：汪氏28年故
事産
轉除
民田地山　39.1160　夏麥7斗5升6合9勺，秋米1石7斗6升2合1勺
田　30.6000　麥6斗5升4合8勺，米1石6斗3升7合2勺
推出本圖人戶田
得田　1.0080　21年推入1甲王　茂戶
得田　0.5700　29年2甲朱　作戶
得田　3.5750　29年2甲朱　作戶
得田　1.6250　23年2甲朱祐生戶
得田　1.9200　30年7甲王齊興戶
得田　1.0980　23年7甲王齊興戶
得田　0.9530　23年7甲王齊興戶
必田　2.1100　23年7甲王齊興戶
必田　1.1540　23年7甲王齊興戶
必田　0.3680　23年7甲王齊興戶
必田　1.5480　22年9甲畢　濱戶
得田　0.8100　29年10甲金萬鍾戶
得田　1.4600　24年10甲朱德昌戶
推入1圖田
得田　1.2000　27年5甲陳添相戶
得田　1.0630　26年6甲陳　景戶
得田　0.1000　23年10甲陳　浩戶

必田　1.1300　23年10甲陳　浩戸
得田　1.5330　23年２圖３甲陳玄法戸
得田　2.1490　27年２圖10甲朱　法戸
得田　0.7500　27年２圖10甲朱　法戸
得田　1.7700　31年３圖９甲金　吉戸
得田　0.2300　30年11都３圖１甲金傳生戸
得田　1.0320　30年11都３圖９甲金初孫戸
必田　1.4440　28年26都６圖１甲李盛發戸
地　1.1710　麥２升３合３勺，米４升５合３勺
得地　0.0700　30年１甲王　茂戸
得地　0.0210　27年７甲王齊興戸
得地　0.0500　30年１圖６甲陳　景戸
必地　0.1980　22年１圖６甲陳世曜戸
必地　0.6020　28年１圖６甲陳節茂戸
必地　0.1820　22年１圖６甲陳　生戸
得地　0.0480　23年６圖５甲李文盛戸
山　7.3450　麥７升８合６勺，米７升８合６勺
得山　0.0700　30年１甲王　茂戸
得山　0.0250　22年１甲王　茂戸
得山　1.7000　24年１圖王　茂戸
必山　2.6500　25年１圖６甲張汪得戸
必山　0.5000　29年１圖９甲金　曜戸
得山　0.7000　25年１圖９甲張長壽戸
得山　0.2500　21年10甲金萬鍾戸
必山　0.2500　25年２圖９甲吳　榮戸
得山　1.2000　23年６圖５甲李文益戸

實在　人口　27　男子16，成　丁11，侄：信53，侄：箎45，侄：志遠36，侄：廷憲33，侄：廷綱32，侄孫：晉38，侄：奎光37，侄孫：玄22，侄孫：誠儀21，男：文明31，侄孫：文光15
不成丁５，本身72，侄孫：普12，侄孫：中秋12，侄孫：節４，侄孫：禮２
婦女11，嫂：葉氏69，嫂：金氏70，妻：朱氏68，弟婦：汪氏50，侄婦：汪氏64，侄婦：汪氏56，侄婦：朱氏50，侄婦：吳氏50，侄婦：吳氏50，侄婦：吳氏32，侄婦：吳氏25

事産
民田地山塘　50.8930　夏麥９斗１合７勺，秋米１石８斗９升９合９勺
田　25.3600　麥５斗４升２合７勺，米１石３斗５升６合８勺
地　8.4760　麥１斗６升８合４勺，米３斗２升８合１勺

山　16.2990　麥１斗７升４合４勺，米１斗７升４合４勺
塘　0.7580　麥１升６合２勺，米４升６合
民瓦房　3間

30年-Ⅴ-1　甲首第一戶　陳　方　民戶
舊管　人口　5　男子３，婦女２
事産
民田地山　8.8860　夏麥１斗８升５合２勺，秋米４斗５升３合１勺
田　8.2000　麥１斗７升５合５勺，米４斗３升８合７勺
地　0.2510　麥５合，米９合７勺
山　0.4350　麥４合７勺，米４合７勺
民瓦房　2間
實在　人口　5　男子３，成　丁２，男：盛45，男：尚30
不成丁１，本身84
婦女２，妻：朱氏70，嫂：汪氏45
事産
民田地山　8.8860　同舊管
夏麥１斗８升５合２勺，秋米４斗５升３合１勺
田　8.2000
地　0.2510
山　0.4350
民瓦房　2間

30年-Ⅴ-2　甲首第二戶　陳　新　民戶　西街衆祀戶
舊管　人口　5　男子２，婦女３
事産
民田地山塘　22.1670　夏麥３斗５升６合２勺，秋米６斗６升５合６勺
田　5.7040　麥１斗２升１合，米３斗５合２勺
地　5.4920　麥１斗９合１勺，米２斗１升２合６勺
山　10.2600　麥１斗９合８勺，米１斗９合８勺
塘　0.7110　麥１升５合２勺，麥３升８合
民瓦房　2間
開除　人口　男子不成丁１，男：二閔25年故
事産
轉除
民田塘　0.4850　夏麥１升４合，秋米２升５合９勺
田　0.4500　麥９合６勺，米２升４合１勺
得田　0.4500　30年10甲朱德昌戶
塘　0.0350　麥７合，米１合９勺

必塘　0.0350　25年１圖９甲陳長壽戶
實在　人口　4　男子成丁１，　本身52
婦　女３，嫂：金氏75，嫂：汪氏45，妻：葉氏45
事產
民田地山塘　21.6820　夏麥３斗４升５合８勺，秋米６斗３升９合７勺
田　5.2540　麥１斗１升２合４勺，米２斗８升１合１勺
地　5.4920　麥１斗９合１勺，米２斗１升２合６勺
山　10.2600　麥１斗９合８勺，米１斗９合８勺
塘　0.6760　麥１升４合５勺，米３升６合２勺
民瓦房　2間

30年-Ⅴ-3　甲首第三戶　**陳信漢**　民戶
舊管　人口　2　男子１，婦女１
事產
民田地　15.6620　夏麥３斗３升５合，秋米８斗３升６合３勺
田　15.5540　麥３斗３升２合９勺，米８斗３升２合１勺
地　0.1080　麥２合１勺，米４合２勺
民瓦房　3間
開除　事產
轉除
民田　2.0220　夏麥４升３合３勺，秋米１斗８合１勺
得田　1.3920　23年２甲朱祖耀戶
得田　0.6300　27年２甲朱師孔戶
實在　人口　2　男子成丁１，本身49
婦　女１，妻：楊氏50
事產
民田地　13.6400　夏麥２斗９升１合７勺，秋米７斗２升８合２勺
田　13.5320　麥２斗８升９合６勺，米７斗２升４合
地　0.1080　麥２合１勺，米４合２勺
民瓦房　3間

30年-Ⅴ-4　甲首第四戶　**金岩武**　匠戶　伯社保
舊管　人口　12　男子７，婦女５
事產
民田地山　38.2240　夏麥７斗２升８合４勺，秋米１石５斗５升６合１勺
田　16.9220　麥３斗６升２合１勺，米９斗５合３勺
地　15.0960　麥２斗９升９合９勺，米５斗８升４合４勺
山　6.2060　麥６升６合４勺，米６升６合４勺

民瓦房　3間
新收　人口　5　男子3，成　丁1，本身：嘉靖41年生，前册未報
不成丁2，侄：大進27年生，侄：大訓28年生
婦女2，弟媳：朱氏 本圖朱高女，侄婦：吳氏 娶本都吳保女
事産
轉收
民田　1.5730　麥3升3合7勺，米8升4合2勺
田　1.5730　25年26都4圖3甲葉云大戶
開除　人口　5　男子3，成　丁2，兄：明29年故，兄：琦24年故
不成丁1，伯：社保21年故
婦女2，弟婦：胡氏23年故，弟婦：呂氏24年故
事産
轉除
民田地山　12.90512　夏麥2斗4升8合1勺，秋米5斗5升8合1勺
田　8.2070　麥1斗7升5合6勺，米4斗3升9合1勺
本圖
得田　1.7900　24年1甲王　茂戶
過田　1.2100　30年2圖1甲朱　曜戶
必田　1.0630　27年3甲朱學源戶
必田　0.8920　24年3甲朱學源戶
必田　0.8970　30年2圖6甲陳正昌戶
必田　1.4200　30年2圖10甲朱　法戶
必・才田　0.9350　30年3圖10甲金　曜戶
地　2.4200　麥4升8合1勺，米9升3合7勺
必地　0.0820　27年3甲朱學源戶
必地　0.0150　23年2圖6甲朱正昌戶
必地　0.1280　23年2圖6甲朱正昌戶
必地　0.3600　28年3甲劉得應戶
必地　0.1220　28年2圖10甲朱　法戶
必地　1.5750　30年2圖10甲朱　法戶
必地　0.1380　22年2圖7甲汪應遠戶
山　2.27812　麥2升4合4勺，米2升4合4勺
必山　0.4062　27年3甲朱學源戶
必山　0.2920　27年3甲朱學源戶
必山　0.0620　27年3甲朱學源戶
必山　0.38792　29年3甲朱學源戶
必山　0.3800　29年3甲朱學源戶
必山　0.3500　25年2圖10甲朱　法戶

必山　0.4000　30年25都3圖7甲汪公道戶
實在　人口　12　男子7，成　丁4，本身40，弟：岩壽36，弟：岩生32，弟：廷瑞22
不成丁3，弟：元得13，侄：大進4，侄：大訓3
婦女5，妻：鉡氏66，嫂：程氏72，弟媳：汪氏46，弟媳：朱氏20，侄媳：吳氏25
事產
民田地山　26.8919　夏麥5斗1升4合，秋米1石8升3合1勺
田　10.2880　麥2斗2升2合，米5斗5升4合
地　12.6760　麥2斗5升1合8勺，米4斗9升7合
山　3.9279　麥4升2合，米4升2合
民瓦房　3間

30年-Ⅴ-5　甲首第五戶　**吳　京**　民戶
舊管　人口　4　男子2，婦女2
事產
民田地山塘　25.3010　夏麥5斗2升4合6勺，秋米1石5斗1升4合8勺
田　16.4560　麥3斗5升2合2勺，米8斗8升4合
地　8.2040　麥1斗6升3合，米3斗1升7合6勺
山　0.4080　麥4合4勺，米4合4勺
塘　0.2330　麥5合，米1升2合5勺
新收　人口　男子成丁1，男：珂16年生，前册未報
事產
轉收
民田地塘　5.3600　夏麥1斗1升3合3勺，秋米2斗7升3合
田　4.2300　麥9升5合，米2斗2升6合3勺
歲田　1.5300　22年3都7圖7甲汪天福戶
伲田　2.7000　27年3都7圖10甲吳時佐戶
地　0.9300　麥1升8合5勺，米3升6合
成地　0.3560　23年5都2圖3甲吳　瑯戶
歲地　0.3340　24年5都4圖10甲汪秀隆戶
歲地　0.2400　31年14都胡　鎡戶
塘　0.2000　麥4合3勺，米1升7合
伲塘　0.2000　27年3都7圖10甲吳時佐戶
開除　事產
轉除
民田地　18.64366　夏麥3斗9升4合7勺，秋米9斗5升6合6勺
田　15.88386　麥3斗9合9勺，米8斗4升9合8勺

推入2都6圖
歲田　1.52025　30年6圖4甲昌大經戶
歲田　1.2540　31年6圖4甲昌大經戶
成田　1.1170　31年6圖4甲昌大經戶
推入3都8圖
歲田　1.3890　29年8圖6甲汪光祖戶
歲田　0.7316　30年8圖6甲汪光祖戶
推入3都10圖人戶
陽田　1.2050　26年10圖1甲吳元武戶
歲田　1.5340　27年10圖10甲趣廷錦戶
陽田　0.8820　22年10圖10甲趣廷錦戶
陽田　0.2115　29年10圖10甲呂萬鍾戶
推入8都3圖
歲田　0.9800　27年3圖5甲呂統宗戶
歲田　0.8690　27年3圖5甲呂統宗戶
歲田　1.6440　27年3圖5甲呂統宗戶
歲田　2.1550　30年3圖5甲呂統宗戶
成田　0.38531　30年3圖5甲呂統宗戶
地　2.7598　麥5升4合8勺，米1斗6合8勺
歲地　0.2300　29年3都6圖4甲吳文榜戶
陽地　0.6910　29年3圖6圖4甲吳文榜戶
歲地　0.5500　29年3圖6圖4甲吳文榜戶
成地　0.1003　30年8都3圖5甲呂統宗戶
成地　0.1260　30年8都3圖5甲呂統宗戶
成地　0.0271　30年8都3圖5甲呂統宗戶
成地　0.1552　30年3都8圖1甲汪琦祥戶
陽地　0.2312　25年3都10圖1甲吳元武戶
陽地　0.4550　28年3都10圖5甲吳正中戶
成地　0.1940　28年呂統宗戶

實在　人口　5　男子3，成　丁2，男：隆59，男：珂15
不成丁1，本身78
婦女2，妻：程氏70，男婦：汪氏55

事産
民田地山塘　12.01734　夏麥2斗4升3合2勺，秋米5斗3 升1合3勺
田　4.80214　麥1斗2合8勺，米2斗5升6合9勺
地　6.3742　麥1斗2升6合7勺，米2斗4升6合8勺
山　0.4080　麥4合4勺，米4合4勺
塘　0.4330　麥9合3勺，米2 升3合2勺

…………………………………………………………………………

30年-Ⅴ-6　甲首第六戸　**陳　應**　民戸　承兄旦

舊管　人口　6　男子３，婦女３

事産

民地　0.6860　夏麥１升３合６勺，秋米２升６合６勺

民瓦房　２間

開除　人口　男子不成丁１，兄：旦23年故

實在　人口　5　男子２，成　丁１，本身33

不成丁１，弟：吉14

婦女３，伯祖母：朱氏90，祖母：李氏70，母：55

事産

民地　0.6860　夏麥１升３合６勺，秋米２升６合６勺

民瓦房　２間

………………………………………………………………………………

30年-Ⅴ-7　甲首第七戸　**謝廷文**　民戸

舊管　人口　4　男子２，婦女２

事産

民地山　1.1610　夏麥１升４合，秋米１升７合４勺

地　0.1770　麥３合５勺，米６合９勺

山　0.9840　麥１升５合，米１升５合

民瓦房　１間

實在　人口　4　男子成丁２，本身30，叔：曜56

婦　女２，母：葉氏63，叔母：余氏50

事産

民地山　1.1610　夏麥１升４合，秋米１升７合４勺

地　0.1770　麥３合５勺，米６合９勺

山　0.9840　麥１升５合，米１升５合

民瓦房　１間

………………………………………………………………………………

30年-Ⅴ-8　甲首第八戸　**王　鍾**　民戸

舊管　人口　3　男子１，婦女２

事産

民地山　0.3560　夏麥５合２勺，秋米８合１勺

地　0.1560　麥３合１勺，米６合

山　0.2000　麥２合１勺，米２合１勺

民瓦房　２間

實在　人口　3　男子成丁１，本身54

婦　女２，母：金氏72，妻：汪氏52

事産

民地山　0.3560　夏麥５合２勺，秋米８合１勺

地　0.1560　麥3合1勺，米6合
山　0.2000　麥2合1勺，米2合1勺
民瓦房　2間

30年-Ⅴ-9　甲首第九戸　**陳　宜**
舊管　人口　3　男子2，婦女1
事產
民田　4.5980　夏麥9升8合4勺，秋米2斗4升6合
民瓦房　3間
實在　人口　3　男子成丁2，本身52，侄：六十16
婦　女1，妻：汪氏50
事產
民田　4.5980　夏麥9升8合4勺，秋米2斗4升6合
民瓦房　3間

30年-Ⅴ-10　甲首第十戸　**謝　積**　民戸　承父友
舊管　人口　4　男子2，婦女2
新收　人口　男子不成丁1，本身：萬曆16年生，前册未報
開除　人口　男子成丁1，父：友24年故
實在　人口　4　男子成丁2，本身15，兄：廷56
婦　女2，母：吳氏70，嫂：程氏50

30年-Ⅴ-11　第十一戸　**汪義曜**　民絕戸
舊管　人口　3　男子1，婦女2
事產
民瓦房　4間
實在　人口　3　男子不成丁1，本身87
婦　女　2，母：吳氏110，嫂：巴氏90
事產
民瓦房　4間

30年-Ⅴ-12　第十二戸　**程眞來**　民絕戸
實在　人口　男子不成丁2，本身149，男：齊145
事產
民瓦房　2間

30年-Ⅴ-13　第十三戸　**陳原得**　絕軍
實在　人口　男子不成丁1，本身222
事產

民瓦房　２間

30年-Ⅴ-14　第十四戸　**陳道壽**　絕軍
實在　人口　　３　男子不成丁２，本身237，弟：並210
　　　　　　　　　婦　　女　１，妻：崔氏219
事産
民瓦房　１間

30年-Ⅴ-15　第十五戸　**周淮得**　絕軍
實在　人口　　男子不成丁２，本身222，侄：寄舟213
事産
民瓦房　１間

30年-Ⅴ-16　第十六戸　**呉佛保**　絕軍
實在　人口　　男子不成丁４，本身199，弟：兆原196，弟：道185，弟：佛182
事産
民瓦房　３間
黄　牛　１頭

30年-Ⅴ-17　第十七戸　**詹　曜**　民絕戸
實在　人口　　４　男子不成丁２，本身144，男：齊隆122
　　　　　　　　　婦　　　女２，妻：王氏138，男婦：程氏115
事産
民瓦房　３間

第６甲

30年-Ⅵ　排年　**朱　貴**
舊管　人口　　16　男子７，婦女９
事産

民田地山塘	77.4750	夏麥１石５斗６合９勺，秋米３石２斗９升５合８勺
田	30.5550	麥６斗５升３合８勺，米１石６斗３升４合８勺
地	28.2420	麥５斗６升１合２勺，米１石９升３合３勺
山	10.0810	麥１斗７升９合，米１斗７升9勺
塘	8.5970	麥１斗８升４合，米４斗５升９合９勺

民瓦房　2間

開除　事産

轉除

民田地山塘	8.37417	夏麥1斗5升3合6勺，秋米3斗2升9合7勺
田	3.9017	麥8升3合5勺，米2斗8合7勺
能田	3.8697	23年3甲朱　標戶
能田	0.0320	29年4甲朱大興戶
地	1.76524	麥3升5合1勺，米6升8合3勺
能地	0.0130	28年本甲朱德原戶
能地	0.2180	30年3甲朱興元戶
能地	0.02128	31年3甲朱興元戶
能地	0.1950	22年4甲朱岩志戶
能地	0.0300	26年4甲朱岩志戶
能地	0.0320	25年4甲朱岩志戶
能地	0.3121	22年正月3甲朱　標戶
必・能地	0.0450	25年12月3甲朱　標戶
能地	0.18566	22年8月3甲朱　標戶
能地	0.1736	23年2月3甲朱　標戶
能地	0.0350	29年12月3甲朱　標戶
能地	0.0185	31年5月3甲朱　標戶
能地	0.1395	28年4甲朱大興戶
能地	0.0760	29年4甲朱大興戶
能地	0.1770	27年4甲朱大興戶
能地	0.0050	30年4甲朱大興戶
能地	0.0250	21年10甲朱國昌戶
改地	0.0062・0.0090	21年1圖8甲程　曜戶
山	2.15313	麥2升3合1勺，米2升3合1勺
能山	0.0300	28年本都6圖9甲吳文茂戶
能山	1.10583	25年3甲朱　標戶
能山	0.0055	31年5月3甲朱　標戶
能山	0.5000	25年4甲朱岩志戶
能山	0.0100	28年6圖9甲吳文茂戶
能山	0.0160	28年13都1圖2甲程耀光戶
能山	0.0417	28年4甲朱大興戶
能山	0.0746	29年4甲朱大興戶
能山	0.3920	30年4甲朱大興戶
能山	0.0020	30年8都4圖5甲徐應春戶
塘	0.5541	麥1升1合9勺，米2升9合6勺

能塘　0.1634　22年３甲朱　標戸
能塘　0.2527　29年12月３甲朱　標戸
能塘　0.0400　22年８月３甲朱　標戸
能塘　0.0980　29年４甲朱大興戸
實在　人口　16　男子７，成　丁６，本身41，侄孫：瑚57，侄孫：社子56，侄孫：社暘57，侄：社69，曾孫：義賢50
不成丁１，叔祖：廣103
婦女９，男婦：金氏80，男婦：許氏79，侄婦：吳氏73，侄婦：金氏43，侄孫婦：汪氏39，男婦：許氏75，男婦：許氏60，侄孫婦：程氏40，孫婦：汪氏68
事産
民田地山塘　69.10083　夏麥１石３斗５升３合３勺，秋米２石９斗６升６合１勺
田　26.6533　麥５斗７升４合，米１石４斗２升６合
地　26.47676　麥５斗２升６合１勺，米１石２升５合
山　7.92787　麥８升４合８勺，米８升４合８勺
塘　8.0429　麥１斗７升２合１勺，米４斗３升３合
民瓦房　２間

30年-Ⅵ-1　甲首第一戸　**朱　護**　民戸
舊管　人口　3　男子２，婦女１
事産
民田地山塘　45.3400　夏麥８斗４升２合，秋米１石８斗９升３合８勺
田　31.3750　麥６斗７升１合４勺，米１石６斗７升８合６勺
地　2.2200　麥４升４合１勺，米８升５合９勺
山　11.6600　麥１斗２升４合７勺，米１斗２升４合７勺
塘　0.0850　麥１合８勺，米４合６勺
民瓦房　２間
新收　人口　2　男子成　丁１，男：班德16年生，李公審圖加此一丁
不成丁１，男：異材23年生
開除　人口　男子不成丁１，男：存德25年故
實在　人口　4　男子３，成　丁２　本身69，男：班德15
不成丁１　男：異材８
婦女１，妻：汪氏68
事産
民田地山塘　45.3400　夏麥８斗４升２合，秋米１石８斗９升３合８勺
田　31.3750　麥６斗７升１合４勺，秋米１石６斗７升８合６勺
地　2.2200　麥４升４合１勺，米８升５合９勺
山　11.6600　麥１斗２升４合７勺，米１斗２升４合７勺

塘　0.0850　麥1合8勺，米4合6勺
民瓦房　2間

30年-Ⅵ-2　甲首第二戶　**王　科**　民戶
舊管　人口　3　男子2，婦女1
事産
民田地山　2.5580　夏麥5升8合，秋米1斗1升1合2勺
田　1.0270　麥2升5合8勺，米6升4合6勺
地　1.1470　麥2升2合8勺，米4升4合4勺
山　0.2040　麥2合2勺，米2合2勺
民瓦房　6間
水　牛　1頭
新收　人口　男子不成丁1　男：繼祖28年生
開除　人口　男子成丁1　義男：法圓29年故
事産
轉除
民田地　0.8630　夏麥1升8合3勺，秋米4升5合1勺
田　0.7870　麥1升6合1勺，米4升2合1勺
得田　0.1650　22年2甲朱誠侄戶
得田　0.4570　21年8甲王繼成戶
得田　0.1650　22年2甲朱　汶戶
地　0.0760　麥1合5勺，米3合
得地　0.0760　24年4甲王正芳戶
實在　人口　3　男子2，成　丁1，本身55
不成丁1，男：繼祖3
婦女1，妻：汪氏43
事産
民田地山　1.6950　夏麥3升2合5勺，秋米6升6合1勺
田　0.4200　麥9合，米2升2合5勺
地　1.0710　麥2升1合3勺，米4升1合4勺
山　0.2040　麥2合2勺，米2合2勺
民瓦房　6間
民水牛　1頭

30年-Ⅵ-3　甲首第三戶　**朱德厚**　民戶
舊管　人口　2　男子1，婦女1
事産
民田地山塘　24.3700　夏麥4斗8升9合8勺，秋米1石1斗6升1合7勺
田　19.6860　麥4斗2升1合3勺，米1石5升3合2勺

地　1.7630　麥3升5合，米6升8合3勺
山　2.7110　麥2升9合，米2升9合
塘　0.2100　麥4合5勺，米1升1合2勺
新收　事產
轉收
民地　0.1710　夏麥3合4勺，秋米6合6勺
能地　0.0130　28年本甲朱　貴戶
能地　0.1560　30年8甲朱文林戶
開除　事產
轉除
民田地山塘　9.13104　夏麥1斗8升2合，秋米4斗3升
田　7.3656　麥1斗5升7合6勺，米3斗9升4合1勺
能田　4.4770　21年8月3甲朱　標戶
能田　2.8860　21年3甲朱　標戶
地　0.5943　麥1升1合8勺，米2升3合
能地　0.5943　24年3甲朱　標戶
山　1.1615　麥1升2合4勺，米1升2合4勺
能山　1.1615　21年3甲朱　標戶
塘　0.0100　麥2合，米2合
能塘　0.0100　21年3甲朱　標戶
實在　人口　2　男子1，成丁1，本身30
婦女1，母：黃氏83
事產
民田地山塘　15.4098　夏麥3斗1升1合2勺，秋米7斗3升8合3勺
田　12.3206　麥2斗6升3合7勺，米6斗5升9合1勺
地　1.3397　麥2升6合6勺，米5升1合9勺
山　1.5495　麥1升6合6勺，米1升7合
塘　0.2000　麥4合3勺，米1升7合

30年-Ⅵ-4　甲首第四戶　**朱新風**　匠戶
舊管　人口　9　男子5，婦女4
事產
民田地山　22.2370　夏麥4斗1升6合4勺，秋米8斗5升4合9勺
田　7.1020　麥1斗5升2合，米3斗8升
地　11.1540　麥1斗2升1合7勺，米4斗3升1合8勺
山　3.9670　麥4升2合4勺，米4升2合4勺
民瓦房　3間
新收　人口　男子不成丁1，義侄：富29年生
事產

轉收
民田　0.8610　夏麥1升8合4勺，秋米4升6合1勺
必田　0.8610　25年本都1圖2甲朱有德戶
開除　人口　男子成　丁1，兄：龍28年故
不成丁1，弟：班21年故
事產
轉除
民田地山　4.79887　夏麥8升7合2勺，秋米1斗6升9合5勺
田　0.84308　麥1升8合，米4升5合2勺
必田　0.17775　20年3甲朱學源戶
必田　0.1328　20年3甲朱學源戶
必田　0.53325　24年3甲朱學源戶
地　2.92687　麥5升8合2勺，米1斗1升3合3勺
必地　1.6230　24年3甲朱學源戶
必地　0.3975　24年3甲朱學源戶
必地　0.66437　20年3甲朱學源戶
必地　0.2420　20年3甲朱學源戶
山　1.0290　麥1升1合，米1升1合
必山　0.3650　20年3甲朱學源戶
必山　0.2540　20年3甲朱學源戶
必山　0.4100　20年3甲朱學源戶
實在　人口　8　男子4，成　丁2，本身33，兄：玘40
不成丁2，義男：婦14，義侄：富2
婦女4，嫂：汪氏38，嫂：項氏56，嫂：吳氏66，妻：許氏38
事產
民田地山塘　18.29585　夏麥3斗4升7合6勺，秋米7斗3升1合5勺
田　7.11992　麥1斗5升2合4勺，米3斗8升9合
地　8.22713　麥1斗6升3合5勺，米3斗1升8合5勺
山　2.9380　麥3升1合4勺，米3升1合4勺
河塘　0.0108　麥3合，米7合
民瓦房　3間

30年-VI-5　甲首第五戶　**汪世祿**　民戶
舊管　人口　6　男子4，婦女2
事產
民田地山　20.1900　夏麥4斗1合2勺，秋米9斗1升3合9勺
田　12.8730　麥2斗7升5合5勺，米6斗8升8合7勺
地　4.9160　麥9升7合7勺，米1斗9升4合
山　2.1880　麥2升3合4勺，米2升3合4勺

塘　0.2130　麥4合6勺，米1升1合4勺
民瓦房　3間
新收　人口　4　男子不成丁2，弟：岩生27年生，侄：廷禮28年生
婦　女　2，妻：金氏 娶26都金曜女，弟媳：朱氏 娶1圖朱鉞女
事産
轉收
民田地　5.9280　夏麥1斗2升6合4勺，秋米3斗1升3合1勺
田　5.6540
本圖
得田　0.2500　23年3甲李　成戶
得田　1.3500　26年10甲陳　新戶
收買1圖田
必田　0.7500　26年5甲陳添相戶
得田　1.4150　29年7甲汪　志戶
得田　0.4600　25年7甲應德裕戶
必田　1.4790　25年10甲陳　浩戶
地　0.2740　麥5合4勺，米1升6合
收本圖
得地　0.0100　24年3月10甲詹應星戶
收1圖
必地　0.1390　27年1圖7甲汪　明戶
必地　0.1250　28年1圖10甲陳　浩戶
開除　人口　4　男子成丁2，叔：節26年故，叔：泰27年故
婦　女2，母：金氏22年故，叔母：朱氏23年故
事産
轉除
民田地　1.0555　夏麥2升2合5勺，秋米5升5合7勺
田　1.0000　麥2升1合4勺，米5升3合5勺
得田　1.0000　30年11都3圖2甲汪國英戶
地　0.0555　麥1合1勺，米2合2勺
必地　0.0555　28年本甲汪　瑞戶
實在　人口　6　男子4，成　丁2，本身15，弟：世賢15
不成丁2，弟：岩生4，侄：廷禮3
婦女2，妻：金氏15，弟婦：朱氏12
事産
民田地山塘　25.0625　夏麥5斗5合5勺，秋米1石1斗7升1合3勺
田　17.5270　麥3斗7升5合1勺，米9斗3升7合7勺
地　5.1345　麥1斗2合，米1斗9升8合8勺

山　2.1880　麥2升3合4勺，米2升3合4勺
塘　0.2130　麥4合6勺，米1升1合4勺
民瓦房　3間

30年-Ⅵ-6　甲首第六戸　汪　瑞　民戸
舊管　人口　2　男子1，婦女1
事産
民田地　7.0460　夏麥1斗4升9合7勺，秋米3斗6升6合7勺
田　6.3490　麥1斗3升5合9勺，米3斗3升9合7勺
地　0.6970　麥1升3合8勺，米3升7合
新收　事産
轉收
民田地山　13.4785　夏麥2斗8升5合8勺，秋米6斗9升8合7勺
田　12.1010　麥2斗5升9合，米6斗4升7合4勺
收本圖
得田　0.9400　27年1甲王　茂戸
收1圖
得田　1.3600　27年2甲朱有德戸
必田　1.3110　27年4甲陳積裕戸
必田　0.5740　27年7甲汪德祐戸
得田　1.1740　27年7甲汪　明戸
得田　2.4700　27年10甲陳　浩戸
收2圖
得田　1.4980　27年10甲朱　法戸
收11都
必田　2.7740　26年3圖2甲汪國藍戸
地　1.3055　麥2升6合，米5升5合
收本甲
必地　0.0555　28年汪世祿戸
收1圖
必地　0.0500　26年1甲汪本享戸
必地　0.1000　28年7甲汪　明戸
必地　0.1000　30年7甲周　進戸
必地　1.0000　25年9甲陳應婁戸
山　0.0720　麥8合，米8合
必山　0.0720　30年1圖1 甲汪本享戸
開除　事産
轉除
民田　3.0000　夏麥6升4合3勺，秋米1斗6升5合

必田　3.0000　30年１甲王　茂戸
實在　人口　2　男子成丁１，本身28
婦　女１，妻：朱氏28
事產
民田地山　17.5245　夏麥３斗７升１合２勺，秋米９斗４合９勺
田　15.4500　麥３斗３升６合，米８斗２升６合６勺
地　2.0025　麥３升９合８勺，米７升７合５勺
山　0.0720　麥８合，米８合

30年-Ⅵ-7　甲首第七戶　**汪廷眞**　民戶
舊管　人口　7　男子４，婦女３
事產
民地山　3.8100　夏麥６升１合２勺，秋米１斗３合２勺
地　2.2300　麥４升４合３勺，米８升６合３勺
山　1.5800　麥１升６合９勺，米１升６合９勺
民瓦房　３間
新收　人口　2，男子成　丁１，叔：個23年故
不成丁１，弟：廷元29年故
實在　人口　7　男子成　丁２，本身33，弟：廷伸17
不成丁２，侄：應風３，侄：長法４
婦女３，妻：金氏33，叔母：程氏70，叔母：徐氏48
事產
民地山　3.8100　夏麥６升１合２勺，秋米１斗３合３勺
地　2.2300　麥４升４合３勺，米８升６合３勺
山　1.5800　麥１升６合９勺，米１升６合９勺
民瓦房　３間

30年-Ⅵ-8　甲首第八戶　**朱　曜**　民戶
舊管　人口　3　男子２，婦女１
事產
民田　17.1440　夏麥３斗６升６合９勺，秋米９斗１升７合２勺
民瓦房　３間
實在　人口　3　男子成丁２，本身58，男：興43
婦　女１，妻：吳氏60
事產
民田　17.1440　夏麥３斗６升６合９勺，秋米９斗１升７合２勺
民瓦房　３間

30年-Ⅵ-9　甲首第九戶　王起風　民戶
舊管　人口　3　男子 1，婦女 2
事產
民田地　2.9805　夏麥 6 升 3 合 4 勺，秋米 1 斗 5 升 5 合 5 勺
田　2.7140　麥 5 升 8 合 1 勺，米 1 斗 4 升 5 合 2 勺
地　0.2665　麥 5 合 3 勺，米 1 升 3 合
民瓦房　3 間
開除　事產
轉除
民田　2.7140　麥 5 升 8 合 1 勺，米 1 斗 4 升 5 合 2 勺
陽田　2.7140　24年 3 都10圖 8 甲胡尙信戶
實在　人口　3　男子成丁 1，本身27
婦　女 2，祖母：汪氏80，妻：夏氏26
事產
民地　0.2665　夏麥 5 合 3 勺，秋米 1 升 3 合
民瓦房　3 間

30年-Ⅵ-10　甲首第十戶　朱　枝　民戶　故父社嵩
舊管　人口　2　男子 1，婦女 1
事產
民田地山塘　37.6310　夏麥 7 斗 3 升 5 合，秋米 1 石 7 斗 2 升 4 合 9 勺
田　30.1010　麥 6 斗 4 升 4 合 2 勺，米 1 石 6 斗 1 升 4 合
地　0.8470　麥 1 升 6 合 8 勺，米 3 升 2 合 8 勺
山　6.4430　麥 6 升 8 合 9 勺，米 6 升 8 合 9 勺
塘　0.2400　麥 5 合 1 勺，米 1 升 2 合 8 勺
民瓦房　1 間
新收　人口　男子 2，成　丁 1，本身11年生，前册未報
不成丁 1，弟：天生30年生
開除　人口　男子 2，成　丁 1，父：社嵩29年故
不成丁 1，弟：時濟25年故
事產
轉除
民田地　2.0732　夏麥 4 升 4 合 2 勺，秋米 1 斗 9 合 7 勺
田　1.9890　麥 4 升 2 合 6 勺，米 1 斗 6 合 4 勺
改田　1.9890　31年賣入 6 圖 4 甲朱大武戶
地　0.0842　麥 1 合 6 勺，米 3 合 3 勺
才地　0.0842　28年26都 6 圖10甲朱時茂戶
實在　人口　3　男子 2，成丁 1，本身20，不成丁 1，弟：天生 1
婦女 1，母：金氏36

事産
民田地山塘　35.5578　夏麥６斗９升８合，秋米１石６斗１升５合２勺
田　28.1120　麥６斗１合６勺，米１石５斗４合
地　0.7628　麥１升５合２勺，米２升９合５勺
山　6.4430　麥６升８合７勺，米６升８合９勺
塘　0.2400　麥５合１勺，米１升２合８勺
民瓦房　１間

30年-Ⅵ-11　甲首第十一戸　朱永承　民戸

舊管　人口　3　男子２，婦女１
事産
民田地山塘　40.4510　夏麥８斗５合３勺，秋米１石８斗９升７合７勺
田　32.2310　麥６斗８升９合７勺，米１石７斗２升４合４勺
地　2.8770　麥５升７合２勺，米１斗１升１合４勺
山　5.2320　麥５升６合，米５升６合
塘　0.1110　麥２合４勺，米５合９勺
民瓦房　３間
實在　人口　3　男子成丁２，本身50，弟：永義25
婦　女１，妻：余氏45
事産
民田地山塘　40.4510　夏麥８斗５合３勺，秋米１石８斗９升７合７勺
田　32.2310　麥６斗８升９合７勺，米１石７斗２升４合４勺
地　2.8770　麥５升７合２勺，米１斗１升１合４勺
山　5.2320　麥５升６合４勺，米５升６合４勺
塘　0.1110　麥２合４勺，米５合９勺
民瓦房　３間

30年-Ⅵ-12　甲首第十二戸　朱　嵩　民戸

舊管　人口　2　男子１，婦女１
事産
民田地山塘　33.8580　夏麥７斗５合３勺，秋米１石７斗６合
田　27.6860　麥５斗９升２合５勺，米１石４斗８升１合２勺
地　3.8730　麥７升７合，米１斗４升９合９勺
山　1.2500　麥１升３合４勺，米１升３合４勺
塘　1.0490　麥２升６合４勺，米５升６合１勺
開除　事産
轉除
民田　0.1860　麥４合，米９合９勺
田　0.1860　25年６圖３甲朱宣春戸

實在　人口　2　男子成丁1，本身46
婦　女1，妻：程氏42
事產
民田地山塘　33.6720　夏麥7斗1合3勺，秋米1石6斗9升7合
田　27.5000　麥5斗8升8合5勺，米1石4斗7升1合3勺
地　3.8730　麥7升7合，米1斗4升9合9勺
山　1.2500　麥2升6合4勺，米1升3合4勺
塘　1.0490　麥2升6合4勺，米5升6合1勺

30年-Ⅵ-13　甲首第十三戶　**朱之棟**　民戶
舊管　人口　2　男子1，婦女1
事產
民田地塘　33.2240　夏麥6斗9升9合9勺，秋米1石7斗1升3合4勺
田　29.6560　麥6斗3升4合7勺，米1石5斗8升6合6勺
地　2.2340　麥7合7勺，米7合7勺
塘　0.6100　麥1升3合1勺，米3升2合6勺
(以下，欠)

30年-Ⅵ-14　甲首第十四戶　**朱八奐**　民戶
舊管　人口　3　男子2，婦女1
事產
民田地　32.8630　夏麥7斗6合，秋米1石7斗3升2合2勺
田　31.1060　麥6斗6升5合7勺，米1石6斗6升4合2勺
地　1.7570　麥3升4合9勺，米6升8合
實在　人口　3　男子成丁2，本身35，弟：德元25
婦　女1，妻：李氏35
事產
民田地　32.8630　夏麥7斗6合，秋米1石7斗3升2合2勺
田　31.1060　麥6斗6升5合7勺，米1石6斗6升4合2勺
地　1.7570　麥3升4合9勺，米6升8合

30年-Ⅵ-15　甲首第十五戶　**金　盛**　民戶
舊管　人口　3　男子2，婦女1
事產
民地　0.2700　夏麥5合4勺，秋米1升5合
民瓦房　2間
實在　人口　3　男子成　丁1，本身60
不成丁1，男：應祥13
婦　女　1，妻：蘇60

事産
　民地　0.2700　夏麥５合４勺，秋米１升５合
　民瓦房　２間

30年-Ⅵ-16　甲首第十六戸　**倪壽得**　民戸

舊管　人口　3　男子２，婦女１
事産
　民山　0.3750　夏麥４合，秋米４合
　民瓦房　１間

實在　人口　3　男子成丁２，本身66，男：元言15
　婦　女１，母：項氏80
事産
　民山　0.3750　夏麥４合，秋米４合
　民瓦房　１間

30年-Ⅵ-17　甲首第十七戸　**朱　楷**　民戸

舊管　人口　1　男子１
事産
　民田地山塘　36.2280　夏麥７斗３升４合８勺，秋米１石７斗５升２合４勺
　田　28.2800　麥６斗５升２合，米１石５斗１升３合
　地　2.7790　麥５升５合２勺，米１斗７合６勺
　山　3.3820　麥３升６合３勺，米３升６合２勺
　塘　1.7870　麥３升８合２勺，米９升５合６勺

新收　事産
　轉收
　民田地塘　0.3270　夏麥６合７勺，秋米１升５合２勺
　田　0.0700　麥１合５勺，米３合８勺
　能田　0.0700　30年本圖８甲朱文林戶
　地　0.1550　麥３合１勺，米６合
　能地　0.0550　30年本圖８甲朱文林戶
　能地　0.1000　24年11都３圖３甲吳廷富戶
　塘　0.1000　麥２合１勺，米５合４勺
　能塘　0.0500　30年本圖８甲朱文林戶
　能塘　0.0500　24年６圖２甲吳　鏔戶

實在　人口　1　男子成丁１，本身25
事産
　民田地山塘　36.5550　夏麥７斗４升１合５勺，秋米１石７斗６升７合６勺
　田　28.3520　麥６斗６合７勺，米１石４斗１升７合６勺
　地　2.9340　麥５升８合３勺，米１斗１升３合６勺

山　3.3820　麥3升6合2勺，米3升6合2勺
塘　1.8870　麥4升3合，米1斗1合

30年-VI-18　甲首第十八戶　**朱　俊**　民戶
舊管　人口　2　男子1，婦女1
事產
民田地山塘　26.5150　夏麥5斗1升4合，秋米1石1斗6升9合7勺
田　18.9460　麥4斗5合4勺，米1石1升3合6勺
地　2.4430　麥4升8合5勺，米9升4合6勺
山　4.9700　麥5升3合2勺，米5升3合2勺
塘　0.1560　麥3合3勺，米8合3勺
新收　事產
轉收
民地　0.0600　麥1合2勺，米2合3勺
改地　0.0600　22年本都6圖4甲朱文武戶
實在　人口　2　男子成丁1，本身32
婦　女1，妻：金氏28
事產
民田地山塘　26.5750　夏麥5斗1升1合6勺，秋米1石1斗7升2合
田　18.9460　麥4斗5合4勺，米1石1升3合6勺
地　2.5030　麥4升9合7勺，米9升6合9勺
山　4.9700　麥5升3合2勺，米5升3合2勺
塘　0.1560　麥3合3勺，米8合3勺

30年-VI-19　第十九戶　**陳記生**　絕軍
實在　人口　2　男子不成丁1，本身178
婦　女　1，母：汪氏219
事產
民瓦房　3間

30年-VI-20　第二十戶　**汪記遠**　絕軍
實在　人口　3　男子不成丁2，本身167，義兄：社奴205
婦　女　1，嫂：項氏188
事產
民瓦房　3間

30年-VI-21　第二十一戶　**汪添興**　絕軍
實在　人口　1　男子不成丁1，本身280
事產

民瓦房　３間

30年-Ⅵ-22　第二十二戸　**呉社童**　絕軍
實在　人口　1　男子不成丁１，本身219
事產
民瓦房　３間
民水牛　１頭

第７甲

30年-Ⅶ　排年　**王齊興**　軍戶
舊管　人口　52　男子38，婦女14
事產
民田地山塘　172.8470　夏麥３石２斗４升８合６勺，秋米７石１斗４合
田　92.9410　麥１石９斗８升８合９勺，米４石９斗７升２合３勺
地　39.4810　麥７斗８升４合５勺，米１石５斗２升８合５勺
山　36.4380　麥３斗８升９合９勺，米３斗８升９合９勺
塘　3.9870　麥８升５合３勺，米２斗１升３合３勺
民瓦房　６間
水　牛　１頭
新收　人口　10　男子不成丁５，侄孫：東九28年生，侄孫：正位27年生，侄孫：勝祖29年生，侄孫：應遠23年生，侄孫：玄正29年生
婦　女　５，侄孫婦：楊氏 娶33都楊見女，侄孫婦：汪氏 娶11都汪田女，侄孫婦：方氏 娶４都方鷄女，侄孫婦：程氏 娶10圖程云女，侄孫婦：金氏 本都金明女
事產
轉收
民田地山塘　105.1797　夏麥２石９升８合３勺，秋米４石８斗７升３合２勺
田　76.4769　麥１石６斗３升６合６勺，米４石９升１合５勺
收本圖田
得田　0.3390　30年１甲王　茂戶
得田　2.2060　23年１甲王　茂戶
得田　0.2550　29年１甲王　茂戶

得田　1.7400　30年１甲王　茂戶
得田　1.7290　25年１甲程　相戶
得田　1.2020　26年１甲程　相戶
得田　0.5700　25年８甲王應享戶
得田　0.4900　25年８甲王應享戶
得田　1.9200　30年５甲陳　章戶
得田　1.0980　23年５甲陳　章戶
得田　0.9530　26年５甲陳　章戶
必田　2.1100　26年５甲陳　章戶
必田　1.1540　23年５甲陳　章戶
必田　0.3680　23年５甲陳　章戶
得田　1.2000　29年９甲王　敍戶
得田　0.5105　26年10甲陳　新戶
得田　1.0670　31年10甲陳　新戶
得田　0.8130　23年10甲金萬鍾戶
得田　2.0230　23年10甲金萬鍾戶

收１圖田

得田　0.7290　28年１圖１甲汪　明戶
得田　0.5850　26年１甲陳　善戶
得田　2.6820　28年１圖３甲王　爵戶
必田　0.3200　28年１圖３甲王　爵戶
得田　1.2410　27年１圖４甲陳　裕戶
得田　3.3840　26年１圖４甲陳　裕戶
得田　2.6030　24年１圖４甲陳　裕戶
得田　1.1250　26年１圖４甲陳　裕戶
得田　0.9000　22年１圖４甲陳　裕戶
得田　1.2620　22年１圖４甲陳　裕戶
得田　2.3700　29年１圖４甲陳　裕戶
得田　2.2980　29年１圖４甲陳　裕戶
得田　1.3490　29年１圖４甲陳　裕戶
必田　0.8280　22年１圖４甲陳　裕戶
得田　0.4700　29年４甲陳　瑾戶
得田　0.3150　23年４甲程　武戶
得田　0.9300　23年１圖６甲陳世曜戶
得田　2.0770　23年１圖６甲陳春茂戶
得田　2.5550　29年１圖６甲陳社互戶
得田　0.9640　26年７甲陳　鋼戶
得田　0.2720　24年１圖７甲吳廷玘戶
得田　0.7700　27年１圖７甲吳廷玘戶

得田　　0.3970　29年7甲隆　金戶
得田　　1.2160　28年10甲陳　浩戶
得田　　3.6420　26年10甲陳　浩戶
得田　　1.2670　29年9甲陳應婁戶
得田　　2.1970　22年10甲陳　浩戶
收2圖田
得田　　2.2840　23年9甲陳　僎戶
得田　　0.8630　23年9甲陳　僎戶
得田　　1.0000　28年10甲陳　生戶
收11都3圖田
必田　　2.0020　24年2甲汪國英戶
得田　　0.2240　23年2甲吳小保戶
必田　　2.9890　29年6甲程社記戶
得田　　0.6090　29年1甲金應秋戶
得田　　3.2750　29年1甲金應秋戶
地　　16.5988　麥3斗2升9合8勺，米6斗4升2合8勺
收本圖地
得地　　2.3740　30年1甲王　茂戶
得地　　0.3990　23年2甲吳天保戶
得地　　0.0210　27年5甲陳　章戶
得地　　0.1530　25年8甲王應享戶
得地　　0.0500　25年8甲王應享戶
得地　　0.0920　23・25年9甲王　敍戶
得地　　0.0350　23・25年9甲王　敍戶
得地　　1.3450　25年10甲陳　新戶
得地　　0.5410　25年10甲陳　新戶
得地　　0.1700　25年10甲陳　新戶
得地　　0.1960　25年10甲陳　新戶
收本都1圖地
得地　　0.1160　29年買1圖3甲王　爵戶
得地　　0.2500　29年買1圖3甲王　爵戶
得地　　0.1600　29年買1圖3甲王　爵戶
得地　　0.5300　29年買1圖3甲王　爵戶
得地　　0.0800　29年買1圖3甲王　爵戶
得地　　0.0230　29年買1圖3甲王　爵戶
得地　　0.0100　29年買1圖3甲王　爵戶
得地　　0.0400　29年買1圖3甲王　爵戶
得地　　0.1500　29年買1圖3甲王　爵戶
得地　　0.1000　29年買1圖3甲王　爵戶

得・必地　0.1725　29年買1圖3甲王　爵戶
必地　0.1300　29年買1圖3甲王　爵戶
得地　0.1300　29年買1圖3甲王　爵戶
得地　0.0400　29年買1圖3甲王　爵戶
得地　0.0925　28・29年買4甲陳積裕戶
得地　0.6250　28・29年買4甲陳積裕戶
得地　0.2820　28・29年買4甲陳積裕戶
得地　0.0500　26・28年買4甲陳積裕戶
得地　0.4100　26・28年買4甲陳積裕戶
得地　0.1350　26・28年買4甲陳積裕戶
得地　0.4420　26・28年買4甲陳積裕戶
得地　0.2700　26・28年買4甲陳積裕戶
得地　2.7000　26・28年買4甲陳積裕戶
得地　1.0840　26・28年買4甲陳積裕戶
得地　0.3100　28年4甲陳二同戶
得地　0.0600　30年4甲陳三同戶
得地　0.7500　28年4甲陳四同戶
得地　0.7250　28年4甲陳四同戶
得地　0.4800　28年8甲程曜得戶
得地　0.2300　27年本都6圖8甲陳　雲戶
得地　0.1273　29年11都3圖1甲金應秋戶
得地　0.2100　27年26都4圖9甲洪雲應戶
必地　0.3000　29年10甲陳　浩戶
山　11.8805　麥1斗2升7合1勺，米1斗2升7合1勺
收本圖山
得山　0.1250　25年8甲王應享戶
得山　0.2500　30年10甲陳　新戶
收本都1圖山
必山　1.0000　29年1圖3甲王　爵戶
得山　0.5800　29年1圖3甲王　爵戶
得山　0.5800　29年1圖3甲王　爵戶
必山　0.2800　29年1圖3甲王　爵戶
必山　0.6300　25年8甲程曜德戶
得山　1.0085　29年10甲陳　浩戶
必山　1.4800　23年4甲程　武戶
得山　0.2500　28年4甲陳二同戶
得山　0.7470　22年4甲陳二同戶
得山　2.1000　22年4甲陳三同戶
得山　0.4500　27年7甲吳廷起戶

收２圖山
　　必山　2.5000　28年１圖４甲朱　魁戶
收３圖山
　　必山　0.1600　28年１圖５甲金長孫戶
收11都３圖山
　　必山　0.1600　23年３甲金以中戶
　　必山　0.5000　22年５甲倪　□戶
收26都山
　　過山　　29年４圖10甲洪應天戶
　　過山　0.0500　30年５圖１甲畢　新戶
　塘　0.2235　麥４合８勺，米１升２合
收本圖塘
　　得塘　0.1000　23年１甲王　茂戶
　　得塘　0.0300　23年１甲王　茂戶
收１圖塘
　　得塘　0.0700　23・24年４甲陳積裕戶
　　得塘　0.0130　23年１圖10甲陳　浩戶
收11都塘
　　得塘　0.0135　29年３圖１甲金應秋戶
開除　人口　10　男子成丁５，侄孫：中元23年故，侄：鈞24年故，侄：岩學24年故，侄孫：應張25年故，侄孫：楚22年故
　　婦　女５，妻：江氏23年故，侄婦：吳氏23年故，侄婦：程氏24年故，侄婦：陳氏26年故，侄婦：吳氏25年故
事産
轉除
民田地山　2.7320　夏麥５升５合５勺，秋米１斗３升２合１勺
　田　2.2620　麥４升８合４勺，米１斗２升１合
推本圖田
　　得田　1.1000　24年２甲朱祐生戶
　　得地　1.1620　28年３甲朱學源戶
　地　0.2100　麥４合２勺，米８合２勺
推本圖地
　　得地　0.0280　24年１甲王　茂戶
　　得地　0.0800　22年２甲朱　汶戶
　　得地　0.0800　22年２甲朱誠侄戶
　　得地　0.0220　21年４甲王正芳戶
　山　0.2700　麥２合９勺，米２合９勺
　　得山　0.0800　22年１甲王　茂戶
　　必山　0.1050　25年本都１圖４甲陳三同戶

淡山　0.0850　31年11都3圖9甲金初孫戶

實在　人口　50　男子36，成　丁28，侄：齊五66，侄：岩秀59，侄：三元56，侄：鈅45，侄：應兆46，侄：以義53，侄：以義45，侄：以信55，侄：以俊25，侄孫：字45，侄孫：應先46，侄孫：應箕35，侄孫：應宿35，侄孫：應麟35，侄孫：膺36，侄孫：文35，侄孫：文耀27，侄孫：應龍26，侄孫：應麒27，侄孫：祖盛33，侄孫：得25，侄孫：衆敬25，侄孫：仲22，侄孫：東23，侄孫：箇22，侄孫：有禮25，侄孫：以亮15，侄孫：國順15

不成丁8，本身70，侄：黄85，侄孫：應福12，侄孫：應遠8，侄孫：正位4，侄孫：玄正2，侄孫：東九3，侄孫：勝視2

婦女14，孫婦：陳氏70，孫婦：金氏56，侄婦：金氏50，侄婦：汪氏50，侄婦：程氏61，侄孫婦：汪氏51，侄孫婦：程氏35，侄孫婦：戴氏36，侄孫婦：汪氏34，侄孫婦：楊氏25，侄孫婦：汪氏30，侄孫婦：方氏35，侄孫婦：金氏40，侄孫婦：程氏20

事產

民田地山塘　274.0667　夏麥5石2斗6升5合3勺，秋米11石7斗7升9合9勺

田　165.9379　麥5斗7升7合1勺，米8石9斗4升2合8勺

地　55.8698　麥1石1斗1升1合，米2石1斗6升2合9勺

山　48.0485　麥5斗1升4合1勺，米5斗1升4合1勺

塘　4.2105　麥9升1合，米2斗2升5合3勺

民瓦房　6間

民水牛　1頭

30年-Ⅶ-1　甲首第一戶　潘雲祥　伯吉祥　民戶

舊管　人口　3　男子2，婦女1

事產

民地山　2.6690　夏麥4升8合3勺，秋米8升8合9勺

地　2.1560　麥4升2合8勺，米8升3合4勺

山　0.5130　麥5升5合，米5升5合

開除　人口　男子成丁1，伯：吉祥25年故

事產

轉除

民山　0.0300　麥3合，米3合
藏山　0.0200　21年8都5圖1甲潘四十戸
餘山　0.0100　29年8都5圖1甲潘四十戸
實在　人口　2　男子成丁1，本身43
婦　女1，伯母：昌氏50
事産
民地山　2.6390　夏麥4升8合，秋米8升8合6勺
地　2.1560　麥4升2合8勺，米8升3合4勺
山　0.4830　麥5合2勺，米5合2勺

30年-Ⅶ-2　甲首第二戸　**呉　仁**　民戸
舊管　人口　3　男子2，婦女1
事産
民田地山　10.3150　夏麥2斗1升1合3勺，秋米4斗7升5合8勺
田　5.6450　麥1斗2升8合，米3斗2合
地　4.4200　麥8升7合8勺，米1斗7升1合1勺
山　0.2500　麥2合7勺，米2合7勺
民瓦房　2間
開除　事産
轉除
民地　2.4484　麥4升8合6勺，米9升4合7勺
列地　0.0903　23年1都8圖7甲陳天初戸
餘地　0.7920　30年3都4圖8甲汪　雲戸
成地　0.0850　22年10圖8甲汪　洙戸
餘地　0.2410　30年8都3圖9甲昌繼宗戸
餘地　1.2421　30年8都3圖9甲昌繼宗戸
實在　人口　3　男子成丁2，本身45，弟：棠23
婦　女1，妻：程氏40
事産
民田地山　7.8666　夏麥1斗6升2合7勺，秋米3斗8升1合5勺
田　5.6450　麥1斗2升8合，米3斗2合
地　1.9716　麥3升9合2勺，米7升6合4勺
山　0.2500　麥2合7勺，米2合7勺
民瓦房　2間

30年-Ⅶ-3　甲首第三戸　**潘　傑**　民戸
舊管　人口　5　男子3，婦女2
事産
民田地山　12.7340　夏麥2斗4升7合5勺，秋米5斗4升5合5勺

田　6.8710　麥１斗４升７合，米３斗６升７合６勺
地　4.1090　麥８升１合７勺，米１斗５升９合１勺
山　1.7540　麥１升８合８勺，米１升８合８勺
民瓦房　1間
新收　人口　男子成丁１，侄：賢11年生，前册未報
事産
轉收
民田地　6.5700　夏麥１斗３升７合４勺，秋米３斗２升２合
田　4.4500　麥９升５合３勺，米２斗３升８合１勺
歳田　1.7500　31年３都４圖４甲黄積遠戶
歳田　0.9000　31年３都４甲８甲吳廷秀戶
歳田　1.8000　25年17都２圖５甲洪大甲戶
地　2.1200　麥４升２合１勺，米８升２合１勺
歳地　0.0300　31年本甲潘天遂戶
歳地　0.7500　31年17都２圖10甲潘岩喜戶
歳地　0.4450　23年３都７圖７甲潘天福戶
歳地　0.4500　31年17都２圖10甲潘時錢戶
歳地　0.4450　31年３都５圖７甲吳惟禮戶
開除　事産
轉除
民地　0.3300　麥６合６勺，米１升２合８勺
歳地　0.3300　22年本圖10甲王端佑戶
實在　人口　6　男子４，成　丁３，本身45，弟：寬39，侄：賢20
不成丁１，弟：正陽14
婦女２，叔母：郭氏54，妻：黄氏43
事産
民田地山　18.9740　夏麥３斗７升８合３勺，秋米８斗５升２合９勺
田　11.3210　麥２斗４升２合３勺，米６斗５合７勺
地　5.8990　麥１斗１升７合２勺，米２斗２升８合４勺
山　1.7540　麥１升８合８勺，米１升８合８勺
民瓦房　1間

30年-Ⅶ-4　甲首第四戶　程義祥

舊管　人口　4　男子２，婦女２
事産
民田山　0.1660　夏麥２升２合，秋米３升５合
田　0.0410　麥９合，米２合２勺
山　0.1250　麥１合３勺，米１合３勺
民瓦房　3間

實在　人口　　4　男子成丁2，本身60，弟：盛57
　　　　　　　　婦　　女2，妻：胡氏59，弟媳：木氏45
　事産
　　民田山　0.1660　夏麥2升2合，秋米3升5合
　　　　田　0.0410　　麥9合，米2合2勺
　　　　山　0.1250　　麥1合3勺，米1合3勺
　　民瓦房　3間

……………………………………………………………………………………

30年-Ⅶ-5　甲首第五戸　**呉　榛**　民戸
舊管　人口　　2　男子1，婦女1
　事産
　　民田地塘　20.5890　夏麥4斗3升5合6勺，秋米1石5升3合4勺
　　　　田　16.5850　　麥3斗5升4合9勺，米8斗8升7合3勺
　　　　地　3.2720　　麥6升5合，米1斗2升6合9勺
　　　　塘　0.7320　　麥1升5合7勺，米3升9合2勺
開除　事産
　　轉除
　　民田地　6.69815　夏麥1斗4升1合6勺，秋米3斗4升2合8勺
　　　　田　5.6305　　麥1斗2升4合，米3斗1合2勺
　　　　　歳田　1.1520　28年3都4圖2甲程玄鈜戸
　　　　　歳田　1.3890　29年3都8圖6甲汪光祖戸
　　　　　陽田　1.6100　29年3都10圖1甲呉元武戸
　　　　　陽田　0.8820　22年3都10圖10甲金　瑾戸
　　　　　陽田　0.2115　22年3都10圖10甲呂萬鍾戸
　　　　　成田　0.3850　30年8都3圖9甲昌繼宗戸
　　　　地　1.06765　　麥2升1合2勺，米4升1合6勺
　　　　　成地　0.1552　30年3都8圖1甲汪琦祥戸
　　　　　陽地　0.23117　25年3都10圖1甲呉元武戸
　　　　　陽地　0.4550　25年3都10圖5甲呉正中戸
　　　　　成地　0.22628　31年8都3圖9甲昌繼宗戸
實在　人口　　2　男子成丁1，本身25
　　　　　　　　婦　　女1，祖母：劉氏59
　事産
　　民田地塘　13.89085　夏麥2斗9升4合，秋米7斗1升6合5勺
　　　　田　10.9545　　麥2斗3升4合5勺，米5斗8升6合1勺
　　　　地　2.20435　　麥4升3合8勺，米8升5合3勺
　　　　塘　0.7320　　麥1升5合7勺，米3升9合2勺
　　民瓦房　3間

……………………………………………………………………………………

30年-Ⅶ-6　甲首第六戸　**潘希遠**　民戸
舊管　人口　4　男子2，婦女2
事產
民田地山　8.0680　夏麥1斗4升6合4勺，秋米2斗8升1合3勺
田　1.0940　麥2升3合4勺，米5升8合9勺
地　5.2740　麥1斗4合8勺，米2斗4合2勺
塘　1.7000　麥1升8合2勺，米1升8合2勺
開除　人口　男子成丁1，男：守斌23年故
事產
轉除
民地山　1.2300　夏麥1升8合9勺，秋米3升8合5勺
地　0.6300　麥1升2合2勺，米2升4合4勺
藏地　0.4300　30年4都9圖　甲金廷生戸
藏地　0.2000　30・31年25都5圖7甲任時陽戸
山　0.6000　麥6合4勺，米6合4勺
藏山　0.4000・0.2000　25年25都5圖8甲任時陽戸
實在　人口　3　男子成丁1，本身55
婦　女2，祖母：黃氏75，母：郭氏58
事產
民田地山　6.8380　夏麥1斗2升7合5勺，秋米2斗5升5合
田　1.0940　麥2升3合4勺，米5升8合9勺
地　4.6440　麥9升2合3勺，米1斗7升9合8勺
山　1.1000　麥1升1合8勺，米1升1合8勺
民瓦房　3間

…………………………………………………………………………………………

30年-Ⅶ-7　甲首第七戸　**程繼周**　民戸　父周宣
舊管　人口　2　男子1，婦女1
事產
民田地　6.2580　夏麥1斗3升3合，秋米3斗2升5合9勺
田　5.6580　麥1斗2升1合1勺，米3斗2合7勺
地　0.6000　麥1升1合9勺，米2升3合2勺
新收　人口　男子成丁1，本身：萬曆16年生，前册未報
事產
轉收
民田　1.1020　麥2升3合6勺，米5升9合
田　0.5520　31年1甲王　茂戸
得田　0.5500　31年1圖2甲呂尙弘戸
開除　人口　男子成丁1　父：周宣 萬曆25年故
實在　人口　2　男子成丁1　本身15

婦　　女１，叔母：汪氏110

事産

民田地　7.3600　夏麥１斗５升６合６勺，秋米３斗８升５合

田　6.7600　麥１斗４升４合７勺，米３斗６升１合７勺

地　0.6000　麥１升１合９勺，米２升３合２勺

………………………………………………………………

30年-Ⅶ-8　甲首第八戸　**潘天遂**　民戸

舊管　人口　3　男子２，婦女１

事産

民田地山　10.6610　夏麥２斗１升８合３勺，秋米４斗８升７合

田　5.4100　麥１斗１升５合８勺，米２斗８升９合４勺

地　5.0500　麥１斗４合，米１斗９升５合５勺

山　0.2010　麥２合１勺，米２合１勺

新收　事産

轉收

民田　6.9820　夏麥１斗４升９合４勺，秋米３斗７升３合６勺

歳田　1.3350　23年２月１圖３甲程　乞戸

歳田　1.5160　23年５月１圖３甲程　乞戸

歳田　4.1310　23年８月１圖３甲程　乞戸

開除　事産

轉除

民地　0.0300　麥６合，米１合２勺

歳地　0.0300　31年本甲本甲潘　傑戸

實在　人口　3　男子２，成　丁１，本身42

不成丁１，男：正13

婦女１，妻：吳氏40

事産

民田地山　17.6130　夏麥３斗６升７合１勺，秋米８斗５升９合４勺

田　12.3920　麥２斗６升５合２勺，米６斗６升３合

地　5.0200　麥９升９合８勺，米１斗９升４合３勺

山　0.2010　麥２合１勺，米２合１勺

………………………………………………………………

30年-Ⅶ-9　甲首第九戸　**潘　亮**　民戸

舊管　人口　3　男子２，婦女１

事産

民地　1.9280　夏麥３升８合３勺，秋米７升４合６勺

新收　事産

轉收

民田　3.8700　麥８升２合８勺，米２斗７合

歳田　3.8700　23年17都2圖10甲潘岩喜戸
實在　人口　3　男子2，成　丁1，本身43
不成丁1，弟：六十13
婦女1，妻：徐氏30
事産
民田地山　5.7980　夏麥1斗2升1合1勺，秋米2斗8升1合6勺
田　3.8700　麥8升2合8勺，米2斗7合
地　1.9280　麥3升8合3勺，米7升4合6勺

……………………………………………………………………………………………

30年-Ⅶ-10　甲首第十戸　**王承興**　民戸
舊管　人口　3　男子2，婦女1
事産
民田地塘　11.8060　夏麥2斗5升2合4勺，秋米6斗2升8合6勺
田　11.4560　麥2斗4升5合2勺，米6斗1升2合9勺
地　0.2000　麥4合，米7升7合
塘　0.1500　麥3合2勺，米8合
民瓦房　3間
新收　事産
轉收
民田　0.1035　麥2合2勺，米5合5勺
得田　0.1030　30年扒到本圖8甲王應享戸
開除　事産
轉除
民田塘　11.6375　夏麥2斗4升9合1勺，米6斗2升2合6勺
田　11.5595　麥2斗4升7合4勺，米6斗1升8合4勺
得田　2.0530　30年本圖1甲王　茂戸
得田　0.7125　30年2甲朱　汶戸
得田　1.0050　29年本圖2甲朱誠侄戸
得田　1.1660　29年本圖2甲朱誠侄戸
得田　1.4580　28年本圖10甲金萬鍾戸
得田　2.2100　28年本圖10甲金萬鍾戸
得田　0.6090　27年本圖10甲朱國錢戸
得田　1.1820　23年1圖10甲陳　浩戸
得田　1.1065　30年本都2圖1甲朱　曜戸
塘　0.0780　麥1合7勺，米4合2勺
得塘　0.0200　27年2甲朱誠侄戸
得塘　0.0580　30年10甲金萬鍾戸
實在　人口　3　男子2，成　丁1，本身30
不成丁1，男：貴12

婦女1，妻：汪氏30
事產
民地塘　0.2720　夏麥5升5合，秋米1升1合5勺
地　0.2000　麥4合，米7合7勺
塘　0.0720　麥1合5勺，米3合8勺
民瓦房　3間

30年-Ⅶ-11　甲首第十一戶　**潘承鳳**　民戶
舊管　人口　2　男子1，婦女1
事產
民田地　13.0400　夏麥2斗7升7合3勺，秋米6斗8升7合
田　11.8950　麥2斗5升4合6勺，米6斗3升6合4勺
地　1.1450　麥2升2合7勺，米4升4合3勺
新收　人口　男子不成丁1　男：必生30年生
事產
轉收
民田　3.9430　麥8升4合3勺，米2斗1升9合
歲田　2.8400　27年3都4圖8甲汪　歡戶
歲田　1.1030　23年3都9圖6甲汪玄湧戶
實在　人口　3　男子2，成　丁1，本身26
不成丁1，男：必生1
婦女1，妻：菖氏26
事產
民田地　16.9830　夏麥3斗6升1合6勺，秋米8斗9升1合6勺
田　15.8380　麥3斗3升8合9勺，米8斗4升7合3勺
地　1.1450　麥2升2合7勺，米4升4合3勺

30年-Ⅶ-12　甲首第十二戶　**汪　使**　軍戶　承父平
舊管　人口　3　男子2，婦女1
事產
民地　1.1780　夏麥2升3合4勺，秋米4升5合6勺
民瓦房　6間
開除　人口　男子成丁1，父：平23年故
事產
轉除
民地　0.0300　麥6合，米1合2勺
必地　0.0300　21年本圖8甲吳　魁戶
實在　人口　2　男子1，成丁1，本身23
婦女1，叔母：朱氏88

事産

民地　1.1480　夏麥2升2合8勺，秋米4升4合4勺

30年-Ⅶ-13　甲首第十三戸　**汪　義**　民戶

舊管　人口　4　男子3，婦女1

事産

民瓦房　1間

開除　人口　男子不成丁1，侄：印23年故

實在　人口　3　男子2，成丁2，本身55，弟：瑫52

婦女1，母：胡氏75

事産

民瓦房　1間

30年-Ⅶ-14　第十四戸　**方　記**　絶軍

實在　人口　4　男子不成丁3，本身167，男：社147，男：得144

婦　女　1，妻：高氏175

事産

民瓦房　3間

30年-Ⅶ-15　第十五戸　**陳永得**　絶軍

實在　人口　2　男子不成丁2，本身230，弟：永善225

事産

民瓦房　3間

30年-Ⅶ-16　第十六戸　**李社祖**　絶軍

實在　人口　1　男子不成丁1，本身248

事産

民瓦房　1間

30年-Ⅶ-17　第十七戸　**陳兆均**　絶軍

實在　人口　5　男子不成丁4，本身223，男：鏁186，男：中170，男：富168

婦　女　1，弟婦：吳氏200

事産

民瓦房　3間

30年-Ⅶ-18　第十八戸　**汪文傑**　民戶　（絕）

舊管　人口　3　男子2，婦女1

事産

民瓦房　3間

實在　人口　　3　男子不成丁2，本身122，弟：文興112
　　　　　　　　婦　　女　1，妻：金氏138
　　　事產
　　　　民瓦房　3間

第8甲

30年-Ⅷ　排年　**陳元和**　軍戶
舊管　人口　　31　男子23，婦女8
　　　事產
　　　民田地山塘　　　96.8550　夏麥1石7斗6升6合1勺，秋米3石7斗2升2合6勺
　　　　　　　田　　44.9100　　麥9斗6升1合，米2石4斗2合7勺
　　　　　　　地　　26.8130　　麥3斗3升2合，米1石3升8合
　　　　　　　山　　24.8210　　麥2斗6升5合7勺，米2斗6升5合7勺
　　　　　　　塘　　 0.3020　　麥6合5勺，米1升6合2勺
　　　　民瓦房　3間
新收　人口　　5　男子5，成　丁1，本身16年生，前册未報
　　　　　　　　　　　　不成丁4，侄：倡27年生，侄：信27年生，侄：偲28年生，
　　　　　　　　　　　　　　　　侄：俊28年生
　　　事產
　　　　轉收
　　　　民田地山　　　10.8531　夏麥2斗1升5合4勺，秋米5斗7合
　　　　　　　田　　8.6625　　麥1斗8升5合4勺，米4斗6升3合4勺
　　　　　收本都1圖田
　　　　　　　必田　0.4000　23年2甲朱天生戶
　　　　　　　必田　1.6450　22年5甲陳三暘戶
　　　　　　　必田　0.7000　22年7甲汪　明戶
　　　　　　　得田　1.1500　24年4甲陳積裕戶
　　　　　　　必田　0.5870　23年6甲陳世曜戶
　　　　　　　必田　1.4100　22年10甲陳　浩戶
　　　　　　　得田　0.2415　24年10甲陳　浩戶
　　　　　收2圖田
　　　　　　　必田　1.7600　28年8甲葉　富戶
　　　　　　　必田　0.7690　26年8甲陳　司戶
　　　　　　　地　　0.7200　　麥1升4合3勺，米2升7合9勺
　　　　　收1圖地

必地　0.1300　23年 1 圖 2 甲朱天生戶
必地　0.2500　22年 1 圖10甲陳　浩戶
收 6 圖地
必地　0.3400　27年本都 6 圖10甲陳　義戶
山　1.4706　麥 1 升 5 合 7 勺，米 1 升 5 合 7 勺
收 3 圖山
必山　1.1396　30年本都 3 圖 1 甲金本中戶
收26都山
過山　0.0400　30年 4 圖 5 甲洪　鐸戶
過山　0.2090・0.0820　25年26都 5 圖 8 甲蘇興同戶
開除　人口　男子成丁 5，父：泡23年故，叔：昭23年故，叔：嶽29年故，
叔：桂28年故，叔：曙25年故
事産
轉除
民田地山　5.8795　夏麥 1 斗 1 升 2 合，秋米 2 斗 4 升 1 合 1 勺
田　2.8080　麥 6 升 1 合，米 1 斗 5 升2勺
必田　0.9000　27年 1 圖 2 甲汪　班戶
必田　1.2000　27年 2 圖 8 甲葉　富戶
必田　0.3420　27年26都 6 圖 1 甲李盛發戶
得田　0.3660　28年 2 圖10甲朱　法戶
地　2.0721　麥 4 升 1 合 2 勺，米 8 升 2 合
必地　0.1500・0.0980　23年賣入 1 甲王　茂戶
必地　0.1180・0.0590　22年賣入 1 甲王　茂戶
必地　0.1180・0.0125　25年賣入 1 甲王　茂戶
得地　0.0466　31年本圖 3 甲朱學源戶
必地　1.4700　30年 2 圖 1 甲朱　曜戶
山　0.9994　麥 1 升 7 合，米 1 升 7 合
必山　0.0530　25年本圖 1 甲王　茂戶
得山　0.2914　30年本圖 3 甲朱學源戶
必山　0.4350　23年本圖 3 甲吳天龍戶
必山　0.2200　28年本都 1 圖 2 甲朱　成戶
實在　人口　31　男子23，成　丁14，本身：15，兄：早55，兄：椿47，兄：楫45，
兄：檳42，兄：梅41，兄：榜34，兄：桐33，
兄：材32，兄：栔32，兄：棠22，侄：邦佐24，
侄：福22，侄：祿22
不成丁 9，弟：枋12，弟：杭14，弟：槐13，弟：机12，
侄：邦佑13，侄：倡 4，侄：佶 4，侄：偲 3，
侄：俊 3
婦女 8，母：吳氏70，嬸：金氏70，嬸：畢氏70，嬸：朱氏65，嫂：

汪氏33，嫂：王氏33，嬸：汪氏66，嬸：畢氏66

事產

民田地山塘　101.8286　夏麥１石８斗６升９合５勺，秋米３石９斗８升８合５勺

田　50.7645　麥１石８升６合４勺，米２石７斗１升５合９勺

地　25.4609　麥５斗５合９勺，米９斗８升５合７勺

山　25.3012　麥２斗７升７合，米２斗７升７合

塘　0.3020　麥６合５勺，米１升６合２勺

民瓦房　３間

30年-Ⅷ-1　甲首第一戶　**王繼成**　民戶

舊管　人口　５　男子３，婦女２

事產

民田地山　12.0820　夏麥２斗４升３合１勺，秋米５斗６升２合１勺

田　8.4340　麥１斗８升５合，米４斗５升１合２勺

地　2.5650　麥５升１合，米９升９合３勺

山　1.0830　麥１升１合６勺，米１升１合６勺

民瓦房　２間

新收

事產

轉收

民田塘　2.5550　夏麥５升４合６勺，秋米１斗３升６合８勺

田　2.4550　麥５升２合５勺，米１斗３升１合４勺

得田　0.4570　30年本圖６甲王　科戶

得田　1.9980　29年本都１圖６甲陳世曜戶

塘　0.1000　麥２合１勺，米５合４勺

得塘　0.1000　29年１圖６甲陳世曜戶

開除　事產

轉除

民田地　2.7960　夏麥５升９合８勺，秋米１斗４升９合２勺

田　2.7660　麥５升９合２勺，米１斗４升８合

得田　2.7660　25年本圖10甲朱德昌戶

地　0.0300　麥６合，米１合２勺

得地　0.0150　25年本圖２甲朱　汶戶

得地　0.0150　25年本圖２甲朱誠侄戶

實在　人口　５　男子３，成　丁２，本身60，叔：尙賓66

不成丁１，弟：文成14

婦女２，妻：洪氏60，叔母：黃氏38

事產

民田地山塘　11.8410　夏麥２斗３升７合９勺，秋米５斗４升９合７勺
田　8.1230　麥１斗７升３合８勺，米４斗３升４合６勺
地　2.5350　麥５升４合，米９升８合１勺
山　1.0830　麥１升１合６勺，米１升１合６勺
塘　0.1000　麥２合１勺，米５合４勺
民瓦房　２間

30年-Ⅷ-2　甲首第二戶　**朱得九**　民戶

舊管　人口　4　男子２，婦女２
事產
民田地山塘　11.1770　夏麥２斗１升７合５勺，秋米４斗９升９合６勺
田　7.9650　麥１斗７升４合，米４斗２升６合
地　1.3530　麥２升６合９勺，米５升２合４勺
山　1.8310　麥１升９合６勺，米１升９合６勺
塘　0.0280　麥６合，米１合５勺
民瓦房　２間

新收　人口　男子不成丁１，弟：德遠29年生
事產
轉收
民山　0.0800　麥９合，米９合
得山　0.0800　30年本圖10甲金萬鍾戶

開除　人口　男子不成丁１，弟：瑗23年故
事產
轉除
民田地山塘　7.8022　夏麥１斗６升６合２勺，秋米４斗１升１合６勺
田　7.4480　麥１斗５升９合３勺，米３斗９升８合４勺
得田　0.9760　24年本圖９甲朱彰先戶
得田　0.7320　24年本圖10甲朱國錢戶
得田　0.6200　24年本圖10甲朱國錢戶
得田　0.0890　24年本圖10甲朱國錢戶
得田　0.4690　24年本圖10甲朱國錢戶
得田　1.6080　24年本圖10甲朱國錢戶
得田　1.7710　24年本圖10甲朱國錢戶
得田　1.1830　24年本圖10甲朱國錢戶
地　0.3052　麥６合，米１升１合８勺
得地　0.0130　23年２甲朱　洪戶
得地　0.1160　30年２甲朱　仲戶
得地　0.1160　30年２甲朱　作戶
得地　0.0300　21年２甲朱　信戶

得地　0.0280　24年２甲朱　汶戶
得地　0.0222　24年２甲朱　汶戶
山　0.0300　麥３合，米３合
得山　0.0150　23年２圖２甲朱　汶戶
得山　0.0150　23年２圖２甲朱誠汶戶
塘　0.0190　麥４合，米１合
得塘　0.0190　24年10甲朱國錢戶
實在　人口　4　男子２，成　丁１，本身32
不成丁１，弟：德遠２
婦女２，伯母：王氏75，叔母：黃氏47
事產
民田地山塘　3.4548　夏麥５升２合２勺，秋米８升８合９勺
田　0.5170　麥１升１合，米２升７合７勺
地　1.0478　麥２升８合，米４升６合
山　1.8810　麥２升１合，米２升１合
塘　0.0090　麥２合，米５合
民瓦房　2間

30年-Ⅷ-3　甲首第三戶　**王應享**　承兄應元　民戶
舊管　人口　5　男子３，婦女２
事產
民田地山塘　9.9610　夏麥１斗９升５合７勺，秋米４斗５升２合
田　7.1970　麥１斗５升４合，米３斗８升５合
地　1.2940　麥２升５合７勺，米５升１合５勺
山　1.4430　麥１升５合４勺，米１升５合４勺
塘　0.0270　麥６合，米１合５勺
民瓦房　6間
開除　人口　男子成丁１，兄：應元25年故
事產
轉除
民田地山塘　7.6890　夏麥１斗６升５合，秋米３斗９升１合
田　6.8605
得田　0.9550　30年本圖２甲朱　汶戶
得田　0.5700　30年７甲王齊興戶
得田　0.4900　30年７甲王齊興戶
得田　1.9960　29年２圖10甲朱　法戶
得田　0.7200　27年２甲朱祐生戶
得田　0.1035　30年７甲王承興戶
得田　1.3330　10甲金萬鍾戶

得田　0.6930　28年26都6圖1甲李　華戶
地　0.5035　麥1升，米1升9合5勺
得地　0.0125　30年4甲王　美戶
得地　0.1250　30年4甲王　美戶
得地　0.0250　30年4甲王　美戶
得地　0.0060　30年4甲王　美戶
得地　0.0120　30年4甲王　美戶
得地　0.1200　29年2圖10甲朱　法戶
得地　0.1530　30年7甲王齊興戶
得地　0.0500　30年7甲王齊興戶
山　0.2980　麥3合2勺，米3合2勺
得山　0.0830　4甲王　美戶
得山　0.0900　4甲王　美戶
得山　0.1250　30年7甲王齊興戶
塘　0.0270　麥6合，米1合5勺
得塘　0.0700　28年10甲金萬鍾戶
得塘　0.0200　29年2圖10甲朱　法戶

實在　人口　4　男子2，成　丁1，本身26
不成丁1，應玄13
婦女2，妻：金氏36，嫂：金氏52

事產
民田地山　2.2720　夏麥3升5合2勺，秋米6升9合
田　0.3365　麥7合2勺，米1升8合
地　0.7905　麥1升5合7勺，米3升6合
山　1.1450　麥1升2合3勺，米1升2合3勺
民瓦房　6間

…………………………………………………………………………………………

30年-Ⅷ-4　甲首第四戶　**程　學**　民戶

舊管　人口　5　男子3，婦女2
事產
民田地山塘　15.5210　夏麥3斗2升1合5勺，秋米7斗4升7合7勺
田　10.1080　麥2斗1升6合3勺，米5斗4升8合
地　4.6090　麥9升1合6勺，米1斗7升8合4勺
山　0.3410　麥3合7勺，米3合7勺
塘　0.4630　麥9合9勺，米2升4合8勺
民瓦房　2間

開除　人口　男子成丁1，弟：正隆31年故
事產
轉除

民田地　0.3960　夏麥８合４勺，秋米２升１合
田　0.3800　麥８合４勺，米２升４合
得田　0.3800　30年本圖10甲金萬鍾戸
地　0.0160　麥３合，米６合
得地　0.0160　22年２圖３甲陳　法戸
實在　人口　4　男子２，成　丁１，本身52
不成丁１，侄：信13
婦女２，母：汪氏75，妻：徐氏48
事産
民田地山塘　15.1250　夏麥３斗１升３合，秋米５斗２升４合
田　9.7280
地　4.5930　麥９升１合３勺，米１斗７升７合８勺
山　0.3410　麥３合７勺，米３合７勺
塘　0.4630　麥９合９勺，米２升４合８勺
民瓦房　２間

30年-Ⅷ-5　甲首第五戸　**朱文標**　民戸
舊管　人口　5　男子３，婦女２
事産
民田地山塘　4.8170　夏麥９升３合，秋米２斗３合９勺
田　2.2660　麥４升８合５勺，米１斗２升１合２勺
地　1.5350　麥３升５合，米５升９合４勺
山　0.7260　麥７合８勺，米７合８勺
塘　0.2900　麥６合２勺，米１升５合５勺
民瓦房　１間
開除　人口　男子成丁１，兄：文欖25年故
事産
轉除
民田地山塘　4.5816　夏麥８升８合２勺，秋米１斗９升４合
田　2.2660　麥４升８合５勺，米１斗２升１合２勺
能田　0.4490　30・31年３甲朱　標戸
能田　0.0720　30年６甲朱　楷戸
能田　0.1590　31年４甲朱文節戸
能田　1.5860　25年10甲朱國昌戸
地　1.3496　麥２升６合８勺，米５升２合３勺
能地　0.0840　30年３甲朱　標戸
能地　0.0250　31年４甲朱文節戸
能地　0.4660　31年４甲朱文節戸
能地　0.0320　31年４甲朱大興戸

能地　0.1060　30年4甲朱大斌戶
能地　0.0320　31年4甲朱大斌戶
能地　0.0480　31年4甲朱大斌戶
能地　0.1580　30年6甲朱德厚戶
能地　0.0880　29年4甲朱岩志戶
能地　0.0600　29年4甲朱岩志戶
能地　0.0120　29年4甲朱岩志戶
能地　0.0550　30年6甲朱　楷戶
能地　0.0320　31年
能地　0.0046　30年本圖10甲朱國昌戶
能地　0.0930　25年11都3圖9甲潘　全戶
能地　0.0400　30年11都3圖9甲潘　全戶
山　0.7260　麥7合8勺，米7合8勺
能山　0.3300　30年4甲朱岩志戶
改山　0.3150　30年4甲朱岩志戶
能山　0.0100　31年4甲朱岩志戶
能山　0.0095　30年10甲朱國昌戶
能山　0.0100　30年4甲朱大斌戶
能山　0.0100　30年4甲朱大興戶
能山　0.0420　25年11都3圖9甲潘　全戶
塘　0.2400　麥5合，米1升2合8勺
能塘　0.0800　30年4甲朱岩志戶
能塘　0.0800　31年10甲朱國昌戶
能塘　0.0500　30年6甲朱　楷戶
能塘　0.0300　31年6圖3甲李惟喬戶

實在　人口　4　男子2，成　丁1，本身27
不成丁1，侄：富13
婦女2，伯母：葉氏88，嫂：童氏70

事產
民地塘　0.2354　夏麥4合8勺，秋米9合9勺
地　0.1854　麥3合7勺，米7合2勺
塘　0.0500　麥1合，米2合7勺
民瓦房　1間

30年-Ⅷ-6　甲首第六戶　朱　雪　民戶　承義父陳進
舊管　人口　3　男子2，婦女1
事產
民田地　10.5190　夏麥2斗2升4合9勺，秋米5斗6升5合
田　10.3680　麥2斗2升1合9勺，米5斗5升4合7勺

地　0.1510　　麥３合，米５合８勺
民瓦房　１間
新收　人口　　男子成丁１，本身16年生，前册未報
開除　人口　　2　男子２，成　丁１，父：宣30年故
　　　　　　　　　　　不成丁１，義父：陳進25年故
實在　人口　　2　男子成丁１，本身16
　　　　　　　　婦　　女１，母：汪氏39
事產
民田地　10.5190　夏麥２斗２升４合９勺，秋米５斗６升５合
田　10.3680　　麥２斗２升１合９勺，米５斗５升４合７勺
地　0.1510　　麥３合，米５合８勺
民瓦房　１間

30年-Ⅷ-7　甲首第七戶　**郭正耀**　民戶
舊管　人口　　6　男子４，婦女２
事產
民田地山　2.0620　夏麥３升９合８勺，秋米７升９合７勺
田　0.3270　　麥７合，米１升７合５勺
地　1.5550　　麥３升９合，米６升３合
山　0.1800　　麥１合９勺，米１合９勺
民瓦房　１間
新收　人口　　男子不成丁１，男：起富29年生
開除　人口　　2　男子２，成　丁１，侄：節高21年故
　　　　　　　　　　　不成丁１，男：玄25年故
實在　人口　　5　男子３，成　丁２，本身59，弟：正華23
　　　　　　　　　　　不成丁１，男：起富２
　　　　　　　　婦女２，母：程氏90，妻：吳氏50
事產
民田地山　2.0620　夏麥３升９合８勺，秋米７升９合７勺
田　0.3270　　麥７合，米１升７合５勺
地　1.5550　　麥３升９合，米６升３合
山　0.1800　　麥１合９勺，米１合９勺
民瓦房　１間

30年-Ⅷ-8　甲首第八戶　**吳　魁**　民戶
舊管　人口　　4　男子３，婦女１
事產
民田　　0.5030　夏麥１升８合，秋米２升６合９勺
民瓦房　　３間

新收　人口　　男子２，成　丁１，侄：長權13年生
　　　　　　　　　　不成丁１，侄：才28年生
　　事産
　　　轉收
　　　　民田地　　　7.6340　夏麥１斗６升３合３勺，秋米４斗８合
　　　　　　田　　　7.6040　　麥１斗６升２合７勺，米４斗６合８勺
　　　　　　　必田　0.4000　28年本圖１甲金尙尹戶
　　　　　　　得田　2.0000　26年１圖５甲陳天相戶
　　　　　　　得田　0.6720　28年１圖６甲陳世曜戶
　　　　　　　得田　1.5500　24年２圖９甲陳　僎戶
　　　　　　　必田　0.7000　28年１圖３甲王　爵戶
　　　　　　　得田　0.2600　25年１圖５甲陳時暘戶
　　　　　　　必田　0.6180　24年２圖９甲朱福茂戶
　　　　　　　得田　1.4040　30年２圖10甲陳　生戶
　　　　　　地　　　0.0300　　麥６合，米１合２勺
　　　　　　　必地　0.0300　21年本圖７甲汪　使戶
開除　人口　　男子２，成　丁１，弟：五十27年故
　　　　　　　　　　不成丁１，弟：天進28年故
實在　人口　　４　男子３，成　丁２，本身53，侄：長權18
　　　　　　　　　　　　不成丁１，侄：才３
　　　　　　　　婦女１，妻：金氏53
　　事産
　　　　民田地　　　8.1370　夏麥１斗７升４合，秋米４斗３升４合９勺
　　　　　　田　　　8.1070　　麥１斗７升３合５勺，米４斗３升３合７勺
　　　　　　地　　　0.0300　　麥６合，米１合２勺
　　　　民瓦房　　　３間

………………………………………………………………………………………

30年-Ⅷ-9　甲首第九戶　**朱良佑**　民戶　承伯祖添芳
舊管　人口　　３　男子２，婦女１
　　事産
　　　　民瓦房　　　３間
新收　人口　　男子成丁１，本身16年生
　　事産
　　　轉收
　　民田地山塘　　14.4616　夏麥２斗９升３合７勺，秋米７斗９升９合
　　　　　　田　　12.9110　　麥２斗７升６合３勺，米６斗９升７合
　　　　　　　得田　1.4300　23年１甲程　相戶
　　　　　　　得田　1.0040　27年10甲金萬鍾戶
　　　　　　　得田　1.4830　25年１圖５甲汪　鎰戶

得田　1.6520　23年1圖3甲王　爵戶
得田　1.5800　23年1圖8甲陳廷僎戶
得田　0.8240　27年9甲王　敍戶
得田　1.3480　22年10甲陳　新戶
得田　1.5980　28年1圖5甲陳天相戶
得田　0.5790　22年1圖7甲汪　志戶
得田　1.4130　25年5都10圖5甲謝廷旌戶
地　0.0800　麥1合6勺，米3合
得地　0.0800　31年2甲朱　法戶
山　1.4606　麥1升5合6勺，米1升5合6勺
得山　0.0063　28年本圖1甲王　茂戶
得山　0.0013　28年本圖1甲王　茂戶
得山　0.0050　28年本圖1甲王　茂戶
得山　0.0440　28年本圖1甲王　茂戶
得山　0.8980　23年2甲朱　洪戶
得山　0.1870　23年10甲朱時選戶
得山　0.2100　23年10甲朱時選戶
得山　0.1000　30年1圖10甲陳　浩戶
塘　0.0100　麥2合，米5合
得塘　0.0100　30年1圖4甲陳積裕戶
開除　人口　男子2，成　丁1，伯：寧仁23年故
不成丁1，伯祖：添芳22年故
實在　人口　2　男子1，成丁1，本身16
婦女1，伯祖母：鄭氏100
事產
民田地山塘　14.4616　夏麥2斗9升3合7勺，秋米7斗9升9合
田　12.9110　麥2斗7升6合3勺，米6斗9升7合
地　0.0800　麥1合6勺，米3合
山　1.4060　麥1升5合6勺，米1升5合6勺
塘　0.0100　麥2合，米5合
民瓦房　3間

30年-Ⅷ-10　甲首第十戶　**程廷隆**　民戶　承陳仕
舊管　人口　3　男子2，婦女1
事產
民瓦房　3間
新收　人口　男子成丁1，本身11年生
事產
轉收

民田地山塘　13.2080　夏麥2斗7升9合2勺，秋米6斗9升1合6勺
田　12.6840　麥2斗7升1合4勺，米6斗7升8合6勺
得田　0.7700　30年1甲王　茂戶
得必田　3.3990　24年1圖4甲陳積裕戶
必田　0.5000　27年1圖4甲陳積裕戶
得田　0.8940　30年1圖6甲陳世曜戶
得田　1.0320　26年10甲金萬鍾戶
得田　1.0610　27年10甲金萬鍾戶
得田　0.1820　23年1圖7甲吳廷起戶
得田　0.8900　28年1圖10甲陳　浩戶
得田　1.0580　31年2圖7甲吳新黃戶
必田　1.7400　24年1圖8甲陳　司戶
得田　1.1580　30年2圖1甲朱　曜戶
地　0.1573　麥3合，米6合
得地　0.0200　30年1甲王　茂戶
得地　0.1073　29・31年2圖3甲陳玄法戶
得地　0.0300　24年1圖7甲吳廷起戶
山　0.2980　麥3合2勺，米3合2勺
得山　0.0960　30年本圖1甲王　茂戶
得山　0.0475　30年1圖3甲王　爵戶
得山　0.0400　30年1圖6甲陳世曜戶
得山　0.1145　23年2圖3甲陳玄法戶
塘　0.0687　麥1合5勺，米3合7勺
得塘　0.0390　30年1甲王　茂戶
得塘　0.0197　29年2圖3甲陳玄法戶
得塘　0.0100　31年2圖7甲吳新黃戶

開除　人口　男子不成丁1，外祖：陳仕21年故

實在　人口　3　男子2，成　丁1，本身20
不成丁1，義兄：潘廣75
婦女1，外祖母：朱氏72

事産
民田地山塘　13.2080　夏麥2斗7升9合，秋米6斗9升1合6勺
田　12.6840　麥2斗7升1合4勺，米6斗7升8合6勺
地　0.1573　麥3合，米6合
山　0.2980　麥3合2勺，米3合2勺
塘　0.0687　麥1合5勺，米3合7勺
民瓦房　3間

……………………………………………………………………

30年-Ⅷ-11　第十一戶　**汪腊黎**　民戶
舊管　人口　　3　男子１，婦女２
實在　人口　　3　男子成丁１，本身42
　　　　　　　　　婦　　女２，祖母：程氏100，母：潘氏70

………………………………………………………………………………………………

30年-Ⅷ-12　第十二戶　**黃記大**　民戶
舊管　人口　　3　男子３
　　事產
　　　　民瓦房　１間
實在　人口　　3　男子３，成　丁１，義男：葉岩相64
　　　　　　　　　　　　　不成丁２，本身：124，弟：友大124
　　事產
　　　　民瓦房　１間

………………………………………………………………………………………………

30年-Ⅷ-13　第十三戶　**汪社曜**　絕軍
舊管　人口　　男子１
　　事產
　　　　民田地　0.1210　夏麥２合４勺，秋米４合７勺
　　　官民瓦房　４間
　　　　官瓦房　１間　賃鈔375文
　　　　民瓦房　３間

………………………………………………………………………………………………

30年-Ⅷ-14　第十四戶　**朱永清**　絕軍
實在　人口　　4　男子不成丁３，本身：186，弟：永富183，弟：永和182
　　　　　　　　　婦　　女　１，叔母：徐氏205
　　事產
　　　　民瓦房　３間

………………………………………………………………………………………………

30年-Ⅷ-15　第十五戶　**朱　和**　絕軍
實在　人口　　7　男子不成丁５，本身：203，兄：來219，兄：高210，侄：武202，
　　　　　　　　　　　　　　　侄：武善194
　　　　　　　　　婦　　女　２，妻：金氏218，弟婦：程氏210
　　事產
　　　　民瓦房　３間
　　　　水　牛　１頭

………………………………………………………………………………………………

30年-Ⅷ-16　第十六戶　**汪計宗**　絕軍
實在　人口　　3　男子不成丁3，本身：219，侄：童215，侄：留保201
　　事產

民瓦房　3間

第9甲

30年-IX　排年　王　敍　匠戶
舊管　人口　33　男子20，婦女13
事產
民田地山塘　25.1680　夏麥4斗7升9合6勺，秋米1石4升2合2勺
田　12.3660　麥2斗6升4合7勺，米6斗6升1合6勺
地　7.8370　麥1斗5升5合7勺，米3斗3合4勺
山　4.4030　麥4升7合，米4升7合
塘　0.5620　麥1升2合，米3升1合
民瓦房　7間
新收　人口　9　男子不成丁6，男：順德24年生，侄：鎭23年生，侄：慶23年生，
侄：紹宗23年生，侄：餘賓25年生，侄：時28年生
婦　女　3，侄婦：陳氏 本都陳同女，侄婦：汪氏 13都汪節女，
侄婦：余氏 26都余全女
事產
轉收
民山　0.0425　麥4合，米4合
龍山　0.0425　21年13都1圖3甲吳得全戶
開除　人口　9　男子6，成　丁5，弟：忱22年故，侄：祐23年故，侄：惟24年故，
侄惓：26年故，侄孫：小仔24年故
不成丁1，侄：壽24年故
婦女3，嫂：朱氏22年故，弟婦：江氏23年故，弟婦：金氏24年故
事產
轉除
民田地山塘　8.3112　夏麥1斗6升4合2勺，秋米3斗7升8合
田　5.8492　麥1斗2升5合2勺，米3斗1升2合9勺
得田　0.8000　27年賣入2甲朱祐生戶
得田　0.8240　27年8甲朱良佑戶
得田　1.2000　29年7甲王齊興戶
得田　0.9000　27年10甲朱國錢戶
龍田　0.5460　24年13都4圖5甲吳　盛戶
龍田　0.6162　27年13都4圖5甲吳　盛戶
龍田　0.9630　30年30都3圖9甲吳玄祖戶
地　1.3670　麥2升7合2勺，米5升2合9勺

得地　0.0600　21年４甲王正芳戶
得地　0.0900　22年４甲王正芳戶
得地　0.0500　24年４甲王正芳戶
得地　0.0300　27年４甲王正芳戶
得地　0.0380　27年４甲王正芳戶
得地　0.0200　30年４甲王正芳戶
龍地　0.0170　30年13都３圖７甲汪元勳戶
龍地　0.1800　27年13都４圖５甲吳　盛戶
得地　0.0920　28年７甲王齊興戶
得地　0.0350　28年７甲王齊興戶
龍地　0.0150　24年13都４圖８甲汪　希戶
龍地　0.7400　31年13都４圖５甲吳　盛戶
山　1.0830　麥１升１合５勺，米１升１合５勺
龍山　0.0830　30年13都４圖５甲吳　盛戶
龍山　1.0000　30年３圖９甲吳玄祖戶
塘　0.0120　麥３合，米７合
得塘　0.0120　27年本圖10甲朱國錢戶

實在　人口　33　男子20，成　丁13，本身：63，侄孫：得時36，侄孫：應36，侄：慢36，侄孫：元35，侄孫：儒25，侄孫：憫26，侄：□25，侄孫：玄23，孫：成方23，孫：國珍15，孫：云相15，孫：法15
不成丁７，兄：初77，男：順得７，侄：紹宗８，侄：慶８，侄：餘賓６，侄：鎮９，侄：時３
婦女13，妻：吳氏65，弟婦：吳氏56，弟婦：金氏55，弟婦：53，弟婦：汪氏45，弟婦：吳氏42，弟婦：陳氏40，弟婦：金氏38，弟婦：吳氏35，弟婦：江氏33，弟婦：陳氏30，弟婦：汪氏40，侄：余氏30

事產
民田地山塘　16.8993　夏麥３斗１升５合９勺，秋米６斗６升４合６勺
田　6.5168　麥１斗５升９合５勺，米３斗４升８合７勺
地　6.4700　麥１斗２升８合６勺，米２斗５升５合
山　3.3625　麥３升６合，米３升６合
塘　0.5500　麥１升１合８勺，米２升９合４勺
民瓦房　7間

30年-Ⅸ-1　甲首第一戶　**朱法隆**　民戶
舊管　人口　3　男子２，婦女１
事產
民地山　0.6770　夏麥１升２合８勺，秋米２升４合

地　0.5970　麥１升１合９勺，米２升３合
山　0.0800　麥８合，米８合
民瓦房　３間
實在　人口　３　男子２，成丁２，本身32，弟：法16
婦女１，母：汪氏56
事産
民地山　0.6770　夏麥１升２合８勺，秋米２升４合
地　0.5970　麥１升１合９勺，米２升３合
山　0.0800　麥８合，米８合
民瓦房　３間

30年-Ⅸ-2　甲首第二戸　畢　賓　民戸　叔顯
舊管　人口　８　男子５，婦女３
事産
民田地山　4.3840　夏麥７升１合，秋米１斗２升４合８勺
田　0.4100
地　2.1540
山　1.8200
民瓦房　３間
新收　人口　男子不成丁２，侄：材28年生，侄孫祖：29年生
事産
轉收
民田　1.5480　麥３升３合，米８升２合７勺
必田　1.5480　22年本圖５甲陳　章戸
開除　人口　男子２，成　丁１，叔：顯27年故
不成丁１，侄：勝24年故
事産
轉除
民田地山　0.8150　夏麥１升４合８勺，秋米３升２合６勺
田　0.5400　麥１升１合６勺，米２升８合９勺
必田　0.5400　27年本圖１甲王　茂戸
地　0.0250　麥５合，米１合
得地　0.0250　23年13都２圖４甲程　文戸
山　0.0250　麥２合７勺，米２合７勺
得山　0.0250　25年１圖５甲陳時暘戸
實在　人口　８　男子５，成　丁２，本身43，弟：雲22
不成丁３，侄：勝宗12，侄：材3，侄孫祖：２
婦女３，嬸：陳氏65，嫂：呂氏60，弟婦：王氏31
事産

民田地山　5.1170　夏麥８升９合４勺，秋米１斗７升５合５勺
田　1.4180　麥３升３合，米７升５合９勺
地　2.1290　麥４升２合３勺，米８升２合４勺
山　1.5700　麥１升６合８勺，米１升６合８勺
民瓦房　２間

………………………………………………………………………………

30年-Ⅸ-3　甲首第三戶　**朱　瑤**　民戶
舊管　人口　2　男子１，婦女１
事產
民田地山　20.1850　夏麥４斗７升５合，秋米９斗６升８合
田　16.5210　麥３斗５升３合５勺，米８斗８升３合９勺
地　1.6080　麥３升２合，米６升２合２勺
山　2.0560　麥２升２合，米２升２合
新收　事產
轉收
民田地山　3.4100　麥６升７合６勺，米１斗５升９合６勺
田　2.7950　麥５升９合９勺，米１斗４升９合６勺
得田　1.2330　24年２甲朱　欽戶
得田　0.2620　24年２甲朱　欽戶
得田　1.3000　29年１圖３甲王　爵戶
地　0.12125　麥２合４勺，米４合７勺
得地　0.04625　22年10甲朱　瑚戶
得地　0.0320　24年２甲朱　欽戶
得地　0.0215　24年２甲朱　欽戶
得地　0.0215　24年２甲朱　欽戶
山　0.4938　麥５合３勺，米５合３勺
得山　0.0312　24年２甲朱　欽戶
得山　0.0355　24年２甲朱　欽戶
得山　0.1820　24年２甲朱　欽戶
得山　0.06566　24年２甲朱　欽戶
得山　0.0103　24年本圖２甲朱　欽戶
得山　0.0320　24年本圖２甲朱　欽戶
得山　0.0487　24年本圖２甲朱　欽戶
得山　0.0300　24年本圖２甲朱　欽戶
得山　0.0585　22年本圖10甲朱　瑚戶　0.0375　0.0210
實在　人口　2　男子成丁１，本身55
婦　女１，妻：汪氏37
事產
民田地山　23.59505　夏麥４斗７升５合，秋米１石１斗２升７合７勺

田　19.3160　麥4斗1升3合4勺，米1石3升3合4勺
地　1.72925　麥3升4合4勺，米6升7合
山　2.5498　麥3升7合3勺，米2升7合3勺

30年-Ⅸ-4　甲首第四戸　王茂伍　匠戸
舊管　人口　31　男子22，婦女9
事産
民田地山塘　52.0330　夏麥1石7合，秋米2石2斗6升2合
田　32.3500　麥6斗9升2合3勺，米1石7斗3升7合
地　11.3130　麥2斗2升4合8勺，米4斗3升8合
山　8.3220　麥8升9合，米8升9合
塘　0.0470　麥1合，米2合5勺
民瓦房　4間
新收　人口　8　男子不成丁5，侄孫：文返30年生，侄孫：文朗29年生，侄孫：早來28年生，侄孫：添孫27年生，侄：多得 28年生
婦　女　3，侄婦：汪氏 10都汪先女，侄婦：吳氏 13都吳是女，侄婦：戴氏 13都戴時女
事産
轉收
民田地山　21.1375　夏麥4斗2升9合，秋米9斗9升3合5勺
田　17.0840　麥3斗6升5合6勺，米9斗1升4合
必田　0.1500　30年13都1圖2甲金　法戸
師田　0.8670　30年13都1圖10甲倪尚義戸
絲田　2.0480　23年30都1圖6甲劉積・吳富戸
絲田　1.7400　22年30都1圖10甲吳　富戸
染田　2.3400　27年30都3圖10甲方　泉戸
絲田　0.2720　23年30都4圖5甲李良才戸
絲田　1.6000　23年31都1圖7甲吳本仁戸
絲田　0.9950　23年31都1圖10甲吳時來戸
師田　1.1930　26年13都1圖4甲汪　興戸
師田　3.8850　13都1圖4甲汪　興戸
羽田　1.6000　30年13都1圖4甲汪　興戸
地　1.2905　麥2升5合7勺，米4升9合9勺
羽地　0.0600　30年13都3圖10甲汪天保戸
師地　0.0200　27年13都4圖8甲吳國賢戸
師地　0.0100　30年13都4圖9甲戴　三戸
絲地　0.6100　23年30都4圖5甲李良才戸
能地　0.0875　22年13都4圖6甲吳　興戸
師地　0.2780　27年13都4圖9甲戴　治戸

師地　0.2250　21年13都4圖10甲吳邦濟戶
山　2.7630　麥2升9合6勺，米2升9合6勺
師山　0.0580　26年11都3圖2甲汪國英戶
師山　1.8000　28年13都1圖4甲汪　興戶
師山　0.1900　28年13都1圖4甲汪　興戶
師山　0.2000　28年13都1圖4甲汪　興戶
羽山　0.0100　26年13都1圖8甲吳　全戶
羽山　0.5000　20年13都1圖8甲戴　綱戶
絲山　0.0500　21年13都4圖10甲戴　時戶

開除　人口　8　男子5，成　丁3，侄：淮23年故，侄：濟25年故，侄：勝29年故
不成丁2，侄：子新28年故，侄孫：振26年故
婦女3，伯母：許氏22年故，嫂：程氏24年故，嫂：金氏25年故

事產

轉除

民田地　7.0822　夏麥1斗5升1合5勺，秋米3斗7升7合9勺
田　7.0180　麥1斗2升5合2勺，米3斗1升2合9勺
必田　1.3850　31年2圖5甲朱世祥戶
翔田　1.5350　22年13都2圖9甲吳義富戶
師田　3.2200　27年13都4圖7甲吳家和戶
翔田　0.8780　30年30都1圖9甲利　審戶
地　0.0642　麥1合3勺，米2合5勺
師地　0.0285　21年13都4圖2甲宋世芳戶
師地　0.03565　21年13都4圖9甲戴惟世修戶

實在　人口　31　男子22，成　丁15，本身60，弟：憲60，弟：聰54，侄：相55，弟：鉅36，侄孫：興35，侄孫：明36，侄孫：鳴33，侄孫：碧33，侄孫：遠33，侄孫：仕朝27，侄孫：文學25，弟：惠24，弟：玄24，侄孫：淸22
不成丁7，侄：仁12，侄孫：才13，侄：早來3，侄：學得3，侄孫：文朗2，侄孫：文返1
婦女9，嫂：汪氏65，妻：戴氏52，弟婦：許氏51，弟婦：朱氏51，弟婦：張氏47，侄婦：宋氏31，侄婦：戴氏25，侄婦：吳氏24，侄婦：汪氏22

事產

民田地山塘　66.0883　夏麥1石2斗7升6合5勺，秋米2石8斗7升5合8勺
田　42.4160　麥9斗7合7勺，米2石2斗6升9合3勺
地　12.5393　麥2斗4升9合2勺，米4斗8升5合4勺
山　11.0860　麥1斗1升8合6勺，米1斗1升8合6勺

塘　　0.0470　　麥1合，米2合5勺
民瓦房　　4間

30年-IX-5　甲首第五戶　朱彰先　民戶
舊管　人口　　3　男子2，婦女1
事產
民瓦房　2間
新收　人口　男子成丁1，本身：13年生，前册未報
事產
轉收
民田　　2.4940　夏麥5升3合4勺，秋米1斗3升3合4勺
得田　0.9760　24年8甲朱得九戶
得田　0.5870　23年10甲朱　雷戶
得田　0.9310　23年10甲朱　瑚戶
開除　人口　男子2，成　丁1，父：廷秀20年故
不成丁1，伯：輔25年故
實在　人口　　2　男子成丁1，本身18
婦　女1，祖母：張氏117
事產
民田　　2.4940　夏麥5升3合4勺，秋米1斗3升3合4勺
民瓦房　　2間

30年-IX-6　甲首第六戶　李　清　民戶　伯得
舊管　人口　　4　男子2，婦女2
事產
民瓦房　2間
開除　人口　男子不成丁1，伯：得21年故
實在　人口　　3　男子成丁1，本身24
婦　女2，祖母：汪氏77，伯母：黄氏55
事產
民瓦房　2間

30年-IX-7　甲首第七戶　汪　社　民戶　兄三富
舊管　人口　　4　男子2，婦女2
事產
民瓦房　1間
新收　人口　男子成丁1，男：四得16年生，前册未報
開除　人口　男子成丁1，兄：三富25年故
實在　人口　　4　男子成丁2，本身49，男：四得15

婦　　女２，妻：吳氏45，妻：吳氏40

事産

民瓦房　１間

30年-IX-8　第八戶　**洪　龍**　民戶

實在　人口　　2　男子不成丁１，本身82

婦　　女　１，母：張氏110

事産

民瓦房　３間

30年-IX-9　第九戶　**金　廣**　民戶

實在　人口　　2　男子不成丁１，本身71

婦　　女　１，妻：曹氏70

事産

民瓦房　３間

民水牛　１頭

30年-IX-10　第十戶　**吳文軒**　民戶　（絕）

實在　人口　　男子不成丁２，本身125，男：興96

事産

民瓦房　３間

30年-IX-11　第十一戶　**汪　振**　民戶

實在　人口　　男子不成丁１，本身129

事産

民瓦房　１間

30年-IX-12　第十二戶　**朱　雲**　民戶　（絕）

實在　人口　　男子不成丁１，本身123

事産

民瓦房　３間

30年-IX-13　第十三戶　**朱　彬**　絕軍

實在　人口　　男子不成丁３，本身205，弟：九194，弟：清189

事産

民瓦房　３間

民水牛　１頭

30年-Ⅸ-14　第十四戸　**黃闕童**　絕軍
實在　人口　男子不成丁３，本身200，男：永興175，男：永安181
婦　女　１，妻：王氏208

30年-Ⅸ-15　第十五戸　**潘玹童**　絕軍
實在　人口　男子不成丁１，本身224
事產
民瓦房　２間

30年-Ⅸ-16　第十六戸　**王文正**　軍　(絕)
實在　人口　男子不成丁１，本身144
事產
民瓦房　３間

30年-Ⅸ-17　第十七戸　**汪　榮**　民戸　(絕)
實在　人口　男子不成丁１，本身106

第10甲

30年-Ⅹ　排年　**金萬鍾**　軍戸
舊管　人口　44　男子32，婦女12
事產
民田地山塘　134.1880　夏麥２石５斗１合，秋米５石５斗５合９勺
田　79.6660　麥１石７斗４合８勺，米４石２斗６升２合
地　21.6240　麥４斗２升９合６勺，米８斗３升７合
山　31.6190　麥３斗３升８合３勺，米３斗３升８合３勺
塘　1.2790　麥２升７合４勺，米６升８合４勺
民瓦房　６間
水　牛　１頭
新收　人口　男子不成丁５，侄：富成23年生，侄：德曜21年生，侄：天成27年生，
侄：武成28年生，侄：君時28年生
事產
轉收
民田地山塘　22.9080　夏麥４斗６升８合，秋米１石１斗３升１合８勺
田　20.2950　麥４斗３升４合３勺，米１石８升５合７勺
得田　0.5200　30年本圖１甲王　茂戸
得田　0.8100　29年５甲陳　章戸

得田　1.3330　28年8甲王應享戶
得田　0.3800　30年8甲程　學戶
得田　2.4340　29年1圖3甲王　爵戶
得田　1.0060　29年1圖3甲王　爵戶
得田　0.6060　28年1圖10甲陳　浩戶
得田　0.3800　30年1甲程　相戶
得田　1.4580　27年7甲王承興戶
得田　2.2100　27年7甲王承興戶
得田　1.5700　29年10甲陳　新戶
得田　1.5010　29年10甲陳　新戶
得田　3.6000　27年1圖4甲陳積裕戶
必田　1.1370　31年1圖5甲陳祖陽戶
得田　0.2000　30年2圖3甲陳玄法戶
光田　0.1500　21年7都3圖6甲金　敉戶
地　0.5480　麥1升9合，米2升1合2勺
得地　0.1200　23年10甲陳　新戶
得地　0.0900　26年1圖9甲陳應婁戶
得地　0.3380　30年1圖4甲程　武戶
山　2.0000　麥2升1合4勺，米2升1合4勺
得山　0.2500　21年5甲陳　章戶
得山　0.7500　31年10甲陳　新戶
得山　1.0000　23年10甲陳　新戶
塘　0.0650　麥1合4勺，米3合5勺
得塘　0.0580　28年7甲王承興戶
得塘　0.0070　28年8甲王應享戶
開除　人口　男子5，成　丁4，侄：早24年故，叔：鎭28年故，侄：澄22年故，侄孫：山30年故
不成丁1，侄孫：滿22年故
事產
轉除
民田地山　39.1265　夏麥8斗2升5合，秋米2石3升9合6勺
田　37.5425　麥8斗3合4勺，米2石8合5勺
得田　0.9130　22年本圖1甲王　茂戶
得田　1.7010　22年本圖1甲王　茂戶
得田　0.2100　22年本圖1甲王　茂戶
得田　0.5625　22年本圖1甲王　茂戶
得田　0.4530　22年本圖1甲王　茂戶
得田　0.2540　30年1甲程　相戶
得田　5.5730　29年2甲朱　作戶

得田　0.2095　29年2甲朱　偉戶
得田　0.7660　29年2甲朱　偉戶
得田　1.6710　23年2甲朱祐生戶
得田　0.2770　30年2甲朱誠侄戶
得田　0.9350　30年2甲朱誠侄戶
得田　1.6460　29年2甲朱　汶戶
得田　0.2770　30年2甲朱　汶戶
得田　0.8130　23年7甲王齊興戶
得田　2.0230　23年7甲王齊興戶
得田　1.0040　27年8甲朱良佑戶
得田　1.3640　30年本甲朱德昌戶
得田　1.9130　28年本甲朱　雷戶
得田　1.4430　21年1圖6甲陳達宗戶
得田　0.5100　26年8甲程廷隆戶
得田　0.5220　26年8甲程廷隆戶
得田　1.0610　26年8甲程廷隆戶
得田　1.1170　29年1圖3甲王　爵戶
得田　0.9995　27年1圖3甲王　爵戶
得田　3.5060　23年2圖1甲張　曜戶
得田　1.5300　25年2圖1甲張　曜戶
必田　2.0120　27年2圖10甲朱　法戶
必田　2.2770　31年11都3圖2甲汪國英戶
地　0.5040　麥1升1合，米1升9合5勺
得地　0.0090　21年本圖1甲王　茂戶
得地　0.2090　30年1圖4甲陳積裕戶
得地　0.2860　31年2圖5甲金進全戶　黃册未上
山　1.0800　麥1升1合6勺，米1升1合6勺
得山　0.0800　30年本圖8甲朱得九戶
得山　1.0000　31年2圖5甲金進全戶　黃册未上
實在　人口　44　男子32，成　丁22，本身：39，侄：景69，侄：杲66，侄：雙65，侄：鼎45，侄孫：岩節56，侄孫：汶55，侄孫：海47，侄孫：濱45，侄孫：鄉45，侄孫：淳36，侄孫：德愛35，侄孫：德寬35，侄孫：滔36，侄孫：文成32，侄孫：濼33，侄孫：德緩25，侄：義成27，侄孫：淙23，侄孫：漢15，侄孫：新成15，義男：富隆20
不成丁10，侄孫：君錫13，侄孫：鳴14，侄孫：德祥11，侄孫：明12，侄：富成8，侄：德曜10，侄：天成4，侄：武成3，侄孫：君時6，侄：印

78

婦女12，妻：許氏39，侄婦：呉氏48，侄婦：陳氏51，侄孫婦：呉氏36，侄孫婦：洪氏53，侄孫婦：汪氏57，侄孫婦：陳氏43，侄孫婦：王氏35，侄孫婦：程氏36，侄孫婦：汪氏30，侄孫婦：方氏35，侄孫婦：金氏40，侄孫婦：程氏35，侄孫婦：陳氏27，侄孫婦：王氏17

事産

民田地山塘　117.9695　夏麥２石１斗４升３合，秋米４石５斗９升８合
田　62.4185　麥１石３斗３升５合７勺，米３石３斗３升９合３勺
地　21.6680　麥４斗３升５合，米８斗３升８合８勺
山　32.5390　麥３斗４升８合，米３斗４升８合
塘　1.3440　麥２升８合８勺，米７升１合９勺
民瓦房　６間
民水牛　１頭

30年-Ｘ-1　甲首第一戸　**汪應明**　民戸

舊管　人口　6　男子３，婦女３

事産

民田地山塘　13.3240　夏麥２斗７升，秋米６斗３升１合
田　9.7030　麥２斗７升７合，米５斗１升９合１勺
地　2.5220　麥５升１合，米９升７合６勺
山　1.0600　麥１升１合３勺，米１升１合３勺
塘　0.0390　麥９合，米２合

開除　事産

轉除

民田山　0.8800　夏麥１升８合２勺，秋米４升４合９勺
田　0.8300　麥１升７合７勺，米４升４合４勺
改田　0.8300　31年26都６圖３甲汪汝成戸
山　0.0500　麥５合，米５合
才山　0.0500　23年26都６圖３甲汪　齊戸

實在　人口　6　男子３，成　丁２，本身30，弟：應鴻29
不成丁１，男：生12
婦女３，母：朱氏50，嬸：呉氏50，妻：朱氏30

事産

民田地山塘　12.4440　夏麥２斗５升１合８勺，秋米５斗８升５合２勺
田　8.8730　麥１斗９升，米４斗７升４合７勺
地　2.5220　麥５升１合，米９升７合６勺
山　1.0100　麥１升８合，米１升８合

塘　0.0390　麥 9 合，米 2 合

30年-Ⅹ-2　甲首第二戸　**詹應星**　民戸

舊管　人口　2　男子 1，婦女 1

事産

民田地山　0.9110　夏麥 1 升 8 合 1 勺，秋米 4 升 1 合 7 勺

田　0.6300　麥 1 升 3 合 5 勺，米 3 升 3 合 7 勺

地　0.1780　麥 3 合 5 勺，米 6 合 9 勺

山　0.1030　麥 1 合，米 1 合

民瓦房　3 間

開除　事産

轉除

民田地山　0.8300　夏麥 1 升 7 合，秋米 4 升 6 合

田　0.6300　麥 1 升 3 合 5 勺，米 3 升 3 合 7 勺

得田　0.6300　21年 1 圖 5 甲陳　壽戸

地　0.1700　麥 3 合 3 勺，米 6 合 6 勺

得地　0.0300　22年 1 甲王　茂戸

得地　0.0100　24年 6 甲汪世祿戸

必地　0.1300　22年 1 圖 5 甲陳　貴戸

山　0.0300　麥 3 合，米 3 合

得山　0.0300　22年 2 圖 7 甲汪應遠戸

實在　人口　2　男子成丁 1，本身65

婦　女 1，母：江氏100

事産

民地山　0.0810　夏麥 1 合，秋米 1 合

地　0.0080　麥 2 合，米 3 合

山　0.0730　麥 8 合，米 8 合

民瓦房　3 間

30年-Ⅹ-3　甲首第三戸　**朱　雷**　民戸

舊管　人口　3　男子 2，婦女 1

事産

民田地山　7.2030　夏麥 1 升 4 合 5 勺，秋米 3 斗 4 升 1 合 6 勺

田　5.7990　麥 1 斗 2 升 4 合，米 3 斗 1 升 3 合

地　0.5790　麥 1 升 1 合 5 勺，米 2 升 2 合 4 勺

山　0.8250　麥 8 合 9 勺，米 8 合 9 勺

民瓦房　3 間

新收　人口　男子不成丁 1，男：復生29年生

事産

轉收
民田地山　14.3717　夏麥３斗５升５合，秋米７斗６升１合
田　14.1030　麥３斗１合８勺，米７斗５升４合５勺
得田　0.4280　23年本圖１甲王　茂戸
得田　1.9130　28年10甲金萬鍾戸
得田　1.1670　27年10甲朱時選戸
得田　1.5470　28年１圖４甲陳積裕戸
得田　1.3120　23年１圖７甲程三仔戸
得田　2.1220　26年本圖２甲朱時應戸
得田　1.0633　26年本圖２甲朱時應戸
得田　1.4307　26年本圖２甲朱時應戸
得田　1.8900　26年本圖２甲朱時應戸
必田　1.2300　23年１圖10甲陳　浩戸
地　0.0972　麥１合９勺，米３合８勺
得地　0.04725　23年本甲朱時選戸
得地　0.0250　25年本甲朱時選戸
得地　0.0250　27年本甲朱祖光戸
山　0.1715　麥１合８勺，米１合８勺
得山　0.0935　25年本甲朱時選戸
得山　0.0780　25年本甲朱時選戸
開除　人口　男子不成丁１，男：卽生26年故
事産
轉除
民田　3.3200　夏麥７升１合，秋米１斗７升７合７勺
得田　0.5870　23年９甲朱彰先戸
能田　2.7330　23年26都６圖１甲李　華戸
實在　人口　3　男子２，成　丁１，本身28
不成丁１，男：復生２
婦女１，妻：趙氏28
事産
民田地山　18.2547　夏麥２斗７升９合，秋米９斗２升４合
田　16.5820　麥３斗５升４合９勺，米８斗８升７合
地　0.6763　麥１升３合４勺，米２升６合２勺
山　0.9965　麥１升７合，米１升７合
民瓦房　３間

………………………………………………………………………………

30年-Ⅹ-4　甲首第四戸　**汪　寉**　民戸　叔才
舊管　人口　11　男子６，婦女５
事産

民田地山塘　18.9410　夏麥3斗8升6合，秋米8斗9升5合6勺
田　14.5610　麥3斗1升1合6勺，米7斗7升9合
地　2.1860　麥4升3合4勺，米8升4合6勺
山　1.9940　麥2升1合3勺，米2升1合3勺
塘　0.2000　麥4升3合，米1升7合
民瓦房　3間
新收　人口　男子不成丁2，侄：以通29年生，侄：以達27年生
開除　人口　男子2，成丁1，叔：才24年故，不成丁1，侄：善28年故
事産
轉除
民田地　0.5460　夏麥1升1合5勺，秋米2升7合
田　0.4000　麥8合6勺，米2升1合4勺
得田　0.4000　21年本圖1甲王　茂戶
地　0.1460　麥2合9勺，米5合6勺
得地　0.1460　31年1圖9甲陳應婁戶
實在　人口　11　男子6，成　丁4，本身52，兄：寉53，弟：法43，侄：良22
不成丁2，侄：以達4，侄：以通2
婦女5，嫂：胡氏55，伯母：金氏70，伯母：陳氏68，嫂：程氏56，
妻：王氏43
事産
民田地山塘　18.3950　夏麥3斗6升9合，秋米8斗6升8合6勺
田　14.1610　麥3斗3合，米7斗5升7合6勺
地　2.0400　麥4升5合，米7升9合
山　1.9940　麥2升1合3勺，米2升1合3勺
塘　0.2000　麥4升3合，米1升7合
民瓦房　3間

30年-X-5　甲首第五戶　**王端佑**　民戶　父雲覽
舊管　人口　5　男子3，婦女2
事産
民田地山　4.0470　夏麥8升5合6勺，秋米2斗1升6合
田　3.7740　麥8升8合，米2斗1合9勺
地　0.2030　麥4合，米7合9勺
山　0.0700　麥8合，米8合
民瓦房　4間
新收　人口　男子成丁1，本身14年生，前册未報
事産
轉收
民田地山　2.7310　夏麥4升6合，秋米8升7合

田　0.6310　麥1升3合5勺，米3升3合8勺
歳田　0.4440　22年3都6圖8甲金淵祖戸
歳田　0.1870　22年3都6圖8甲金　禎戸
地　1.1000　麥2升1合9勺，米4升2合6勺
歳地　0.3300　22年本圖7甲潘　傑戸
藏地　0.1290　30年3都2圖4甲金天中戸
藏地　0.6500　30年3都2圖4甲金　珪戸
山　1.0000　麥1升7合，米1升7合
藏山　0.1500　30年3都2圖4甲金天中戸
藏山　0.8500　30年3都2圖4甲金　珪戸
開除　人口　男子成丁1，父：雲覽29年故
事產
轉除
民地山　0.3030　夏麥5合9勺，秋米1升1合4勺
地　0.2880　麥5合7勺，米1升1合2勺
陽地　0.1780　30年3都10圖10甲呂萬宗戸
成地　0.1100　30年8都3圖5甲昌統宗戸
山　0.0150　麥2合，米2合
呂山　0.0150　30年14都6圖6甲黃希文戸
實在　人口　5　男子成丁3，本身17，兄：祈應63，兄：祈生52
婦　女2，妻：吳氏17，嫂：閔氏
事產
民田地山　6.4750　夏麥1斗2升5合8勺，秋米2斗8升6合3勺
田　4.4050　麥9升4合3勺，米2升3升5合7勺
地　1.1050　麥2升2合，米3升9合3勺
山　1.0550　麥1升1合3勺，米1升1合3勺
民瓦房　4間

……………………………………………………………………

30年-X-6　甲首第六戸　**朱時選**　民戸
舊管　人口　5　男子3，婦女2
事產
民田地山　27.1220　夏麥5斗4升4合，秋米1石2斗6升3合5勺
田　20.6460　麥4斗4升1合8勺，米1石1斗4合6勺
地　3.1970　麥6升3合5勺，米1斗2升3合8勺
山　3.2790　麥3升5合，米3升5合
新收　人口　男子不成丁1，侄：覽29年生
開除　人口　男子不成丁1，弟：用26年故
事產
轉除

民田地山　6.2792　夏麥１斗２升７合８勺，秋米３斗７合８勺
田　5.46745　麥１斗１升７合，米２斗９升２合５勺
得田　3.99945　27年２甲朱師顏戶
得田　1.1670　27年本甲朱　雷戶
能田　0.3010　22年本都３圖10甲金返祀戶
地　0.23425　麥４合６勺，米９合
得地　0.0820　22年２甲朱　汶戶
得地　0.04725　23年本甲朱　雷戶
得地　0.0250　25年本甲朱　雷戶
得地　0.0800　23年２甲朱祖耀戶
山　0.5775　麥６合２勺，米６合２勺
得山　0.1870　23年８甲朱良祐戶
得山　0.2190　23年８甲朱良祐戶
得山　0.0935　25年本甲朱　雷戶
得山　0.0780　25年本甲朱　雷戶

實在　人口　5　男子３，成　丁２，本身30，侄：陽25
不成丁１，侄：覽２
婦女２，母：金氏70，妻：陳氏30

事產
民田地山　20.8428　夏麥４斗１升２合６勺，秋米９斗５升５合７勺
田　15.17855　麥２斗２升４合８勺，米８斗１升２合
地　2.96275　麥５升８合９勺，米１斗１升４合７勺
山　2.7015　麥２升８合９勺，米２升８合９勺

……………………………………………………………………

30年-Ｘ-7　甲首第七戶　**陳　新**　軍戶　父祥

舊管　人口　11　男子７，婦女４

事產
民田地山　40.6510　夏麥８斗２升４合３勺，秋米１石９斗１升６合
田　28.3140　麥６斗５合９勺，米１石５斗１升４合８勺
地　9.4150　麥１斗８升７合，米３斗６升４合５勺
山　2.9210　麥３升１合３勺，米３升１合３勺
民瓦房　３間
民水牛　１頭

新收　人口　4　男子３，成　丁１，侄：貴孫16年生，前冊未報
不成丁２，侄：宇明27年生
婦女１，妻：尹氏 本都１圖尹法女

開除　人口　6　男子５，成　丁３，兄：朋21年故，弟：壽22年故，侄：權31年故
不成丁２，父：祥21年故，弟：貢思21年故
婦女１，叔母：吳氏25年故

事產
転除
民田地山　34.7975　夏麥７斗６合４勺，秋米１石６斗５升９合４勺
田　26.3825　麥５斗６升４合６勺，米１石４斗１升１合５勺
得田　1.7300　24年本圖１甲王　茂戶
得田　2.5930　23年本圖１甲王　茂戶
得田　0.4200　24年本圖１甲王　茂戶
得田　1.3000　26年本圖６甲汪世祿戶
得田　1.0360　26年本圖４甲王正芳戶
得田　1.1910　26年本圖４甲王正芳戶
得田　1.3780　26年本圖４甲王正芳戶
得田　1.3000　26年本圖４甲王正芳戶
得田　0.6740　30年本圖２甲朱　偉戶
得田　1.2600　24年本圖２甲朱祐生戶
得田　0.3040　24年本圖２甲朱祐生戶
得田　0.6360　24年本圖２甲朱祐生戶
得田　1.0670　30年本圖７甲王齊興戶
得田　0.5105　30年本圖７甲王齊興戶
得田　0.9540　28年２甲朱　汶戶
得田　1.3480　23・24年８甲朱良佑戶
得田　2.5700　29年10甲金萬鍾戶
得田　1.0510　29年10甲金萬鍾戶
得田　1.1870　24年10甲朱德昌戶
得田　0.3790　30年１圖３甲王　爵戶
得田　0.3500　22年１圖６甲陳　生戶
得田　1.3570　23年２圖３甲陳玄法戶
得田　0.8400　22年２圖６甲朱世茂戶
地　5.6420　麥１斗１升２合，米２斗１升８合４勺
得地　0.0200　25年１甲王　茂戶
得地　3.0100　31年１甲王　茂戶
得地　0.1200　24年４甲王正芳戶
得地　0.5410　25年７甲王齊興戶
得地　0.1700　25年７甲王齊興戶
得地　0.0600　31年２甲朱　汶戶
得地　0.0600　31年２甲朱誠侄戶
得地　1.3450　26年７甲王齊興戶
得地　0.1960　26年７甲王齊興戶
得地　0.1200　23年本甲金萬鍾戶
山　2.7720　麥２升９合７勺，米２升９合７勺

得山　0.1000　31年１甲王　茂戶
得山　0.2500　30年７甲王齊興戶
必山　0.5000　22年１圖７甲汪應遠戶
得山　0.1720　30年11都３圖４甲金　昌戶

實在　人口　9　男子５，成　丁３，本身50，兄：長62，侄：貢選15
不成丁２，侄孫：宗明４，侄：孫九３
婦女４，妻：尹氏44，嫂：朱氏60，弟婦：汪氏38，侄婦：洪氏45

事産
民田地山　7.0715　夏麥１斗４升４合，秋米３斗１升６合４勺
田　3.1485　麥６升７合４勺，米１斗６升８合５勺
地　3.7730　麥７升５合，米１斗４升６合
山　0.1500　麥１合６勺，米１合６勺
民瓦房　３間
民水牛　１頭

……………………………………………………………………………………

30年-Ⅹ-8　甲首第八戶　朱祖光　民戶

舊管　人口　3　男子２，婦女１

事産
民田地山　3.7540　夏麥６升８合，秋米１斗４升４合６勺
田　1.8370　麥３升９合３勺，米９升８合３勺
地　0.9200　麥１升８合２勺，米３升５合６勺
山　0.9970　麥１升７合，米１升７合

開除　事産
轉除
民田地　0.5710　夏麥１升１合８勺，秋米３升９合６勺
田　0.5100　麥１升９合，米２升７合３勺
得田　0.5100　22年２甲朱　洪戶
地　0.0610　麥１合，米２合３勺
得地　0.0250　30年本甲朱時新戶
得地　0.0110　30年本甲朱時新戶
得地　0.0250　27年本甲朱　雷戶

實在　人口　3　男子２，成　丁１，本身52，
不成丁１，男：永保13
婦女１，妻：汪氏50

事産
民田地山　3.1830　夏麥５升６合２勺，秋米１斗１升５合
田　1.3270　麥２升８合４勺，米７升１合
地　0.8590　麥１升７合，米３升３合３勺
山　0.9970　麥１升７合，米１升７合

……………………………………………………………………………………

30年-Ⅹ-9　甲首第九戸　**吳　璜**　民戶

舊管　人口　　4　男子３，婦女１
　　事產
　　　民田地塘　　0.7780　夏麥１升６合，秋米３升６合３勺
　　　　　田　　0.2800　麥６合，米１升５合
　　　　　地　　0.3590　麥７合，米１升３合９勺
　　　　　塘　　0.1390　麥３合，麥７合４勺
實在　人口　　4　男子３，成　丁２，本身32，男：福23
　　　　　　　　　不成丁１，男：松13
　　　　　　　婦女１，母：汪氏75
　　事產
　　　民田地塘　　0.7780　夏麥１升６合，秋米３升６合３勺
　　　　　田　　0.2800　麥６合，米１升５合
　　　　　地　　0.3590　麥７合，米１升３合９勺
　　　　　塘　　0.1390　麥３合，麥７合４勺

30年-Ⅹ-10　甲首第十戸　**汪　顯**　民戶

舊管　人口　　3　男子２，婦女１
　　事產
　　　民田地山塘　　30.0860　夏麥６斗２升４合，秋米１石５斗１升４合４勺
　　　　　田　　27.6560　麥５斗９升１合８勺，米１石４斗７升９合６勺
　　　　　地　　0.1660　麥３合３勺，米６合４勺
　　　　　山　　2.1660　麥２升３合２勺，米２升３合２勺
　　　　　塘　　0.0980　麥２合，米５合２勺
　　　民瓦房　　2間
實在　人口　　3　男子２，成　丁１，義男：朱良60
　　　　　　　　　不成丁１，本身110
　　　　　　　婦女１，妻：宋氏59
　　事產
　　　民田地山塘　　30.0860　夏麥６斗２升４合，秋米１石５斗１升４合４勺
　　　　　田　（原　缺）　麥５斗９升１合８勺，米１石４斗７升９合６勺
　　　　　地　（原　缺）　麥３合３勺，米６合４勺
　　　　　山　（原　缺）　麥２升３合２勺，米２升３合２勺
　　　　　塘　（原　缺）　麥２合，米５合２勺
　　　民瓦房　　2間

30年-Ⅹ-11　第十一戸　**朱　瑚**　民戶

舊管　人口　　3　男子２，婦女１
　　事產

民田地山　6.7955　夏麥1斗3升5合8勺，秋米3斗1升9合
田　5.3240　麥1斗1升3合9勺，米2斗8升4合8勺
地　0.6605　麥1升3合2勺，米2升5合5勺
山　0.8110　麥8合7勺，米8合7勺
新收　人口　男子不成丁1，男：壽生29年生
開除　人口　男子成　丁1，男：期生24年故
事産
轉除
民田地山　1.14855　夏麥2升3合5勺，秋米5升5合7勺
田　0.9310　麥1升9合9勺，米4升9合8勺
得田　0.9310　23年9甲朱彰先戶
地　0.12775　麥2合6勺，米4合9勺
得地　0.0813　22年2甲朱誠侄戶
得地　0.04625　22年9甲朱　璠戶
山　0.0898　麥1合，米1合
得山　0.0313　30年2甲朱　洪戶
得山　0.0210　22年9甲朱　璠戶
得山　0.0375　22年9甲朱　璠戶
實在　人口　3　男子2，成　丁1，本身47
不成丁1，男：壽生2
婦女1，妻：吳氏45
事産
民田地山　5.64695　夏麥1斗1升2合3勺，秋米2斗6升3合3勺
田　4.3930　麥9升4合，米2斗3升5合
地　0.53275　麥1升6合，米2升6合
山　0.7212　麥7合7勺，米7合7勺

30年-X-12　第十二戶　程　産　民戶
舊管　人口　4　男子2，婦女2
事産
民田地山塘　3.7810　夏麥7升3合2勺，秋米1斗5升1合
田　0.8560　麥1升8合3勺，米4升5合8勺
地　2.3990　麥4升7合7勺，米9升2合8勺
山　0.3900　麥4合2勺，米4合2勺
塘　0.1360　麥2合9勺，米7合3勺
民瓦房　2間
實在　人口　4　男子成丁2，本身35，弟：義29
婦　女2，母：朱氏55，叔母：朱氏60
事産

民田地山塘　3.7810　夏麥7升3合，秋米1斗5升1合
　田　0.8560　麥1升8合3勺，米4升5合8勺
　地　2.3990　麥4升7合7勺，米9升2合8勺
　山　0.3900　麥4合2勺，米4合2勺
　塘　0.1360　麥2合9勺，米7合3勺
民瓦房　2間

30年-X-13　第十三戸　**吳　濵**　民戸
舊管　人口　3　男子2，婦女1
　事產
　　民田地　0.0460　夏麥9勺，秋米1合8勺
　　民瓦房　2間
實在　人口　3　男子成丁2，本身39，弟：潤15
　　　婦　女1，妻：江氏39
　事產
　　民田地　0.0460　夏麥9勺，秋米1合8勺
　　民瓦房　2間

30年-X-14　甲首第十四戸　**朱國錢**　民戸
舊管　人口　1　男子1
　事產
　　民田地山　18.6890　夏麥3斗8升5合8勺，秋米9斗3升8合2勺
　　　田　16.8860　麥3斗6升1合4勺，米9斗3合4勺
　　　地　0.5570　麥1升1合，米2升1合5勺
　　　山　1.2460　麥1升3合3勺，米1升3合3勺
新收　事產
　　轉收
　民田地山塘　10.7080　夏麥2斗1升9合3勺，秋米5斗3升2合5勺
　　　田　9.6660　麥2斗6合8勺，米5斗1升7合
　　　　得田　1.6850　24年2甲朱　欽戸
　　　　得田　0.6090　27年7甲王承興戸
　　　　得田　0.9000　27年9甲王　敍戸
　　　　得田　3.3790　24年8甲朱得九戸
　　　　得田　1.6520　24年8甲朱得九戸
　　　　得田　1.4410　24年8甲朱得九戸
　　　地　0.1000　麥2合，米3合9勺
　　　　得地　0.1000　24年2甲朱　欽戸
　　　山　0.9110　麥9合8勺，米9合8勺
　　　　得山　0.0750　15・18年2甲朱　洪戸

得山　0.7150　15・18年２甲朱　洪戶
得山　0.1300　15・18年２甲朱　洪戶
塘　0.0310　麥７合，米１合７勺
得塘　0.0190　24年８甲朱得九戶
得塘　0.0120　27年９甲王　敍戶
實在　人口　1　男子成丁１，本身26
事產
民田地山塘　29.3970　夏麥６斗５合，秋米１石４斗７升７合
田　26.5520　麥５斗６升８合２勺，米１石４斗２升５合
地　0.6570　麥１升３合，米２升５合４勺
山　2.1570　麥２升３合，米２升３合
塘　0.0310　麥７合，米１合７勺

30年-X-15　第十五戶　**朱時新**　民戶　外祖金廷貴
舊管　人口　4　男子２，婦女２
事產
民瓦房　２間
新收　人口　男子成丁１，本身11年生，前册未報
事產
轉收
民田地塘　3.8300　夏麥８升１合９勺，秋米２斗４合４勺
田　3.7740　麥８升８合，米２斗１合９勺
得田　2.1340　30年１甲王　茂戶
得田　1.6400　30年１圖５甲陳祖陽戶
地　0.0360　麥７合，米１合５勺
得地　0.0250　30年本甲朱祖光戶
得地　0.0110　30年本甲朱祖光戶
塘　0.0200　麥４合，米1勺
得塘　0.0200　30年１圖５甲陳祖陽戶
開除　人口　男子２，成　丁１，外祖：金廷貴23年故
不成丁１，弟：金椿24年故
實在　人口　3　男子成丁１，本身20
婦　女２，大外祖母：□氏75，外祖母：汪氏41
事產
民田地塘　3.8300　夏麥８升１合９勺，秋米２斗４合４勺
田　3.7740　麥８升８合，米２斗１合９勺
地　0.0360　麥７合，米１合５勺
塘　0.0200　麥４合，米１合
民瓦房　２間

30年-Ⅹ-16　第十六戸　**朱德昌**　民戸
新收　人口　　男子成丁１，本身原無戸籍，奉例告明立戸
　事產
　　轉收
　　　民田　　14.4240　夏麥３斗８合７勺，秋米７斗７升１合７勺
　　　　得田　1.0400　23年１甲王　茂戸
　　　　得田　1.1260　23年１甲王　茂戸
　　　　必田　1.6400　23年１甲王　茂戸
　　　　得田　2.7660　25年８甲王繼成戸
　　　　得田　0.7000　27年１圖５甲陳添相戸
　　　　得田　1.1510　30年１圖５甲陳祖陽戸
　　　　得田　1.5400　30年４甲陳　富戸
　　　　得田　1.4600　24年５甲陳　章戸
　　　　得田　0.4500　24年５甲陳　新戸
　　　　得田　1.3640　30年10甲金萬鍾戸
　　　　得田　1.1870　24年10甲陳 新戸
實在　人口　　1　男子成丁１，本身20
　事產
　　　民田　　14.4240　夏麥３斗８合７勺，秋米７斗７升１合７勺

30年-Ⅹ-17　第十七戸　**朱國昌**　民戸
新收　人口　　男子成丁１，本身原無戸籍，奉例告明立戸
　事產
　　轉收
　民田地山塘　　14.7818　夏麥３斗１升２合７勺，秋米７斗７升４合３勺
　　　　田　　14.1990　　麥３斗３合９勺，米７斗５升９合６勺
　　　　能田　1.5860　24年８甲朱文林戸
　　　　改田　0.7900　24年３圖１甲金本中戸
　　　　改田　5.6000　25年３圖２甲金喻禮戸
　　　　淡田　1.0300　31年11都１圖９甲倪三龍戸
　　　　改田　1.8930　25年26都１圖10甲朱天儲戸
　　　　能田　1.3500　26年11都３圖２甲吳連付戸
　　　　淡田　1.0000　26年11都３圖２甲吳連付戸
　　　　改田　0.9500　25年26都１圖10甲朱玄時戸
　　　　地　　0.1788　　麥３合６勺，米６合９勺
　　　　能地　0.0166　24年４甲朱大興戸
　　　　能地　0.0566　31年４甲朱文魁戸
　　　　能地　0.0506　30・31年８甲朱文林戸
　　　　能地　0.0250　31年６甲朱　貴戸

能地　0.0300　21年6圖9甲吳文茂戶
山　0.3240　麥3合5勺，米3合5勺
能山　0.0095　21年4甲朱文魁戶
能山　0.0050　24年4甲朱大興戶
能山　0.0100　31年6圖9甲吳文茂戶
能山　0.0095　30年8甲朱文林戶
能山　0.2900　23年6圖7汪　龍戶
塘　0.0800　麥1合7勺，米4合3勺
能塘　0.0800　21年8甲朱文林戶

實在　人口　男子成丁1，本身19
事產
民田地山塘　14.7818　夏麥3斗1升2合7勺，秋米7斗7升4合3勺
田　14.1990　麥3斗3合9勺，米7斗5升9合6勺
地　0.1788　麥3合6勺，米6合9勺
山　0.3240　麥3合5勺，米3合5勺
塘　0.0800　麥1合7勺，米4合3勺

30年-X-18　第十八戶　**朱　福**　軍戶（絕）

舊管　人口　2　男子1，婦女1
事產
民田地　3.0290　夏麥6升4合7勺，秋米1斗6升1合
田　2.9690　麥6升3合5勺，米1斗5升8合8勺
地　0.0600　麥1合2勺，米2合3勺
民瓦房　6間

開除　事產
轉除
民田地　3.0290　夏麥6升4合7勺，秋米1斗6升1合
田　2.9690
得田　2.9690　30年2甲朱　偉戶
地　0.0600
得地　0.0600　30年2甲朱師孔戶

實在　人口　2　男子不成丁1，本身124
婦　女　1，母：陳氏140
事產
民瓦房　6間

30年-X-19　第十九戶　**朱記友**　絕軍

實在　人口　1　男子不成丁1，本身178
事產

民瓦房　3間

30年-Ⅹ-20　第二十戶　朱　遠　絕軍
實在　人口　4　男子不成丁3，本身207，弟：椿205，弟：克203
婦　女　1，母：230
事產
民瓦房　3間

30年-Ⅹ-21　第二十一戶　朱永壽　絕軍
實在　人口　1　男子不成丁1，本身229
事產
民瓦房　半間

萬曆40年册

第１甲

40年-Ⅰ　排年　**王　茂**

舊管　人口　69　男子57，婦女12

事産

民田地山塘　383.7377　夏麥６石８斗６升５合７勺，秋米14石６斗７升２合４勺

田　208.1630　麥４石４斗５升４合，米11石１斗３升６合７勺

地　54.4983　麥１石８升２合９勺，米２石１斗９合８勺

山　118.0304　麥１石２斗６升２合９勺，米１石２斗６升２合９勺

塘　3.0460　麥６升５合２勺，米１斗６升３合

民瓦房　６間

新收　人口　男子15，成　丁３，侄：岩生　萬曆20年生，先年出繼，今入籍當差

侄：三壽　萬曆23年生，在外生長，今入籍當差

侄：廷錫　萬曆22年生，在外生長，今入籍當差

不成丁12，侄孫：三木　萬曆36年生，侄孫：三略　萬曆37年生，

侄孫：元爵　萬曆35年生，侄孫：三凰　萬曆35年生，

侄孫：玄奇　萬曆37年生，侄孫：三陽　萬曆34年生，

侄孫：得富　萬曆35年生，侄孫：得儀　萬曆36年生，

侄孫：世　萬曆36年生，侄孫：玄鋕　萬曆34年生，

侄孫：壬賢　萬曆37年生，夙義　萬曆38年生

事産

轉收

民田地山塘　79.28419　夏麥１石５斗２合８勺，秋米３石４斗３合４勺

田　54.6142　麥１石１斗６升８合７勺，米２石９斗２升１合９勺

0.8780　40年買本圖10甲金萬鍾戶

0.4000　32年買本圖７甲王齊興戶

0.3820　40年買本圖10甲陳　新戶

0.9850　33年買11都３圖２甲汪國英戶

0.6360　41年買本圖５甲陳　章戶

2.3280　34年買１圖６甲陳　曜戶

2.5190　36年買１圖３甲王　爵戶

4.4100　36年買２圖３甲陳玄法戶

1.0900　37年買本圖５甲陳　章戶

0.9880	37年買本圖６甲汪世祿戶
1.2550	37年買本圖10甲金萬中戶
0.8400	40年買本圖10甲金萬鍾戶
2.2340	39年買13都２圖４甲程　文戶
2.4505	40年買本圖10甲金萬鍾戶
0.3270	38年買本都１圖４甲陳積裕戶
0.7050	38年買１圖３甲王　爵戶
0.8630	32年買１圖３甲王　爵戶
1.6270	41年買本圖７甲王齊興戶
1.1050	37年買１圖10甲陳　浩戶
0.8460	33年買１圖３甲王　爵戶
1.9890	41年買本圖５甲陳　章戶
0.5025	31年買本圖本甲程　相戶
1.7880	32年買本圖２甲朱　偉戶
0.1500	39年買１圖６甲陳社護戶
2.2050	40年買２圖３甲陳玄法戶
1.1000	32年買１圖５甲陳三陽戶
0.2540	34年買１圖３甲王　爵戶
0.5100	33年買本圖10甲陳　新戶
0.9700	33年買２圖７甲汪　忠戶
1.0770	33年買１圖５甲陳三陽戶
1.0360	35年買１圖９甲陳　廣戶
0.6160	35年買１圖６甲陳　曜戶
1.3730	35年買１圖６甲陳社護戶
0.5100	35年買１圖９甲陳　保戶
0.4885	35年買11都３圖２甲汪國英戶
0.1700	37年買26都４圖10甲洪　奎戶
0.2000	37年買１圖４甲陳于暘戶
0.2970	31年買本圖８甲程　學戶
0.3400	31年買本圖８甲程　學戶
0.3975	31年買本圖１甲程　柯戶
0.7000	40年買本甲王　富戶
1.6790	32年買本圖10甲金萬中戶
0.5105	40年買本圖７甲王齊興戶
1.1300	35年買本甲王　富戶
0.5200	40年買本圖10甲金萬中戶
1.6070	40年買本圖10甲金萬中戶
0.1400	41年買１圖３甲王　雀戶
1.0600	41年買１圖５甲陳三陽戶

6.0340　35年買本圖10甲金萬中戶
地　7.30434　麥1斗4升5合1勺，米2斗8升6合
地　0.8450　40年買本圖7甲王齊興戶
地　0.0800　40年買本圖10甲陳　新戶
地　0.0600　38年買本圖7甲王齊興戶
地　0.0500　38年買本圖7甲王齊興戶
地　0.5658　40年買本圖10甲陳　新戶
地　2.6700　36年買1圖3甲王　爵戶
地　0.0600　36年買1圖3甲王　爵戶
地　0.2180　37年買1圖6甲陳　曜戶
地　0.1095　32年買1圖3甲王　爵戶
地　0.1100　34年買1圖3甲王　爵戶
地　0.0660　37年買本圖8甲陳元和戶
地　0.1350　38年買本甲王　富戶
地　0.0800　35年買本圖7甲王齊興戶
地　0.3180　40年買本圖7甲王齊興戶
地　0.2000　39年買本圖10甲金萬中戶
地　0.2500　39年買1圖4甲陳四同戶
地　0.0200　41年買本甲王　富戶
地　0.1590　41年買1圖2甲王齊興戶
地　0.2300　34年買本圖王齊興戶
地　0.0700　34年買本圖王齊興戶
地　0.0300　32年買2圖3甲陳玄法戶
地　0.0824　39年買1圖3甲王　爵戶
地　0.0100　39年買1圖3甲王　爵戶
地　0.2450　34年買1圖3甲王　爵戶
地　0.2500　37年買1圖4甲陳干賜戶
地　0.05814　38年買1圖4甲陳積裕戶
地　0.1120　41年買2圖7甲吳　全戶
地　0.1950　41年買1圖3甲王　爵戶
地　0.0100　42年買本圖10甲金萬中戶
山　17.05965　麥1斗8升2合5勺，米1斗8升2合5勺
山　0.0600　39年買1圖3甲王　爵戶
山　0.5000　40年買本圖7甲王齊興戶
山　0.1700　37年買本圖7甲王齊興戶
山　0.0100　38年買本甲金尚伊戶
山　0.1000　40年買本圖10甲陳　新戶
山　4.6314　34年買1圖3甲王　爵戶
山　0.3580　37年買1圖6甲陳　曜戶

山　2.5000　40年買１圖２甲朱有芳戶
山　0.0230　38年買１圖４甲陳三同戶
山　0.1600　31年買１圖10甲陳　浩戶
山　0.7000　40年買本甲程必龍戶
山　0.0200　38年買１圖３甲王　爵戶
山　1.0000　40年買１圖２甲朱天生戶
山　0.1000　41年買１圖９甲陳光像戶
山　1.3000　41年買本圖８甲陳元和戶
山　0.0910　33年買11都３圖６甲汪國英戶
山　0.4500　40年買11都３圖４甲金有祥戶
山　0.4500　37年買11都３圖４甲金　　戶
山　0.0300　33年買11都３圖10甲金惟善戶
山　0.0350　37年買26都４圖10甲洪奎光戶
山　0.0300　39年買本都１圖３甲王　爵戶
山　0.0100　41年買本都１圖３甲王　爵戶
山　0.2180　39年買本都１圖３甲王　爵戶
山　0.5210　41年買３圖２甲金有生戶
山　3.4300　41年買本都３圖２甲金守益戶
塘　0.2960　麥６合３勺，米１升５合８勺
塘　0.0300　37年買本圖６甲汪世祿戶
塘　0.0160　31年買本甲程　相戶
塘　0.0300　32年買本圖２甲朱　偉戶
塘　0.0700　40年買２圖３甲陳玄法戶
塘　0.0500　37年買１圖４甲陳于賜戶
塘　0.0100　31年買本圖１甲程　相戶
塘　0.0100　40年買本圖本甲王　富戶
塘　0.0200　35年買本甲王　富戶

開除　人口　15　男子15，成　丁13，侄：岩印32年故，侄：岩因39年故，侄：用賢35年故，侄：專和33年故，侄：岩壽36年故，侄：樓35年故，侄：進賢38年故，侄：文明35年故，侄：孫挺33年故，侄：應得35年故，侄：義曉36年故，侄：苓祿34年故，侄：廷長39年故
不成丁２，侄孫：廷用33年故，侄孫：去鎬35年故

事產
轉除
民田地山塘　68.2991　夏麥１石３斗２升６合３勺，秋米３石９升1勺
田　53.2207　麥１石１斗３升８合９勺，米２石８斗４升７合３勺

田　1.7630　36年賣與1圖2甲朱有芳戶
田　3.8340　41年賣與1圖7甲吳三勝戶
田　3.7215　35年賣與3圖7甲金應科戶
田　2.1560　31年賣與1圖9甲陳應婁戶
田　0.1930　35年賣與6圖3甲李賢春戶
田　0.5400　34年賣與1圖5甲陳天相戶
田　2.9960　37年賣與本圖3甲朱社學戶
田　1.7700　33年賣與本圖3甲朱學源戶
田　1.7140　38年賣與2圖10甲朱　法戶
田　1.2610　40年賣與1圖8甲陳寄經戶
田　0.4000　34年賣與2圖1甲朱　有戶
田　1.4050　40年賣與26都2圖1甲江　焯戶
田　2.6460　38年賣與本圖2甲朱　仲戶
田　1.1500　33年賣與本圖4甲王正芳戶
田　0.6850　33年賣與2圖10甲朱　法戶
田　1.0480　33年賣與2圖10甲朱　法戶
田　0.5800　39年賣與本圖7甲王齊興戶
田　0.7880　31年賣與本圖2甲朱永興戶
田　1.5300　35年賣與本圖2甲朱永興戶
田　1.7100　32年賣與本圖2甲朱永興戶
田　2.0560　33年賣與本圖2甲朱永興戶
田　3.8200　32年賣與本圖2甲朱永興戶
田　0.8200　33年賣與本圖4甲王正芳戶
田　1.1000　32年賣與13都4圖3甲宋　茂戶
田　0.6721　39年賣與2圖1甲朱　有戶
田　1.1360　31年賣與本圖8甲程　學戶
田　1.0520　38年賣與1圖7甲汪　明戶
田　1.0080　32年賣與本圖9甲湯　曜戶
田　2.7530　37年賣與1圖8甲陳大成戶
田　0.9360　34年賣與本圖3甲朱社學戶
田　0.8100　37年賣與1圖4甲陳積裕戶
田　1.9510　37年賣與1圖9甲金　曜戶
田　1.6000　34年賣與1圖2甲朱天賢戶
田　1.9000　34年賣與1圖2甲朱有得戶
田　0.4760　34年賣與1圖2甲朱有得戶
地　2.6294　麥5升2合2勺，米1斗1合8勺
地　0.4160　36年賣與1圖2甲朱有俊戶
地　0.1150　34年賣與1圖2甲朱有俊戶
地　0.0200　31年賣與本圖2甲朱誠侄戶

地　0.1070　34年賣與26都5圖8甲吳新法戶
地　0.0500　40年賣與1圖7甲吳三勝戶
地　0.0250　38年賣與1圖3甲王　爵戶
地　1.5000　37年賣與本圖4甲王正芳戶
地　0.0070　37年賣與本圖4甲王正芳戶
地　0.1650　37年賣與本圖3甲朱學源戶
地　0.0540　37年賣與本圖3甲朱學源戶
地　0.0850　35年賣與本圖9甲王茂五戶
地　0.0500　40年賣與本圖2甲吳　興戶
地　0.0500　39年賣與本都2甲　　　戶
山　12.2670　麥1斗3升1合3勺，米1斗3升1合3勺
山　0.0180　39年賣與2圖　甲　　　戶
山　0.0150　40年賣與本圖2甲吳　興戶
山　0.2600　31年賣與26都5圖10甲汪登元戶
山　1.4180　36年賣與1圖2甲朱有俊戶
山　0.0300　40年賣與1圖7甲吳三勝戶
山　0.1600　31年賣與13都1圖4甲汪　興戶
山　0.0150　31年賣與11都3圖3甲金奇英戶
山　0.1500　31年賣與1圖9甲陳應婁戶
山　0.1650　33年賣與本圖3甲朱學源戶
山　0.0500　33年賣與1圖9甲陳　廣戶
山　0.6150　33年賣與2圖2甲陳正昌戶
山　0.1000　29年賣與2圖10甲朱　法戶
山　0.0300　31年賣與1圖5甲陳時暘戶
山　0.0500　33年賣與本圖2甲朱永興戶
山　0.3000　36年賣與本圖2甲朱永興戶
山　6.7000　32年賣與本圖2甲朱永興戶
山　0.0300　38年賣與本圖3甲吳長富戶
山　0.5890　32年賣與2甲朱　欽戶
山　0.0800　39年賣與1圖10甲陳　浩戶
山　1.4920　34年賣與2圖1甲朱　有戶
塘　0.1820　麥3合9勺，米9合7勺
塘　0.0120　40年賣與1圖5甲陳天相戶
塘　0.1700　36年賣與本甲陳　相戶

實在　人口　69　男子57，成　丁39，侄孫：守忠42，侄孫：應元55，侄孫：文元55，
侄孫：仁元45，侄孫：新元45，侄孫：伯元45，
侄孫：文曄45，侄孫：玄錫46，侄孫：元壽45，
侄孫：程應45，侄孫：應壽45，侄孫：得元45，
侄孫：議得34，侄孫：貞元33，侄孫：祖應34，

任孫：三錫35，任孫：進愛32，任孫：守益24，
任孫：玄齡35，任孫：意元23，任孫：文旦35，
任孫：保應22，任孫：禮元25，任孫：玄正22，
任孫：三益27，任孫：守仁22，任孫：三鎰26，
任孫：玄鉅16，任孫：叔年25，任孫：岩生21，
任孫：守信25，任孫：三壽18，任孫：廷賜18，
義男：得志43，義男：婢妾37，任孫：文昉15，
任孫：三鎮15，任孫：三魁15，任孫：三良15
不成丁18，本身103，任孫：溽華12，任孫：智晉12，任孫：玄祿12，任孫：國文12，任孫：本忠12，
任孫：三木15，任孫：三略4，任孫：元爵6，
任孫：三風6，任孫：玄奇4，任孫：三陽7，
任孫：得富6，任孫：得像5，任孫：世傳5，
任孫：玄鋕7，任孫：壬賢4，任孫：風儀3
婦女12，任婦：金氏65，任婦：金氏58，任婦：朱氏60，任婦：金氏65，任婦：吳氏65，任婦：吳氏64，任婦：金氏58，任婦：金氏56，任婦：余氏40，任婦：朱氏33，任婦：金氏31，任婦：汪氏29

事産
民田地山塘　394.72279　夏麥7石4升2合1勺，秋米14石9斗8升5合8勺
田　209.5565　麥4石4斗8升4合5勺，米11石2斗1升1合3勺
地　59.18234　麥1石1斗7升6合，米2石2斗9升1合
山　122.8235　麥1石3斗1升4合2勺，米1石3斗2升4合2勺
塘　3.1600　麥6升7合6勺，米1斗6升9合1勺
民瓦房　6間

40年-Ⅰ-1　甲首　**程　相**　民戶
舊管　人口　3　男子2，婦女1
事産
民田地山塘　15.4980　夏麥3斗1升2合8勺，秋米7斗4升5合1勺
田　12.4270　麥2斗6升5合9勺，秋米7斗4升5合1勺
地　1.0232　麥2升3勺，米3升9合6勺
山　1.6110　麥1升7合3勺，米1升7合3勺
塘　0.4368　麥9合3勺，米2升3合3勺
民瓦房　3間
新收　事産
轉收

民地山塘　0.8050　夏麥1升2合5勺，秋米2升2合2勺
地　0.2250　麥4合5勺，米8合7勺
地　0.0400　41年買1圖4甲陳四同戶
地　0.0175　36年買2圖3甲陳玄法戶
地　0.0350　35年買2圖3甲陳玄法戶
地　0.0380　36年買2圖3甲陳玄法戶
地　0.0945　36年買2圖3甲陳玄法戶
山　0.4100　麥4合4勺，米4合4勺
山　0.1050　35年買2圖3甲陳玄法戶
山　0.1900　35年買2圖3甲陳玄法戶
山　0.1150　36年買2圖3甲陳玄法戶
塘　0.1700　麥8合，米2合
塘　0.1700　36年買本甲王　茂戶

開除　事產

轉除

民田地塘　11.5621　夏麥2斗4升7合1勺，秋米6斗1升5合4勺
田　10.9310　麥2斗3升3合9勺，米5斗8升4合8勺
田　0.5750　38年賣與2圖1甲朱　有戶
田　0.2800　41年賣與本圖2甲朱誠侄戶
田　0.5870　36年賣與本圖7甲王齊興戶
田　0.5025　31年賣本甲王　茂戶
田　1.7200　34年賣2圖1甲朱　有戶
田　0.3790　31年賣本甲王　茂戶
田　1.0050　41年賣1圖4甲陳積裕戶
田　2.3000　41年賣1圖4甲陳積裕戶
田　2.1500　39年賣本圖3甲朱學源戶
田　1.5040　41年賣11都3圖9甲金初孫戶
地　0.2190　麥4合4勺，米8合
地　0.0790　41年賣本圖10甲程　產戶
地　0.1400　41年賣11都3圖9甲金初孫戶
塘　0.4126　麥8合，米2升2合1勺
塘　0.0385　40年賣1圖4甲陳積裕戶
塘　0.0100　31年賣本甲王　茂戶
塘　0.1035　34年賣2圖1甲朱　有戶
塘　0.0100　41年賣本圖2甲朱誠侄戶
塘　0.1023　36年賣本圖7甲王齊興戶
塘　0.0560　31年賣本甲王　茂戶
塘　0.0923　41年賣11都3圖9甲金初孫戶

實在　人口　3　男子2，成丁1，本身50，不成丁1，男：富12

婦女1，妻：□氏43

事産

民田地山塘　4.7440　夏麥7升2合，秋米1斗5升1合6勺

田　1.4960　麥3升2合，米8升

地　1.0342　麥2升5勺，米3升9合6勺

山　2.0210　麥2升1合6勺，米2升1合6勺

塘　0.1942　麥4合1勺，米1升4勺

民瓦房　3間

40年-Ⅰ-2　甲首　王　富　民戶

舊管　人口　7　男子4，婦女3

事産

民田地山塘　7.9120　夏麥1斗5升6合6勺，秋米3斗5升1合3勺

田　4.6080　麥9升8合6勺，米2斗4升6合5勺

地　2.4150　麥4升8合，米5升3合5勺

山　0.8480　麥1合1勺，米9合1勺

塘　0.0410　麥9勺，米2合2勺

民瓦房　3間

新收　人口　男子不成丁1，侄孫：齊生37年生

開除　人口　男子不成丁1，侄孫：士伸36年故

事産

轉除

民田地塘　3.4577　夏麥7升2合5勺，秋米1斗7升4勺

田　2.4300　麥5升2合，米1斗2升

田　1.1300　35年賣本甲王　茂戶

田　0.6000　35年賣本圖2甲朱誠侄戶

田　0.7000　40年賣本甲王　茂戶

地　0.9867　麥1升9合6勺，米3升8合2勺

地　0.7217　41年賣與本圖4甲王正芳戶

地　0.0790　40年賣與本圖4甲王正芳戶

地　0.0310　38年賣與本圖4甲王正芳戶

地　0.1350　38年賣本甲王　茂戶

地　0.0200　41年賣本甲王　茂戶

塘　0.0410　麥9勺，米2合2勺

塘　0.0100　40年賣本甲王　茂戶

塘　0.0110　35年賣本圖2甲朱誠侄戶

塘　0.0200　35年賣本甲王　茂戶

實在　人口　7　男子4，成　丁3，本身55，侄：法25，侄：得寛42

不成丁1，侄孫：齊生4

婦女３，妻：程氏52，嫂：呉氏65，侄婦：程氏42

事産

民田地山　4.4543　夏麥８升４合１勺，秋米１斗８升９勺

田　2.1780　麥４升６合６勺，米１斗１升６合５勺

地　1.4283　麥２升８合４勺，米５升５合３勺

山　0.8480　麥９合１勺，米９合１勺

民瓦房　３間

40年-Ⅰ-3　甲首　金尚伊

舊管　人口　11　男子７，婦女４

事産

民田地山　82.2825　夏麥１石４斗３升７合９勺，秋米２石８斗８升３合６勺

田　29.6685　麥６斗３升４合９勺，米１石５斗８升７合３勺

地　26.1810　麥５斗２升２合，米１石１升３合５勺

山　26.4330　麥２斗８升２合８勺，米２斗８升２合８勺

民瓦房　５間

黄　牛　１頭

新收　人口　男子成丁１　侄：大海 21年生，前册漏報，今收入籍

事産

轉收

民田地山　2.2720　夏麥４升５合６勺，秋米１斗７合３勺

田　1.7810　麥３升８合１勺，米９升５合３勺

田　0.3980　41年買本圖３甲朱學源戸

田　0.8430　35年買２都２圖９甲査萬積戸

田　0.5400　41年買本圖３甲朱學源戸

地　0.2410　麥４合８勺，米９合３勺

地　0.1980　39年買本圖６甲金　淮戸

地　0.0430　41年買1都１圖７甲汪廷憲戸

山　0.2500

山　0.2500　39年買３圖５甲金萬和戸

開除　人口　男子成丁１，兄：鼎37年故

事産

轉除

民田地山　20.6810　夏麥３斗９升５合，秋米８斗７升９合６勺

田　12.6215　麥２斗７升１合，米６斗７升５合２勺

田　0.9410　39年賣與１圖９甲金　曜戸

田　0.4860　32年賣與本圖３甲項興才戸

田　1.0775　32年賣與本圖３甲朱學源戸

　田　0.1430　38年賣與本圖3甲劉得應戶
　田　0.4400　39年賣與2圖10甲朱　法戶
　田　0.2410　37年賣與2圖10甲朱　法戶
　田　0.4000　33年賣與2圖6甲朱正昌戶
　田　0.8920　39年賣與本圖3甲朱學源戶
　田　0.9700　32年賣與1圖10甲胡天渠戶
　田　0.5300　32年賣與1圖10甲胡天清戶
　田　0.6000　34年賣與本圖8甲吳　魁戶
　田　0.9280　40年賣與6圖5甲朱岩周戶
　田　0.7310　34年賣與本圖3甲朱學源戶
　田　0.7960　38年賣與本圖3甲朱學源戶
　田　3.4820　38年賣與本圖3甲朱學源戶
地　4.2190
　地　2.1800　35年賣與2圖10甲朱　法戶
　地　0.6700　33年賣與2圖10甲朱　法戶
　地　0.2000　40年賣與1圖8甲陳寄圣戶
　地　0.3500　40年賣與2圖10甲朱　法戶
　地　0.4640　34年賣與2圖10甲朱　法戶
　地　0.3300　37年賣與2圖10甲朱　法戶
　地　0.0250　40年賣與2圖1甲朱　有戶
山　3.8450　麥4升1合1勺，米4升1合1勺
　山　0.0100　38年賣與10甲王　茂戶
　山　1.3000　32年賣與本圖3甲項　興戶
　山　0.4600　37年本圖3甲朱學源戶
　山　0.1000　37年賣與2圖10甲朱　法戶
　山　0.2750　37年賣與2圖10甲朱　法戶
　山　0.2730　41年賣與2圖10甲朱　法戶
　山　0.4300　38年賣與本圖3甲朱學源戶
　山　0.3320　32年賣與2圖6甲朱正昌戶
　山　0.1500　32年賣與6圖6甲朱岩周戶
　山　0.0500　41年賣與2圖10甲朱　法戶
　山　0.2290　39年賣與本圖3甲朱學源戶
　山　0.2310　32年賣與2圖1甲朱　有戶

實在　人口　12　男子7，成　丁6，本身36，兄：記得45，侄：文魁36，侄：里25，
侄：有鎮35，侄：大海20
不成丁1，侄：富12
婦女5，妻：項氏35，嫂：朱氏43，嫂：吳氏40，侄婦：程氏31，
侄婦：汪氏30

事産

民田地山　63.8735　夏麥１石８升８合５勺，秋米２石１斗１升１合２勺
田　18.8220　麥４斗２合９勺，米１石7合３勺
地　22.2030　麥４斗４升１合２勺，米８斗５升９合５勺
山　22.8425　麥２斗４升４合４勺，米２斗４升４合４勺
民瓦房　５間
水　牛　１頭

40年-Ⅰ-4　甲首　郭節華
舊管　人口　５　男子３，婦女２
事產
民地　5.5710　夏麥１斗１升7勺，秋米２斗１升５合７勺
新收　人口　男子不成丁１，男：應生39年生
開除　人口　男子不成丁１，弟：望麟38年故
事產
轉除
民地　1.7950　夏麥３升５合７勺，秋米６升９合５勺
地　1.3950　33年賣與3都６圖８甲郭遇元戶
地　0.4000　32年賣與3都８圖６甲汪老祖戶
實在　人口　５　男子３，成　丁１，本身33
不成丁２，男：添生13，男：應生２
婦女２，妻：朱氏30，母：76
事產
民地　3.7760　夏麥７升５合，秋米１斗４升６合２勺

40年-Ⅰ-5　甲首　王　盛　民戶
舊管　人口　４　男子２，婦女２
事產
民田地山塘　17.7740　夏麥３斗６升９合６勺，秋米８斗８升５合８勺
田　14.4280　麥３斗８合８勺，米７斗７升１合９勺
地　2.4690　麥４升９合１勺，米９升７合６勺
山　0.6690　麥７合２勺，米７合２勺
塘　0.2080　麥４合５勺，米１升１合１勺
新收　人口　１　男子不成丁１，男：天相 39年生
事產
轉收
民田地山　4.0397　夏麥７升６合５勺，秋米１斗７升５合３勺
田　2.9698　麥６升３合５勺，米１斗５升８合９勺
田　0.2100　37年買13都４圖９甲吳自杰戶
田　1.7000　41年買13都１圖５甲吳　文戶

田　0.4320　39年買13都1圖7甲吳　順戸
田　0.6278　39年買13都1圖4甲汪　興戸
地　0.1777　麥3合5勺，米6合9勺
地　0.0275　36年買13都1圖7甲吳　順戸
地　0.1500　37年買13都4圖9甲吳自杰戸
山　0.8924　麥9合5勺，米9合5勺
山　0.0607　37年買13都4圖9甲吳尙得戸
山　0.8250　36年買13都1圖7甲吳　順戸
山　0.0067　37年買13都4圖9甲吳自杰戸
開除　人口　1　男子成丁1，男：天善38年故
實在　人口　5　男子3，成　丁2，本身38，男：見善25
不成丁1，男：天相2
婦女2，妻：金氏38，嬸：陳氏40
事産
民田地山塘　21.8137　夏麥4斗4升6合1勺，秋米1石6升1合1勺
田　17.3977　麥3斗7升2合3勺，米9斗3升8勺
地　2.6465　麥5升2合6勺，米1斗2合5勺
山　1.5614　麥1升6合7勺，米1升6合7勺
塘　0.2080　麥4合5勺，米1升1合1勺

40年-Ⅰ-6　甲首　余　鐸

舊管　人口　2　男子1，婦女1
事産
民地　0.0520　夏麥1合，秋米1合
實在　人口　2　男子成丁1，本身22
婦　女1，舅母：程氏70
事産
民地　0.0520　夏麥1合，秋米1合

40年-Ⅰ-7　甲首　高　曜

舊管　人口　4　男子2，婦女2
事産
民田地山　2.0240　夏麥4升2合，秋米9升6合3勺
田　1.2340　麥2升6合4勺，米6升6合
地　0.7800　麥1升5合5勺，米3升2合
山　0.0100　麥1合，米1合
民瓦房　1間
新收　人口　男子不成丁1，男：壽39年生
開除　人口　男子不成丁1，男：盛37年故

轉除
實在　人口　4　男子２　成　丁１，本身40
不成丁１，男：壽２
婦女２　妻：張氏39，母：胡氏80
事產
民田地山　2.0240　夏麥４升２合，秋米９升６合３勺
民瓦房　１間

……………………………………………………………………

40年-Ⅰ-8　甲首　**陳岩祐**　承故陳使
舊管　人口　3　男子１，婦女２
事產
民瓦房　３間
民黄牛　１頭
新收　人口　2　男子成丁１，本身在外生長，今回入籍當差
婦　女１，妻：項氏係33年娶到頃女
開除　人口　2　男子不成丁１，父：陳使33年故
婦　女　１，祖母：金氏34年故
事產　人口　3　男子成丁１，本身25
婦　女２，妻：項氏20，母：何氏58
事產
民瓦房　３間
民黄牛　１頭

……………………………………………………………………

40年-Ⅰ-9　甲首　**謝廷奉**
舊管　人口　4　男子３，婦女１
事產
民地山　0.4360　夏麥５合１勺，秋米５合９勺
地　0.0460　麥9勺，米１合７勺
山　0.3900　麥４合２勺，米４合２勺
民瓦房　３間
新收　人口　1　男子不成丁１，弟：郎生39年生
開除　人口　1　男子成　丁１，叔：眞35年故
事產
民山　0.3066　夏麥５合１勺，秋米５合９勺
山　0.3066　37年賣與１圖10甲胡天清戶
實在　人口　4　男子成　丁２，本身46，弟：炭25
不成丁１，弟：郎生２
婦　女　１，母：汪氏63
事產

民地山　　0.1294　夏麥１合８勺，秋米２合６勺
　　地　　0.0460　　麥９勺，米１合７勺
　　山　　0.0834　　麥９勺，米９勺
民瓦房　　３間

40年-Ⅰ-10　甲首　**程富義**　承故叔保同

舊管　人口　　4　男子３，婦女１
　事産
　　民瓦房　２間
新收　人口　　男子不成丁１，侄：盛39年生
開除　人口　　男子不成丁１，叔：保同32年故
實在　人口　　4　男子３，成　丁１，本身32
　　　　　　　　　　　不成丁２，侄：招12，侄：盛２
　　　　　　　　婦女１，嬸：戴氏130
　事産
　　民瓦房　２間

40年-Ⅰ-11　甲首　**程義龍**　民戸

舊管　人口　　2　男子２
　事産
　　民田地山　　4.4080　夏麥７升８合，秋米１斗３升８合２勺
　　　　田　　1.8520　　麥３升９合６勺，米９升９合１勺
　　　　地　　0.4210　　麥８合４勺，米１升６合３勺
　　　　山　　2.1350　　米２升２合８勺，麥２升２合８勺
新收　事産
　轉收
　　民田　　2.3570
　　　田　　2.3570　40年賣本圖８甲陳元和戸
開除　事産
　轉除
　　民田地山　　1.7400　夏麥２升９合１勺，秋米５升６合９勺
　　　　田　　0.6190
　　　　　田　0.6190　37年賣與２圖７甲汪應遠戸
　　　　地　　0.4210
　　　　　地　0.4210　34年賣與１圖２甲朱天賢戸
　　　　山　　0.7000
　　　　　山　0.7000　40年賣與本圖１甲王　茂戸
實在　人口　　2　男子２，成　丁１，本身33
　　　　　　　　　　　不成丁１，弟：有龍14

事產
民田山　5.0250　夏麥９升２合１勺，秋米２斗７合４勺
田　3.5900　麥７升６合８勺，米１斗９升２合１勺
山　1.4350　麥１升５合３勺，米１升５合３勺

40年-Ⅰ-12　甲首　王　琴　民戶
舊管　人口　2　男子１，婦女１
事產
民田山　17.1950　夏麥３斗５升９合９勺，秋米８斗９升3勺
田　16.5234　麥３斗５升３合６勺，米８斗８升４合
山　0.58855　麥６合３勺，米６合３勺
民瓦房　３間
新收　事產
轉收
民田　1.8450　夏麥３升９合５勺，秋米９升８合７勺
田　0.6600　39年買13都１圖５甲吳　文戶
田　1.1850　33年13都１圖９甲吳祖陽戶
實在　人口　2　男子成丁１，本身25
婦　女１，祖母：戴氏130
事產
民田山　18.95695　夏麥３斗９升９合４勺，秋米９斗８升９合
田　18.3684　麥３斗９升３合１勺，米９斗８升２合７勺
山　0.58855　麥６合３勺，米６合３勺
民瓦房　３間

40年-Ⅰ-13　徐文錦（絕）
舊管　人口　2　男子１，婦女１
事產
民瓦房　２間
實在　人口　2　男子不成丁１，本身134
婦　女　１，姐：來136
事產
民瓦房　２間

40年-Ⅰ-14　甲首　金宗社
舊管　人口　男子１
事產
民田地山塘　12.8610　夏麥２斗７升２合６勺，秋米６斗７升７合３勺
田　12.5710　麥２斗６升９合，米６斗７升２合５勺

山　0.2500　麥2合7勺，米2合7勺
塘　0.0400　麥9勺，米2合1勺
民瓦房　1間
新收　事産
轉收
民田　6.8880　夏麥1斗4升7合4勺，秋米3斗6升8合5勺
田　0.2740　40年買12都1圖1甲朱百順戶
田　1.8490　32年買13都1圖7甲宋　興戶
田　0.5480　35年買13都1圖1甲朱良杰戶
田　1.6500　39年買13都4圖9甲戴思通戶
田　2.1000　39年買13都3圖8甲戴　錦戶
田　0.4670　41年買13都3圖7甲吳　漳戶
開除　事産
轉收
民田　2.8390
田　2.8390　41年賣與13都2圖6甲朱　應戶
實在　人口　男子成丁1，本身30
事産
民田山塘　16.9100　夏麥3斗5升9合3勺，秋米8斗9升4合
田　16.6200　麥3斗5升5合7勺，米8斗8升9合2勺
山　0.2500　麥2合7勺，米2合7勺
塘　0.0400　麥9勺，米2合1勺
民瓦房　1間

40年-Ⅰ-15　陳紹怡（絶）
舊管　人口　5　男子3，婦女2
事産
民瓦房　6間
民黄牛　1頭
實在　人口　5　男子不成丁3，本身179，侄：儼159，侄：壬鑑161
婦　女　2，妻：李氏105，姐：章186
事産
民瓦房　6間
民黄牛　1頭

40年-Ⅰ-16　陳　舟　軍（絶）
舊管　人口　2　男子1，婦女1
事産
民瓦房　3間

實在　人口　　2　男子不成丁１，本身224
　　　　　　　　　婦　　女　1，妻：程氏222
　　　事産
　　　　民瓦房　3間

....

40年-Ⅰ-17　　　**朱兆壽**（絕）
舊管　人口　　2　男子２
　　　事産
　　　　民瓦房　1間
實在　人口　　男子不成丁２　本身245，侄：千家225
　　　事産
　　　　民瓦房　1間

第２甲

40年-Ⅱ　排年　**朱　洪**　民戸
舊管　人口　　18　男子11，婦女７
　　　事産
　　　民田地山塘　73.8726　夏麥１石５斗２合１勺，秋米３石６斗７升２合３勺
　　　　　　田　63.9436　麥１石３斗６升８合４勺，米３石４斗２合１勺
　　　　　　地　4.6460　麥９升２合３勺，米１斗７升９合９勺
　　　　　　山　4.9352　麥５升２合８勺，米５升２合８勺
　　　　　　塘　0.3478　麥７合５勺，米１升８合６勺
　　　　民瓦房　6間
新收　人口　　3　男子不成丁２，孫：光連38年生，孫：光進39年生
　　　事産
　　　　轉收
　　　　民地山　0.2575　夏麥４合，秋米６合６勺
　　　　　　地　0.1365　麥２合７勺，米５合３勺
　　　　　　　地　0.0155　40年買本甲朱　汶戸　下地
　　　　　　　地　0.0310　40年買本甲朱誠侄戸　下地
　　　　　　　地　0.0900　32年買本甲朱　淳戸　下地
　　　　　　山　0.1210
　　　　　　　山　0.1210　41年買本圖10甲朱國華戸下山
開除　人口　　3　男子不成丁２，孫：富37年故，孫：貴36年故
　　　事産
　　　　轉除

民田地山　5.9043　夏麥１斗２升１合７勺，秋米２斗８升５合６勺
田　4.6860　麥１斗３勺，米２斗５升７勺
田　1.2030　37年賣與本圖10甲朱時新戶業
田　0.3950　39年賣與本甲朱誠侄戶業
田　2.4390　39年賣與本甲朱徹昌戶
田　0.3110　32年賣與本圖10甲朱國華戶
田　0.3380　41年賣與本甲朱師孔戶
地　0.7183　麥１升４合３勺，米２升７合８勺
地　0.0170　35年賣與本甲朱誠侄戶
地　0.0520　36年賣與本甲朱師孔戶
地　0.0625　40年賣與本甲朱誠侄戶
地　0.0235　39年賣與本甲朱徹昌戶
地　0.3100　32年賣與本甲朱　淳戶
地　0.0325　37年賣與本甲朱　作戶
地　0.0170　35年賣與本甲朱　汶戶
地　0.01375　32年賣與本圖10甲朱國華戶
地　0.0825　41年賣與本甲朱徹昌戶
地　0.0500　41年賣與本甲朱師孔戶
山　0.6600　麥７合１勺，米７合１勺
山　0.1000　39年賣與本甲朱誠侄戶
山　0.1550　39年賣與本甲朱徹昌戶
山　0.1190　40年賣與本甲朱師孔戶
山　0.0760　41年賣與本甲朱師孔戶
山　0.1190　41年賣與本甲朱師孔戶
山　0.1100　41年賣與本甲朱師孔戶

實在　人口　18　男子11，成　丁６，侄：濱58，侄孫：新祀48，侄孫：魁44，侄孫：得40，侄孫：俸35，侄孫：重喜33
不成丁５，本身98，侄孫：文13，侄孫：國12，侄孫：光進２，侄孫：光達３
婦女７，妻：史氏90，弟媳：吳氏90，弟媳：季氏85，侄媳：汪氏80，侄媳：洪氏70，侄媳：程氏70，侄媳：吳氏35

事產
民田地山塘　68.1158　夏麥１石４斗４合３勺，秋米３石３斗９升５合２勺
田　59.2576　麥１石２斗６升８合１勺，米３石１斗７升３勺
地　4.1142　麥８升１合７勺，米１斗５升９合３勺
山　4.3962　麥４升７合，米４升７合
塘　0.3478　麥７合５勺，米１升８合６勺
民瓦房　６間

………………………………………………………………………………

40年-Ⅱ-1　甲首　朱祖耀
舊管　人口　5　男子2，婦女3
事産
民田地山　10.2975　夏麥1斗9升9勺，秋米4斗1升9合6勺
田　6.2180　麥1斗3升3合1勺，米3斗3升2合6勺
地　1.5455　麥3升7合，米5升9合9勺
山　2.5340　麥2升7合1勺，米2升7合1勺
民瓦房　2間
新收　事産
轉收
民田山　0.08387　夏麥1合7勺，秋米4合
田　0.07387
田　0.07387　41年買本圖10甲朱　雷戸
山　0.0100
山　0.0100　36年買本圖4甲朱文魁戸
開除　人口　婦女2，祖母：汪氏31年故，伯母：王氏32年故
事産
轉除
民田　2.5760　夏麥5升5合1勺，秋米1斗3升7合8勺
田　1.3920　38年賣與本甲朱師孔戸
田　1.1840　39年賣與本圖10甲朱　雷戸
實在　人口　3　男子2，成　丁1，本身60
不成丁1，男：茂12
婦女1，妻：汪氏59
事産
民田地山　7.80137　夏麥1斗3升7合7勺，秋米2斗8升5合8勺
田　3.7588　麥7升9合5勺，米1斗9升8合8勺
地　1.5455　麥3升1合，米5升9合8勺
山　2.3440　麥2升7合2勺，米2升7合2勺
民瓦房　2間

40年-Ⅱ-2　甲首　朱社稷
舊管　人口　5　男子2，婦女3
事産
民田地山　5.9910　夏麥1斗1合2勺，秋米2斗4合1勺
田　2.6620　麥5升7合，米1斗4升2合4勺
地　0.9250　麥1升8合5勺，米3升6合
山　2.4000　麥2升5合7勺，米2升5合7勺
新收　人口　1　男子不成丁1，侄：進良39年生

事産
轉收
民田　0.8740　夏麥1升8合7勺，秋米4升6合7勺
田　0.5800　37年買本圖6甲汪世祿戶
田　0.2940　39年買本圖10甲金萬中戶
開除　人口　1　男子不成丁1，義父：寬34年故
實在　人口　5　男子2，成　丁1，本身46
不成丁1，侄：進良2
婦女3，妻：金氏46，嫂：金氏46，嫂：金氏53
事産
民田地山　6.8650　夏麥1斗1升9合9勺，秋米2斗5升9勺
田　3.5360　麥7升5合7勺，米1斗8升9合2勺
地　0.9290　麥1升8合5勺，米3升6合
山　2.4000　麥2升5合7勺，米2升5合7勺

40年-Ⅱ-3　甲首　胡齊鳳

舊管　人口　2　男子1，婦女1
事産
民田地山　1.8380　夏麥3升6合6勺，秋米7升2合9勺
田　0.1390　麥3合，米7合4勺
地　1.6890　麥3升3合5勺，米6升5合4勺
山　0.0100　麥1勺，米1勺
民瓦房　2間
新收　人口　1　男子不成丁1，男：玄祖38年生
實在　人口　3　男子2，成　丁1，本身35
不成丁1，男：玄祖3
婦女1，母：朱氏50
事産
民田地山　1.8380　夏麥3升6合6勺，秋米7升2合9勺
田　0.1390　麥3合，米7合4勺
地　1.6890　麥3升3合5勺，米6升5合4勺
山　0.0100　麥1勺，米1勺
民瓦房　2間

40年-Ⅱ-4　甲首　吳天保

舊管　人口　11　男子8，婦女3
事産
民田地山塘　18.2120　夏麥2斗7升2合4勺，秋米4斗5升7合
田　2.3060　麥4升9合4勺，米1斗2升3合4勺

地　5.5260　麥1斗9合8勺，米2斗1升4合
山　10.1800　麥1斗8合9勺，米1斗8合9勺
塘　0.2000　麥4合3勺，米1升7勺
民瓦房　3間
新收　人口　男子不成丁1，侄：家象39年生
事產
轉收
民地山　0.8200　夏麥1升8勺，秋米1升4合9勺
地
地　0.2200　38年買本都1圖1甲吳大法戶
山　0.5200　32年買1圖4甲陳積裕戶
山　0.0800　39年買1圖7甲吳廷和戶
開除　人口　1　男子成丁1，弟：應虎31年故
事產
轉除
民山　0.3000
山　0.1000　41年賣與11都3圖9甲金廷欽戶
山　0.1000　31年賣與本圖10甲金萬中戶
山　0.1000　41年賣與13都4圖4甲戴伯善戶
實在　人口　11　男子8，成　丁5，本身53，弟：應昌38，弟：天遇35，侄：天宥33，孫：廷爵23
不成丁3，侄：瑚14，侄：文邦13，侄：家象2
婦女3，弟婦：金氏85，侄婦：朱氏43，侄婦：汪氏39
事產
民田地山塘　18.7320　夏麥2斗8升，秋米4斗6升8合6勺
田　2.3060　麥4升9合4勺，米1斗2升3合4勺
地　5.7460　麥1斗1升4合2勺，米2斗2升2合4勺
山　10.4800　麥1斗1升2合1勺，米1斗1升2合1勺
塘　0.2000　麥4合3勺，米1升7合
民瓦房　3間

40年-Ⅱ-5　甲首　朱　欽

舊管　人口　6　男子4，婦女2
事產
民田地山　26.0225　夏麥5斗3升9合9勺，秋米1石3斗1升4合
田　23.0920　麥4斗9升4合2勺，米1石2斗3升5合4勺
地　1.5578　麥3升1合，米6升3勺
山　1.3727　麥1升4合7勺，米1升4合7勺
民瓦房　1間

民黄牛　1頭
新收　人口　男子不成丁1，侄：良遇39年生
事産
轉收
民地山　5.44938　夏麥6升4合8勺，米7升7合8勺
地　0.69587　麥1升3合8勺，米2升6合9勺
地　0.10425　33年買本圖8甲朱得九戸
地　0.59162　38年買4甲陳積裕戸
山　4.75351　麥5升9勺，米5升9勺
山　0.0917　34年買本圖10甲金萬中戸
山　0.0900　32年買本圖8甲朱得九戸
山　0.5890　32年買本圖1甲王　茂戸
山　1.3600　35年買1圖4甲陳四同戸
山　0.2920　35年買11都3圖5甲倪　暹戸
山　2.0000　40年買1圖4甲陳四同戸
山　0.0400　40年買26都5圖1甲畢大彬戸
山　0.1796　38年買本圖10甲金萬中戸
山　0.0310　41年買本圖10甲金萬中戸
山　0.08021　41年買本圖10甲金萬中戸
開除　人口　男子不成丁1，侄：良佑，33年出繼與本圖8甲朱
事産
轉除
民地　0.0262　夏麥5勺，秋米1合
地　0.0112　32年賣與本甲朱永興戸
地　0.0150　36年賣與本甲朱永興戸
實在　人口　6　男子4，成　丁3，本身51，男：鐸39，侄：良遇2
不成丁1，叔：璽75
婦女2，妻：王氏50，弟媳：陳氏39
事産
民田地山　31.44568　夏麥6斗4合1勺，秋米1石3斗8升7合3勺
田　22.0920　麥4斗9升4合2勺，米1石2斗3升5合5勺
地　2.22747　麥4升4合3勺，米8升6合2勺
山　6.12621　麥6升5合6勺，米6升5合6勺
民瓦房　1間
民黄牛　1頭

40年-Ⅱ-6　甲首　王宗元
舊管　人口　2　男子1，婦女1
事産

民田　1.2850　夏麥2升7合4勺，秋米6升8合7勺
民瓦房　1間
實在　人口　2　男子成丁1，本身42
婦　女1，妻：吳氏42
事産
民田　1.2850
民瓦房　1間

……………………………………………………………………………………

40年-Ⅱ-7　甲首　吳　曜　承故兄吳興
舊管　人口　6　男子4，婦女2
事産
民田地山　4.6110　夏麥8升8合9勺，秋米1斗8升9合8勺
田　1.8990　麥4升6勺，米1斗1合6勺
地　2.1120　麥4升1合9勺，米8升1合8勺
山　0.6000　麥6合4勺，米6合4勺
民瓦房　1間
新收　人口　男子不成丁1，侄：文光38年生
事産
轉收
民地山　0.7130　夏麥1升4合1勺，米2升7合2勺
地　0.3000　36年買1圖4甲陳　瑾戶
地　0.3480　36年買1圖3甲王　雀戶
地　0.0500　40年買本圖1甲王　茂戶
山　0.0150　40年買本圖1甲王　茂戶
開除　人口　男子成丁1，兄：興36年故
事産
轉除
民田　0.6690
田　0.6690　32年賣與1圖2甲朱有俊戶
實在　人口　7　男子4，成　丁3，本身39，弟：法38，侄：信22
不成丁1，侄：文光3
婦女3，嫂：方氏49，妻：汪氏39，弟媳：許氏20
事産
民田地山　4.6550　夏麥8升8合7勺，秋米1斗8升1合1勺
田　1.2300　麥2升6合3勺，米6升5合8勺
地　2.8100　麥5升5合8勺，米1斗8合7勺
山　0.6150　麥6合6勺，米6合6勺
民瓦房　1間

……………………………………………………………………………………

40年-Ⅱ-8　甲首　朱伯才
舊管　人口　4　男子3，婦女1
事產
民田地山塘　35.0745　夏麥7斗1升2合6勺，秋米1石6斗4升9合5勺
田　24.0910　麥4斗8升1合8勺，米1石2斗8升8合9勺
地　8.6535　麥1斗7升2勺，米3斗3升5合
山　2.3150　麥2升4合8勺，米2升4合8勺
塘　0.0150　麥3合，米8勺
民瓦房　2間
新收　人口　3　男子不成丁2，男：永壽38年生，男：增壽39年生
婦　女　1，妻：汪氏 娶本都汪貴女
開除　人口　2　男子不成丁2，男：長壽33年故，男：積壽39年故
事產
轉除
民地　0.3850　夏麥7合6勺，秋米1升4合9勺
地　0.3850　41年賣與1圖6甲陳節茂戶
實在　人口　4　男子3，成　丁1，本身59
不成丁2，男：永壽3，增壽2
婦女1，妻：汪氏40
事產
民田地山塘　34.6895　夏麥7斗4合9勺，秋米1石6斗3升4合6勺
田　24.0910　麥5斗1升5合5勺，米1石2斗8升8合9勺
地　8.2685　麥1斗6升4合3勺，米3斗2升1勺
山　2.3150　麥2升4合8勺，米2升4合8勺
塘　0.0150　麥3合，米8勺
民瓦房　2間

40年-Ⅱ-9　甲首　朱師顏
(原 缺)
實在　人口　1　男子成丁1，本身35
事產
民田地山　39.5915　夏麥8斗4升2合3勺，秋米2石8升3合2勺
田　37.5995　麥8斗4合6勺，米2石1升1合6勺
地　1.7940　麥3升5合6勺，米6升9合5勺
山　0.1980　麥2合，米2合

40年-Ⅱ-10　甲首　朱祐生
舊管　人口　3　男子2，婦女1
事產

民田地山　34.4820　夏麥７斗２升３合，秋米１石７斗２升１合９勺
田　26.8270　麥５斗７升４合，米１石４斗３升５合３勺
地　7.3100　麥１斗４升５合２勺，米２斗８升３合
山　0.3450　麥３合７勺，米３合７勺
民瓦房　２間
新收　人口　1　男子不成丁１，男：加壽39年生
開除　人口　1　男子不成丁１，男：天壽36年故
實在　人口　3　男子２，成　丁１，本身35
不成丁１，男：加壽２
婦女１，妻：王氏34
事産
民田地山　34.4820　夏麥７斗２升３合，秋米１石７斗２升１合９勺
田　26.8270　麥５斗７升４合，米１石４斗３升５合３勺
地　7.3100　麥１斗４升５合２勺，米２斗８升３合
山　0.3450　麥３合７勺，米３合７勺
民瓦房　２間

30年-Ⅱ-11　　朱時應
舊管　人口　3　男子２，婦女１
事産
民田地山　14.4655　夏麥２斗９升６合６勺，秋米７斗７升９合
田　12.0380　麥２斗５升７合６勺，米７斗５合
地　1.4255　麥２升８合３勺，米５升５合２勺
山　1.0020　麥１升７勺，米１升７勺
民瓦房　２間
新收　人口　1　男子不成丁１，男：福有 38年生
事産
轉收
民田地山塘　2.4188　夏麥４升９合９勺，秋米１斗２升１合
田　2.13288　麥４升５合６勺，米１斗１升４合１勺
田　0.3210　39年買３圖８甲金　　戶
田　1.5250　39年買１圖５甲陳時暘戶
田　0.1430　40年買本圖４甲程友儀戶
田　0.07387　41年買本圖10甲朱　雷戶
地　0.1242
地　0.0242　34年買本圖４甲程友儀戶
地　0.0500　33年買本圖４甲程友儀戶
地　0.0500　40年買本圖４甲程友儀戶
山　0.1510

山　0.1510　40年買本圖4甲程友儀戶
塘　0.0100
塘　0.0100　39年買1圖5甲陳時暘戶
開除　人口　1　男子不成丁1，男：宜至33年故
實在　人口　3　男子2，成　丁1，本身46
不成丁1，男：福有3
婦女1，妻：王氏46
事産
民田地山塘　16.88358　夏麥3斗4升6合5勺，秋米8斗3升9勺
田　14.17088　麥3斗3升2合，米7斗5升8合1勺
地　1.5497　麥3升8勺，米6升
山　1.1530　麥1升2合3勺，米1升2合3勺
塘　0.0100　麥2勺，米5勺
民瓦房　2間

40年-Ⅱ-12　朱　淳　民戶
舊管　人口　1　男子1
事産
民田地山塘　33.3469　夏麥6斗1升2勺，秋米1石3斗3升1勺
田　18.5680　麥3斗9升7合2勺，米9斗9升3合
地　5.3859　麥1斗8合2勺，米2斗2升7勺
山　9.0008　麥9升6合3勺，米9升6合3勺
塘　0.3990　麥8合5勺，米2升1合4勺
新收　事産
轉收
民地山　4.1120　夏麥6升2合1勺，秋米9升9合1勺
地　1.9660　麥3升9合1勺，米7升6合1勺
地　0.3100　32年買本甲朱　法戶
地　0.1600　35年買本圖10甲朱國華戶
地　0.2000　32年買1圖4甲陳積裕戶
地　0.0400　35年買1圖2甲朱廷卿戶
地　0.0400　35年買1圖2甲朱天生戶
地　1.2600　35年買1圖2甲朱有芳戶
山　2.1460　麥2升3合，米2升3合
山　0.4460　35年買2圖3甲朱茂榮戶
山　0.0800　35年買2圖4甲朱　魁戶
山　0.4500　35年買2圖4甲朱　魁戶
山　0.5500　32年買1圖4甲陳積裕戶
山　0.6200　35年買1圖2甲朱有芳戶

開除　事產
　　轉除
　　　　民地　　0.0900　夏麥１合８勺，秋米３合５勺
　　　　　地　　0.0900　33年賣與本甲朱　洪戶
實在　人口　　1　男子成丁１，本身65
　　事產
　　民田地山塘　　37.3689　夏麥６斗７升５勺，秋米１石４斗２升７合
　　　　　　田　　18.5608　麥３斗９升７合２勺，米９斗９升３合
　　　　　　地　　6.4419　麥１斗２升８勺，米２斗４升９合４勺
　　　　　　山　　11.1468　麥１斗１升９合３勺，米１斗１升９合３勺
　　　　　　塘　　0.3994　麥８合５勺，米２升１合４勺

40年-Ⅱ-13　　**朱朝臣**　承故父信
舊管　人口　　2　男子１，婦女１
　　事產
　　民田地山塘　　38.0007　夏麥７斗１升６合７勺，秋米１石６斗１升２合９勺
　　　　　　田　　25.2238　麥５斗３升９合８勺，米１石３斗４升９合５勺
　　　　　　地　　3.9135　麥７升７合８勺，米１斗５升１合５勺
　　　　　　山　　8.4640　麥９升６勺，米９升６勺
　　　　　　塘　　0.3994　麥８合５勺，米２升２合３勺
新收　人口　　1　男子成丁１，本身萬曆18年生，前册漏報，收入籍
　　事產
　　轉收
　　　　民田　　0.6430　夏麥１升３合８勺，秋米３升４合４勺
　　　　　田　　0.6430　36年買西南隅2圖10甲巴　瓚戶
實在　人口　　2　男子成丁１，本身23
　　　　　　　　婦　　女１，母：巴氏50
　　事產
　　民田地山塘　　38.6437　夏麥７斗３升４勺，秋米１石６斗４升７合３勺
　　　　　　田　　25.8668　麥５斗５升３合５勺，
　　　　　　地　　3.9135　麥７升７合８勺，米１斗５升１合５勺
　　　　　　山　　8.4640　麥９升６勺，米９升６勺
　　　　　　塘　　0.3994　麥８合５勺，米２升１合３勺

40年-Ⅱ-14　　**朱師孔**
舊管　人口　　1　男子１
　　事產
　　民田地山塘　　48.0839　夏麥９斗２升５合６勺，秋米２石１斗１升９合８勺

田　33.2978　麥7斗1升2合6勺，米1石7斗8升1合5勺
地　5.3859　麥1斗8合2勺，米2斗2升7合
山　9.0008　麥9升6合3勺，米9升6合3勺
塘　0.3994　麥8合5勺，米2升1合3勺
新收　人口　2　男子成丁1，男：旭　在陝西洛陽，見生長，前册漏報，今收入籍
婦　女1，妻：金氏　31年娶到東南隅1圖金華女
事産
轉收
民田地山　25.1335　夏麥4斗8升5合2勺，秋米1石1斗3升2合9勺
田　20.0990　麥4斗3升1勺，米1石7升5合3勺
田　1.5400　39年買13都2圖4甲楊世通戸
田　0.9700　39年買13都2圖4甲楊世通戸
田　1.3920　38年買本甲朱祖耀戸
田　0.7100　40年買1圖9甲陳長壽戸
田　0.1690　41年買本甲朱　洪戸
田　0.1690　41年買本甲朱　洪戸
田　8.5440　41年買6圖3甲李祖壽戸
田　6.6410　41年買6圖3甲李宜春戸
地　0.1195　麥2合4勺，米4合6勺
地　0.0520　36年買本甲朱　洪戸
地　0.0175　40年買本圖3甲朱學源戸
地　0.0500　41年買本甲朱　洪戸
山　4.9050　麥5升2合5勺，米5升2合5勺
山　1.1000　42年買本圖9甲湯　　戸
山　3.4000　42年買1圖1甲張汪得戸
山　0.0250　42年買本甲朱　洪戸
山　0.0470　42年買本甲朱　洪戸
山　0.1100　41年買本甲朱　洪戸
山　0.1000　41年買本甲朱　洪戸
山　0.0760　41年買本甲朱　洪戸
塘　0.0100　41年買1圖6甲張汪得戸
實在　人口　3　男子成丁2，本身43，男：旭16
婦　女1，妻：金氏36
事産
民田地山塘　73.2174　夏麥1石4斗1升9勺，秋米3石2斗5升2合6勺
田　53.3968　麥1石1斗4升2合1勺，米2石8斗5升6合7勺

地　5.5054　麥１斗１升６勺，米２斗２升５合２勺
等正地　0.8200
山　13.9058　麥１斗４升８合８勺，米１斗４升８合８勺
塘　0.4094　麥８合８勺，米２升１合９勺

40年-Ⅱ-15　**朱神祖**　軍戶　（絕）
舊管　人口　1　男子１
事產
民瓦房　１間
實在　人口　1　男子不成丁１，本身233
事產
民瓦房　１間

40年-Ⅱ-16　**朱留住**　軍戶　（絕）
舊管　人口　男子２
事產
民瓦房　３間
實在　人口　2　男子不成丁２，本身220，弟：記宗216
事產
民瓦房　３間

40年-Ⅱ-17　**陳清和**　軍戶　（絕）
舊管　人口　男子２
事產
民瓦房　３間
實在　人口　2　男子不成丁２，本身189，弟：安187

40年-Ⅱ-18　**朱　仲**
舊管　人口　男子１
事產
民田地　40.3600　夏麥８斗６升３合，秋米２石１斗５升２合７勺
田　39.9180　麥８斗５升４合２勺，米２石１斗３升５合６勺
地　0.4420
新收　事產
轉收
民田地　9.9255　夏麥２斗１升１合４勺，秋米５斗２升１合
田　9.2580　麥１斗９升８合１勺，米４斗９升５合２勺
田　2.6420　35年買本圖１甲王　茂戶
田　1.1480　35年買本都１圖10甲陳　浩戶

田　0.8460　35年買本都1圖10甲陳　浩戶
田　1.2580　35年買本都1圖10甲陳　浩戶
田　1.4100　35年買本都1圖10甲陳　浩戶
田　1.9600　35年買本都1圖10甲陳　浩戶
地　0.6675　麥1升3合3勺，米2升5合8勺
地　0.0795　35年買本都1圖10甲陳　浩戶
地　0.0840　35年買本都1圖10甲陳　浩戶
地　0.5040　35年買本都1圖10甲陳　浩戶
實在　人口　1　男子成丁1，本身37
事產
民田地　50.2855　夏麥1石7升4合4勺，秋米2石6斗7升3合8勺
田　49.1760　麥1石5升2合3勺，米2石6斗3升9勺
地　1.1095　麥2升2合1勺，米4升2合9勺

40年-Ⅱ-19　**朱　作**　民戶
舊管　人口　男子1
事產
民田地　41.6980　夏麥8斗9升1合9勺，秋米2石2斗2升6合6勺
田　41.4160　麥8斗8升6合3勺，米2石2斗1升5合7勺
地　0.2820　麥5合6勺，米1升9勺
新收　事產
轉收
民田地塘　8.92875　夏麥1斗8升8合7勺，秋米4斗
田　7.3910　麥1斗5升8合2勺，米3斗9升5合5勺
田　1.4300　34年買本圖5甲陳　新戶
田　1.2000　37年買2圖8甲葉　富戶
田　0.5200　37年買2圖3甲朱　勝戶
田　0.4620　32年買1圖4甲陳積裕戶
田　3.2710　32年買1圖5甲陳祖暘戶
田　0.5080　35年買1圖10甲陳　浩戶
地　1.50775　麥2升9合9勺，米5升8合4勺
地　0.1075　40年買本圖3甲朱學源戶
地　0.0325　37年買本甲朱　洪戶
地　0.03225　39年買本圖9甲朱　瑤戶
地　0.0495　39年買本甲朱　汶戶
地　0.0760　40年買本甲朱　汶戶
地　1.2000　32年買1圖4甲陳積裕戶
地　0.1000　41年買本都1圖5甲陳祖暘戶
塘　0.0300

塘　0.0300　32年買本都１圖５甲陳祖暘戶
實在　人口　1　男子成丁１，本身33
事產
民田地塘　50.6275　夏麥１石８升７勺，秋米２石６斗８升２合１勺
田　48.8070　麥１石４升４合５勺，米２石６斗１升６合２勺
地　1.78975　麥３升５合６勺，米６升９合３勺
塘　0.0300　麥６勺，米１合６勺

……………………………………………………………………………………………

40年-Ⅱ-20　朱世蕃

舊管　人口　男子１
事產
民田地山　24.4090　夏麥４斗８升４合７勺，秋米１石１斗５升１合３勺
田　20.4450　麥４斗３升７合４勺，米１石９升３合８勺
地　0.5420　麥１升７勺，米２升９勺
山　3.4220　麥３升６合６勺，米３升６合６勺
實在　人口　1　男子成丁１，本身28
事產
民田地山　24.4090

……………………………………………………………………………………………

40年-Ⅱ-21　朱　偉

舊管　人口　男子１
事產
民田地山塘　32.4845　夏麥６斗９升４合４勺，秋米１石７斗３升２合１勺
田　31.8165　麥６斗８升９勺，米１石７斗２合２勺
地　0.3080　麥６合１勺，米１升１合９勺
山　0.0300　麥３勺，米３勺
塘　0.3300　麥７合１勺，米１升７合７勺
新收　人口　婦女１，妻：程氏 35年娶到本都程方女
開除　事產
轉除
民田塘　1.8380　夏麥３升９合３勺，秋米９升８合３勺
田　1.7880　麥３升８合３勺，米９升５合６勺
田　1.7880　32年賣與本圖１甲王　茂戶
塘　0.0500　麥１合１勺，米２合７勺
塘　0.0500　20年賣與本圖１甲王　茂戶
實在　人口　2　男子成丁１，本身35
婦　女１，妻：程氏22
事產
民田地山塘　30.6465　夏麥６斗５升５合，秋米１石６斗３升３合７勺

田　30.0285　麥６斗４升２合６勺，米１石６斗６合５勺
地　0.3080　麥６合１勺，米１升１合９勺
山　0.0300　麥３勺，米３勺
塘　0.2800　麥６合，米１升５合

40年-Ⅱ-22　朱　伊

舊管　人口　男子１
事產
民田地山塘　34.6860　夏麥７斗７合１勺，秋米１石６斗 7升２合３勺
田　27.1510　麥５斗８合１勺，米１石４斗５升２合６勺
地　4.9350　麥９升８合１勺，米１斗９升１合
山　2.5800　麥２升７合６勺，米２升７合６勺
塘　0.0200　麥４勺，米１合１勺
新收　人口　婦女１，妻：金氏31年娶本都３圖金父女
實在　人口　2　男子成丁１，本身40
婦　女１，妻：金氏30
事產
民田地山塘　34.6860

40年-Ⅱ-23　朱　汶

舊管　人口　男子１
事產
民田地山塘　17.09715　夏麥３斗５升７合７勺，秋米８斗７升６合７勺
田　15.7590　麥３斗３升７合２勺，米８斗４升３合１勺
地　0.66615　麥１升３合２勺，米２升５合８勺
山　0.6570　麥７合，米７合
塘　0.0150　麥３勺，米８勺
新收　事產
轉收
民地山　0.4770　夏麥５合２勺，秋米５合５勺
地　0.0170
地　0.0170　35年買本甲朱　洪戶
山　0.4600
山　0.4600　37年買１圖３甲王　爵戶
開除　事產
轉除
民田地　6.3970　夏麥１斗２升９勺，米３斗２升２合５勺
田　1.8500　37年賣與本圖４甲王正芳戶
田　4.1790　37年買１圖３甲王　爵戶

地　0.3617
　地　0.0155　40年賣與本甲朱　洪戶
　地　0.0495　39年賣與本甲朱　作戶
　地　0.0760　40年賣與本甲朱　作戶
　地　0.0107　41年賣與本甲朱永興戶
　地　0.2100　35年賣與本甲朱永興戶

實在　人口　1　男子成丁1，本身40
　事產
　民田地山塘　11.18345　夏麥2斗2升6合8勺，秋米5斗4升5合6勺
　　田　9.7300　麥2斗8合2勺，米5斗2升5勺
　　地　0.32145　麥6合4勺，米1升2合4勺
　　山　1.1170　麥1升1合9勺，米1升1合9勺
　　塘　0.0150　麥3勺，米8勺

40年-Ⅱ-24　**朱誠侄**

舊管　人口　男子1
　事產
　民田地山塘　17.0145　夏麥3斗6升2合9勺，秋米8斗9升9合7勺
　　田　16.0784　麥3斗4升4合，米8斗6升
　　地　0.66565　麥1升3合，米2升5合8勺
　　山　0.0150　麥1勺，米1勺
　　塘　0.2550　麥5合5勺，米1升3合6勺

新收　事產
　轉收
　民田地山塘　28.9161　夏麥6斗1合8勺，秋米1石4斗7升9合1勺
　　田　26.8830　麥5斗5升5合3勺，米1石4斗3升8合2勺
　　　田　0.7920　34年買1圖4甲陳積裕戶
　　　田　2.9620　34年買1圖6甲陳　曜戶
　　　田　0.7480　34年買1圖9甲陳　廣戶
　　　田　1.1400　34年買1圖6甲陳社護戶
　　　田　1.5700　34年買1圖9甲陳　保戶
　　　田　0.5890　31年買1圖7甲汪　炤戶
　　　田　0.3650　35年買1圖7甲汪　炤戶
　　　田　0.3100　34年買1圖10甲陳　浩戶
　　　田　0.3950　39年買本甲朱　洪戶
　　　田　0.7650　35年買本圖5甲陳　章戶
　　　田　0.2080　41年買本圖1甲程　相戶
　　　田　0.9680　34年買1圖7甲汪　炤戶
　　　田　0.6000　35年買本圖1甲王　富戶

田　1.6000　41年買本圖2甲朱天賢戶
田　2.2360　42年買2圖10甲朱　法戶
田　4.9100　42年買1圖5甲陳時暘戶
田　0.5940　42年買本圖6甲汪世祿戶
田　2.2000　42年買本圖10甲朱金萬鍾戶
田　3.9480　42年買1圖5甲陳時暘戶
地　0.4611　麥9合2勺，米1升7合8勺
地　0.0200　31年買本圖1甲王　茂戶
地　0.0170　35年買本甲朱　洪戶
地　0.0625　40年買本甲朱　洪戶
地　0.0816　30年買本甲朱　瑤戶
地　0.2800　42年買本甲朱金萬中戶
山　1.4250　麥1升5合2勺，米1升5合2勺
山　1.2000　42年買本甲朱金萬中戶
山　0.1000　39年買本甲朱　洪戶
山　0.1250　37年買本圖6甲倪壽得戶
塘　0.1470　麥3合1勺，米7合9勺
塘　0.0750　34年買1圖9甲陳　廣戶
塘　0.0100　41年買本圖1甲程　相戶
塘　0.0300　34年買1圖10甲陳　浩戶
塘　0.0120　35年買本圖1甲王　茂戶
塘　0.0200　42年買本圖6甲汪世祿戶

開除　事産

轉除

民地　0.23285　夏麥4合6勺，米9合
地　0.1000　41年賣與本甲朱永興戶
地　0.00185　39年賣與本甲朱徹昌戶
地　0.0310　40年賣與本甲朱　浩戶
地　0.1000　41年賣與本甲朱　作戶

實在　人口　2　男子成　丁1，本身30
不成丁1，男12

事産

民田地山塘　45.6973　夏麥9斗6升1合2勺，秋米2石3斗6升9合9勺
田　42.9614　麥8斗5升9合2勺，米2石2斗9升8合4勺
地　0.8939　麥1升7合8勺，米3升4合
山　1.4400　麥1升5合4勺，米1升5合4勺
塘　0.4020　麥8合6勺，米2升1合5勺

……………………………………………………………………………

40年-Ⅱ-25　　朱世福
舊管　人口　男子1
事産
民田山　6.8470　夏麥1斗9合9勺，秋米2斗1升9合8勺
田　3.4250　麥7升3合3勺，米1斗8升3合2勺
山　3.4220　麥3升6合6勺，米3升6合6勺
實在　人口　1　男子成丁1，本身28
事産
民田山　6.8470

…………………………………………………………

40年-Ⅱ-26　　朱永興　告明立戶
新收　人口　男子成丁1
事産
轉收
民田地山塘　43.7569　夏麥8斗2升9合7勺，秋米1石8斗9升3合5勺
田　31.8689　麥6斗8升2合，米1石7斗5合4勺
田　1.8850　32年買1圖6甲陳春茂戶
田　1.2940　37年買1圖4甲陳四同戶
田　1.3500　32年買1圖2甲朱有得戶
田　0.6500　32年買1圖2甲朱有芳戶
田　2.2500　32年買1圖3甲王　爵戶
田　0.8520　40年買1圖3甲王　爵戶
田　1.6370　30年買11都3圖2甲汪國英戶
田　0.6050　32年買4都7圖3甲張汝翼戶
田　2.5970　33年買本圖5甲陳信漢戶
田　2.0560　33年買本圖1甲王　茂戶
田　0.7719　32年買本圖10甲金萬鍾戶
田　1.7010　32年買本圖1甲王　茂戶
田　1.0010　39年買本圖10甲金萬中戶
田　1.5300　35年買本圖1甲王　茂戶
田　0.7880　31年買本圖1甲王　茂戶
田　1.4300　33年買本圖10甲金萬中戶
田　0.2260　35年買本圖10甲朱時選戶
田　1.2970　35年買本圖8甲陳元和戶
田　2.8000　40年買本圖10甲金萬中戶
田　0.5420　40年買本圖5甲陳　章戶
田　3.8200　32年買本圖1甲王　茂戶
田　0.3960　41年買1圖6甲陳世曜戶
地　2.1449　麥4升2合6勺，米8升3合

地　0.1000　41年買本甲朱誠侄戶
地　0.0750　37年買1圖4甲陳四同戶
地　0.2200　33年買1圖4甲陳積裕戶
地　0.0300　40年買1圖8甲程　曜戶
地　1.2000　32年買4都7圖3甲張汝翼戶
地　0.2100　35年買本甲朱　汶戶
地　0.0150　36年買本甲朱　欽戶
地　0.1530　32年買本圖8甲朱得九戶
地　0.0107　41年買本甲朱　汶戶
地　0.0800　32年買本圖8甲朱良祐戶
地　0.0400　40年買本圖10甲朱國華戶
地　0.0112　32年買本甲朱　欽戶
山　9.7131　麥1斗3合9勺，米1斗3合9勺
山　0.6900　37年買1圖4甲陳四同戶
山　1.2800　33年買1圖4甲陳四同戶
山　0.1000　33年買1圖4甲陳積裕戶
山　0.2500　39年買本圖10甲金萬中戶
山　0.0900　32年買本圖8甲朱得九戶
山　0.0531　32年買本圖8甲朱得九戶
山　0.3000　36年買本圖1甲王　茂戶
山　0.0300　33年買本圖1甲王　茂戶
山　6.7000　32年買本圖1甲王　茂戶
山　0.2000　40年買本圖10甲金萬中戶
塘　0.0300
塘　0.0300　33年買本圖5甲陳　章戶

實在　人口　1　男子成丁1，本身20
事産
民田地山塘　43.7569　夏麥8斗2升9合1勺，秋米1石8斗9升3合5勺
田　31.8689　麥6斗8升2合，米1石7斗5合
地　2.1449　麥4升2合6勺，米8升3合
山　9.7131　麥1斗3合9勺，米1斗3合9勺
塘　0.0300　麥6勺，米1合6勺

40年-Ⅱ-27　**朱徹昌**　告明立戶　本身在外生長，今回置產，告明立戶當差

新收　人口　男子成丁1
事產
轉收
民田地山　16.6740　夏麥3斗4升9合8勺，秋米8斗6升3合9勺
田　15.8820　麥3斗3升9合9勺，米8斗4升9合7勺

田　2.4390　39年買本甲朱　洪戶
田　1.4000　33年買２圖３甲朱茂榮戶
田　0.4000　33年買２圖３甲朱茂榮戶
田　5.4000　33年買２圖８甲葉　富戶
田　1.4000　38年買２圖８甲葉　富戶
田　1.2000　38年買２圖８甲葉　富戶
田　0.7000　37年買１圖５甲陳天相戶
田　2.9430　39年買５都10圖５甲謝廷憲戶
田　2.3825　41年買１圖10甲陳　浩戶
地　0.2340　麥４合６勺，米６合９勺
地　0.0225　39年買本甲朱　洪戶
地　0.00185　39年買本甲朱誠侄戶
地　0.0820　41年買本甲朱　洪戶
地　0.0650　41年買本圖５甲謝廷文戶
地　0.0580　41年買本甲朱　洪戶
地　3.3380　41年買１圖10甲陳　浩戶
山　0.4950　麥５合３勺，米５合３勺
山　0.1550　39年買本甲朱　洪戶
山　0.1200　40年買１圖４甲陳積裕戶
山　0.2200　40年買１圖９甲陳應婁戶
山　2.8000　41年買１圖10甲陳　浩戶
山　0.0250　31年買本圖８甲陳元和戶

實在　人口　1　男子成丁１，本身20
事產
民田地山塘　16.6740　夏麥３斗４升９合８勺，秋米８斗６升３合９勺
田　15.8820　麥３斗３升９合９勺，米８斗４升９合７勺
地　0.2340　麥４合６勺，米８合９勺
山　0.4950　麥５合３勺，米５合３勺

第３甲

30年-Ⅲ　排年　**朱學源**　匠戶
舊管　人口　48　男子34，婦女14
事產
民田地山塘河　420.93084　夏麥７石９斗６升８勺，秋米17石６斗９升２合２勺
田　259.4250　麥５石５斗５升１合６勺，米13石８斗７升

9合2勺
地　73.71962　麥1石4斗6升4合9勺，米2石8斗5升3合9勺
山　87.32502　麥9斗3升4合4勺，米9斗3升4合4勺
塘河　0.4612　麥9合9勺，米2升4合7勺
民瓦房　3間
黄　牛　1頭

新收　人口　16　男子12
成　丁5，弟：仁　17年生，前册漏報，今收入籍
侄：夏成　21年生，在外生長，今回當差
侄：和成　20年生，前册漏報，今收入籍
侄：汲成　21年生，前册漏報，今收入籍
侄：鏡成　24年生，在外生長，今收當差
不成丁7，侄：十成34年生，侄：禮成38年生，侄：巨成38年生，侄孫：子元36年生，侄孫：貞明38年生，侄孫：正陽38年生，侄孫：正元39年生
婦女4，侄媳：金氏　37年娶到本都金華女
侄媳：江氏　35年娶到26都江長女
侄孫媳：黄氏　35年娶到29都黄求女
侄孫媳：程氏　36年娶到28都程春芳女

事產
轉收
民田地山塘　99.73895　夏麥2石2斗7合2勺，秋米4石8斗1升2合8勺
田　79.9776　麥1石7斗1升1合5勺，米4石2斗7升8合8勺

必田	1.0775	32年買本圖1甲金尙尹戶	團强・湧汲・淳
必田	1.3600	40年買本圖5甲金岩生戶	仁
遇田	1.0220	34年買本圖5甲金岩生戶	淳・春
必田	1.7700	33年買本圖1甲王　茂戶	淳
必田	2.8760	37年買本圖5甲陳　章戶	汲
必田	0.1740	34年買本圖6甲朱新風戶	元
必・得田	1.2500	40年買本圖8甲陳元和戶	乾・廣
必田	0.8925	39年買本圖1甲金尙尹戶	乾
必田	0.0360	40年買2圖9甲朱福茂戶	强
必田	0.6500	39年買2圖2甲汪　雲戶	夏
必田	2.3270	33年買2圖3甲朱茂榮戶	春・夏・夏
必田	0.1315	40年買1圖3甲朱廷卿戶	乾
得田	1.0810	39年買1圖9甲陳光像戶	夏

必田	0.4170	37年買１圖10甲陳　浩戶	乾
必田	1.0320	36年買１圖２甲朱有德戶	汲
必田	0.6100	37年買１圖２甲朱有德戶	老衆
得田	1.1840	34年買１圖３甲王　爵戶	禮
得田	2.0840	35年買１圖５甲陳天相戶	仁
必田	1.1840	36年買１圖２甲朱有俊戶	汲
得田	1.3240	40年買１圖６甲陳　生戶	元
必田	0.7300	37年買１圖７甲汪　明戶	仁
得田	0.5740	35年買１圖９甲陳　慶戶	仁
必田	1.8280	32年買１圖10甲朱　瑤戶	仁
得田	0.5826	38年買１圖10甲陳　浩戶	仁
必田	1.7000	37年買１圖10甲陳　浩戶	仁
必田	0.9000	39年買２圖３甲汪　俊戶	春
必田	3.0230	38年買１圖10甲陳　浩戶	仁・禮
必田	0.4580	34年買２圖３甲汪天慶戶	夏
必田	1.7310	36年買２圖４甲陳記宗戶	夏
必田	2.0980	33年買２圖６甲朱正昌戶	淳・淳・汲
必田	0.9530	40年買２圖７甲汪　忠戶	夏
必田	2.0480	39年買２圖９甲朱福茂戶	夏
必田	4.5390	39年買２圖10甲朱　法戶	夏
必田	0.6420	37年買２圖４甲陳三壽戶	禮
必・遇田	2.5740	32年買２圖６甲朱正昌戶	老衆・强・强
必田	2.1225	35年買２圖８甲葉　富戶	仁・老衆・亮光
得田	1.2270	40年買２圖９甲陳　選戶	禮
必田	1.0120	39年買２圖10甲朱　法戶	元孫・强
遇田	2.0160	40年買２圖６甲宋　才戶	元
必田	1.1680	35年買２圖６甲朱正昌戶	乾
必田	0.3070・0.7570	36年買２圖７甲汪　忠戶	衆庄
必・得田	0.9350	32年買２圖10甲朱　法戶	乾・乾貞
必田	0.6280	40年買２圖９甲朱福茂戶	乾
必田		32年買２圖10甲朱　法戶	淳
得田	3.4820	38年買本圖１甲金尙尹戶	夏
得田	0.7770	38年買本圖本甲李　象戶	
必田	1.8900	37年買本圖８甲陳元和戶	夏
得田	2.7530	37年買本圖５甲陳　章戶	仁
必田	0.1190	32年買２圖10甲朱　法戶	和
必田	0.7960	33年買本圖１甲金尙尹戶	和
得田	2.1700	39年買本圖１甲程　相戶	仁
遇田	1.4980	33年買３圖５甲金萬和戶	仁

必田　1.9200　40年買3圖9甲金　耀戶　禮
必田　0.4000　31年買3圖5甲金萬和戶　乾
必田　0.6610　35年買6圖6甲金　准戶　團・强
必田　1.5470　38年買11都3圖2甲汪國英戶　汲
遇田　2.6710　40年買26都5圖2甲宋　玄戶　貞
智・遇田　2.3880　39年買26都5圖8甲宋　錦戶　貞
得田　0.3640　36年買本圖8甲陳元和戶　和
地　10.87995　麥2斗1升6合2勺，米4斗2升1合2勺
必地　0.1650　37年買本圖1甲王　茂戶　團・元・强
必地　0.3800　36年買本圖5甲金岩生戶　春・壽・仁
必地　0.3264　35年買本圖6甲朱新風戶　春一・汲三
必地　0.0500　31年買本圖8甲陳元和戶　學八
必地　0.7850　36年買3圖5甲金萬和戶　麟
必地　0.4750　36年買1圖10甲陳　浩戶　乾
必地　0.1750　40年買1圖2甲朱廷卿戶　貞
得・必地　0.4350　36年買2圖1甲朱　有戶　貞・啓・廣・春
必地　0.1281　39年買2圖9甲朱福茂戶　正元・强
必地　0.5050・0.2430　33年買2圖6甲朱正昌戶　强・仁
必地　0.3400　32年買2圖10甲朱　法戶
必地　1.3984　32年買2圖6甲朱正昌戶
必地　0.4000　35年買本圖6甲朱新風戶　乾
必地　0.4480　37年買2圖6甲朱正昌戶
必地　0.8635　33年買2圖9甲朱福茂戶　乾
必地　0.6500　38年買2圖9甲吳　榮戶　麟・乾
必地　0.1720　32年買2圖10甲朱　法戶　乾
必地　0.0860　39年買2圖9甲朱福茂戶　廣
必地　0.1520　34年買3圖5甲金萬和戶　春
必地　0.3080　34年買6圖6甲金　准戶　團・元・强
必地　0.1161　40年買2圖9甲朱福茂戶　仁
必地　0.0540　37年買本圖1甲王　茂戶
必地　0.1445　34年買1圖6甲陳世曜戶　和
必地　0.2270　37年買2圖3甲朱茂榮戶　春
必地　0.3392　33年買2圖6甲朱正昌戶　春・夏
必地　0.0680　39年買2圖9甲朱福茂戶　春
必地　0.3700　39年買本圖5甲陳　新戶　强
必地　0.8000　39年買本圖5甲陳　新戶　强
必地　0.3240　38年買2圖9甲吳　榮戶　和
必地　0.1980　40年買2圖9甲朱福茂戶　和
必地　0.1360　39年買本圖1甲項興才戶　仁

必地	0.0400	37年買１圖４甲陳廷芳戶	强
山	8.4670	麥９升６勺，米９升６勺	
必山	0.5573	37年買本圖１甲金尙伊戶	和
必山	0.1650	33年買本圖１甲王　茂戶	春
必山	0.4600	37年買本圖１甲金尙伊戶	仁
必山	0.4300	38年買本圖１甲金尙伊戶	仁
必山	0.0250	38年買１圖10甲朱　瓊戶	
才山	0.0300	35年買１圖９甲陳應婁戶	乾
遇山	0.3500	37年買26都１圖９甲汪汝冠戶	
遇山	0.4000	33年買本圖８甲陳元和戶	
遇山	0.0500	33年買26都５圖７甲汪稷社戶	
遇山	0.0240	37年買26都５圖８甲蘇子元戶	
遇山	0.2500	33年買26都５圖１甲朱　彬戶	
必山	0.5000	40年買２圖４甲朱　魁戶	貞・唐
必山	0.3390	33年買２圖６甲朱正昌戶	仁
必山	0.5000・0.0625	31年買２圖10甲朱　法戶	麟・乾
必山	1.0640	38年買２圖９甲朱福茂戶	乾
必山	0.2930	40年買２圖６甲朱正昌戶	乾
必山	0.1670	38年買２圖９甲吳　榮戶	乾
必山	1.7500	36年買３圖１甲金本中戶	强
遇山	0.1500・0.2000	37年買６圖６甲金　淮戶	仁・强
必山	0.3500・0.0575・0.4250	40年買２圖９甲朱福茂戶	强
得山	0.0300	35年買２圖３甲陳　浩戶	貞
得山	0.0700	32年買１圖10甲陳　浩戶	貞
必山	0.2290	35年買本圖１甲金尙伊戶	
必山	0.0080	40年買１圖10甲陳　浩戶	
必山	0.0130	40年買１圖２甲朱廷卿戶	
必山	0.0210	32年買１圖２甲朱天生戶	
必山	0.0130	32年買１圖２甲汪　班戶	
必山	0.0080	40年買１圖２甲朱天賢戶	
必山	0.1500	39年買１圖４甲陳積裕戶	
得山	0.2750	34年買１圖６甲陳世曜戶	
得山	0.1455	30年買本圖８甲陳元和戶	
必山	0.4427	37年買１圖６甲陳世曜戶	
塘	0.4144	麥８合９勺，米２升２合２勺	
得塘	0.0350	40年買１圖４甲陳積裕戶	禮
必塘	0.0160	38年買１圖10甲朱　瓊戶	乾
必塘	0.0134	40年買２圖９甲朱福茂戶	乾
必塘	0.3500	40年買１圖10甲陳　浩戶	乾

開除　人口　17　男子12，成　丁9，兄：積三31年故，兄：長仁39年故，兄：積存31年故，兄：椿32年故，侄：長二38年故，侄：存貴39年故，侄：自成35年故，侄：鎮成35年故，侄：良成35年故

不成丁3，兄：積興33年故，侄：周成36年故，侄：新成38年故

婦女5，嫂：汪氏31年故，嫂：胡氏31年故，嫂：程氏34年故，嫂：程氏37年故

事產

轉除

民田地山	18.16793	夏麥3斗6升6合8勺，秋米8斗6升8合2勺
田	14.5285	麥3斗1升9勺，米8斗6升8合2勺
田	0.5698	36年賣與1圖9甲金　曜戶
田	0.5900	40年賣與1圖9甲金　曜戶
田	0.2500	38年賣與2圖10甲朱　法戶
田	1.3380	35年賣與2圖10甲朱英義戶
田	0.1270	34年賣與2圖10甲朱　法戶
田	0.0920	35年賣與2圖10甲朱　法戶
田	0.2400	36年賣與2圖1甲朱　有戶
田	1.5660	39年賣與1圖9甲金　曜戶
田	0.6720	36年賣與2圖1甲朱　有戶
田	1.0000	34年買2圖6甲朱正昌戶
田	1.3930	40年買1圖胡天清戶
田	1.4080	34年賣與2圖1甲朱　有戶
田	0.4700	36年賣與2圖7甲朱　盈戶
田	2.2320	34年賣與本圖6甲朱新風戶
田	0.3980	41年賣與本圖1甲金尙伊戶
田	1.5940	37年賣與1圖9甲金　曜戶
田	0.0350	39年賣與2圖10甲朱　法戶
田	0.5400	41年賣與本圖1甲金尙伊戶
地	1.85408	麥3斗6合8勺，米7升1合8勺
地	0.1493	36年賣與2圖10甲朱　法戶
地	0.0180	35年賣與2圖1甲朱　有戶
地	0.0175	40年賣與本圖2甲朱　作戶
地	0.0175	40年賣與本圖2甲朱師孔戶
地	0.0590	40年賣與1圖2甲朱天賢戶
地	0.0450	35年賣與2圖7甲汪　忠戶
地	0.1646	31年賣與本甲劉得應戶

	地	0.1146	38年賣與2圖10甲朱　法戶	
	地	0.2460	35年賣與2圖10甲朱英義戶	
	地	0.1100	35年賣與2圖10甲朱　法戶	
	地	0.0410	34年賣與2圖10甲朱　法戶	
	地	0.0165	31年賣與2圖10甲朱　法戶	
	地	0.0720	36年賣與2圖10甲朱　法戶	
	地	0.1100	36年賣與2圖10甲朱　法戶	
	地	0.09468	40年賣與2圖1甲朱　有戶	
	地	0.1220	36年賣與2圖1甲朱　有戶	
	地	0.0750	40年賣與2圖9甲朱福茂戶	
	地	0.0620	41年賣與6圖6甲朱岩周戶	
	地	0.2100	37年賣與2圖7甲朱　盈戶	
	地	0.1094	41年賣與2圖1甲朱　有戶	
山		1.78535	麥1升9合1勺，米1升9合1勺	
	山	0.0500	33年賣與本甲劉得應戶	團
	山	0.0100	40年賣與2圖6甲朱正昌戶	巨
	山	0.0115	41年賣與2圖6甲朱正昌戶	昊
	山	0.0580	41年賣與6圖6甲朱岩周戶	乾
	山	0.37535	41年賣與本甲劉得應戶	九
	山	0.1600	36年賣與2圖1甲朱　有戶	九
	山	1.1170	34年賣與2圖10甲朱　法戶	昊

實在　人口　48　男子34，成　丁25，本身51，侄：立成39，兄：積團58，侄：奇成32，弟：容46，侄：春成32，弟：存仁46，侄：湧成23，弟：積五45，侄：夏成21，弟：積强45，侄：和成21，弟：存道45，侄：汲成20，弟：長40，弟：永壽40，侄：孔成18，侄：應成18，弟：仲旻40，弟：漢40，侄：鏡成17，弟：丕33，侄孫：端務21，弟：六德32，弟：仁24

不成丁9，侄：十成7，侄：禮成3，侄孫：正賢13，侄孫：貞明3，侄孫：正陽3，侄孫：子元5，侄：巨成3，侄孫：正元2

婦女14，侄媳：金氏21，侄媳：江氏22，侄媳：黃氏23，嫂：黃氏55，侄媳：程氏45，侄媳：程氏44，侄媳：金氏38，侄媳：程氏20，侄媳：張氏36，侄媳：吳氏37，侄媳：程氏38，侄媳：巴氏34，侄媳：張氏33，侄媳：汪氏39

事産

民田地山塘河　502.50186　夏麥9石6斗2升1合1勺，秋米21石6斗3升6合8勺

田　324.8741　麥６石９斗５升２合３勺，米17石３斗８升８勺
地　82.74549　麥１石６斗４升４合２勺，米３石２斗３合３勺
山　94.00667　麥１石5合９勺，米１石5合９勺
塘河　0.8756　麥１升８合７勺，米４升６合８勺
民瓦房　３間
民黄牛　１頭

40年-Ⅲ-1　甲首第一戶　李　象　民戶　承故父李成

舊管　人口　5　男子３，婦女２
事産
民田地　4.2970　夏麥９升８勺，秋米２斗１升８合
田　3.4900　麥１升６合，米３升１合２勺
地　0.8070　麥１升６合，米３升１合１勺

新收　人口　3　男子２，成　丁１，侄：顯19年生，前册漏報，今收入籍
不成丁１　侄：福36年生
婦女１，侄媳：程氏38年娶到26都程父女
事産
轉收
民田地山塘　2.3920　夏麥４升９合５勺，秋米１斗１升２合８勺
田　1.3770
田　1.3770　39年買２圖４甲陳三壽戶
地　0.9600
地　0.9600　40年買１圖４甲陳四同戶
山　0.0250
山　0.0250　32年買１圖２甲朱廷卿戶
塘　0.0300
塘　0.0300　40年買１圖４甲陳積裕戶

開除　人口　3　男子２，成　丁１，弟：奇31年故
不成丁１，父：成34年故
婦女１，母：蔡氏32年故
事産
轉除
民田　1.3080　夏麥２升８合，秋米７升１勺
田　0.7790　38年賣與本甲朱學源戶
田　0.5290　39年賣與本甲劉　岩戶

實在　人口　5　男子３，成　丁２，本身52，侄：顯21
不成丁１，侄：福５

婦女2，妻：劉氏65，侄婦：程氏20

事産

民田地山塘　5.3810　夏麥1斗1升2合3勺，秋米2斗6升7勺

田　3.5590　麥7升6合2勺，米1斗9升4勺

地　1.7670　麥3升5合1勺，米6升8合4勺

山　0.0250　麥3勺，米3勺

塘　0.0300　麥7勺，米1合6勺

40年-Ⅲ-2　甲首第二戸　**呉長富**　民戸　承故兄天龍

舊管　人口　6　男子4，婦女2

事産

民地山　1.1330　夏麥1升8合5勺，秋米3升1合7勺

地　0.6980　麥1升3合8勺，米2升7勺

山　0.4350　麥4合7勺，米4合7勺

新收　人口　1　男子不成丁1，弟：勝祖37年生

事産

轉收

民田地山　1.5320　夏麥2升5合6勺，秋米4升4合9勺

田　0.0500

田　0.0500　39年買1圖4甲陳三同戸

地　0.9390　麥1升8合7勺，米3升6合4勺

地　0.0290　39年買本圖8甲陳元和戸

地　0.3200　39年買1圖4甲陳三同戸

地　0.5900　41年買1圖4甲陳三同戸

山　0.5430　麥1升1合8勺，米1升1合8勺

山　0.0300　32年買本圖1甲王　茂戸

山　0.0930　32年買1圖4甲陳積裕戸

山　0.4200　35年買1圖4甲陳三同戸

開除　人口　1　男子成丁1　兄：天龍31年故

實在　人口　6　男子4，成　丁3，本身43，叔：法67，弟：岩隆23

不成丁1，弟：勝祖4

婦女2，叔母：宋氏70，叔母：宋氏55

事産

民田地山　2.6650　夏麥4升4合1勺，秋米7升6合6勺

田　0.0500　麥1合1勺，米2合7勺

地　1.6370　麥3升2合5勺，米6升3合4勺

山　0.9780　麥1升5勺，米1升5勺

40年-Ⅲ-3　甲首第三戸　**宋甲毛**　民戸

舊管　人口　　4　男子２，婦女２
　　事產
　　　民田地山　　2.2530　夏麥４升６合５勺，秋米１斗８合
　　　　　　田　　1.5140　　麥３升２合４勺，米８升１合
　　　　　　地　　0.6820　　麥１升３合５勺，米２升６合４勺
　　　　　　山　　0.0600　　麥６勺，米６勺
新收　事產
　　　轉收
　　　　　民地　　0.0830
　　　　　　地　　0.0830　39年買24都４圖３甲宋尙隆戸
實在　人口　　4　男子２，成　丁１，本身40
　　　　　　　　　　　　不成丁１，男：曜12
　　　　　　　　婦女２，母：汪氏80，妻：金氏50
　　事產
　　　民田地山　　2.3390　夏麥４升８合２勺，秋米１升１合２勺
　　　　　　田　　1.5140
　　　　　　地　　0.7650　　麥１升５合２勺，米２升９合６勺
　　　　　　山　　0.0600　　麥６勺，米６勺

………………………………………………………………………………

40年-Ⅲ-4　甲首第四戸　**胡　風**

舊管　人口　　3　男子２，婦女１
　　事產
　　　民田地山　　1.7620　夏麥３升５合，秋米６升８合６勺
　　　　　　田　　0.0410　　麥９勺，米２合２勺
　　　　　　地　　1.7130　　麥３升４合，米６升６合３勺
　　　　　　山　　0.0900　　麥１勺，米１勺
　　　　民瓦房　　１間
開除　事產
　　　轉除
　　　　民地山　　0.1213　夏麥２合４勺1抄，秋米４合７勺１抄
　　　　　　地　　0.1230　　麥２合４勺，米４合７勺
　　　　　　　地　0.1103　39年賣與本圖３甲陳　林戸
　　　　　　　地　0.0100　40年賣與６圖４甲徐　志戸
　　　　　　山　　0.0100
　　　　　　　山　0.0100　40年賣與６圖４甲徐　志戸
實在　人口　　3　男子２，成　丁１，本身32
　　　　　　　　　　　　不成丁１，男：興12
　　　　　　　　婦女１，妻：陳氏35

事產
　民田地山　1.6417　夏麥3升2合6勺，秋米6升4合
　　田　0.0410　麥9勺，米2合2勺
　　地　1.5927　麥3升1合6勺，米6升1合7勺
　　山　0.0080　麥1勺，米1勺
　民瓦房　1間

40年-Ⅲ-5　甲首第五戸　**劉　岩**　承故父再得

舊管　人口　3　男子1，婦女2
　事產
　民田地山　19.1417　夏麥3斗5升8合1勺，秋米7斗8升5合
　　田　11.0700　麥2斗3升6合9勺，米5斗9升2合2勺
　　地　3.8010　麥7升5合5勺，米1斗4升7合1勺
　　山　4.2700　麥4升5合7勺，米4升5合7勺
　民瓦房　2間
新收　人口　1　男子成丁1
　事產
　轉收
　民田地山　2.3230　夏麥4升9合5勺，秋米1斗2升2合5勺
　　田　2.2100　麥4升7合3勺，秋米1斗1升8合2勺
　　　田　0.5290　39年買本甲李　象戸
　　　田　0.2500　39年買本圖6甲汪世祿戸
　　　田　0.7630　37年買1圖7甲陳　全戸
　　　田　0.6680　34年買2圖6甲朱正昌戸
　　地　0.1100
　　　地　0.1100　39年買2圖9甲吳　榮戸
開除　人口　2　男子成丁1，父：再得32年故
　　　婦　女1，義祖母：金氏33年故
實在　人口　2　男子1，成丁1，本身17
　　　婦女1，母：周氏63
　事產
　民田地山　21.4610　夏麥4斗7合6勺，秋米9斗7合6勺
　　田　13.2800　麥2斗8升4合2勺，米7斗1升5勺
　　地　3.9110　麥7升7合7勺，米1斗5升1合4勺
　　山　4.2700　麥4升5合7勺，米4升5合7勺
　民瓦房　2間

40年-Ⅲ-6　甲首第六戸　**朱繼伯**　承故父大儀

舊管　人口　2　男子1，婦女1

事産
民地山塘　0.6754　夏麥１升２合７勺，秋米２升４合８勺
地　0.4920　麥９合８勺，米１升９合
山　0.0944　麥１合，米１合
塘　0.0890　麥１合９勺，米４合８勺
民瓦房　２間
水　牛　１頭
新收　人口　男子２，成　丁１，本身30年生，前册漏報，今收入籍
不成丁１，男：有生37年生
開除　人口　男子成丁１，父：大儀36年故
事産
轉除
民地山　0.0300　夏麥５勺，秋米９勺
地　0.0200　麥４勺，秋米８勺
地　0.0050　37年賣與本圖６甲朱之棟戶
地　0.0150　37年賣與６圖３甲李　衍戶
山　0.0100
山　0.0100　37年賣與６圖３甲李　衍戶
實在　人口　３　男子２，成　丁１，本身20
不成丁１，男：有生４
婦女１，妻：孫氏37
事産
民地山塘　0.6456　夏麥１升２合２勺，秋米２升２合
地　0.4720　麥９合４勺，米１升８合３勺
山　0.0844　麥９勺，米９勺
塘　0.0890　麥１合９勺，米４合８勺
民瓦房　２間
水　牛　１頭

40年-Ⅲ-7　甲首第七戶　朱興龍

舊管　人口　３　男子２，婦女１
事産
民田地山塘　29.67948　夏麥６斗8勺，秋米１石４斗３升６合８勺
田　24.7780　麥５斗３升３勺，米１石３斗２升５合６勺
地　1.58848　麥３升５勺，米６升１合５勺
山　2.9790　麥３升１合８勺，米３升１合８勺
塘　0.3340　麥７合２勺，米１升７合９勺
開除　事産
轉除

民田　11.1170　夏麥２斗３升７合９勺，秋米５斗９升４合８勺
田　8.9140　39年賣與本圖６甲朱之棟戶
田　2.2030　38年賣與１圖４甲汪　興戶
實在　人口　3　男子２，成　丁１，本身69
不成丁１，男：麟12
婦女１，妻：宋氏70
事産
民田地山塘　18.56248　夏麥３斗６升２合８勺，秋米８斗４升２合１勺
田　13.6610　麥２斗９升２合３勺，米７斗３升９勺
地　1.58848　麥３升１合５勺，米６升１合５勺
山　2.9790　麥３升１合８勺，米３升１合８勺
塘　0.3340　麥７合２勺，米１升７合９勺

40年-Ⅲ-8　甲首第八戶　**朱社學**　民戶
舊管　人口　1　男子１
事産
民田地山塘　6.3130　夏麥１斗３升２勺，秋米３斗７合４勺
田　4.7370　麥１斗１合３勺，米２斗５升３合４勺
地　1.2820　麥２升５合５勺，米４升９合６勺
山　0.2640　麥２合８勺，米２合８勺
塘　0.0300　麥６勺，米１合６勺
民瓦房　３間
新收　事産
轉收
民田塘　8.0150　夏麥１斗７升１合５勺，秋米４斗２升８合８勺
田　8.0050　麥１斗７升１合３勺，米４斗２升８合３勺
田　2.9960　37年買本圖１甲王　茂戶
田　0.9360　34年買本圖１甲王　茂戶
田　1.4650　37年買１圖６甲陳建忠戶
田　0.6330　39年買１圖２甲朱天生戶
田　0.4520　39年買１圖２甲汪　標戶
田　0.5220　39年買２圖１甲朱　有戶
田　1.0020　35年買２圖９甲朱福茂戶
塘　0.0100
塘　0.0100　39年買２圖９甲朱福茂戶
實在　人口　1　男子成丁１，本身56
事産
民田地山塘　14.3280　夏麥３斗１合８勺，秋米７斗３升６合２勺
田　12.7420　麥２斗７升２合７勺，米６斗８升１合７勺

地　1.2820　麥２升５合５勺，米４升９合６勺
山　0.2640　麥２合８勺，米２合８勺
塘　0.0400　麥８勺，米２合１勺
民瓦房　３間

40年-Ⅲ-9　甲首第九戶　項興才
舊管　人口　4　男子３，婦女１
事產
民田地山　8.3710　夏麥１斗７升３合５勺，秋米３斗９升８合３勺
田　5.2080　麥１斗１升１合５勺，米２斗７升８合６勺
地　3.0630　麥６升９勺，米１斗１升８合６勺
山　0.1000　麥１合１勺，米１合１勺
民瓦房　半間
新收　人口　1　男子成丁１，侄：岩得，在外生長，今回入籍當差
事產
轉收
民田山　10.0136　夏麥１斗９升４合６勺，秋米４斗５升７合
田　8.1736　麥１斗７升４合９勺，米４斗３升７合３勺
田　0.4860　32年買本圖１甲金尙尹戶
田　1.4900　40年買本圖５甲金岩生戶
田　1.1100　36年買本圖５甲金岩武戶
田　0.5640　31年買２圖６甲朱正昌戶
田　1.1086　31年買２圖６甲宋　才戶
田　2.4250　37年買２圖１甲金壽山戶
田　1.0000　40年買２圖10甲朱　法戶
山　1.8400　麥１升９合７勺，米１升９合７勺
山　1.3000　32年買本圖１甲金尙尹戶
山　0.4700　31年買２圖６甲朱正昌戶
山　0.0700　32年買１圖５甲黃應袍戶
開除　人口　男子成丁１，弟：記得31年故
事產
轉除
民地　0.1360
地　0.1360　39年賣與本甲朱學源戶
實在　人口　4　男子３，成　丁２，侄：岩得20，義侄：盛曜貴60
不成丁１，本身120
婦女１，弟婦：劉氏62
事產
民田地山　18.2486　夏麥３斗６升５合４勺，秋米８斗５升

田　13.3816　麥２斗８升６合４勺，米７斗１升５合９勺
地　2.9270　麥５升８合２勺，米１斗１升３合３勺
山　1.9400　麥２升８勺，米２升８勺
民瓦房　半間

40年-Ⅲ-10　甲首第十戸　劉得應

舊管　人口　2　男子１，婦女１
事産
民田地山　11.5790　夏麥２斗４升３合，秋米５斗９升３合
田　10.1200　麥２斗１升６合６勺，米５斗４升１合４勺
地　1.1890　麥２升３合６勺，米４升６合
山　0.2700　麥２合９勺，米２合９勺
民瓦房　３間
民水牛　１頭
新收　人口　婦女１，妻：潘氏 22年 娶到11都潘長女
事産
轉收
民田地山塘　2.88135　夏麥５升８勺，秋米１斗１合９勺
田　0.9100　麥１升９合５勺，米４升８合７勺
田　0.1430　38年買本圖１甲金尙尹戸
田　0.4620　34年買本圖５甲金岩生戸
田　0.3050　40年買２圖６甲朱正昌戸
地　1.0236　麥２升３合，麥３升９合６勺
地　0.1646　31年買本甲朱學源戸
地　0.1590　32年買本圖８甲陳元和戸
地　0.1000　35年買２圖10甲陳　浩戸
地　0.6000　35年買２圖６甲朱正昌戸
山　0.86775　麥９合３勺，米９合３勺
山　0.42525　41年買本甲朱學源戸
山　0.0300　35年買２圖10甲陳　浩戸
山　0.4125　40年買２圖６甲朱正昌戸
塘　0.0800
塘　0.0800　40年買１圖５甲陳天相戸
開除　人口　1　婦女１，義母：程氏31年故
實在　人口　2　男子成丁１，本身65
婦　女１　妻：潘氏45
事産
民田地山塘　14.46035　夏麥１斗９升４合，秋米６斗９升２合３勺
田　11.0300　麥２斗３升６合１勺，米５斗９升1勺

地　2.2126　麥4升4合，米8升5合7勺
山　1.13775　麥1升2合2勺，米1升2合2勺
塘　0.0800　麥1合7勺，米4合3勺
民瓦房　3間
民水牛　1頭

40年-Ⅲ-12　第十二戸　**汪慶祐**　軍戸　（絕）
舊管　人口　男子1
事産
民瓦房　2間
實在　人口　男子不成丁1，本身224
事産
民瓦房　2間

40年-Ⅲ-13　第十三戸　**陳舟興**　軍戸　（絕）
舊管　人口　男子1
事産
民瓦房　3間
實在　人口　男子不成丁1，本身224
事産
民瓦房　3間

40年-Ⅲ-14　第十四戸　**朱添助**　（絕）
舊管　人口　男子1
事産
民瓦房　1間
實在　人口　男子不成丁1，本身238
事産
民瓦房　1間

40年-Ⅲ-15　第十五戸　**徐　奉**　（絕）
舊管　人口　男子1，婦女1
事産
民瓦房　3間
實在　人口　2　男子不成丁1，本身95
婦　女　1，妻：韓氏83
事産
民瓦房　3間

40年-Ⅲ-16　甲首第十六戸　劉文選

舊管　人口　　2　男子１，婦女１
事産
民地　0.0150　夏麥３勺，秋米６勺
民瓦房　３間
實在　人口　　2　男子成丁１，本身35
婦　　女１，祖母：吳氏85
事産
民地　0.0150　夏麥３勺，秋米６勺
民瓦房　３間

……………………………………………………………………………………

40年-Ⅲ-17　甲首第十七戸　朱　標

舊管　人口　　1　男子１
事産
民田地山塘　17.12739　夏麥３斗３升７合４勺，秋米７斗８升２合９勺
田　12.1633　麥２斗６升３合，米６斗５升７合
地　1.92616　麥３升８合３勺，米７升４合６勺
山　2.45283　麥２升６合３勺，米２升６合３勺
塘　0.5851　麥１升２合５勺，米３升１合３勺
新收　事産
轉收
民田地山塘　5.56616　夏麥１斗１升２合５勺，秋米２斗７升６勺
田　4.7925　麥１斗２合５勺，米２斗５升６合４勺
田　2.5705　38年買本圖６甲朱八糞戶
田　1.0710　38年買本圖６甲朱　嵩戶
田　1.1510　35年買11都３圖10甲倪文元戶
地　0.1528　麥３合，米５合９勺
地　0.0315　40年買本圖６甲朱之棟戶
地　0.0110　38年買本圖６甲朱八糞戶
地　0.1103　39年買本圖６甲胡　風戶
山　0.58136
山　0.58136　40年買本圖６甲朱　貴戶
塘　0.0395
塘　0.0395　38年買本圖６甲朱　枝戶
實在　人口　　1　男子成丁１，本身20
事産
民田地山塘　22.69355　夏麥４斗５升，秋米１石５升３合５勺
田　16.9558　麥３斗６升２合８勺，米９斗７合１勺
地　2.07896　麥４升１合６勺，米８升５勺

山　3.03419　麥3升2合5勺，米3升2合5勺
塘　0.6346　麥1升3合4勺，米3升3合4勺

第4甲

40年-Ⅳ　排年　王正芳　匠戶
舊管　人口　27　男子17，婦女10
事産
民田地山塘　72.9070　夏麥1石2斗9升1合5勺，秋米2石7斗3勺
田　30.5790　麥7斗4升，米1石8斗5升
地　14.4860　麥2斗8升7合9勺，米5斗6升9勺
山　23.0410　麥2斗4升6合5勺，米2斗4升6合5勺
塘　0.8010　麥1升7合1勺，米4升6合9勺
民瓦房　6間
新收　人口　3　男子不成丁3　侄：懋貞38年生，侄：懋才37年生，侄：之楝39年生
事産
轉收
民田地山　31.98927　夏麥5斗5升2合9勺，秋米1石1斗5升5合2勺
田　16.8310　麥3斗6升2勺，米9斗5勺
田　1.8500　37年買本圖2甲朱　汶戶
田　1.4900　37年買1圖3甲王　爵戶
田　2.0000　36年買1圖6甲陳世曜戶
田　1.4330　40年買1圖9甲陳長壽戶
田　1.0520　37年買1圖5甲陳　澤戶
田　0.8400　38年買1圖5甲陳三陽戶
田　1.0000　33年買本圖10甲陳　新戶
田　1.9700　33年買本圖1甲王　茂戶
田　1.4400　33年買2圖3甲陳玄法戶
田　1.5460　34年買1圖6甲陳社互戶
田　2.2100　39年買本圖10甲金萬中戶
地　3.32827　麥6升6合1勺，米1斗2升8合8勺
地　0.0285　37年買本圖9甲王　敍戶
地　0.0790　40年買本圖1甲王　富戶
地　0.0310　38年買本圖1甲王　富戶
地　1.5000　37年買本圖1甲王　茂戶
地　0.0070　37年買本圖1甲王　茂戶

地　0.0440　40年買１圖９甲陳長壽戶
地　0.0300　33年買本圖９甲王　敍戶
地　0.7217　41年買本圖１甲王　富戶
地　0.4917　40年買１圖４甲陳積裕戶
山　11.8300
山　11.8300　40年買１圖６甲張汪得戶
開除　人口　3　男子成　丁２，兄：汝象36年故，兄：汝漢38年故
不成丁１，侄：良佩38年故
實在　人口　27　男子17，成　丁11，兄：汝傳50，兄：汝作46，弟：汝侃36，弟：汝億35，弟：汝仲32，侄：良住25，侄：良相23，侄：萬得32，侄：良忠46，義男：仔35
不成丁６，侄：懋盛13，侄：茂憲13，侄：茂才４，侄：懋貞３，侄：之棟２，伯：應齊90
婦女10，伯母：江氏82，叔母：汪氏80，叔母：吳氏77，叔母：江氏60，叔母：汪氏60，嫂：吳氏56，嫂：許氏50，嫂：吳氏50，嫂：陳氏50，嫂：吳氏46，妻：張氏40
事產
民田地山塘　104.89627　夏麥１石８斗４升４合４勺，秋米３石８斗５升６勺
田　51.4100　麥１石１斗2勺，米２石７斗５升４勺
地　17.81427　麥３斗５升４合，米６斗８升９合６勺
山　34.8710　麥７升３合１勺，米７升３合１勺
塘　0.8100　麥１升７合１勺，米４升２合９勺
民瓦房　6間

……………………………………………………………………

40年-Ⅳ-1　**汪福壽**
舊管　人口　4　男子２，婦女２
事產
民田　1.5000　夏麥３升２合１勺，秋米８升３勺
民瓦房　２間
實在　人口　4　男子成丁２，本身65，弟：養37
婦　女２，妻：方氏60，弟媳：昌氏37
事產
民田　1.5000　夏麥３升２合，秋米８升３合
民瓦房　２間

……………………………………………………………………

40年-Ⅳ-2　**朱大興**　民戶
舊管　人口　3　男子２，婦女１
事產
民田地山塘　1.7636　夏麥２升６合１勺，秋米４升３合４勺

開除　事産
　轉除
　　民地山　0.1120　夏麥８勺，秋米１合５勺
　　　地　0.0020
　　　　地　0.0020　37年賣與本圖６甲朱之楝戶
　　　山　0.1100
　　　　山　0.0350　41年賣與本甲朱文節戶
　　　　山　0.0750　37年賣與本圖６甲朱之楝戶
實在　人口　3　男子２，成　丁１，本身57
　　　　　　　　不成丁１，男：飹生12
　　　　　　婦女１，妻：金氏51
　事産
　民田地山塘　1.7191　夏麥２升５合４勺，秋米４升２合
　　　田　0.0320　麥７勺，米１合７勺
　　　地　0.4673　麥９合３勺，米１升８合２勺
　　　山　1.0068　麥１升８勺，米１升８勺
　　　塘　0.2130　麥４合６勺，米１升１合４勺

40年-Ⅳ-3　**朱文魁**
舊管　人口　3　男子２，婦女１
　事産
　民田地山塘　0.9321　夏麥１升８合４勺，秋米３升７合７勺
　　　田　0.1270　麥２合７勺，米６合８勺
　　　地　0.6901　麥１升３合７勺，2升６合７勺
　　　山　0.0450　麥５勺，米５勺
　　　塘　0.0700　麥１合５勺，米３合７勺
　　民瓦房　3間
新收　人口　1　男子不成丁１，侄：有如37年生
開除　人口　1　男子不成丁１，弟：文元37年故
　事産
　轉除
　　民地山　0.1595　夏麥２合９勺，秋米５合４勺
　　　地　0.1310　麥２合６勺，米５合１勺
　　　　地　0.0200　37年賣與本圖６甲朱之楝戶
　　　　地　0.0700　37年賣與本圖６甲朱之楝戶
　　　　地　0.0410　34年賣與本甲朱文節戶
　　　山　0.0285　麥３勺，米
　　　　山　0.0100　36年賣與本圖２甲朱祖耀戶
　　　　山　0.0185　37年賣與本圖６甲朱之楝戶

實在　人口　　3　男子２，成　丁１，本身54
　　　　　　　　　　不成丁１，侄：有如４
　　　　　　　　婦女１，妻：王氏54
　　事產
　　民田地山塘　　0.7526　夏麥１升５合５勺，秋米３升２合３勺
　　　　　　田　　0.1270　　麥２勺，米６合８勺
　　　　　　地　　0.5591　　麥１升１合１勺，米２升１合６勺
　　　　　　山　　0.0165　　麥２勺，米２勺
　　　　　　塘　　0.0700　　麥１合５勺，米３合７勺
　　　民瓦房　　3間

40年-Ⅳ-4　　　王　祥　承故叔王美
舊管　人口　　6　男子４，婦女２
　　事產
　　　民田地山　　8.7435　　夏麥１斗５升１合１勺，秋米３斗６合５勺
　　　　　　田　　3.6810　　　麥７升８合８勺，米１斗９升６合９勺
　　　　　　地　　1.9795　　　麥３升９合３勺，米７升６合６勺
　　　　　　山　　3.0830　　　麥３升３合，米３升３合
　　　民瓦房　　3間
新收　人口　　1　男子不成丁１，侄：士英38年生
　　事產
　　　轉收
　　　民田地山　　3.52653　夏麥５升４合６勺，秋米９升６合１勺
　　　　　　田　　0.6900
　　　　　　　田　0.6900　34年１圖４甲陳四同戶
　　　　　　地　　1.31353　　麥２升５勺，米３升９合９勺
　　　　　　　地　0.0600　30年買本圖８甲王應享戶
　　　　　　　地　0.0410　31年買本圖８甲王應享戶
　　　　　　　地　0.0240　32年買本圖８甲王承興戶
　　　　　　　地　0.0130　36年買本圖10甲金萬中戶
　　　　　　　地　0.2510　35年買本圖10甲金萬中戶
　　　　　　　地　0.6300　37年買２圖４甲陳　壽戶
　　　　　　　地　0.01453　38年１圖４甲陳積裕戶
　　　　　　山　　1.8030　　麥１升９合３勺，米１升９合３勺
　　　　　　　山　0.1100　30年買本圖８甲王應享戶
　　　　　　　山　0.3600　34年買１圖４甲陳三同戶
　　　　　　　山　0.8330　35年買本圖10甲金萬中戶
　　　　　　　山　0.5000　37年買２圖４甲陳三壽戶
實在　人口　　6　男子４，成　丁３，本身36，弟：應時22，弟：正昇23

不成丁1，侄：士英3
婦女2，嬸：52，妻：葉氏40
事產
民田地山　12.2730　夏麥2斗5合7勺，秋米4斗2合7勺
田　4.3710　麥9升3合5勺，米2斗3升3合8勺
地　3.0133　麥5升9合9勺，米1斗1升6合6勺
山　4.8860　麥5升2合3勺，米5升2合3勺
民瓦房　3間

40年-Ⅳ-5　**朱大斌**

舊管　人口　2　男子1，婦女1
事產
民地山塘　1.22975　夏麥1升9合5勺，秋米3升3合8勺
地　0.59125　麥1升1合7勺，米2升2合9勺
山　0.5435　麥5合8勺，米5合8勺
塘　0.0950　麥2合，米5合1勺
民瓦房　2間
開除　事產
轉除
民地山　0.0440　夏麥9勺，秋米1合7勺
地　0.0430
地　0.0430　36年賣與本圖4甲陳岩生戶
山　0.0010
山　0.0010　37年賣與本圖6甲陳之棟戶
實在　人口　2　男子1，成丁1，本身30
婦女1，母：陳氏60
事產
民地山塘　1.18575　夏麥1升8合8勺，秋米3升2合2勺
地　0.54825　麥1升9勺，米2升1合2勺
山　0.5425　麥5合9勺，米5合9勺
塘　0.0950　麥2合，米5合1勺

40年-Ⅳ-6　**倪四保**

舊管　人口　2　男子1，婦女1
事產
民地山　1.8960　夏麥3升6合5勺，秋米6升9合7勺
地　1.7650　麥3升5合1勺，米6升8合3勺
山　0.1310　麥1合4勺，米1合4勺
民瓦房　1間

實在　人口　　2　男子1，成丁1，本身44
　　　　　　　　婦女1，妻：汪氏42
　　　事産
　　　　民地山　1.8960

40年-Ⅳ-7　　　**程友儀**　匠戶

舊管　人口　　17　男子12，婦女5
　　　事産
　　　民田地山塘　　19.8200
　　　　　　田　11.5050　麥2斗4升6合2勺，米6斗1升5合5勺
　　　　　　地　　5.5460　　麥1斗1升2勺，米2斗1升4合7勺
　　　　　　山　　1.6670　　麥1升7合8勺，米1升7合8勺
　　　　　　塘　　1.1020　　麥2升6合3勺，米5升8 合9勺
　　　　民瓦房　6間
　　　　水　牛　1頭
新收　人口　　3　男子成　丁1，侄：時洋21年生，前漏報，今收入籍
　　　　　　　　　　不成丁2，39年生，38年生
　　　事産
　　　　轉收
　　　　民田地山　　1.3775　夏麥2升5合7勺，秋米5升6合2勺
　　　　　　田　　0.7905　40年6圖4甲朱大全戶
　　　　　　地　　0.2100　38年買6圖3甲李惟喬戶
　　　　　　地　　0.0670　35年買1圖8甲程　曜戶
　　　　　　山　　0.0600　38年買6圖3甲李惟喬戶
　　　　　　山　　0.2500　34年買1圖8甲程　曜戶
開除　人口　男子成丁3，叔：天錫34年故，叔：寬38年故，叔：廷云37年故
　　　事産
　　　　轉除
　　　民田地山塘　　1.4230　夏麥2升4合8勺，秋米5升1勺
　　　　　　田　　0.5520
　　　　　　　田　0.1180　31年賣與本都1圖8甲程　曜戶
　　　　　　　田　0.0910　37年賣與6圖2甲李
　　　　　　　田　0.1430　32年賣與本圖2甲朱時應戶
　　　　　　　田　0.2000　34年賣與本都1圖8甲程　曜戶
　　　　　　地　　0.3880　　麥7合7勺，米1升5合
　　　　　　　地　0.0390　33年賣與1都7圖2甲金通福戶
　　　　　　　地　0.0240　34年賣與本圖2甲朱時應戶
　　　　　　　地　0.0500　33年賣與本圖2甲朱時應戶
　　　　　　　地　0.0500　40年賣與本圖2甲朱時應戶

地　0.0300　36年賣與1圖8甲程　曜戶
地　0.0160　37年賣與6圖3甲李　存戶
地　0.0170　37年賣與1圖8甲李　存戶
地　0.0050　39年賣與6圖3甲盛思德戶
地　0.0150　40年賣與8都5圖7甲葉　志戶
地　0.0420　40年賣與3圖2甲金有蕃戶
地　0.1000　40年賣與1圖8甲程　曜戶
山　0.4730　麥5合1勺，米5合1勺
山　0.1510　40年賣與本圖2甲朱時應戶
山　0.0300　40年賣與本圖2甲朱時應戶
山　0.0420　36年賣與本圖6甲朱天祿戶
山　0.1070　40年賣與3圖2甲金有蕃戶
山　0.0500　31年賣與3圖2甲金有生戶
山　0.0300　40年賣與6圖3甲李雷春戶
塘　0.0100
塘　0.0100　41年賣與1圖8甲程　曜戶

實在　人口　17　男子12，成　丁8，本身45，叔祖：天虎65，叔：吳46，叔：接義45，弟：興31，侄：時芳22，侄：時羊19，義男：師祥23
不成丁4，弟：奇12，弟：春11，侄：茂2，侄：盛3
婦女5，妻：顧氏42，叔祖母：金氏75，叔祖母：吳氏70，叔母：汪氏45，弟媳：高氏46

事産
民田地山塘　19.7745　夏麥3斗9升8合8勺，秋米9斗1升3合2勺
田　11.7435　麥2斗5升1合3勺，米6斗2升8合3勺
地　5.4350　麥1斗8合，米2斗1升4勺
山　1.5040　麥1升6合1勺，米1升6合1勺
塘　1.0920　麥2升3合4勺，米5升8 合4勺
民瓦房　6間
水　牛　1頭

40年-Ⅳ-8　朱文節

舊管　人口　4　男子2，婦女2

事産
民田地山塘　0.8890　夏麥1升7合8勺，秋米3升6合6勺
田　0.1590　麥3合4勺，米8合5勺
地　0.6520　麥1升3合，米2升5合2勺
山　0.0320　麥4勺，米4勺
塘　0.0460　麥1合，米2 合5勺

民瓦房　２間
水　牛　１頭
新收　人口　　男子不成丁１，侄：順35年生
事產
轉收
民地　0.1690　夏麥３合４勺，秋米６合５勺
地　0.0330　41年買本甲朱　林戸
地　0.0600　34年買本圖８甲朱　林戸
地　0.0410　34年買本圖本甲朱文魁戸
地　0.0350　41年買本甲朱大興戸
實在　人口　５　男子３，成　丁２，本身40，弟：文元30
不成丁１，侄：順６
婦女２，母：項氏60，妻：宋氏40
事產
民田地山塘　1.0580　夏麥２升１合１勺，秋米４升３合２勺
田　0.1590
地　0.8210
山　0.0320
塘　0.0460
民瓦房　２間
水　牛　１頭

40年-Ⅳ-9　王　英
舊管　人口　２　男子１，婦女１
事產
民地　0.2100　夏麥４合２勺，秋米８合１勺
民瓦房　３間
實在　人口　２　男子不成丁１，本身83
婦　女　１，母：吳氏117
事產
民地　0.2100　夏麥４合２勺，秋米８合１勺
民瓦房　３間

40年-Ⅳ-10　吳　琯
舊管　人口　３　男子２，婦女１
事產
民田地塘　18.1960　夏麥３斗８升３合２勺，秋米９斗１升３合３勺
田　14.1050　麥３斗１合８勺，米７斗５升４合６勺
地　4.0640　麥８升８勺，米１斗５升５合３勺

塘　0.0270　麥6勺，米1 合4勺
民瓦房　1間
開除　事産
轉除
民田地塘　9.4335　夏麥2斗6勺，秋米4斗9升1合6勺
田　8.5263　麥1斗8升2合5勺，米3斗5升7合6勺
田　0.8223　40年賣與25本都5圖7甲汪時暘戶
田　3.0820　36年賣與5都4圖10甲昌一仁
田　2.7230　36年賣與3都7圖2甲汪　順戶
田　0.6000　34年賣與3都7圖10甲王　義戶
田　1.3000　39年賣與3都10圖10甲趣廷錦戶
地　0.8802　麥1升7合5勺，米3升4合1勺
地　0.1250　37年賣與3都6圖8甲郭遇元戶
地　0.4300　41年賣與14都7圖7甲胡　欽戶
地　0.3252　41年賣與3都6圖10甲陳天冠戶
塘　0.0270
塘　0.0270　32年賣與4圖10甲昌世祿戶
實在　人口　3　男子成丁2，本身55，弟：惣20
婦　女1，妻：鄭氏51
事産
民田地塘　8.7625　夏麥1斗8升2合6勺，秋米4斗2升1合7勺
田　5.5787　麥1斗1升9合4勺，米2斗9升8合5勺
地　3.1838　麥6升3合2勺，米1斗2升3合2勺
民瓦房　1間

40年-Ⅳ-11　**楊　曜**　民戶
舊管　人口　3　男子2，婦女1
事産
民草房　1間
實在　人口　3　男子2，成　丁1，男：六得39
不成丁1，本身103
婦女1，妻：李氏100
事産
民草房　1間

40年-Ⅳ-12　**汪文晁**　民戶
舊管　人口　2　男子1，婦女1
事産
民地　0.3000　夏麥6合，秋米1升1合6勺

民瓦房　　3間
開除
事産
轉除
民地　　0.3000
地　0.3000　34年賣與３都３圖４甲余　滋戸
實在　人口　　2　男子成丁１，本身40
婦　　女１，妻：葉氏40
事産
民瓦房　　3間

……………………………………………………………………………………………………

40年-Ⅳ-13　　　朱岩志　民戸
舊管　人口　　2　男子１，婦女１
事産
民田地山塘　　10.0253　夏麥１斗７升９合，秋米３斗1 升６合７勺
田　　1.3900　　麥２升９合７勺，米７升４合４勺
地　　5.2213　　麥１斗３合８勺，米２斗２合２勺
山　　3.3340　　麥３升５合７勺，米３升５合７勺
塘　　0.0800　　麥１合７勺，米4 合３勺
民瓦房　　2間
民黄牛　　1頭
新收　事産
轉收
民地山　　0.5575　夏麥９合１勺，秋米１升５合１勺
地　　0.3280　　麥６合５勺，米１升２合７勺
地　0.2850　36年買本圖６甲朱之棟戸
地　0.0430　36年買本圖４甲朱大斌戸
山　　0.2295　　麥２合５勺，米２合５勺
山　0.0635　37年買本圖６甲朱永承戸
山　0.1660　37年買本圖６甲朱　俊戸
開除　事産
轉除
民地山　　0.7920　夏麥１升４勺，秋米１升４合５勺
地　　0.2090　　麥４合２勺，米８合
地　0.1500　41年賣與６圖４甲徐　晉戸
地　0.0330　41年賣與本甲朱文節戸
地　0.0260　37年賣與本圖６甲朱　俊戸
山　　0.5735
山　0.1335　37年賣與本圖６甲朱　俊戸

山　0.4400　36年賣與本圖 6 甲朱之棟戶
實在　人口　2　男子成丁 1，本身40
婦　女 1，妻：張氏40
事產
民田地山塘　9.7930　夏麥 1 斗 6 升 9 合 4 勺，秋米 3 斗1 升 7 合 3 勺
田　1.3900　麥 2 升 9 合 7 勺，米 7 升 4 合 4 勺
地　5.3430　麥 1 斗 6 合 1 勺，米 2 斗 6 合 7 勺
山　2.9800　麥 3 升 1 合 9 勺，米 3 升 1 合 9 勺
塘　0.0800
民瓦房　2 間
民黃牛　1 頭

40年-Ⅳ-14　陳富萬
舊管　人口　1　男子 1
事產
民地　0.6840　夏麥 1 升 3 合 6 勺，秋米 2 升 6 合 5 勺
新收
事產
轉收
民地山　0.2750　麥 3 合 7 勺，米 5 合 2 勺
地　0.0800　40年買 1 圖 9 甲陳應婁戶
山　0.1950　40年買 1 圖 9 甲陳應婁戶
實在　人口　1　男子成丁 1，本身40
事產
民地　0.9590　夏麥 1 升 7 合 3 勺，秋米 3 升 1 合 7 勺
地　0.7640　麥 1 升 5 合 2 勺，米 2 升 9 合 6 勺
山　0.1900　麥 2 合 1 勺，米 2 合 1 勺

40年-Ⅳ-15　陳個成（絕）
舊管　人口　3　男子 2，婦女 1
事產
民瓦房　3 間
實在　人口　3　男子不成丁 2，本身121，弟：救110
婦　女　1，妻：王氏105
事產
民瓦房　3 間

40年-Ⅳ-16　朱稅童（絕）
舊管　人口　1　男子 1

事產
民瓦房　２間
實在　人口　１　男子不成丁１，本身223
事產
民瓦房　２間

40年-Ⅳ-17　朱宗得（絕）
舊管　人口　２　男子２
事產
民瓦房　１間
實在　人口　２　男子不成丁２，本身240，弟：高林 226
事產
民瓦房　１間

40年-Ⅳ-18　陳　法（絕）
舊管　人口　３　男子3
事產
民瓦房　８間
實在　人口　３　男子不成丁３，本身236，弟：用 228，弟：宜218
事產
民瓦房　８間

第５甲

40年-Ⅴ　排年　陳　章　民戶
舊管　人口　27　男子16，婦女11
事產
民田地山塘　50.8930　夏麥９斗１合７勺，秋米１石８斗９升９合９勺
田　25.3600　麥５斗４升２合７勺，米１石３斗５升６合８勺
地　8.4760　麥１斗６升８合４勺，米３斗２升８合１勺
山　16.2990　麥１斗７升４合４勺，米１斗７升４合４勺
塘　0.7580　麥１升６合２勺，米４升６勺
民瓦房　３間
新收　人口　３　男子不成丁２，侄孫：心學38年生，侄孫：勝個39年生
事產
轉收
民田　0.5330　夏麥１升１合４勺，秋米２升８合５勺

田　0.5330　36年買本圖６甲汪世祿戶
開除　人口　2　男子不成丁２，侄孫：誠議37年故，侄：廷綱35年故
事產
轉除
民田地山塘　17.7020　夏麥３斗６升２合３勺，秋米８斗７升８合６勺
田　15.9000　麥３斗４升３合，米８斗５升４合６勺
田　0.4770　37年賣１圖９甲金　曜戶
田　0.4020　39年賣１圖６甲陳世曜戶
田　0.7650　35年賣本圖２甲朱誠侄戶
田　2.8760　37年賣本圖３甲朱學源戶
田　1.9120　37年賣１圖８甲陳寄圣戶
田　0.6360　41年賣本圖１甲王　茂戶
田　1.0900　37年賣本圖１甲王　茂戶
田　0.4670　39年賣２圖10甲朱　法戶
田　1.9890　41年賣本圖１甲王　茂戶
田　1.6660　41年賣11都８圖10甲金孟錫戶
田　0.5420　40年賣本圖２甲朱永興戶
田　0.3250　40年賣本圖９甲湯　曜戶
田　2.7530　37年賣本圖３甲朱學源戶
地　0.2650　麥２合３勺，米１升３勺
地　0.0100　36年賣圖６甲陳世曜戶
地　0.1100　30年賣11都３圖４甲汪國英戶
地　0.1100　31年賣１圖６甲陳春茂戶
地　0.0300　31年賣１圖６甲陳春茂戶
山　1.5070　麥１升６合１勺，米１升６合１勺
山　0.6500　33年賣１圖10甲陳　浩戶
山　0.0200　33年賣２圖10甲朱　法戶
山　0.0470　40年賣２圖５甲朱廷鳴戶
山　0.7900　36年賣２圖１甲朱　有戶
塘　0.0300
塘　0.0300　33年本圖２甲朱永興戶
實在　人口　27　男子16，成　丁11，侄：信63，侄：筦55，侄：志遠46，侄孫：文光25，侄：廷憲43，侄：文明31，侄：奎光47，侄孫：晉25，侄孫：玄32，侄：中秋22，侄孫：香48
不成丁５，本身82，侄孫：心嶽３，侄孫：節14，侄孫：勝個２，侄孫：禮12
婦女11，嫂：葉氏79，侄媳：吳氏60，嫂：金氏82，侄媳：汪氏60，侄婦：汪氏74，侄婦：汪氏43，侄婦：汪氏66，侄婦：朱

氏60，妻：朱氏70，侄婦：王氏35，侄婦：汪氏60

事産

民田地山塘　33.7240　夏麥5斗5升8勺，秋米1石4升9合7勺
田　9.9930　麥2斗1升3合8勺，米5斗3升4合6勺
地　8.2110　麥1斗6升3合1勺，米3斗1升7合9勺
山　14.7920　麥1斗5升8合3勺，米1斗5升8合3勺
塘　0.7280　麥1升5合6勺，米3升8合9勺
民瓦房　3間

40年-Ⅴ-1　**陳　方**　民戸

舊管　人口　5　男子3，婦女2

事産

民田地山　8.8860　夏麥1斗8升5合2勺，秋米4斗5升3合1勺
田　8.2000　麥1斗7升5合5勺，米4斗3升8合7勺
地　0.2510　麥5合，米9合7勺
山　0.4350　麥4合7勺，米4合7勺
民瓦房　3間

實在　人口　5　男子3，成　丁2，男：尙40，男：盛55
不成丁1，本身94
婦女2，妻：朱氏80，嫂：汪氏55

事産

民田地山　8.8860　夏麥1斗8升5合2勺，秋米4斗5升3合1勺
民瓦房　3間

40年-Ⅴ-2　**陳　新**

舊管　人口　4　男子1，婦女3

事産

民田地山塘　21.6820　夏麥3斗4升5合8勺，秋米6斗3升9合7勺
田　5.2540　麥1斗1升2合4勺，米2斗8升1合1勺
地　5.4920　麥1斗9合1勺，米2斗1升2合6勺
山　10.2600　麥1斗9合8勺，米1斗9合8勺
塘　0.6760　麥1升4合5勺，米1升4合5勺
民瓦房　2間

開除　事産

轉除

民田地山塘　7.0520　夏麥1斗2升5合6勺，秋米2斗6升6合3勺
田　3.6570　麥7升8合3勺，米1斗9升5合7勺
田　0.7210　31年賣與1圖2甲朱有德戶
田　1.4300　34年賣與本圖2甲朱　作戶

田　1.5050　41年賣與1圖6甲陳世曜戶
地　1.1700　麥2升3合2勺，米4升5合3勺
地　0.3700　39年賣與本圖3甲朱學源戶
地　0.8000　38年賣與本圖3甲朱學源戶
山　2.1900　麥2升3合4勺，2升3合4勺
山　2.1550　35年賣與26都6圖1甲李新文戶
山　0.0100　34年賣與2圖10甲朱　法戶
山　0.0050　40年賣與1圖4甲陳廷芳戶
山　0.0200　35年賣與2圖10甲朱　法戶
塘　0.0320
塘　0.0320　41年賣與1圖6甲陳世芳戶

實在　人口　4　男子成丁1，本身62
婦　女3，嫂：金氏85，妻：葉氏55，嫂：汪氏55
事產
民田地山塘　14.6300　夏麥2斗2升1勺，秋米3斗7升3合2勺
田　1.5970　麥3升4合2勺，米8升5合4勺
地　4.3220　麥8升5合9勺，米1斗6升3合3勺
山　8.0700　麥8升6合3勺，米8升6合3勺
塘　0.6410　麥1升3合7勺，米3升4合2勺
民瓦房　2間

40年-Ⅴ-3　**陳信漢**

舊管　人口　2　男子1，婦女1
事產
民田地　13.6400　夏麥2斗9升1合7勺，秋米7斗2升8合2勺
田　13.5320　麥2斗8升9合6勺，米7斗2升4合
地　0.1080　麥2合1勺，米4合2勺
民瓦房　3間

開除　事產
轉除
民田　2.5970
田　2.5970　36年賣與本圖2甲朱永興戶

實在　人口　2　男子成丁1，本身59
婦　女1，妻：楊氏60
事產
民田地　11.0430　夏麥2斗3升6合1勺，秋米5斗8升9合2勺
田　10.9350　麥2斗3升4合，米5斗8升5合
地　0.1080　麥2合1勺，米4合2勺
民瓦房　3間

40年-Ⅴ-4　　金岩武

舊管　人口　12　男子７，婦女５

事產

民田地山　26.8919　夏麥５斗１升４合，秋米１石８升３合１勺

田　10.2880　麥２斗２升２合，米５斗５升４合

地　12.6760　麥２斗５升１合８勺，米４斗９升７勺

山　3.9279　麥４升２合，米４升２合

民瓦房　３間

新收　人口　2　男子不成丁２，侄孫：義37年生，侄孫：禮37年生

開除　人口　2　男子不成丁２，弟：岩壽32年故，弟：廷瑞34年故

事產

轉除

民田地山　12.5920　夏麥２斗６升１合，秋米６斗２升４合９勺

田　10.2880　麥２斗２升２勺，米５斗５升４勺

田　1.1100　32年賣與本圖３甲項興才戶

田　1.4900　40年賣與本圖３甲項興才戶

田　1.0220　34年賣與本圖３甲朱學源戶

田　1.8760　31年賣與６圖４甲朱大全戶

田　2.0700　31年賣與２圖10甲朱　法戶

田　1.3600　40年賣與本圖３甲朱學源戶

田　0.4620　34年賣與本圖３甲劉得應戶

田　0.2500　35年賣與２圖６甲朱正昌戶

田　0.9350　33年賣與３圖10甲金　時戶

地　1.7800　麥３升５合４勺，米６升８合９勺

地　0.3000　36年賣與本圖３甲朱學源戶

地　0.4000　33年賣與２圖10甲朱　法戶

地　0.2000　41年賣與本圖３甲朱學源戶

地　0.8000　32年賣與２圖６甲朱正昌戶

山　0.5240　麥５合６勺，米５合６勺

山　0.4100　36年賣與２圖１甲朱　有戶

山　0.1140　33年賣與２圖６甲朱正昌戶

實在　人口　12　男子７，成　丁４，本身23，弟：岩生42，弟：元得22，侄：大進17

不成丁３，侄：大訓13，侄孫：義４，侄孫：禮３

婦女５，妻：鉡氏75，嫂：程氏82，弟媳：江氏56，弟媳：吳氏35，弟媳：吳氏30

事產

民地山　14.2999　夏麥２斗５升３合，秋米４斗５升８合３勺

地　10.8960　麥２斗１升６合５勺，米４斗２升１合８勺

山　3.4039　麥3升6合5勺，米3升6合5勺

40年-Ⅴ-5　**吳　京**

舊管　人口　5　男子3，婦女2

事產

民田地山塘　12.01734　夏麥2斗4升3合2勺，秋米5斗3升1合3勺

田　4.82014　麥1斗2合8勺，米2斗5升6合9勺

地　6.37402　麥1斗2升6合7勺，米2斗4升6合8勺

山　0.4080　麥4合，米4合

塘　0.4330　麥9合3勺，米2升3合2勺

新收　事產

轉收

民地山　0.1000　夏麥1合5勺，秋米2合4合

地　0.0500

地　0.0500　41年買24都4圖10甲朱仲保戶

山　0.0500

山　0.0500　41年買24都4圖10甲朱　五戶

開除　事產

轉除

民田地　5.64652　夏麥1斗1升9合1勺，秋米2斗8升4合3勺

田　4.44252　麥9升5合1勺，米2斗3升7合7勺

田　1.0000　39年賣26都5圖　甲昌文忠戶

田　3.4252　36年賣5都4圖10甲昌一仁戶

地　1.2030　麥2升3合9勺，米4升6合6勺

地　0.6700　39年賣22都5圖　甲昌文忠戶

地　0.2500　35年賣5都4圖10甲昌一仁戶

地　0.2830　41年賣18都2圖10甲楊九壽戶

實在　人口　5　男子3，成　丁2，男：隆69，男：珂25

不成丁1，本身88

婦女2，妻：程氏80，男婦：汪氏65

事產

民田地山塘　6.47082　夏麥2斗4升3合2勺，秋米5斗3升1合3勺

田　0.35862　麥7合7勺，米1升9合1勺

地　5.2212　麥1斗3合7勺，米2斗2合1勺

山　0.4580　麥4合9勺，米4合9勺

塘　0.4330　麥9合3勺，米2 升3合2勺

40年-Ⅴ-6　**陳　應**

舊管　人口　5　男子2，婦女3

事產
民地　0.6860　夏麥１升３合６勺，秋米２升６合６勺
民瓦房　２間
開除　人口　男子成丁１，弟：吉40年故
實在　人口　４　男子１，成丁１，本身43
婦女３，伯祖母：朱氏100，祖母：李氏80，母：王氏65
事產
民地　0.6860　夏麥１升３合６勺，秋米２升６合６勺
民瓦房　２間

40年-Ⅴ-7　謝廷文
舊管　人口　４　男子２，婦女２
事產
民地山　1.1610　夏麥１升４合，秋米１升７合４勺
地　0.1770　麥３合５勺，米６合９勺
山　0.9840　麥１升５勺，米１升５勺
民瓦房　１間
開除　事產
轉除
民地　0.0600　41年賣本圖２甲朱徹昌戶
實在　人口　４　男子成丁２，本身40，叔：曜66
婦　女２，母：葉氏73，叔母：余氏60
事產
民地山　1.0960　夏麥１升２合７勺，秋米２升４合８勺
地　0.1120　麥２合２勺，米４合３勺
山　0.9840　麥１升５勺，米１升５勺
民瓦房　１間

40年-Ⅴ-8　王　鍾　民戶
舊管　人口　３　男子１，婦女２
事產
民地山　0.3560　夏麥５合２勺，秋米８合１勺
地　0.1560　麥３合１勺，米６合
山　0.2000　麥２合，米２合
民瓦房　３間
實在　人口　３　男子成丁１，本身64
婦　女２，母：金氏82，妻：汪氏62
事產
民地山　0.3560　夏麥５合２勺，秋米８合１勺

民瓦房　3間

40年-Ⅴ-9　陳　宜
舊管　人口　3　男子2，婦女1
事産
民田　4.5980　夏麥9升8合4勺，秋米2斗4升6合
民瓦房　3間
實在　人口　3　男子成丁2，本身62，侄：六十26
婦　女1，妻：汪氏60
事産
民田　4.5980　夏麥9升8合4勺，秋米2斗4升6合
民瓦房　3間

40年-Ⅴ-10　汪義曜（絕）
舊管　人口　3　男子2，婦女1
事産
民瓦房　4間
實在　人口　3　男子不成丁1，本身97
婦　女　2，母：吳氏120，嫂：巴氏100
事産
民瓦房　4間

40年-Ⅴ-11　謝　積　民戶
舊管　人口　4　男子2，婦女2
實在　人口　4　男子成丁2，本身25，兄：廷66
婦　女2，母：吳氏80，妻：程氏60

40年-Ⅴ-12　程眞來（絕）
舊管　人口　2　男子2
事産
民瓦房　2間
實在　人口　男子不成丁2，本身159，弟：齊155
事産
民瓦房　2間

40年-Ⅴ-13　陳原得（絕）
舊管　人口　1　男子1
事産
民瓦房　2間

實在　人口　　男子不成丁1，本身232
　　　事産
　　　　民瓦房　2間

40年-V-14　　　陳道壽（絶）
舊管　人口　　3　男子2，婦女1
　　　事産
　　　　民瓦房　1間
實在　人口　　3　男子不成丁2，本身247，弟：並兒220
　　　　　　　　　婦　　女　1，妻：崔氏229
　　　事産
　　　　民瓦房　1間

40年-V-15　　　周淮得（絶）
舊管　人口　　2　男子2
　　　事産
　　　　民瓦房　1間
實在　人口　　男子不成丁2，本身232，侄：寄223
　　　事産
　　　　民瓦房　1間

40年-V-16　　　吳佛保（絶）
舊管　人口　　4　男子4
　　　事産
　　　　民瓦房　3間
　　　　民黃牛　1頭
實在　人口　　4　男子不成丁4，本身209，弟：兆原206，弟：道195，弟：佛192
　　　事産
　　　　民瓦房　3間
　　　　黃　牛　1頭

40年-V-17　　　詹　曜（絶）
舊管　人口　　4　男子2，婦女2
　　　事産
　　　　民瓦房　3間
實在　人口　　4　男子不成丁2，本身154，男：齊隆132
　　　　　　　　　婦　　女　2，妻：王氏148，媳：程氏125
　　　事産
　　　　民瓦房　3間

第6甲

40年-Ⅵ　排年　　朱　貴
（原　缺）

開除　事產

轉除

民田地山塘　27.44406

田　18.9320

田	1.9930	33年8月賣與26都6圖1甲李之泮戶
田	3.9230	33年8月賣與26都6圖1甲李之泮戶
田	0.0750	37年4月賣與本甲朱　俊戶
田	3.1178	38年2月賣與本圖10甲朱國昌戶
田	0.0840	31年10月賣與本甲朱得厚戶
田	0.4200	39年3月賣與本甲朱　校戶
田	0.0710	36年正月賣與11都3圖9甲潘　明戶
田	0.7000	38年2月賣與13都1圖4甲汪　興戶
田	0.6500	40年4月賣與本都6圖3甲李繼祖戶
田	0.4750	40年4月賣與本都6圖3甲李繼祖戶
田	0.5775	36年6月賣與本都6圖4甲徐祭產戶
田	3.1045	40年9月賣與本都6圖4甲徐　晉戶
田	1.4402	35年2月賣與本都6圖3甲李雷春戶
田	2.2610	40年11月賣與本甲朱　曜戶

地　2.6964

地	0.3695	32年3月賣與本甲朱　俊戶
地	0.4290	40年8月賣與本圖10甲朱國昌戶
地	0.0500	31年10月賣與本甲朱　俊戶
地	0.0686	31年10月賣與本甲朱德厚戶
地	0.0900	39年5月賣與本甲朱之棟戶
地	0.5463	31年12月賣與本甲朱　校戶
地	0.1140	38年8月賣與13都1圖4甲朱　興戶
地	0.7191	40年11月賣與本甲朱　曜戶
地	0.3100	41年11月賣與本圖10甲程　產戶

山　5.58916

山	0.0230	37年3月賣與11都3圖3甲朱時光戶
山	0.58136	40年8月賣與本圖3甲朱　標戶
山	0.0560	34年2月賣與11都3圖9甲潘　明戶
山	0.0040	33年12月賣與11都3圖10甲項　曜戶
山	0.4715	40年賣與本甲朱　曜戶
山	0.2380	38年8月賣與13都1圖4甲汪　曜戶

山　0.0150　40年10月賣與本都6圖9甲吳文茂戶
山　0.0203　36年6月賣與本都6圖3甲李世祥戶
山　1.5400　39年10月賣與本甲朱之棟戶
山　2.6400　36年3月賣與本都6圖4甲徐　晉戶
塘　0.2265
塘　0.0570　36年3月賣與本都6圖4甲徐　晉戶
塘　0.0100　40年9月賣與本都6圖4甲徐祭產戶
塘　0.1495　36年正月賣與本圖10甲朱國昌戶

實在　人口　16　男子7，成丁6，不成丁1
婦女9
事產
民田地山塘　44.26077
田　8.1023
地　25.20036
山　3.05171
塘　7.8164
民瓦房　2間

40年-Ⅵ-1　朱　護

舊管　人口　4　男子3，婦女1
事產
民田地山塘　45.3400
田　31.3750
地　2.2200
山　11.6600
塘　0.0850
民瓦房　2間

開除　事產
轉除
民田地山塘　3.5000
田　1.0640
田　1.0640　34年3月賣與本都6圖9甲吳翁翔戶
地　0.0050
地　0.0050　37年4月賣與本甲朱之棟戶
山　2.4000
山　2.4000　34年3月賣與本都6圖9甲吳翁翔戶
塘　0.0310
塘　0.0310　34年3月賣與本都6圖9甲吳翁翔戶

實在　人口　4　男子3，成　丁2

不成丁1
婦女1
事產
民田地山塘　41.8400
田　30.3110
地　2.2150
山　9.2600
塘　0.0540
民瓦房　2間

40年-Ⅵ-2　王　科　下戶
舊管　人口　3　男子2，婦女1
事產
民田地山　1.6950
田　0.4200
地　1.0710
山　0.2040
民瓦房　6間
民水牛　1頭
開除　事產
轉除
民地　0.3890
地　0.3890　39年2月賣與本圖8甲王繼成戶
實在　事產
民田地山　1.3060
田　0.4200
地　0.6820
山　0.2040
民瓦房　6間
民水牛　1頭

40年-Ⅵ-3　朱德厚
舊管　人口　2　男子1，婦女1
事產
民田地山塘　15.4098
田　12.3206
地　1.3397
山　1.5495
塘　0.2000

新收　事產
　　轉收
　　　民田地　0.1526
　　　　　田　0.0840　31年10月買本甲朱　貴戶　下田
　　　　　地　0.0686　31年10月買本甲朱　貴戶　下地
開除　事產
　　轉除
　　民田地山　2.2909
　　　　　田　2.1834　34年8月賣與本圖10甲朱國昌戶
　　　　　地　0.0960　40年10月賣與本甲朱　俊戶
　　　　　山　0.0115　35年7月賣與本甲朱　曜戶
實在　人口　　2　男子1，成丁1
　　　　　　　　　婦女1
　　事產
　　民田地山塘　13.2715
　　　　　　田　10.2212
　　　　　　地　1.3123
　　　　　　山　1.5380
　　　　　　塘　0.2000

……………………………………………………………………………………

40年-Ⅵ-4　　朱新風
舊管　人口　　8　男子4，婦女4
　　事產
　　民田地山塘　18.29913
　　　　　　田　7.1200
　　　　　　地　8.22713
　　　　　　山　2.9380
　　　　　　塘　0.0140
　　　民瓦房　3間
新收　人口　男子成　丁1，侄：成　22年生，前冊漏報，今收入籍
　　　　　　　　不成丁2，男：文　38年生，侄：武39年生
　　事產
　　　轉收
　　　　民田　2.2320
　　　　　田　2.2320　34年5月買本圖3甲朱學源戶
開除　人口　　4　男子3，成　丁1，兄：玘31年故
　　　　　　　　　　　　不成丁2，義男：奴35年故，義侄：富32年故
　　　　　　　　婦女1，嫂：吳氏35年故
　　事產

轉除
民田地山塘　1.1414
田　0.1740
田　0.1740　34年4月賣與本圖3甲朱學源戶
地　0.8864
地　0.3264　35年12月賣與本圖3甲朱學源戶
地　0.1600　34年4月賣與本都2圖6甲朱正昌戶
地　0.4000　34年4月賣與本圖3甲朱學源戶
山　0.0670
山　0.0670　34年4月賣與本都2圖6甲朱正昌戶
塘　0.0140
塘　0.0140　40年8月賣與本都2圖1甲朱　有戶
實在　人口　7　男子4，成　丁2，本身43，侄：成19
不成丁2，男：文2，侄：武1
婦女3，嫂：汪氏48，嫂：項氏66，妻：許氏48
事產
民田地山　19.38973
田　9.1780
地　7.34073
山　2.8710
民瓦房　3間

40年-Ⅵ-5　**汪世祿**
舊管　人口　6　男子4，婦女2
事產
民田地山塘　25.0625
田　17.5270
地　5.1345
山　2.1880
塘　0.2130
民瓦房　3間
新收　人口　1　男子不成丁1
事產
轉收
民地山　0.4900
地　0.3300
地　0.1900　34年5月買本都1圖7甲汪　明戶
地　0.1000　40年12月買本都1圖4甲陳積裕戶
地　0.0400　34年2月買本都1圖7甲汪　明戶

山　0.1600
山　0.1600　40年12月買本都１圖４甲陳四同戶
開除　人口　1　男子成丁１，弟：世賢 35年故
事産
轉除
民田地塘　13.5662
田　12.1017
田　0.7150　35年３月賣與本都１圖７甲汪　明戶
田　0.9430　37年７月賣與本都１圖９甲陳應婁戶
田　0.2500　39年10月賣與本圖３甲劉　岩戶
田　0.9880　37年８月賣與本圖１甲王　茂戶
田　0.7530　41年４月賣與本都１圖６甲陳　景戶
田　2.3350　41年４月賣與11都８圖10甲金孟錫戶
田　1.8900　37年６月賣與本都２圖１甲朱　有戶
田　0.5330　36年６月賣與本圖５甲陳　章戶
田　1.4790　35年５月賣與本甲汪　瑞戶
田　1.8230　40年11月賣與本甲汪　瑞戶
田　0.5800　37年３月賣與本圖２甲朱社稷戶
田　0.2187　41年11月賣與本都１圖８甲陳大茂戶
田　0.5940　41年正月賣與本圖２甲朱誠侄戶
地　1.3545
地　0.1830　39年６月賣與本都１圖７甲汪　曜戶
地　1.1715　39年２月賣與本甲汪　瑞戶
塘　0.1100
塘　0.0200　42年正月賣與本圖２甲朱誠侄戶
塘　0.0300　37年８月賣與本圖１甲王　茂戶
塘　0.0200　41年４月賣與本都１圖６甲陳　景戶
塘　0.0400　40年５月賣與本甲汪　瑞戶
實在　人口　6　男子４，成　丁２，本身25，弟：世福 即岩生，年15，前册減甲今册改正
不成丁２，弟：廷禮13，弟：世昌２
婦女２，妻：金氏25，弟婦：朱氏25
事産
民田地山塘　11.9863
田　5.4253
地　4.1100
山　2.3480
塘　0.1030
民瓦房　３間

……………………………………………………………

40年-Ⅵ-6　　汪　瑞

舊管　人口　2　男子1，婦女1

事産

民田地山　17.5245
田　15.4500
地　2.0025
山　0.0720

新收　事産

轉收

民田地山塘　8.7995
田　5.8980
田　1.6730　37年7月買13都2圖4甲程　文戶　下田
田　0.8830　32年9月買本都4甲朱　魁戶　下田
田　0.7900　38年6月買本都1圖4甲陳積裕戶　下田
田　1.4790　35年5月買本甲汪世祿戶　下田
田　0.8230　40年11月買1甲汪世祿戶　下田
田　0.2300　41年7月買本都1圖10甲陳　浩戶　下田
地　1.5015
地　0.2650　33年10月買本都1圖7甲汪　明戶　下地
地　0.1420　39年12月買本甲汪世祿戶　下地
地　0.4620　40年4月買本甲汪世祿戶　下地
地　0.5670　35年5月買本甲汪世祿戶　下地
地　0.0650　39年2月買本都1圖7甲周　進戶　下地
山　1.3640
山　1.3640　34年2月本都1圖7甲汪　明戶
塘　0.0600
塘　0.0200　38年2月買本都1圖4甲陳積裕戶　下塘
塘　0.0400　40年5月買本甲汪世祿戶　下塘

實在　人口　2　男子成丁1
婦　女1

事産

民田地山塘　26.3240
田　21.3480
地　3.5040
山　1.4120
塘　0.0600

……………………………………………………………………

40年-Ⅵ-7　　汪廷眞

舊管　人口　7　男子4，婦女3

事產
民地山　3.8100
地　2.2300
山　1.5800
民瓦房　３間
新收　人口　2　男子不成丁２，侄：法３，侄：伴當39年生
開除　人口　2　男子不成丁２，侄：應風35年故，侄：長法37年故
實在　人口　7　男子成　丁２，本身42，弟：廷伸27
不成丁２，侄：法３，侄：伴當２
婦女３，妻：金氏42，叔母：程氏80，叔母：程氏50
事產
民地山　3.8100
地　2.2300
山　1.5800
民瓦房　３間

40年-Ⅵ-8　朱　曜
舊管　人口　3　男子２，婦女１
事產
民田　17.1440
民瓦房　３間
新收　事產
轉收
民田山塘　12.7441
田　11.2180
田　0.6600　40年８月買本甲朱之棟戶　下田
田　0.2995　38年２月買本甲朱　楷戶　下田
田　2.6620　38年買本圖10甲汪　顯戶　下田
田　0.8700　35年７月買本都６圖８甲金象春戶
田　0.9915　40年10月買本甲朱　高戶　下田
田　0.7070　40年10月買本甲朱八僕戶　下田
田　2.2610　40年11月買本甲朱　貴戶　下田
田　0.6875　40年10月買本甲朱之棟戶　下田
田　0.5795　40年10月買本圖10甲汪　顯戶　下田
田　1.5000　32年９月買11都８圖金玄義戶　下田
田　0.7191　40年10月買本甲朱　貴戶　下田
山　0.7770
山　0.0115　35年７月買本甲朱得厚戶　下山
山　0.0820　40年８月買本甲朱之棟戶　下山

山　0.0525　40年 8 月買本甲朱　校戶　下山
山　0.1595　40年10月買本甲朱八㒹戶　下山
山　0.4710　40年10月買本甲朱　貴戶　下山
塘　0.0300
塘　0.0300　36年正月買本甲朱之棟戶　下塘

開除　事産
轉除
民田　1.0000
田　1.0000　40年 8 月賣與13都 1 圖 4 甲汪　興戶

實在　人口　3　男子成丁 2
婦　女 1
事産
民田地山塘　28.8801
田　28.3620
地　0.7191
山　0.7770
塘　0.0300
民瓦房　3 間

40年-Ⅵ-9　**王起鳳**　民戶

舊管　人口　3
事産
民地　0.2665
民瓦房　3 間

實在　人口　3　男子成丁 1
婦　女 2
事産
民地　0.2665
民瓦房　3 間

40年-Ⅵ-10　**朱　枝**

舊管　人口　3　男子 2，婦女 1
事産
民田地山塘　35.5578
田　28.1120
地　0.7628
山　6.8430
塘　0.2400
民瓦房　1 間

新收　人口　　男子１，不成丁1
　　　事產
　　　　轉收
　　　　民田地山　　15.8352
　　　　　　田　　15.2580
　　　　　　　田　　0.4200　39年３月買本甲朱　貴戶　下田
　　　　　　　田　12.3620　38年買本甲朱八英戶　下田
　　　　　　　田　　1.0790　40年正月買本圖10甲汪　顯戶　下田
　　　　　　　田　　1.3970　32年８月買11都３圖10甲項　曜戶　下田
　　　　　　地　　0.5462
　　　　　　　地　　0.5462　31年11月買本甲朱　貴戶　下地
　　　　　　山　　0.0310
　　　　　　　山　　0.0310　36年正月買11都３圖９甲潘　全戶　下山
開除　人口　　男子１，不成丁1
　　　事產
　　　　轉除
　　　　民田山塘　　26.1170
　　　　　　田　　25.3800
　　　　　　　田　　1.6585　40年８月賣與本都１圖８甲程　曜戶
　　　　　　　田　　2.1130　32年９月賣與26都６圖１甲李盛發戶
　　　　　　　田　　1.3400　32年９月賣與26都６圖１甲李盛發戶
　　　　　　　田　　0.8800　33年９月賣與26都６圖１甲李盛發戶
　　　　　　　田　　0.2190　40年６月賣與本都６圖４甲徐祭產戶
　　　　　　　田　　1.5290　40年９月賣與本都６圖４甲徐　晉戶
　　　　　　　田　11.7310　40年11月賣與本都６圖３甲李繼祖戶
　　　　　　　田　　1.1790　40年11月賣與本都６圖３甲李之泮戶
　　　　　　　田　　2.4830　41年11月賣與本都６圖１甲李春發戶
　　　　　　　田　　1.2985　40年10月賣與本都６圖３甲李存敬戶
　　　　　　　田　　0.9500　40年11月賣與本都６圖３甲李繼祖戶
　　　　　　山　　0.6235
　　　　　　　山　　0.5710　40年正月賣與本甲朱八籅戶
　　　　　　　山　　0.0525　40年８月賣與本甲朱　曜戶
　　　　　　塘　　0.1075
　　　　　　　塘　　0.0680　40年正月賣與本甲朱八英戶
　　　　　　　塘　　0.0395　38年２月賣與本圖３甲朱　校戶
實在　人口　　3　男子２，成丁１，不成丁1
　　　　　　　　　婦女１
　　　事產
　　　民田地山塘　　25.2820

田　17.9900
地　1.3090
山　5.8505
塘　0.1325
民瓦房　1 間

40年-Ⅵ-11　**朱永承**

舊管　人口　3　男子 2，婦女 1
事產
民田地山塘　40.4510
田　32.2310
地　2.8770
山　5.2320
塘　0.1110
民瓦房　3 間

開除　事產
轉除
民地山　0.7395
地　0.2750
地　0.0610　34年 8 月賣與本都 6 圖 4 甲朱大武戶
地　0.2140　37年 4 月賣與本甲朱之棟戶
山　0.4645
山　0.0635　37年 7 月賣與本圖 4 甲朱岩志戶
山　0.4010　37年 4 月賣與本甲朱之棟戶

實在　人口　3　男子成丁 2
婦　女 1
事產
民田地山塘　39.7115
田　32.2310
地　2.6020
山　4.7675
塘　0.1110
民瓦房　3 間

40年-Ⅵ-12　**朱　嵩**

舊管　人口　2　男子 1，婦女 1
事產
民田地山塘　33.6720
田　27.5000

　　　　地　3.8730
　　　　山　1.2500
　　　　塘　1.0490
新收　事産
　　轉收
　　　民田　13.5630
　　　　田　13.5630　39年買本圖10甲汪　顯戶　下田
開除　事産
　　轉除
　民田地山塘　26.5349
　　　　田　20.7089
　　　　　田　4.2420　39年９月賣與26都６圖１甲李若晦戶
　　　　　田　4.0330　39年９月賣與26都６圖１甲李若晦戶
　　　　　田　3.2510　32年９月賣與26都６圖１甲李若晦戶
　　　　　田　0.7100　33年８月賣與26都６圖３甲李惟忠戶
　　　　　田　0.1094　37年４月賣與本甲朱　保戶
　　　　　田　0.4750　40年正月賣與本甲朱八英戶
　　　　　田　1.0710　38年12月賣與本圖３甲朱　標戶
　　　　　田　0.4200　36年２月賣與本都６圖２甲吳　佛戶
　　　　　田　0.6200　38年12月賣與本都６圖３甲李繼祖戶
　　　　　田　0.9915　40年10月賣與本甲李　曜戶
　　　　　田　1.5750　40年９月賣與本都６圖４甲徐祭產戶
　　　　　田　0.9865　40年９月賣與本都６圖４甲徐　晉戶
　　　　　田　0.1135　40年９月賣與本都６圖４甲徐　志戶
　　　　　田　1.4885　40年11月賣與本都６圖３甲李繼祖戶
　　　　　田　0.6115　35年賣與本都６圖３甲李晉春戶
　　　　地　3.8730
　　　　　地　1.9980　32年９月賣與26都６圖１甲李若晦戶
　　　　　地　0.0140　33年８月賣與26都６圖３甲李惟忠戶
　　　　　地　0.9600　36年３月賣與本都６圖４甲徐祭產戶
　　　　　地　0.9200　40年９月賣與本都６圖４甲徐　晉戶
　　　　山　0.9500
　　　　　山　0.4750　33年８月賣與26都６圖１甲李若晦戶
　　　　　山　0.2375　36年３月賣與本都６圖４甲徐祭產戶
　　　　　山　0.2375　40年９月賣與本都６圖４甲徐　晉戶
　　　　塘　1.0030
　　　　　塘　0.0400　33年８月賣與26都６圖３甲李惟忠戶
　　　　　塘　0.0440　40年正月賣與本甲朱八僎戶
　　　　　塘　0.0200　36年３月賣與本都６圖４甲徐祭產戶

塘　0.2000　40年9月賣與本都6圖4甲徐　晉戸
塘　0.6990　32年9月賣與26都6圖1甲李若晦戸
實在　人口　2　男子成丁1
婦　女1
事産
民田山塘　20.6991
田　20.3531
山　0.3000
塘　0.0460

……………………………………………………………………………………………………

40年-VI-13　**朱之棟**
舊管　人口　3　男子2，婦女1
事産
民田地山塘　33.2240
田　29.6560
地　2.2340
山　0.7240
塘　0.6100
新收　事産
轉收
民田地山　12.1830
田　8.9140
田　8.9140　39年買本圖3甲朱元興戸　下田
地　0.4130
地　0.0900　39年5月買本甲朱　貴戸　下地
地　0.0050　37年4月買本甲朱　護戸　下地
地　0.0070　37年4月買本甲朱　俊戸　下地
地　0.0200　37年11月買本圖4甲朱文魁戸　下地
地　0.0020　37年11月買本圖4甲朱大興戸　下地
地　0.0700　37年11月買本圖4甲朱文魁戸　下地
地　0.0050　37年10月買本圖3甲朱大儀戸　下地
地　0.2140　30年買本甲朱永承戸　下地
山　2.8560
山　0.0185　37年11月買本圖4甲朱文魁戸　下山
山　0.0705　37年11月買本圖4甲朱大興戸　下山
山　0.0010　37年11月買本圖4甲朱大斌戸　下山
山　0.4010　37年4月買本甲朱永承戸　下山
山　0.4380　37年4月買本甲朱　俊戸　下山
山　0.4500　36年3月買本甲朱　岩戸　下山

山　1.5400　30年買本甲朱　貴戶　下山

開除　事產

轉除

民田地山塘　22.6493

田　21.0663

田　5.1570　31年賣與本都６圖３甲李之瀚戶

田　0.2550　37年４月賣與本甲朱　俊戶

田　0.3320　40年４月賣與本甲朱八奠戶

田　0.6600　48年４月賣與本甲朱　曜戶

田　0.3000　38年２月賣與13都１圖４甲汪　興戶

田　0.8800　37年12月賣與本都３圖10甲金有志戶

田　0.3500　40年賣與本都６圖３甲李繼祖戶

田　0.6875　40年賣與本甲朱　曜戶

田　1.7720　40年賣與本都６圖４甲徐祭產戶

田　0.4550　40年９月賣與本都６圖４甲徐　晉戶

田　0.7670　40年９月賣與本都６圖４甲徐　志戶

田　6.5440　40年賣與本都６圖３甲李繼祖戶

田　1.2440　40年賣與本都６圖３甲李繼祖戶

田　1.6623　35年賣與本都６圖３甲李雷春戶

地　1.0220

地　0.0500　40年11月賣與本都６圖３甲李繼祖戶

地　0.1300　40年賣與本都６圖４甲徐　晉戶

地　0.1300　40年賣與本都６圖４甲徐祭產戶

地　0.2850　36年賣與本圖４甲朱岩志戶

地　0.0315　40年賣與本圖３甲朱　標戶

地　0.0630　38年賣與13都１圖４甲汪　興戶

地　0.3010　40年賣與本甲朱八奠戶

地　0.0315　40年11月賣與本甲朱　俊戶

山　0.1540

山　0.0720　40年８月賣與本甲朱八奠戶

山　0.0820　40年正月賣與本甲朱　曜戶

塘　0.4070

塘　0.0300　30年賣與

塘　0.3770　40年11月賣與本都６圖３甲李繼祖戶

實在　人口　3　男子２，婦女１

事產

民田地山塘　22.7577

田　17.5037

地　1.6250

　　　　山　3.4260
　　　　塘　0.2030

40年-Ⅵ-14　**朱八㚖**

舊管　人口　3　男子2，婦女1
　　事產
　　　民田地　32.8630
　　　　田　31.1060
　　　　地　1.7570
新收　事產
　　轉收
　　民田地山塘　1.8630
　　　　田　0.8070
　　　　　田　0.4750　40年正月買本甲朱　嵩戶
　　　　　田　0.3320　40年買本甲朱之棟戶　下田
　　　　地　0.3010
　　　　　地　0.3010　40年正月買本甲朱之棟戶　下地
　　　　山　0.6430
　　　　　山　0.0720　40年正月買本甲朱之棟戶　下山
　　　　　山　0.5710　40年買本甲朱　枝戶　下山
　　　　塘　0.1120
　　　　　塘　0.0440　40年正月買本甲朱　嵩戶　下塘
　　　　　塘　0.0680　40年正月買本甲朱　枝戶　下塘
開除　事產
　　轉除
　　民田地山　27.95705
　　　　田　26.82005
　　　　　田　3.3315　32年賣與本都6圖3甲李之瀚戶
　　　　　田　2.5705　38年賣與本甲朱　枝戶
　　　　　田　12.3620　38年賣與本甲朱　枝戶
　　　　　田　2.0555　40年賣與13都1圖4甲汪　興戶
　　　　　田　1.8230　40年賣與本都6圖4甲徐祭產戶
　　　　　田　2.1720　40年9月賣與本都6圖4甲徐　晉戶
　　　　　田　0.5005　40年11月賣與本都6圖3甲李存敬戶
　　　　　田　0.4000　40年11月賣與本都6圖3甲李存敬戶
　　　　　田　0.89725　35年賣與本都6圖3甲李雷春戶
　　　　　田　0.7070　40年賣與本甲朱　曜戶
　　　　地　0.9775
　　　　　地　0.0125　37年賣與本甲朱　俊戶

地　0.0110　38年賣與本圖３甲朱　標戶
地　0.0240　38年賣與13都１圖４甲汪　興戶
地　0.4650　40年賣與本都６圖４甲徐祭產戶
地　0.4650　40年賣與本都６圖４甲徐　晉戶
山　0.1595
山　0.1595　40年賣與本甲朱　曜戶
實在　人口　3　男子成丁２，婦女１
事產
民田地山塘　6.76895
田　5.09295
地　1.0805
山　0.4835
塘　0.1120

40年-Ⅵ-15　**金　盛**
舊管　人口　3　男子２，婦女１
事產
民地　0.2700
民瓦房　２間
實在　人口　3　男子２，成丁１，不成丁１
婦女１，妻：蘇60
事產
民地　0.2700
民瓦房　２間

40年-Ⅵ-16　**倪壽得**
舊管　人口　3　男子２，婦女１
事產
民山　0.3750
民瓦房　１間
開除　事產
轉除
民山　0.1250
山　0.1250　37年賣與本圖３甲朱誠侄戶
實在　人口　3　男子２，成丁１，不成丁１
婦女１
事產
民山　0.2500
民瓦房　１間

40年-Ⅵ-17　　朱　楷

舊管　人口　1　男子1
事產
民田地山塘　36.5550
田　28.3520
地　2.9340
山　3.3820
塘　1.8870
新收　事產
轉收
民田　2.8020
田　2.8020　40年2月買本都6圖
開除　事產
轉除
民田地山塘　12.8935
田　7.6335
田　0.7360　32年9月賣與本都6圖2甲張志法戶
田　0.1995　38年2月賣與本甲朱　曜戶
田　0.7000　40年正月賣與本圖10甲汪　顯戶
田　3.2100　40年9月賣與本都6圖4甲徐祭產戶
田　1.5980　40年9月賣與本都6圖4甲徐祭產戶
田　1.0900　40年9月賣與本都6圖3甲李繼祖戶
地　0.7000
地　0.7000　40年賣與本圖10甲汪　顯戶
山　3.0000
山　2.6400　40年9月賣與本都6圖4甲徐祭產戶
山　0.2100　37年賣與本甲朱　俊戶
山　0.1500　40年賣與本圖10甲汪　顯戶
塘　1.5600
塘　0.0200　40年賣與本都6圖4甲徐　晉戶
塘　0.3200　40年9月賣與本都6圖4甲徐祭產戶
塘　0.9000　40年3月賣與本圖10甲汪　顯戶
塘　0.3200　40年4月賣與本都6圖3甲李繼祖戶
實在　人口　1　男子成丁1
事產
民田地山塘　26.4635
田　23.7305
地　2.0340
山　0.3820

塘　0.3270

40年-Ⅵ-18　**朱　俊**　民戶

舊管　人口　2　男子１，婦女１

事產

民田地山塘　26.5750

田　18.9460

地　2.5030

山　4.9700

塘　0.1560

新收　事產

轉收

民田地山　2.9494

田　1.1304

田　0.5910　35年２月買本圖８甲朱　雪戶　下田

田　0.1000　37年４月買本圖10甲汪　顯戶

田　0.2550　37年４月買本甲朱之棟戶　下田

田　0.1094　37年買本甲朱　嵩戶

田　0.0750　37年４月買本甲朱　貴戶

地　0.6355

地　0.0125　37年４月買本甲朱八英戶

地　0.3695　32年買本甲朱　貴戶

地　0.0260　37年７月買本圖４甲朱岩志戶

地　0.0960　40年買本甲朱得厚戶

地　0.0500　31年10月買本甲朱　貴戶

地　0.0500　38年10月買本都６圖４甲朱大斌戶

地　0.0315　40年11月買本甲朱之棟戶

山　1.1835

山　0.8400　37年４月買本圖10甲汪　顯戶

山　0.2100　37年４月買本甲朱　楷戶

山　0.1335　37年買本圖４甲朱岩志戶

開除　事產

轉除

民地山　0.6980

地　0.0670

地　0.0600　34年８月賣與本都６圖４甲朱天塢戶

地　0.0070　37年４月賣與本甲朱之棟戶

山　0.6310

山　0.1660　37年７月賣與本圖４甲朱岩志戶

山　0.4380　37年賣與本圖6甲朱之楝戸
山　0.0270　36年賣與本都6圖3甲李世祿戸
實在　人口　2　男子成丁1
婦　女1
事産
民田地山塘　28.8264
田　20.0764
地　3.0715
山　5.5225
塘　0.1560

40年-Ⅵ-19　陳記生　(絕)
舊管　人口　2　男子1，婦女1
事産
民瓦房　3間
實在　人口　2　男子不成丁1
婦　女　1
事産
民瓦房　3間

40年-Ⅵ-20　汪記遠　(絕)
舊管　人口　3　男子2，婦女1
事産
民瓦房　3間
實在　人口　3　男子不成丁2
婦　女　1
事産
民瓦房　3間

40年-Ⅵ-21　第二十一戸　汪添興　(絕)
舊管　人口　1　男子1
事産
民瓦房　3間
實在　人口　1　男子不成丁1
事産
民瓦房　3間

40年-Ⅵ-22　吳社童　(絕)
舊管　人口　1　男子1

事產
　民瓦房　３間
　民黄牛　１頭
實在　人口　１　男子不成丁１
事產
　民瓦房　３間
　民黄牛　１頭

第７甲

40年-Ⅶ　排年　**王齊興**
舊管　人口　50　男子36，婦女14
事產
民田地山塘　275.2847
　田　167.1559
　地　55.8698
　山　48.0485
　塘　4.2105
　民瓦房　６間
　民黄牛　１頭
新收　人口　４　男子４，成　丁１，侄孫：永昌25年生，在外生長，今回當差
　不成丁３，侄孫：野九39年生，侄孫：永朝40年生，侄：添福40年生
事產
民田地山塘　14.26037
　田　11.3020
　田　1.2800　36年７月買本都１圖６甲陳　曜戶　下田
　田　1.6160　37年７月買本都１圖３甲王　爵戶　下田
　田　0.3000　34年７月買本圖10甲金萬鍾戶　下田
　田　0.5800　39年６月買本圖１甲王　茂戶　下田
　田　0.7130　36年８月買本都１圖３甲王　爵戶　下田
　田　0.4510　36年８月買本都１圖４甲陳積裕戶　下田
　田　1.6080　36年８月買本都２圖３甲陳玄法戶　下田
　田　0.5870　36年買本圖１甲程　相戶　下田
　田　1.4430　36年買本圖８甲程廷隆戶　下田
　田　0.8170　36年買本圖８甲程　學戶　下田
　田　1.0400　41年買本都１圖７甲陳　陶戶　下田

田　0.8670　41年6月買本都1圖4甲程　武戶　下田
地　2.50607
地　0.2770　39年4月買本都1圖4甲陳積裕戶　下地
地　0.4840　37年買2月本都1圖4甲陳子賜戶　下地
地　0.0240　39年7月買本都1圖4甲陳三同戶　下地
地　0.0320　36年11月買本圖9甲程　敍戶　下地
地　0.0400　35年3月買本都1圖4甲陳積裕戶　下地
地　0.0850　38年6月買本都1圖4甲陳積裕戶　下地
地　0.4325　41年正月買本都1圖4甲陳子賜戶　下地
地　0.1500　41年買本都1圖4甲陳四同戶　下地
地　0.3400　41年2月買本都1圖9甲陳應婁戶　下地
地　0.02907　38年正月買本都1圖4甲陳積裕戶　下地
地　0.6125　40年8月買本都1圖4甲陳子賜戶　下地
山　0.2250
山　0.0250　39年12月買本都1圖9甲陳應婁戶　下山
山　0.1000　38年11月買本都1圖3甲王　爵戶　下山
山　0.1000　41年2月買本都1圖9甲陳應婁戶　下山
塘　0.2230
塘　0.0900　36年8月買本都3圖2甲陳玄法戶　下塘
塘　0.0350　36年8月買本都本圖8甲程　學戶　下塘
塘　0.1023　36年8月買本圖1甲程　相戶　下塘

開除　人口　4　男子成　丁3，侄：應兆33年故，侄：錀34年故，侄孫：應遠32年故
不成丁1，侄孫：□□35年故

事產
轉除
民田地山塘　23.95057
田　13.5815
田　0.4000　33年11月賣與本圖1甲王　茂戶
田　1.2920　39年6月賣與本都2圖10甲朱　法戶
田　1.1570　39年9月賣與本都1圖8甲陳寄經戶
田　0.7700　33年2月賣與本都2圖10甲朱　法戶
田　4.1800　39年賣與11都8圖9甲金東生戶
田　1.6370　41年2月賣與本圖1甲王　茂戶
田　0.2700　32年正月賣與本圖9甲王　敍戶
田　0.9000　39年正月賣與本甲程繼周戶
田　0.1900　37年3月賣與本圖1甲王　茂戶
田　0.5105　40年5月賣與本圖1甲王　茂戶
田　1.5570　37年3月賣與本都2圖1甲朱　有戶

地　1.89407
　地　0.1865　39年賣與本都１圖３甲王　爵戸
　地　0.8450　40年正月賣與本圖１甲王　茂戸
　地　0.0655　38年10月賣與本圖１甲王　茂戸
　地　0.0500　30年　月　賣與
　地　0.0800　35年９月賣與本圖１甲王　茂戸
　地　0.3180　40年正月賣與本圖１甲王　茂戸
　地　0.2300　32年７月賣與本圖１甲王　茂戸
　地　0.0700　34年９月賣與本圖１甲王　茂戸
　地　0.0490　41年６月賣與本圖10甲陳　新戸
山　7.7070
　山　0.5000　40年６月賣與26都５圖２甲宋明昆戸
　山　0.4500　33年11月賣與12都１圖４甲汪　興戸
　山　0.5000　32年９月26都５圖７甲朱勝滿戸
　山　0.5000　40年正月賣與本圖１甲王　茂戸
　山　0.1700　37年12月賣與本圖１甲王　茂戸
　山　3.6500　36年正月賣與26都６圖１甲李新文戸
　山　0.0600　33年11月賣與本都１圖３甲陳文志戸
　山　1.3300　33年10月賣與本都２圖10甲朱　法戸
　山　0.5470　38年賣與11都３圖９甲金初孫戸
塘　0.7680
　塘　0.7080　35年８月賣與26都６圖１甲陳新文戸
　塘　0.0600　39年６月賣與11都８圖９甲金東生戸

實在　人口　50　男子36，成　丁28，侄：岩秀69，侄：三元66，侄：以攸55，侄：以信65，侄：以俊35，侄孫：子55，侄孫：應仙46，侄孫：應箕45，侄孫：應宿45，侄孫：應麟45，侄孫：應膺46，侄孫：文炤45，侄孫：祖盛43，侄孫：文曜37，侄孫：得三15，侄孫：應尧36，侄孫：應麟37，侄孫：衆敬35，侄孫：東33，侄孫：仲32，侄孫：衆固32，侄孫：有禮25，侄孫：以亮25，侄孫：國順25，侄孫：應福22，侄孫：正位15，侄孫：東九15前册減甲，今衆實報

不成丁８，本身80，侄：黃76，侄孫：玄正12，侄孫：勝祖12，侄：添福１，侄孫：野九２

婦女14，侄婦：陳氏80，侄婦：金氏60，侄婦：金氏６，侄婦：汪氏６，侄婦：程氏71，侄孫婦：汪氏60，侄孫婦：戴氏46，侄孫婦：程氏45，侄孫婦：汪氏44，侄孫婦：楊氏35，侄孫婦：汪氏40，侄孫婦：方氏35，侄孫婦：程氏20，侄孫

婦：金氏40

事產

民田地山塘　265.5945

田　164.8764

地　56.4818

山　40.5665

塘　3.6698

民瓦房　6間

民水牛　1頭

40年-Ⅶ-1　潘雲祥

舊管　人口　2　男子1，婦女1

事產

民地山　2.6390

地　2.1560

山　0.4830

開除　事產

轉除

民地山　0.8650

地　0.6850

地　0.3500　34年12月賣與3都6圖10甲陳天冠戶

地　0.3350　39年5月賣與17都2圖10甲潘岩義戶

山　0.1800

山　0.1800　39年賣與17都2圖10甲潘岩義戶

實在　人口　2　男子成丁1

婦　女1

事產

民地山　1.7740

地　1.4710

山　0.3030

40年-Ⅶ-2　吳　仁

舊管　人口　3　男子2，婦女1

事產

民田地山　7.8666

田　5.6450

地　1.9716

山　0.2500

民瓦房　2間

開除　事産
　　轉除
　　　　民地　　1.4400
　　　　　地　0.5400　32年11月賣與３都６圖８甲郭遇元戸
　　　　　地　0.1250　27年５月賣與３都６圖８甲郭遇元戸
　　　　　地　0.1880　40年７月賣與３都10圖10甲趙廷錦戸
　　　　　地　0.4000　39年５月賣與３都３圖３甲呉　檟戸
　　　　　地　0.1870　36年９月賣與８都３圖５甲呉九壽戸
實在　人口　　3　男子成丁２
　　　　　　　　　婦　　女１
　　事産
　　　民田地山　　6.4266
　　　　　田　　5.6450
　　　　　地　　0.5316
　　　　　山　　0.2500
　　　民瓦房　　２間

……………………………………………………………………………………

40年-Ⅶ-3　　　汪　義
舊管　人口　　3　男子２，婦女１
　　事産
　　　民瓦房　１間
實在　人口　　3　男子２
　　　　　　　　　婦女１
　　事産
　　　民瓦房　１間

……………………………………………………………………………………

40年-Ⅶ-4　　　汪　使
舊管　人口　　2　男子１，婦女１
　　事産
　　　　民地　1.1480
　　　民瓦房　６間
實在　人口　　2　男子１
　　　　　　　　　婦女１
　　事産
　　　　民地　1.1480

……………………………………………………………………………………

40年-Ⅶ-5　　　潘　傑
舊管　人口　　6　男子４，婦女２
　　事産

民田地山　18.9740
田　11.3210
地　5.8990
山　1.7540
民瓦房　１間
新收　人口　男子不成丁２
事產
轉收
民田地　13.2320
田　12.0200
田　5.7000　39年正月買本甲潘成風戶　下田
田　2.4000　40年３月買３都９圖４甲汪希周戶
田　1.7200　31年７月買３都９圖４甲汪　時戶
田　1.2000　39年12月買３都４圖８甲吳寄舍戶
田　1.0000　36年10月買３都４圖５甲汪　富戶
地　1.2120
地　1.0620　39年買３都４圖５甲汪　富戶
地　0.1500　41年11月買３都10圖４甲黃文補戶
實在　人口　８　男子６，成　丁４　本身55，弟：寬49，侄：賢30，弟：正陽24
不成丁２　侄：一棣３，侄：曉５
婦女２，叔母：郭氏654，妻：黃氏53
事產
民田地山　32.2060
田　23.3410
地　7.1110
山　1.7540
民瓦房　１間

40年-Ⅶ-6　程義祥
舊管　人口　４　男子２，婦女２
事產
民田山　0.1660
田　0.0410
山　0.1250
民瓦房　３間
新收　人口　男子成　丁１，男：祿26年生，前册漏報，今收入籍
實在　人口　５　男子成　丁２，弟：盛67，男：祿15
不成丁１，本身70
婦女２，妻：胡氏69，弟媳：金氏55

事産
　民田山　0.1660
　　田　0.0410
　　山　0.1250
　民瓦房　3間

40年-Ⅶ-7　呉　榛
舊管　人口　2　男子1，婦女1
　事産
　　民田地塘　13.89085
　　　田　10.9545
　　　地　2.20435
　　　塘　0.7320
　　民瓦房　3間
新收　事産
　轉收
　　民田　1.0000
　　　田　1.0000　35年5月買本甲潘必生戶　下田
開除　事産
　轉除
　　民田地　8.60411
　　　田　6.76731
　　　　田　6.11731　35年12月賣與5都4圖10甲昌一仁戶
　　　　田　0.6500　38年9月賣與4都4圖10甲昌世祿戶
　　　地　1.8368
　　　　地　0.4260　35年12月賣與5都4圖10甲昌一仁戶
　　　　地　1.1178　40年2月賣與5都4圖10甲昌之斯戶
　　　　地　0.1860　35年12月賣與5都4圖10甲昌應禎戶
　　　　地　0.1070　40年10月賣與本甲潘必生戶
實在　人口　2　男子成丁1
　　　　　　婦　女1
　事産
　　民田地塘　6.28674
　　　田　5.18719
　　　地　0.36755
　　　塘　0.7320
　　民瓦房　3間

40年-Ⅶ-8　　潘希遠
舊管　人口　3　男子1，婦女2
事産
民田地山　6.8380
田　1.0940
地　4.6440
山　1.1000
民瓦房　3間
開除　事産
轉除
民田地山　1.7090
田　1.0940
田　1.0940　34年5月賣與8都5圖1甲潘四十戶
地　0.4550
地　0.1350　40年11月賣與17都2圖10甲潘岩義戶
地　0.3000　40年11月賣與本甲潘天遂戶
地　0.0200　41年10月賣與3都1圖1甲閔元保戶
山　0.1600
山　0.1600　40年12月賣與本甲潘天遂戶
實在　人口　3　男子成丁1
婦　女2
事産
民地山　5.1290
地　4.1890
山　0.9400
民瓦房　3間

40年-Ⅶ-9　　程繼周　下戶
舊管　人口　2　男子1，婦女1
事産
民田地　7.3600
田　6.7600
地　0.6000
新收　事産
轉收
民田地　0.92907
田　0.9000
田　0.9000　39年正月買本甲王齊興戶　下田
地　0.02907

地　0.02907　38年買本都1圖4甲陳積裕戶
實在　人口　2　男子成丁1
婦　女1
事產
民田地　8.28907
田　7.6600
地　0.62907

40年-Ⅶ-10　潘天遂
舊管　人口　3　男子2，婦女1
事產
民田地山　17.6130
田　12.3920
地　5.0200
山　0.2010
新收　人口　男子不成丁1
事產
轉收
民地山　0.4600
地　0.3000
地　0.3000　40年11月買本甲潘希遠戶
山　0.1600
山　0.1600　40年11月買本甲潘希遠戶
開除　人口　男子不成丁1
事產
轉除
民田地　14.9519
田　12.1510
田　2.1510　35年賣與本都1圖1甲吳世方戶
田　1.1800　36年3月賣與3都10圖10甲趙廷錦戶
田　7.2400　32年3月賣與3都10圖10甲趙廷錦戶
田　1.5800　32年3月賣與3都6圖1甲任　九戶
地　2.8009
地　1.7059　40年賣與26都6圖1甲任　琢戶
地　1.0950　40年賣與26都6圖1甲任　琢戶
實在　人口　3　男子2，成　丁1
不成丁1
婦女1
事產

民田地山　3.1211
田　0.2410
地　2.5191
山　0.3610

40年-Ⅶ-11　潘　亮
舊管　人口　3　男子2，婦女1
事産
民田地　5.7980
田　3.8700
地　1.9380
新收　人口　男子不成丁2
事産
轉收
民地　0.4760
地　0.4760　33年9月買14都1圖2甲徐文質戶　下地
實在　人口　5　男子4，成　丁2，本身53，弟：六十23
不成丁2，男：桂2，弟：伍個3
婦女1，妻：徐氏40
事産
民田地　6.2740
田　3.8700
地　2.4040

40年-Ⅶ-12　王承興
舊管　人口　3　男子2，婦女1
事産
民地塘　0.2720
地　0.2000
塘　0.0720
民瓦房　3間
新收　人口　男子不成丁1，男：茂39年生
開除　人口　男子不成丁1，男：貴38年故
事産
轉除
民地　0.0240
地　0.0240　33年8月賣與本圖1甲王　茂戶
實在　人口　3　男子2，成　丁1，本身40
不成丁1，男：茂2

婦女1，妻：汪氏40

事產

民地塘　0.2470

地　0.1760

塘　0.0720

民瓦房　3間

40年-Ⅶ-13　**潘必生**　承故父承鳳

舊管　人口　3　男子2，婦女1

事產

民田地　16.9830

田　15.8380

地　1.1450

新收　事產

轉收

民地　1.2570

地　0.1070　40年10月買本甲吳　榛戶　下地

地　0.5500　39年9月買3都10圖4甲黃文補戶

地　0.4000　39年2月買3都8圖6甲胡生應戶

地　0.2000　33年8月買4都2圖3甲嚴君象戶

開除　人口　男子成丁1

事產

轉除

民田　11.4790

田　0.8000　39年9月賣與26都6圖1甲任　琢戶

田　1.1000　32年3月賣與3都10圖10甲趙廷錦戶

田　2.8790　32年5月賣與14都7圖7甲吳萬有戶

田　1.0000　35年5月賣與本甲吳　榛戶

田　5.7000　39年正月賣與本甲潘　傑戶

實在　人口　2　男子1，成丁1

婦女1

事產

民田地　6.7610

田　4.3590

地　2.4020

40年-Ⅶ-14　**陳永得**　(絕)

舊管　人口　2　男子2

事產

民瓦房　3間
實在　人口　2　男子不成丁2
事產
民瓦房　3間

40年-Ⅶ-15　李社祖（絕）
舊管　人口　1　男子1
事產
民瓦房　1間
實在　人口　1　男子不成丁1，本身158
事產
民瓦房　1間

40年-Ⅶ-16　方　記（絕）
舊管　人口　4　男子3，婦女1
事產
民瓦房　3間
實在　人口　4　男子不成丁3，本身177，男：社157，男：得154
婦　女　1，妻：高氏185
事產
民瓦房　3間

40年-Ⅶ-17　陳兆均（絕）
舊管　人口　5　男子4，婦女1
事產
民瓦房　3間
實在　人口　5　男子不成丁4，本身233，男：鎭196，男：中180，男：富178
婦　女　1，弟婦：吳氏210
事產
民瓦房　3間

40年-Ⅶ-18　汪文傑（絕）
舊管　人口　3　男子2，婦女1
事產
民瓦房　3間
實在　人口　3　男子不成丁2，本身132，弟：文興123
婦　女　1，妻：金氏148
事產
民瓦房　3間

第８甲

40年-Ⅷ　排年　陳元和

舊管　人口　　31　男子23，婦女８

事產

民田地山塘　101.8276

田　50.7645

地　25.4609

山　25.3012

塘　0.3010

民瓦房　３間

新收　人口　　８　男子８，成　丁１，侄：佩27年生，前冊漏報，今收入籍

不成丁７，弟：棟36年生，侄：仲36年生，侄：俸37年生，

侄：信35年生，侄：孫35年生，侄：芳38年生，

侄：信39年生，

事產

民田地山　18.5465

田　17.4385

田　0.9500　38年12月買本都２圖８甲葉　富戶　下田

田　0.8960　39年正月買本都２圖８甲葉　富戶　下田

田　2.4365　39年５月買本都２圖８甲葉　富戶　下田

田　2.0200　39年４月買本都１圖５甲陳三陽戶　下田

田　1.5590　39年５月買本都１圖６甲陳世曜戶

田　3.9040　39年８月買13都２圖４甲程　文戶　下田

田　0.4100　40年７月買本都１圖２甲朱有俊戶　下田

田　0.2000　31年３月買本都１圖７甲程三個戶　下田

田　1.2150　38年12月買本都１圖６甲陳社互戶　下田

田　2.4480　38年12月買本都１圖９甲陳　慶戶　下田

田　0.6500　40年11月買本都１圖４甲陳積裕戶　下田

田　0.7500　32年８月買本都２圖８甲葉廷新戶　下田

地　0.2000

地　0.2000　40年11月買本都１圖４甲陳積裕戶　下地

山　0.9080

山　0.8000　40年正月買本都１圖２甲朱廷卿戶　下山

山　0.0180　40年４月買本都１圖２甲朱天生戶　下山

山　0.0900　35年８月買本都２圖８甲葉　富戶　下山

開除　人口　　８　男子成　丁５，兄：早35年故，兄：椿34年故，兄：楫36年故，兄：檳37年故，兄：相38年故

不成丁３，弟：杭37年故，弟：槐39年故，弟：机38年故

事産
轉除
民田地山　29.5340
田　25.3395
田　2.3570　40年3月賣與本都　圖1甲程義龍戸
田　0.9000　39年5月賣與本都2圖7甲汪應遠戸
田　1.9100　37年賣與本都2圖10甲朱　法戸
田　0.2200　39年3月賣與本都2圖6甲朱正昌戸
田　1.4000　40年7月賣與本都2圖10甲朱有盛戸
田　2.0150　36年5月賣與11都　圖9甲金東生戸
田　1.2970　35年4月賣與本圖2甲朱永興戸
田　0.1100　37年3月賣與本都1圖2甲朱天生戸
田　1.6450　41年2月賣與本都2圖1甲朱　有戸
田　0.1375　38年6月賣與本圖3甲朱學源戸
田　0.5500　39年4月賣與本圖3甲朱學源戸
田　0.5130　46年6月賣與本圖3甲朱學源戸
田　0.3640　36年10月賣與本圖3甲朱學源戸
田　2.6050　33年2月賣與本都2圖9甲朱福茂戸
田　0.2410　37年2月賣與本都1圖3甲陳文志戸
田　1.8100　41年7月賣與11都8圖7甲金孟期戸
田　0.4920　35年3月賣與本都2圖8甲朱　法戸
田　1.8900　37年6月賣與本圖3甲朱學源戸
田　4.8800　41年8月賣與26都4圖10甲朱輔仁戸
地　0.3490
地　0.1590　35年2月賣與本圖3甲劉得應戸
地　0.0660　37年7月賣與本圖1甲王　茂戸
地　0.0500　31年2月賣與本圖3甲朱學源戸
地　0.0290　36年10月賣與本圖3甲吳長富戸
地　0.0450　32年2月賣與本都1圖9甲陳光耀戸
山　3.8455
山　0.1300　40年7月賣與本都2圖10甲朱有盛戸
山　1.0950　40年3月賣與本都1圖10甲張　奇戸
山　1.3000　41年3賣與本圖1甲王　茂戸
山　0.4000　33年4月賣與本圖3甲朱學源戸
山　0.4800　38年2月賣與本都2圖1甲朱　有戸
山　0.1455　31年2月賣與本圖3甲朱學源戸
山　0.2700　39年8月賣與13都1圖4甲汪　興戸
山　0.0250　36年2月賣與本都　圖2甲朱徽昌戸
實在　人口　31　男子23，成　丁14，本身：25，兄：梅51，兄：榜44，兄：材42，

兄：桊42，兄：棠32，兄：邦佐34，弟：枋21，
侄：福32，侄：祿32，侄：邦23，侄：倡15，
侄：信15前册減甲，今衆實報
不成丁９，侄：思13，侄：俊13，弟：梅５，弟：仲５，
侄：俸４，侄：信６，侄：孫３，侄：方３，
侄：僖３
婦女８，母：吳氏80，嬸：金氏80，嬸：畢氏80，嬸：朱氏80，嫂：
汪氏43，嫂：王氏43，嬸：汪氏76，嬸：畢氏78

事產
民田地山塘　90.8401
田　42.8635
地　25.3119
山　22.3637
塘　0.3010
民瓦房　３間

40年-Ⅷ-1　**王繼成**　民戶
舊管　人口　5　男子３，婦女２
事產
民田地山塘　11.8410
田　8.1230
地　2.5350
山　1.0830
塘　0.1000
民瓦房　２間
新收　人口　2　男子成　丁１，侄：世耀，在外生長，今回入籍當差
不成丁１，侄：世隆38年生
事產
轉收
民田地　3.55807
田　3.1400
田　0.6120　41年２月買本都１圖10甲陳　浩戶
田　0.7880　39年５月買本都１圖10甲陳　浩戶
田　1.7310　38年10月買26都４圖５甲洪　鐸戶
地　0.4187
地　0.3890　39年５月買本圖６甲王　科戶　下地
地　0.02907　38年正月買本都１圖４甲陳積裕戶　下地
開除　人口　1　男子成丁１，孫：尚賓32年故
實在　人口　6　男子４，成　丁２，弟：家相，即文成24，侄：世耀16

不成丁２，本身70，侄：世隆３
婦女２，妻：洪氏70，叔母：黃氏48
事産
民田地山塘　15.39907
田　11.2630
地　2.95307
山　1.0930
塘　0.1000
民瓦房　２間

40年-Ⅷ-2　**朱得九**

舊管　人口　４　男子２，婦女２
事産
民田地山塘　3.4548
田　0.5170
地　1.0478
山　1.8810
塘　0.0090
民瓦房　２間
新收　人口　男子不成丁１，弟：祿39年生
開除　人口　男子不成丁１，弟：德遠33年故
事産
轉除
民地山　0.5954
地　0.31355
地　0.1530　32年９月賣與本圖２甲朱永興戶
地　0.0150　38年５月賣與本圖10甲朱國錢戶
地　0.0200　35年12月賣與本圖10甲朱國錢戶
地　0.0161　35年12月賣與本圖10甲朱國錢戶
地　0.0052　35年12月賣與本圖10甲朱國錢戶
地　0.10425　32年９月賣與本圖２甲朱　欽戶
山　0.28185
山　0.0531　39年９月賣與本圖２甲朱永興戶
山　0.0900　32年９月賣與本圖２甲朱永興戶
山　0.0175　35年２月賣與本圖10甲朱國錢戶
山　0.03125　35年12月賣與本圖10甲朱國錢戶
山　0.0900　32年９月賣與本圖２甲朱　欽戶
實在　人口　４　男子２，成　丁１，本身42
不成丁１，弟：祿２

婦女２，伯母：王氏85，叔母：黄氏57

事産

民田地山塘　2.8594

田　0.5170

地　0.73425

山　1.59915

塘　0.0090

民瓦房　２間

………………………………………………………………………………………………

40年-Ⅷ-3　**王應玄**　承兄

舊管　人口　4　男子２，婦女２

事産

民田地山　2.2720

田　0.3365

地　0.7905

山　1.1450

民瓦房　６間

新收　人口　男子不成丁１，男：卽生40年生

開除　人口　男子不成丁１，兄：應享35年故

事産

轉除

民地山　0.3310

地　0.1100

地　0.0600　31年10月賣與本圖４甲王　祥戶

地　0.0410　35年11月賣與本圖４甲王　祥戶

山　0.2300

山　0.1100　31年10月賣與本圖４甲王　祥戶

山　0.1200　41年12月賣與11都３圖９甲金廷欽戶

實在　人口　4　男子２，成　丁１，本身23

不成丁１，卽生１

婦女２，嫂：金氏46，嫂：金氏62

事産

民田地山　1.9410

田　0.3365

地　0.6895

山　0.9150

民瓦房　６間

………………………………………………………………………………………………

40年-Ⅷ-4　**程　學**

舊管　人口　4　男子2，婦女2
事産
民田地山塘　15.1250
田　9.7280
地　4.5930
山　0.3410
塘　0.4630
民瓦房　2間

新收　人口　1　男子成丁1
事産
轉收
民田地　4.7470
田　4.6320
田　0.2260　31年10月買本都3圖8甲金日德戶　下田
田　1.1360　32年8月買本圖1甲王　茂戶　下田
田　1.2700　36年3月買本都1圖9甲陳光儀戶　下田
田　2.0000　34年5月買本都2圖3甲黃　長戶　下田
地　0.1150
地　0.0320　35年12月買本都2圖3甲陳玄法戶　下地
地　0.0350　31年10月買本都3圖8甲金日汪戶　下地
地　0.0045　31年11月買本都2圖3甲陳玄法戶　下地
地　0.0435　34年2月買本都2圖3甲陳玄法戶　下地

開除　人口　1　男子成丁1，侄：信35年故
事産
轉除
民田地塘　7.0597
田　6.5957
田　0.6290　40年6月賣與本都2圖1甲朱　有戶
田　0.3000　41年3月賣與11都8圖10甲金孟賜戶
田　0.8170　36年8月賣與本圖7甲王齊興戶
田　0.8010　41年3月賣與本圖1甲王　茂戶
田　0.3970　31年8月賣與本圖1甲王　茂戶
田　0.3400　31年8月賣與本圖1甲王　茂戶
田　2.0410　39年5月賣與本都2圖1甲朱　有戶
田　1.2700　36年3月賣與本都1圖3甲王　爵戶
地　0.1790
地　0.0790　40年6月賣與本圖10甲程　產戶
地　0.1000　40年6月賣與本都2圖1甲朱　有戶

塘　0.2850
塘　0.0200　41年3月賣與本圖10甲朱　雷戶
塘　0.2000　39年5月賣與本都2圖1甲朱　有戶
塘　0.0300　40年6月賣與本都2圖1甲朱　有戶
塘　0.0350　36年8月賣與本圖7甲王齊興戶
實在　人口　4　男子2，成　丁1，本身62
不成丁1，男：廷盛50
婦女2，母：汪氏80，妻：徐氏58
事産
民田地山塘　12.8123
田　7.7643
地　4.5290
山　0.3410
塘　0.1780
民瓦房　2間

40年-Ⅷ-5　**朱文標**
舊管　人口　4　男子2，婦女2
事産
民地塘　0.2354
地　0.1854
塘　0.0500
民瓦房　1間
開除　事産
轉除
民地　0.0600
地　0.0600　40年11月賣與本圖4甲朱文節戶
實在　人口　4　男子2，成丁2，本身37，侄：富23
婦女2，伯母：華氏96，嫂：黄氏80
事産
民地塘　0.1754
地　0.1254
塘　0.0500
民瓦房　1間

40年-Ⅷ-6　**朱　雪**
舊管　人口　2　男子1，婦女1
事産
民田地　10.5190

田　10.3680
地　0.1510
民瓦房　1間
開除　事產
轉除
民田地　2.5670
田　2.4090
田　0.5910　35年2月賣與本圖6甲朱　俊戶
田　1.8180　35年2月賣與本都6圖3甲李雷春戶
地　0.1580
地　0.1580　41年2月賣與本圖4甲朱岩志戶
實在　人口　2　男子成丁1，本身26
婦　女1，母：洪氏49
事產
民田　7.9590
民瓦房　1間

40年-Ⅷ-7　**郭正耀**
舊管　人口　5　男子3，婦女2
事產
民田地山　2.0620
田　0.3270
地　1.5550
山　0.1800
民瓦房　1間
開除　事產
轉除
民山　0.1800
山　0.1800　40年6月賣與1都8圖畢當科戶
實在　人口　5　男子3，成　丁2，本身69，弟：正華33
不成丁1，男：超富12
婦女2，母：程氏100，妻：吳氏60
事產
民田地　1.8820

40年-Ⅷ-8　**朱良五**　承故兄良佑
舊管　人口　2　男子1，婦女1
事產
民田地山塘　14.4616

田　12.0110
地　0.0800
山　1.4660
塘　0.0100
民瓦房　3間
新收　人口　2　男子成丁1，本身系本圖2甲朱欽戸丁，繼父添壽爲子，承頂堂兄良佑戸加增
婦　女1，妻：陳氏36年娶本甲陳法女
開除　人口　2　男子成丁1，兄：良佑32年故
婦　女1，伯祖母：鄭氏35年故
事產
轉除
民地　0.0800
地　0.0800　32年3月賣與本圖2甲朱永興戸
實在　人口　2　男子1
婦女1
事產
民田山塘　13.4870
田　12.0110
山　1.4660
塘　0.0100
民瓦房　3間

40年-Ⅷ-9　**汪社曜**（絕）
舊管　人口　男子1
事產
民地　0.1210
官民瓦房　4間
官瓦房　1間　賃鈔375文
民瓦房　3間
實在　人口　男子不成丁1，本身123
事產
民地　0.1210
官民瓦房　4間
官瓦房　1間　賃鈔375文
民瓦房　3間

40年-Ⅷ-10　**吳　魁**
舊管　人口　4　男子3，婦女1

事産
民田地　8.1370
田　8.1700
地　0.0300
民瓦房　３間
新收　事産
轉收
民田地　2.9420
田　1.6720
田　1.0720　40年正月買本都２圖10甲朱　法戶　下田
田　0.6000　34年12月買本圖１甲金當伊戶　下田
地　1.2700
地　1.2700　32年正月本都６圖６甲金　淮戶　下地
開除　事産
轉除
民田　0.4000
田　0.4000　40年２月賣與本都１圖３甲陳天貴戶
實在　人口　4　男子３，成　丁２，本身63，侄：長權28
不成丁１，侄：才13
婦女１，妻：金氏63
事産
民田地　9.3890
田　9.3590
地　0.0300
民瓦房　３間

40年-Ⅷ-11　**汪腊黎**
舊管　人口　3　男子１，婦女２
實在　人口　3　男子成丁１，本身52
婦　女２，妻：20
事産
民田山塘　14.3816
田　12.9110
山　1.4660
塘　0.0100
民瓦房　３間

40年-Ⅷ-12　**程廷隆**
舊管　人口　3　男子２，婦女１

事産
民田地山塘　13.2080
　田　12.6840
　地　0.1573
　山　0.2980
　塘　0.0687
民瓦房　3間

新收　事産
轉收
民田　0.9700
田　0.6000　34年2月買本都2圖3甲陳玄法戸
田　0.3700　37年3月買本都1圖6甲陳世曜戸

開除　事産
轉除
民田　4.3670
田　0.5400　38年11月賣與本都2圖1甲朱　有戸
田　1.3400　30年賣與11都8圖10甲金孟錫戸
田　1.4430　32年8月賣與本圖7甲王齊興戸
田　0.2700　40年4月賣與本都1圖4甲陳積裕戸
田　0.7700　39年9月賣與本都2圖1甲朱　有戸

實在　人口　3　男子2，成　丁1，本身30
不成丁1，義兄：潘廣85
婦女1，外祖母：朱氏82

事産
民田地山塘　9.8110
　田　9.2870
　地　0.1573
　山　0.2980
　塘　0.0687
民瓦房　3間

……………………………………………………………………………………

40年-Ⅷ-13　**黄記大**

舊管　人口　3　男子3
事産
民瓦房　1間

實在　人口　3　男子不成丁3，本身：134，弟：友大134，義男：葉岩相72
事産
民瓦房　1間

……………………………………………………………………………………

40年-Ⅷ-14　**朱永清**（絶）

舊管　人口　4　男子3，婦女1
事産
民瓦房　3間
實在　人口　4　男子不成丁3，本身：196，弟：永富192，弟：永和192
婦　女　1，叔母：徐氏275
事産
民瓦房　3間

40年-Ⅷ-15　**朱　和**（絶）

舊管　人口　7　男子5，婦女2
事産
民瓦房　2間
民黃牛　1頭
實在　人口　7　男子不成丁5，本身：230，弟：來229，弟：高220，侄：武212，侄：武善204
婦　女　2，妻：金氏226，弟婦：程氏220
事産
民瓦房　3間
民黃牛　1頭

40年-Ⅷ-16　**汪計宗**（絶）

舊管　人口　3　男子3
事産
民瓦房　3間
實在　人口　3　男子不成丁3，本身：229，侄：童225，侄：晉保210
事産
民瓦房　3間

第9甲

40年-Ⅸ　排年　**王　敍**　係直隷徽州府休寧縣里仁鄉27都5圖匠籍，充當萬曆49年分里長

舊管　人口　33　男子20，婦女13
事産
民田地山塘　16.8993
田　6.5168

地　6.4700
山　3.3625
塘　0.5500
新收　人口　6　男子成　丁１，弟：正茂 在外生長，今回入籍當差
不成丁５，侄：義35年生，侄：道36年生，侄：余成37年生，
侄：余祿38年生，侄：岩湯39年生
事產
轉收
民田地　1.20953
田　1.1950
田　0.3000　40年９月買本都１圖４甲陳積裕戶
田　0.2700　32年正月買本圖７甲王齊英戶
田　0.6250　36年８月買本圖10甲金萬中戶
地　0.01453
地　0.01453　38年正月買本都１圖４甲陳積裕戶
開除　人口　5　男子不成丁５，侄：恨34年故，侄：湯36年故，侄孫：玄36年故，
侄孫：應38年故，侄孫：元37年故
事產
轉除
民田地山　3.9675
田　2.7960
田　0.3640　40年８月賣與13都４圖５甲吳　盛戶
田　1.7950　40年８月賣與本都２圖10甲朱　法戶
田　0.6370　40年８月賣與本都２圖10甲朱　法戶
地　0.6715
地　0.0600　38年３月賣與13都４圖５甲吳　楠戶
地　0.0330　37年２月賣與本圖４甲王正芳戶
地　0.0285　37年４月賣與本圖４甲王正芳戶
地　0.4730　34年６月賣與13都４圖５甲吳　盛戶
地　0.0320　36年11月賣與本圖７甲王齊興戶
地　0.0300　33年８月賣與本圖４甲王正芳戶
地　0.0150　37年11月賣與13都　圖８甲汪　禧戶
山　0.5000
山　0.2200　38年３月賣與13都４圖５甲吳　楠戶
山　0.2000　37年２月賣與13都４圖５甲吳　楠戶
山　0.0800　34年10月賣與13都３圖７甲汪元勛戶
實在　人口　34　男子21，成　丁13，侄孫：憫36，侄：慢46，侄孫：儒35，孫：國
珎25，孫：云相25，侄：鎭19，孫：法25，男：
順得17，侄孫：方33，侄：紹宗18，侄：余賓

16，弟：正茂17
不成丁８，本身73，兄：初87，侄：時13，侄：義６，侄：道６，侄：余成６，侄：余祿３，侄：岩得２
婦女13，妻：吳氏75，弟婦：吳氏66，弟婦：金氏66，弟婦：朱氏63，弟婦：汪氏55，弟婦：陳氏50，弟婦：吳氏52，弟婦：金氏48，弟婦：吳氏45，弟婦：汪氏43，侄婦：陳氏40，侄婦：余氏40，侄婦：汪氏50

事產
民田地山塘　14.1413
田　4.9158
地　5.8130
山　2.8625
塘　0.5500

40年-Ⅸ-1　**朱法隆**

舊管　人口　３　男子２，婦女１
事產
民地山　0.6770
地　0.5970
山　0.0800
民瓦房　３間
新收　人口　１　男子不成丁１，男：求生39年生
開除　人口　１　男子不成丁１，弟：汪興33年故
事產
轉除
民地　0.0200
地　0.0200　31年12月賣與１都５圖８甲胡顯九戶
實在　人口　３　男子２，成　丁１，本身42，
不成丁１，男：求生2
婦女１，母：汪氏66
事產
民地山　0.6570
地　0.5770
山　0.0800
民瓦房　３間

40年-Ⅸ-2　**畢　賓**

舊管　人口　８　男子５，婦女３
事產

民田地山　5.1170
田　1.4180
地　2.1290
山　1.5700
新收　人口　男子不成丁１，男：有孫38年生
開除　人口　男子不成丁１，侄：勝宗35年故
實在　人口　8　男子５，成　丁２，本身52，弟：云32
不成丁３
婦女３，叔祖母：陳氏75，嫂：呂氏70，嬸：王氏41
事產
民田地山　5.1170
田　1.4180
地　2.1290
山　1.5700

40年-Ⅸ-3　朱　瑤
舊管　人口　2　男子１，婦女１
事產
民田地山　23.59505
田　19.3160
地　1.72925
山　2.5498
開除　事產
轉除
民地　0.11385
地　0.0816　32年２月賣與本圖２甲朱誠侄戶
地　0.03225　39年11月賣與本圖２甲朱　作戶
實在　人口　2　男子成丁１，本身65
婦　女１，妻：汪氏42
事產
民田地山　23.4812
田　19.3160
地　1.6154
山　2.5498

40年-Ⅸ-4　王茂伍
舊管　人口　31　男子22，婦女９
事產
民田地山塘　66.0893

田　42.4160
地　12.5393
山　11.0860
塘　0.0470
民瓦房　4間
新收　人口　5　男子成　丁1，弟：盛五，在外生長，今回入籍
不成丁4，侄孫：仁法37年生，侄孫：仁文38年生，侄孫：周39年生，侄孫：法38年生
事産
轉收
民田地山　17.6975
田　9.5529
田　0.1900　37年3月買本圖7甲王齊興戶　下田
田　0.8215　33年5月買13都2圖2甲吳　興戶　下田
田　0.4610　34年正月買13都2圖10甲黃萬奇戶　下田
田　2.6400　41年3月買13都2圖7甲孫社四戶　下田
田　4.9200　35年2月買13都2圖9甲吳川厚戶　下田
田　0.5200　37年3月買本都1圖10甲陳　浩戶　下田
地　3.1446
地　0.0200　33年6月買13都1圖4甲汪　興戶　下地
地　0.0420　35年正月買13都4圖6甲吳　文戶　下地
地　0.1654　35年正月買13都4圖9甲戴　昱戶　下地
地　2.2122　35年2月買13都3圖10甲方思永戶　下地
地　0.0850　35年5月買本圖1甲王　茂戶　下地
地　0.6200　37年3月買13都1圖10甲倪當文戶　下地
山　5.0000
山　0.0200　33年買13都4圖10甲戴　時戶　下山
山　0.0200　39年正月買13都1圖10甲倪當文戶　下山
山　0.0100　33年正月買13都4圖10甲東　時戶　下山
山　2.0000　37年5月買13都4圖10甲東　時戶　下山
山　1.0250　33年正月買13都4圖7甲吳　鏞戶　下山
山　0.4000　36年正月買13都4圖6甲吳　文戶　下山
山　0.3300　40年9月買13都2圖10甲汪萬奇戶　下山
山　0.0100　34年5月買13都4圖8甲吳　鎧戶　下山
山　0.0200　35年3月買11都3圖2甲汪國英戶　下山
山　0.0200　33年10月買11都1圖9甲李世芳戶　下山
山　0.1000　34年正月買11都1圖9甲李世芳戶　下山
山　0.0150　41年12月買30都1圖10甲吳　富戶　下山
山　0.0200　37年12月買13都4圖9甲戴　雷戶　下山

山　1.0000　35年買13都4圖10甲東　時戶　下山
山　0.0100　31年8月買30都1圖3甲汪仕隆戶　下山

開除　人口　4　男子成丁4，兄：玄36年故，兄：惠34年故，侄孫：遠38年故，侄孫：興 35年故

事産
轉除
民田地山　17.5254
田　14.1644
田　0.8670　39年12月賣與13都1圖10甲倪當文戶
田　1.8290　38年7月賣與13都1圖10甲吳　富戶
田　0.3200　40年12月賣與13都2圖10甲歸伯隆戶
田　0.7700　38年3月賣與13都1圖10甲吳　付戶
田　1.6000　41年9月賣與31都3圖2甲陳照十戶
田　4.8940　38年2月賣與13都4圖6甲吳敬法戶
田　3.8844　41年11月賣與13都4圖8甲吳道成戶
地　0.2010
地　0.0450　33年6月賣與本都2圖1甲朱　有戶
地　0.0200　37年10月賣與13都4圖3甲吳　劉戶
地　0.1360　41年12月賣與13都4圖9甲戴惟修戶
山　3.1600
山　0.0100　37年12月賣與13都4圖2甲宋世芳戶
山　1.7700　35年正月賣與13都1圖4甲汪　興戶
山　0.0600　34年賣與本都2圖4甲朱　魁戶
山　0.2000　41年賣與13都4圖8甲吳道成戶
山　0.2000　32年5月賣與13都4圖6甲吳敬法戶
山　0.1500　36年5月賣與13都4圖5甲吳榮增戶
山　0.0200　38年2月賣與13都4圖5甲吳榮增戶
山　0.7500　36年2月賣與13都4圖8甲吳　臣戶

實在　人口　32　男子23，成　丁15，弟：聰64，弟：鉅46，弟：盛五24，侄：相65，侄孫：明65，侄孫：鳴43，侄孫：碧43，侄孫：仕期37，侄孫：文學25，侄孫：清32，侄孫：才23，侄孫：仁22，侄孫：文郎15，侄孫：多得15，侄孫：添孫15
不成丁8，本身70，侄：早來13，弟：憲70，侄：法3，侄孫：文返11，侄孫：仁文3，侄孫：仁法4，侄孫：周2
婦女9，嫂：汪氏75，嫂：東氏62，嫂：許氏61，嫂：朱氏61，嫂：歸氏57，侄婦：朱氏41，侄婦：汪氏32，侄婦：吳氏34，侄婦：東氏35

事産
民田地山塘　66.2604
田　37.8405
地　15.4829
山　12.9260
塘　0.0470
民瓦房　3間

40年-Ⅸ-5　洪　源　承故伯洪龍
舊管　人口　2　男子1，婦女1
事産
民瓦房　3間
新收　人口　2　男子成丁1，本身20年生，在外生長，今回入籍
婦　女1，妻：陳氏36年，娶本都陳三女
事産
轉收
民地山　2.3210
地　0.6110
地　0.6110　41年9月買本都1圖9甲陳　壽戸　下地
山　1.7100
山　0.3500　37年7月買本都1圖4甲陳積裕戸　下山
山　0.2600　32年3月買本都1圖9甲陳應妻戸　下山
山　1.1000　41年9月買本都1圖9甲陳　壽戸　下山
開除　人口　2　男子成丁1，伯父：洪龍33年故
婦　女1，太祖母31年故
實在　人口　2　男子成丁1，本身21
婦　女1，妻：陳氏19
事産
民地山　2.3210
地　0.6110
山　1.7100
民瓦房　3間

40年-Ⅸ-6　李　清
舊管　人口　3　男子1，婦女2
事産
民瓦房　2間
實在　人口　3　男子成丁1，本身34
婦　女2，祖母：汪氏87，伯母：黃氏65

事產
民瓦房　２間

40年-Ⅸ-7　金　廣
舊管　人口　２　男子１，婦女１
事產
民瓦房　３間
民水牛　１頭
實在　人口　２　男子不成丁１，本身81
婦　女　１，妻：曾氏80
事產
民瓦房　３間
民水牛　１頭

40年-Ⅸ-8　朱彰先
舊管　人口　２　男子１，婦女１
事產
民田　2.4940
民瓦房　２間
實在　人口　２　男子成丁１，本身28
婦　女１，祖母：張氏127
事產
民田　2.4940
民瓦房　２間

40年-Ⅸ-9　汪　社
舊管　人口　４　男子２，婦女２
事產
民瓦房　１間
實在　人口　４　男子成丁２，本身59，男：四得25
婦　女２，妻：吳氏55，妻：吳氏50
事產
民瓦房　１間

40年-Ⅸ-10　吳文軒　（絕）
舊管　人口　２
事產
民瓦房　３間
實在　人口　男子不成丁２，本身135，男：興106

事産
民瓦房　3間

40年-Ⅸ-11　湯　曜　承故母舊汪振
舊管　人口　男子1
事産
民瓦房　1間
新收　人口　1　男子不成丁1，本身31年生
事産
轉收
民田山　5.8000
田　3.3250
田　0.8280　39年11月買本都1圖1甲陳　善戸　下田
田　1.1640　40年4月買本圖10甲金萬鍾戸　下田
田　1.0080　32年買本圖1甲王　茂戸　下田
田　0.3250　40年7月買本圖5甲陳　章戸　下田
山　2.4750
山　1.1000　40年12月買本都1圖9甲陳長壽戸　下山
山　1.3750　32年正月買本都1圖10甲胡天渠戸　下山
開除　人口　1　男子不成丁1，母舊：汪振30年故
事産
轉除
民山　1.1000
山　1.1000　41年12月賣與本圖3甲朱師孔戸　下山
實在　人口　1　男子不成丁1，本身10
事産
民田山　4.7000
田　3.3250
山　1.3750
民瓦房　1間

40年-Ⅸ-12　朱　雲（絕）
舊管　人口　男子1
事産
民瓦房　3間
實在　人口　男子不成丁1，本身134
事産
民瓦房　3間

40年-Ⅸ-13　　　朱　彬　（絕）

舊管　人口　　男子３

　　　事產

　　　　民瓦房　３間

　　　　民水牛　１頭

實在　人口　　男子不成丁３，本身215，弟：九204，弟：靑199

　　　事產

　　　　民瓦房　３間

　　　　民水牛　１頭

40年-Ⅸ-14　　　黄闢童　（絕）

舊管　人口　　４　男子３，婦女１

實在　人口　　男子不成丁３，本身210，男：永興185，男：永安190

　　　　　　　婦　　女　１，妻：王氏290

40年-Ⅸ-15　　　潘玹童　（絕）

舊管　人口　　男子１

　　　事產

　　　　民瓦房　２間

實在　人口　　男子不成丁１，本身234

　　　事產

　　　　民瓦房　２間

40年-Ⅸ-16　　　王文正　軍　（絕）

舊管　人口　　男子１

　　　事產

　　　　民瓦房　３間

實在　人口　　男子不成丁１，本身154

　　　事產

　　　　民瓦房　３間

40年-Ⅸ-17　　　汪　榮　（絕）

舊管　人口　　男子１

實在　人口　　男子不成丁１，本身116

第10甲

40年-X　排年　**金萬鍾**

舊管　人口　45　男子33，婦女12

事産

民田地山塘　117.9695
田　62.4185
地　21.6680
山　32.5390
塘　1.3440
民瓦房　6間
民水牛　1頭

新收　人口　10　男子9，成　丁1，侄孫：君輔20年生，在外生長，今回入籍
不成丁8，侄孫：法32年生，侄孫：寄壽33年生，侄孫：冠37年生，侄孫：翔風39年生，侄孫：灌38年生，侄孫：曜孫39年生，侄孫：繼宗38年生，侄孫：汪昌40年生
婦女1，侄孫媳：宋氏35年娶宋大女

事産

轉收

民地山　1.0740
地　0.2994
地　0.0150　33年4月買本都1圖2甲汪　班戶　下地
地　0.0200　37年10月買本都1圖4甲陳積裕戶　下地
地　0.0900　32年2月買本都1圖9甲陳應婁戶　下地
地　0.0700　33年4月買本都1圖10甲歸　寄戶　下地
地　0.0990　34年12月買本都1圖2甲朱天生戶　下地
山　0.7800
山　0.6000　35年2月買本都1圖4甲陳四同戶　下山
山　0.1000　31年12月買本圖2甲吳天保戶　下山
山　0.0800　39年2月買本都1圖7甲陳　全戶　下山

開除　人口　男子9，成　丁8，侄：景33年故，侄：鼎35年故，侄：果34年故，侄：義成33年故，侄：雙33年故，侄孫：漢36年故，侄孫：濱37年故，侄孫：卿38年故
不成丁1，侄：印33年故

事産

轉除

民田地山塘　44.74822
田　39.3485

　田　0.8780　　40年３月賣與本圖１甲王　茂戸
　田　3.1800　　40年２月賣與本都１圖10甲陳　浩戸
　田　0.2150　　40年３月賣與本甲朱　雷戸
　田　1.3330　　40年２月賣與本都１圖８甲陳寄經戸
　田　0.3000　　40年７月賣與本圖７甲王齊興戸
　田　1.2550　　37年４月賣與本圖１甲王　茂戸
　田　0.8400　　40年11月賣與本圖１甲王　茂戸
　田　2.8005　　40年11月賣與本圖１甲王　茂戸
　田　1.6790　　32年２月賣與本圖１甲王　茂戸
　田　2.8000　　40年11月賣與本圖２甲朱承興戸
　田　1.4300　　33年10月賣與本圖２甲朱承興戸
　田　1.0010　　39年６月賣與本圖２甲朱承興戸
　田　0.7719　　32年９月賣與本圖２甲朱承興戸
　田　2.2100　　39年12月賣與本圖４甲王正芳戸
　田　0.6250　　36年８月賣與本圖９甲王　敍戸
　田　1.4523　　41年７月賣與本都６圖９甲王文茂戸
　田　1.5800　　32年10月賣與本都１圖７甲王　明戸
　田　3.1760　　40年12月賣與本都３圖３甲金　祀戸
　田　1.1640　　40年４月賣與本圖９甲湯　曜戸
　田　2.1270　　40年５月賣與本圖１甲王　茂戸
　田　2.2000　　40年正月賣與本圖２甲朱誠侄戸
　田　0.2937　　39年２月賣與本圖２甲朱社稷戸
　田　6.0340　　35年３月賣與本圖１甲王　茂戸
地　　0.9210
　地　0.2000　　39年６月賣與本圖１甲王　茂戸
　地　0.0130　　36年８月賣與本圖４甲王　祥戸
　地　0.2510　　35年６月賣與本圖４甲王　祥戸
　地　0.1550　　31年８月賣與本都２圖５甲金進錢戸
　地　0.0120　　31年12月賣與26都４圖２甲余　仁戸
　地　0.2800　　42年正月賣與本圖２甲朱誠侄戸
　地　0.0100　　42年２月賣與本圖１甲王　茂戸
山　　4.46632
　山　1.2000　　45年正月賣與本圖２甲朱誠侄戸
　山　0.2000　　40年11月賣與本圖２甲朱承興戸
　山　1.5937　　40年正月賣與11都３圖９甲金初孫戸
　山　0.08021　 40年正月賣與本圖２甲朱　欽戸
　山　0.03811　 40年２月賣與本圖２甲朱　欽戸
　山　0.8330　　35年６月賣與本圖４甲王　祥戸
　山　0.2300　　39年６月賣與本圖２甲朱永興戸

山　0.0937　34年２月賣與本圖２甲朱　欽戶
山　0.1796　38年４月賣與本圖２甲朱　欽戶
塘　0.0125
塘　0.0075　40年賣與本都１圖10甲陳　浩戶
塘　0.0050　40年賣與本都１圖８甲陳寄經

實在　人口　46　男子33，成　丁23，本身：49，侄孫：岩節66，侄孫：生愛45，侄孫：每57，侄孫：生寬45，侄孫：淳46，侄孫：滔46，侄孫：瀿43，侄孫：文成43，侄孫：住授32，侄孫：淙33，侄孫：□25，侄孫：新成25，侄孫：君錫23，侄孫：鳴24，侄孫：德祥21，侄孫：明22，侄孫：富成18，侄孫：住曜18，侄孫：君時11，侄孫：君輔21，侄孫：山六11，義男：富隆
不成丁10，侄：天成14，侄：五成13，侄孫：法９，侄孫：寄壽９，侄孫：冠４，侄孫：灌４，侄孫：翔風２，侄孫：曜孫２，侄：法昌１，侄孫：繼宗２
婦女13，妻：許氏47，侄媳：吳氏58，侄媳：陳氏61，侄孫媳：吳氏46，侄孫媳：陳氏53，侄孫媳：洪氏63，侄孫媳：王氏45，侄孫媳：汪氏67，侄孫媳媳：程氏46，侄孫媳：程氏45，侄孫媳：程氏27，侄孫媳：陳氏27，侄孫媳：宋氏20

事產
民田地山塘　74.29518
田　23.0700
地　21.0110
山　28.85268
塘　1.3315
民瓦房　６間
民黃牛　１頭

40年-Ⅹ-1　**汪應明**　民戶
舊管　人口　6　男子３，婦女３
事產
民田地山塘　12.4440
田　8.8730
地　2.5220
山　1.0100
塘　0.0390
新收　人口　1　男子不成丁１，侄：元39年生

開除　人口　　1　男子成丁１，弟：應鴻38年故
　　事産
　　　轉除
　　　　民田山　　0.5100
　　　　　　田　　0.1100
　　　　　　　田　0.1100　38年11月賣與26都６圖３甲汪大有戶
　　　　　　山　　0.4000
　　　　　　　山　0.4000　38年３月賣與26都６圖１甲朱秉恭戶
實在　人口　　6　男子３，成　丁２，本身40，男：生20
　　　　　　　　　　　　不成丁１，侄：元２
　　　　　　　　　婦女３，母：朱氏60，嬸：吳氏60，妻：朱氏40
　　事産
　　民田地山塘　11.9340
　　　　　　田　8.7630
　　　　　　地　2.5220
　　　　　　山　0.6100
　　　　　　塘　0.0390

40年-Ｘ-2　　詹應星

舊管　人口　　2　男子１，婦女１
　　事産
　　　　民地山　0.1530
　　　　　　地　0.0800
　　　　　　山　0.0730
　　　　民瓦房　３間
實在　人口　　2　男子不成丁１，本身73
　　　　　　　　　婦　　女　１，母：汪氏110
　　事産
　　　　民地山　0.0810
　　　　　　地　0.0080
　　　　　　山　0.0730
　　　　民瓦房　３間

40年-Ｘ-3　　朱朝道　承故父朱雷

舊管　人口　　3　男子２，婦女１
　　事産
　　　民田地山　18.2547
　　　　　　田　16.5820
　　　　　　地　0.6762

山　0.9965
民瓦房　3間
新收　人口　男子成丁1，本身22年生，前册漏報，今收入籍
事産
轉收
民田地山塘　10.35842
田　9.2595
田　1.4000　39年8月買本都1圖3甲王　爵戶　下田
田　1.0000　38年5月買本都1圖3甲王　爵戶　下田
田　1.6700　37年買本都1圖3甲王　爵戶　下田
田　0.2955　39年7月買本都　圖10甲朱時選戶　下田
田　1.1840　37年3月買本圖1甲朱祖耀戶　下田
田　0.1880　36年3月買本甲朱時選戶　下田
田　0.2150　40年3月買本甲金萬中戶　下田
田　1.4060　39年6月買13都2圖4甲程世通戶　下田
田　0.8010　41年3月買本圖8甲程　學戶　下田
地　1.05892
地　0.0457　38年2月買本甲朱時選戶　下地
地　0.0466　37年4月買本甲朱時選戶　下地
地　0.1550　32年買本甲朱祖光戶　下地
地　0.5635　40年10月買本甲朱時選戶　下地
地　0.24812　41年11月買本甲朱時選戶　下地
山　0.0200
山　0.0200　37年8月買本都1圖3甲王　爵戶　下山
塘　0.0200
塘　0.0200　41年3月買本圖8甲程　學戶　下塘
開除　事産
轉除
民田　0.14776
田　0.07388　41年4月賣與本圖2甲朱祖耀戶
田　0.07388　41年4月賣與本圖2甲朱時應戶
實在　人口　3　男子2，成　丁1，本身18
不成丁1，弟：復生12
婦女1，妻：趙氏38
事産
民田地山塘　28.46536
田　25.69374
地　1.73512
山　1.0165

塘　0.0200
民瓦房　3間

40年-X-4　**汪　寉**

舊管　人口　11　男子6，婦女5
事產
民田地山塘　18.3950
田　14.1640
地　2.0400
山　1.9940
塘　0.2000
民瓦房　3間
新收　人口　男子不成丁2，侄：時富37年生，侄：時貴37年生
開除　人口　男子不成丁2，侄：以道33年故，侄：以達35年故
實在　人口　11　男子6，成　丁4，本身62，兄：寉65，弟：法53，侄：良33
不成丁2，侄：時富4，侄：時貴4
婦女5，嬸：胡氏65，伯母：陳氏76，伯母：金氏80，嫂：程氏66，
妻：王氏53
事產
民田地山塘　18.3950
田　14.1610
地　2.0400
山　1.9940
塘　0.2000
民瓦房　3間

40年-X-5　**王瑞佑**

舊管　人口　5　男子3，婦女2
事產
民田地山　6.4750
田　4.4050
地　1.0150
山　1.0550
民瓦房　4間
新收　人口　男子成丁1，侄：繼應25年生，在外生長，今回入籍
事產
轉收
民田地　13.8532
田　13.59327

田　13.59327　40年7月買西比隅2圖　甲朱讓大戶　下田
地　0.2600
地　0.0600　33年3月買4都10圖7甲葉紹文戶　下地
地　0.2000　35年10月買3都10圖1甲葉胡永法戶　下地
開除　人口　男子成丁1，兄：祈39年故
事產
轉除
民田　2.3700
田　2.1000　35年6月賣與14都3圖9甲許　應戶
田　0.2700　37年7月賣與3都8圖6甲汪光祖戶
實在　人口　5　男子成丁3，本身27，兄：祈62，侄：繼應16
婦　女2，妻：吳氏27，嫂：閔氏55
事產
民田地山　17.9582
田　15.6282
地　1.2750
山　1.0550
民瓦房　4間

40年-Ⅹ-6　**朱時選**

舊管　人口　5　男子3，婦女2
事產
民田地山　20.8428
田　15.17855
地　2.96275
山　2.7015
新收　人口　男子不成丁1，侄：賢39年生
開除　人口　男子不成丁1，侄：覽38年故
事產
轉除
民田地　1.61342
田　0.7095
田　0.2955　39年7月賣與本圖10甲朱　雷戶
田　0.2260　35年8月賣與本圖2甲朱永興戶
田　0.1880　38年8月賣與本甲朱　雷戶
地　0.90392
地　0.0457　38年2月賣與本圖10甲朱　雷戶
地　0.0466　38年2月賣與本圖10甲朱　雷戶
地　0.5635　40年10月賣與本圖10甲朱　雷戶

地　0.24812　41年11月賣與本圖10甲朱朝道戶
實在　人口　5　男子3，成　丁2，本身40，侄：一陽35
不成丁1，侄：賢2
婦女2，母：金氏80，妻：陳氏40
事產
民田地山　19.22938
田　14.46905
地　2.05882
山　2.7015

40年-Ⅹ-7　**陳　新**

舊管　人口　9　男子5，婦女4
事產
民田地山　5.8535
田　1.9350
地　3.7730
山　0.1500
民瓦房　3間
民水牛　1頭
新收　人口　1　男子不成丁1，侄孫：狗38年生
事產
轉收
民地　0.0490　41年6月買本圖7甲王齊英戶　下地
開除　人口　1　男子成丁1
事產
轉除
民田地山　2.8180
田　1.8930
田　0.3830　40年4月賣與本圖1甲王　茂戶
田　1.0000　33年8月賣與本圖4甲王正芳戶
田　0.5100　33年9月賣與本圖1甲王　茂戶
地　0.8258
地　0.1800　31年12月賣與本都6圖8甲陳　云戶
地　0.0800　40年4月賣與本圖1甲王　茂戶
地　0.5658　40年4月賣與本圖1甲王　茂戶
地　0.1000　40年4月賣與本圖1甲王　茂戶
實在　人口　9　男子5，成　丁3
不成丁2
婦女4

事產
民田地山　3.0837
田　0.0375
地　2.9962
山　0.0500
民瓦房　3間
民水牛　1頭

40年-X-8　**朱永保**　承故祖光
舊管　人口　3　男子2，婦女1
事產
民田地山　3.1830
田　1.3270
地　0.8590
山　0.9970
新收　人口　1　男子不成丁1
開除　人口　2　男子成丁2
事產
轉除
民地　0.1550　32年12月賣與本圖10甲朱　雷戶
實在　人口　3　男子2，成　丁1
不成丁1
婦女1
事產
民田地山　3.0280
田　1.3280
地　0.7040
山　0.9970

40年-X-9　**吳　璜**
舊管　人口　4　男子3，婦女1
事產
民田地塘　0.7780
田　0.2800
地　0.3590
塘　0.1390
新收　人口　1　男子不成丁1
開除　人口　1　男子成丁1
實在　人口　4　男子3，成　丁2

不成丁1
婦女1
事產
民田地塘　0.7780
田　0.2800
地　0.3590
塘　0.1390

40年-Ⅹ-10　**朱　良**　承故義父汪顯
舊管　人口　3　男子2，婦女1
事產
民田地山塘　30.0860
田　27.6560
地　0.1660
山　2.1660
塘　0.0980
民瓦房　2間
新收　人口　男子成丁1
事產
轉收
民田地山塘　2.4500
田　0.7000　40年正月買本圖6甲朱　楷戶　下田
地　0.7000　40年5月買本圖6甲朱　楷戶　下地
山　0.1500　40年正月買本圖6甲朱　楷戶　下山
塘　0.9000　40年3月買本圖6甲朱　楷戶　下塘
開除　人口　男子不成丁1
事產
轉除
民田山　29.9945
田　27.6785
田　2.3460　32年9月賣與26都6圖1甲李之泮戶
田　2.6550　32年9月賣與26都6圖1甲李之泮戶
田　0.1000　37年4月賣與本圖6甲朱　俊戶
田　2.6620　38年12月賣與本圖6甲朱　曜戶
田　13.5620　39年12月賣與本圖6甲朱　嵩戶
田　1.0790　40年正月賣與本圖6甲朱　枝戶
田　1.4510　38年2月賣與13都1圖4甲汪　興戶
田　0.5795　40年10月賣與本圖6甲朱　曜戶
田　0.6430　40年9月賣與本都6圖4甲徐祭產戶

田　1.0800　40年９月賣與本都６圖４甲徐　晉戶
田　0.2760　40年９月賣與本都６圖４甲徐　志戶
田　1.2650　35年12月賣與本都６圖３甲朱雷春戶
山　2.3160
山　0.7400　33年８月賣與26都６圖１甲李之泮戶
山　0.3730　36年３月賣與本都６圖４甲徐　產戶
山　0.8300　37年４月賣與本圖６甲朱　俊戶
山　0.3730　36年３月賣與本都６圖４甲徐　晉戶

實在　人口　3　男子２，成　丁１
不成丁１
婦女１
事產
民田地塘　2.5415
田　0.6775
地　0.8660
塘　0.9980
民瓦房　3間

40年-Ⅹ-11　**朱　瑚**

舊管　人口　3　男子２，婦女１
事產
民田地山　5.64695
田　4.3930
地　0.53275
山　0.7212

實在　人口　3　男子２，成　丁１
不成丁１
婦女１
事產
民田地山　5.64695
田　4.3930
地　0.53275
山　0.7215

40年-Ⅹ-12　**朱　福**（絕）

舊管　人口　2　男子１，婦女１
事產
民瓦房　6間

實在　人口　2　男子不成丁１

婦　　女　1
事產
民瓦房　6間

……………………………………………………………………

40年-X-13　　程　產

舊管　人口　4　男子2，婦女2
事產
民田地山塘　3.7810
田　0.8560
地　2.3990
山　0.3900
塘　0.1360
民瓦房　2間

新收　人口　男子不成丁1
事產
轉收
民地山　0.8580
地　0.8380
地　0.0790　40年6月買本圖8甲程　學戶　下地
地　0.3700　36年7月買11都3圖9甲項應龍戶　下地
地　0.0790　40年6月買本圖1甲程　相戶
地　0.3100　41年10月買本圖6甲朱　貴戶
山　0.0200
山　0.0200　37年3月買11都3圖1甲金應求戶　下山

開除　人口　男子成丁1
事產
轉除
民地　0.4002　33年11月賣與11都3圖10甲項　曜戶

實在　人口　4　男子成　丁1
不成丁1
婦　　女　2
事產
民田地山塘　4.6348
田　0.8560
地　3.2328
山　0.4100
塘　0.1360
民瓦房　2間

……………………………………………………………………

40年-Ⅹ-14　吳　濵　民戶
舊管　人口　3　男子2，婦女1
事產
民地　0.0460
民瓦房　2間
實在　人口　3　男子成丁2
婦　　女1
事產
民地　0.0460
民瓦房　2間

……………………………………………………………………

40年-Ⅹ-15　朱國錢
舊管　人口　1　男子1
事產
民田地山塘　29.3970
田　26.5520
地　0.6570
山　2.1570
塘　0.0310
新收　人口　1　婦女1
事產
轉收
民田地山　0.4298
田　0.3110
田　0.3110　32年3月買本圖2甲朱　洪戶　下田
地　0.07005
地　0.01375　32年正月買本圖2甲朱　洪戶　下地
地　0.0150　30年正月買本圖8甲朱得九戶　下地
地　0.0200　35年12月買本圖8甲朱得九戶　下地
地　0.0161　35年12月買本圖8甲朱得九戶　下地
地　0.0052　35年12月買本圖8甲朱得九戶　下地
山　0.04875
山　0.0175　35年12月買本圖8甲朱得九戶
山　0.03125　35年12月買本圖8甲朱得九戶　下山
開除　事產
轉除
民地　0.2000
地　0.1600　35年6月賣與本圖2甲朱　淳戶
地　0.0400　40年6月賣與本圖2甲朱永興戶

地　0.1220　41年3月賣與本圖2甲朱　洪戶

實在　人口　2　男子成丁1
婦　女1
事產
民田地山塘　29.50585
田　26.8630
地　0.52705
山　2.08475
塘　0.0310

40年-Ⅹ-16　朱時新

舊管　人口　3　男子1，婦女2
事產
民田地塘　3.8300
田　3.7740
地　0.0360
塘　0.0200
民瓦房　2間

新收　人口　男子不成丁1
事產
轉收
民田　8.1220
田　0.5200　36年2月買本都2圖3甲王　長戶　下田
田　1.2300　37年3月買本圖2甲朱　洪戶　下田
田　0.7560　37年正月買本都1圖6甲陳社互戶　下田
田　1.3640　37年正月買本都1圖6甲陳　曜戶　下田
田　2.8150　37年正月買本都1圖9甲陳　得戶　下田
田　1.4370　36年2月買本都1圖9甲陳　慶戶　下田

實在　人口　4　男子2，成丁1
婦女2
事產
民田地塘　11.9520
田　11.8960
地　0.0360
塘　0.0200
民瓦房　2間

40年-Ⅹ-17　朱記友（絕）

舊管　人口　1　男子1

事産
民瓦房　3 間
實在　人口　1　男子不成丁 1
事産
民瓦房　3 間

40年-X-18　朱　遠（絕）
舊管　人口　4　男子 3，婦女 1
事産
民瓦房　3 間
實在　人口　4　男子不成丁 3
婦　女　1
事産
民瓦房　3 間

40年-X-19　朱永壽（絕）
舊管　人口　1　男子 1
事産
民瓦房　半間
實在　人口　1　男子不成丁 1
事産
民瓦房　半間

40年-X-20　朱德昌
舊管　人口　1　男子 1
事産
民田　14.4240
新收　事産
轉收
民田　6.5750
田　1.4000　37年 5 月買本都 1 圖 2 甲陳　明戶　下田
田　1.3250　37年 5 月買本都 1 圖 5 甲陳天相戶　下田
田　1.2300　31年12月買本都 1 圖 5 甲陳祖曜戶　下田
田　1.0200　37年 7 月買本都 1 圖 5 甲陳祖曜戶　下田
田　1.6000　31年11月買本都 1 圖10甲朱伯和戶　下田
實在　人口　1　男子成丁 1
事産
民田　20.9990

40年-Ⅹ-21　**朱國昌**

舊管	人口	1	男子１	
	事産			
	民田地山塘	14.7818		
	田	14.1990		
	地	0.1788		
	山	0.3240		
	塘	0.0800		
新收	人口	2	男子不成丁１	
			婦　　女　１	
	事産			
	轉收			
	民田地塘	5.8797		
	田	5.3012		
	田	3.1178	38年２月買本圖６甲朱　貴戶	
	田	2.1834	34年８月買本圖６甲朱得厚戶	
	地	0.4290		
	地	0.4290	40年８月買本圖６甲朱　貴戶	
	塘	0.1495		
	塘	0.1495	36年正月買本圖６甲朱　貴戶	
實在	人口	3	男子成　丁１	
			不成丁１	
			婦　　女　１	
	事産			
	民田地山塘	20.6615		
	田	19.5002		
	地	0.6078		
	山	0.3240		
	塘	0.2295		

第2章 『明萬暦9年休寧縣27都5圖得字丈量保簿』記載データ

上海圖書館藏『明萬暦9年休寧縣27都5圖得字丈量保簿』1冊（線普563585號。上海圖書館の目錄上は『休寧縣27都5圖丈量保簿』とよばれ，清代のものとされる。以下，『得字丈量保簿』と略す）は，萬暦9年（1581）の丈量で作製された休寧縣27都5圖の魚鱗圖冊であり，得字9號から得字3544號までの事產の情報を傳える。これは，【研究篇】第1章第2節で述べたように，本來の99%の分量が殘存したものと推測される。本章は，その記載データを一覽表として提示する。

『得字丈量保簿』が各號の事產について記す項目は，次のとおりである。

字號數，土名，事產の種類・等則，實測面積額（步數），計稅額（稅畝數），佃人，事產の形狀（圖示），四至（東西南北の順），見業（所有人戶）の所屬都圖・戶名（見業が複數の場合，各人戶の所有事產額も記す）。

これらのうち，事產の形狀と四至の情報は省略した。見業が複數人戶の場合には，各人戶所有する事產額（田・地・塘は步數，山は稅畝數）を記しているが，煩瑣を極めるため，これも省略した。計稅額の稅畝とは，萬暦9年の丈量で採用された納稅面積（詳しくは，【研究篇】の第1章第1節第1項［23頁を參照］）である。【研究篇】第3章でみたように，徽州府下では，家產分割後も獨立の戶名を立てることなく，冊籍上の名義戶（總戶）のもとに複數の戶（子戶）が含まれる慣行――いわゆる〈總戶-子戶〉制が明初期から形成されており，“戶丁”は〈總戶-子戶〉制の〈子戶〉を意味した。『得字丈量保簿』でも戶丁＝〈子戶〉が見業として記される場合が頻見する。見業が戶丁＝〈子戶〉であることがわかる場合には，その〈總戶〉名を記した。

データの收錄にあわせて次の事實も記しておく。筆者は，『得字丈量保簿』が記載する事產の土名（事產の所在地名）の聞き取り調査を行ない地形圖上で確認すれば，27都5圖の地理的空間を具體的に把握できるのではないかと考え，土名の聞き取り調査を卞利氏（安徽大學徽學研究中心，現在は南開大學歷史學院）

に依頼した（2015年５月，同年10月に土名のデータを提供）。卞利氏は調査の意義を理解してご快諾くださったものの，土名の聞き取り調査は難航し，豫想以上の時間を要した。實際に聞き取り調査にあたってくださった汪順生氏（安徽省休寧縣地方志辦公室）によれば，一般の住民は『得字丈量保簿』記載の土名を認識していなかったからである。しかし，人民公社が存在した時期に會計係を擔當していた３名の方――陳霞村陳里組の徐榜煌氏，央充組の徐成敍氏，上呈組の程弟的氏に尋ねたところ，その多くを記憶していたという。人民公社の會計係は，生產計畫のためにどこの農地に何を作付けするか指示する業務を擔っていたからである。土名の所在を確認できた事產は一覽表の最後の欄に○の印を付した（確認できない事產には？の印を付した）。その數は，『得字丈量保簿』が傳える3532號の事產のうちの2516號――71.2％にのぼる。

確認できた土名の所在を地形圖上で確認すれば，萬暦９年時點の27都５圖の地理的空間を把握できるはずであるが，殘念なことに陳霞鄕陳霞村では地形圖が作製されていないため，27都５圖の地理的空間を把握することはできなかった。とはいえ，萬暦９年時點の土名の約７割は1980年代初めまで約400年間にわたって繼承されていたことになる。このこと自體が從來には明らかにされてこなかった重要な事實である。

また，筆者の試みの經驗は，里＝圖全體の魚鱗圖册が殘存し，地形圖が作製されている地域を對象に魚鱗圖册記載の土名の聞き取り調査を行なえば，明代の里＝圖の地理的空間を把握できる可能性があることを示している。とはいえ，里＝圖全體の魚鱗圖册が殘存したことを確認するにはそれを裏づける關連史料が必要であり，土名を記憶する方の聞き取りを行なえる時間はわずかしか殘されていない（汪順生氏が人民公社の會計係を擔當していた方から土名の聞き取りをしてくださったのは2016年であり，それから10年近くも經過している）ため，困難なことになってしまっているが。

末筆であるが，土名の聞き取り調査を手配してくださった卞利氏，實際に聞き取り調査の勞をとってくださった汪順生氏に，改めて謝意を表する。

號	土　名	種類・等則	實測面積	計　税	佃　人	見　業	
9	?	山		1.7500		27-5朱洪・朱滔・朱濱・朱淳	?
10	?	山		?		?	?
11	桂竹塢	山		1.3300		27-5朱滔・朱濱・朱淳	○
12	?	下下田	?	?		27-5金萬政	?
13	干子源田	下下田	187.3	0.6240		27-5朱祐	○
14	?	下下田	342.6	1.1420		27-5金萬政	?
15	干子嶺田塢	下下田	208.4	0.6920		27-5朱社・朱滔	○
16	?	山		1.0000		?	?
17	成堀塢	山		0.8750		27-5朱滔・朱濱・朱淳	○
18	?	下下田	148.9	0.4970		27-5朱洪・朱滔・朱濱・朱淳	?
19	桑木塢口	下下田	153.1	0.5100		27-5朱社	○
20	干子嶺上干□	山		1.0000		27-5朱滔・朱濱・朱淳	○
21	干子嶺下干山	山		1.0000		27-5朱滔・朱濱・朱淳	○
22	?	下下田	190.7	0.6360		27-5朱福	?
23	桑木塢	下下地	203.2	0.4060		27-5朱隆・朱瑾・朱廷鶴	○
24	干子□	下下田	58.4	0.1950		27-5朱福	○
25	干子源	下下田	64.5	0.2150		27-5朱滔・朱濱・朱淳	○
26	?	下下田	?	?		27-5朱滔・朱濱・朱淳	?
27	?	下田	115.5	0.4440		27-5朱瑾・朱廷鶴	?
28	干□□	下田	30.4	0.1170		27-5朱瑾・朱廷鶴	?
29	干山脚	下田	41.9	0.1610		27-5朱瑾・朱廷鶴	○
30	?	下田	244.8			27-5朱瑾・朱廷鶴	?
31	干山脚	下田	36.9	0.1340		27-5朱福	○
32	干山脚	下田	85.5	0.3280		27-5朱福	○
33	干山脚	下田	268.0	1.0310		27-5朱福	○
34	?	下田	207.0	0.7960		27-5朱廷鶴	?
35	横路上	中田	245.5	1.1200		27-5謝社	○
36	成堀塢尾	下田	182.0	0.6070		27-5朱廷鶴	○
37	成堀塢	下田	461.5	1.7750		27-5朱瑾	○
38	成□□	下田	162.5	0.6650		27-5謝社	○
39	成堀塢口	下下田	219.8	0.7330		27-5朱洪	○
40	成堀塢口	中田	66.4	0.3180		27-5謝社	○
41	成堀塢	山		0.8775		27-5朱隆・朱瑾・朱廷鶴・朱廷學	○
42	水□□	山		0.2840		27-5朱隆・朱瑾・朱廷鶴・朱廷學	○

43	水碓嶺	下下田	91.5	0.3060		27-5朱滔・朱濱・朱淳	○
44	消塢□	山		0.2000		27-5朱滔・朱濱・朱淳・王茂	○
45	消塢	山		0.1000		27-5朱傑	○
46	消塢	山		0.1040		27-5金萬政・朱隆・朱滔・朱濱・朱淳・朱瑾・朱廷鶴・朱廷學	○
47	消塢尾	下下田	328.5	1.0950		27-5朱洪・朱延鶴	○
48	□□地	下下地	15.3	0.0310		27-5朱瑾・朱隆	?
49	消塢田	下下田	61.6	0.2050		27-5朱傑・朱社	○
50	消□□	下下田	89.6	0.3000		27-5朱滔・朱濱・朱淳	?
51	消□□	下下田	20.0	0.0670		27-5朱瑾・朱隆・朱廷鶴	?
52	消□□	下田	48.0	0.1850		27-5朱傑・朱社	?
53	消塢	下田	155.0	0.5960		27-5朱傑・朱社	○
54	□塢地	下下地	15.6	0.0310		27-5朱隆・朱瑾・朱廷鶴	○
55	消塢	下田	92.4	0.3540		27-5朱滔・朱濱・朱淳	○
56	消塢	下田	108.2	0.4140		27-5朱滔・朱濱・朱淳	○
57	消塢	下田	122.0	0.4710		27-5朱滔・朱濱・朱淳	○
58	消塢	下田	120.1	0.4590		27-5朱滔・朱濱・朱淳	○
59	消塢口	中田	317.2	1.4420		27-5朱隆	○
60	馬牛塢	下田	39.6	0.1520		27-5朱應・朱祐	○
61	土橋下	中田	111.3	0.5060		27-5朱瑾	○
62	土橋下	中田	103.5	0.4700		27-5朱瑾	○
63	土橋下	中田	452.8	2.0580		27-5朱滔・朱濱・朱淳	○
64	土橋下	中田	336.6	1.5300		27-5朱瑾	○
65	土橋下	中田	358.0	1.6270		27-5朱隆	○
66	土橋下	中田	305.5	1.3880		27-5朱憲・朱邦	○
67	土橋下	中田	320.1	1.4550		27-5朱稷	○
68	馬牛塢口	下下田	34.8	0.1150		27-5朱洪・朱滔・朱濱・朱淳	○
69	横干坵	中田	343.0	1.5590		27-5朱瑾・謝社	○
70	横干坵	中田	262.0	1.1900		27-5朱隆・朱滔・朱濱・朱淳	○
71	竹泉塢口	中田	115.8	0.5260		27-5朱祐	○
72	橄欖坵	中田	433.7	1.9670		27-5朱憲・朱邦	?
73	北壞徐充口山	山		1.5000		27-5朱瑾・朱廷鶴・朱廷學・謝社・謝雲玘・朱隆・朱祐・朱滔・朱濱・朱淳	○

74	徐充大塢山	山		1.0000		27-5朱洪・朱滔・朱濱・朱淳	○
75	徐充大塢里壠山	山		1.5000		27-5朱洪・朱祐・朱滔・朱濱・朱淳	○
76	徐冲塘培山	山		0.7500		27-5朱洪・朱滔・朱濱・朱淳	○
77	徐充尾狐岩山	山		1.0000		27-5朱滔・朱濱・朱淳	○
78	徐充尾□□	山		1.2500		27-5朱洪	○
79	徐充面培山	山		1.2500		27-5王茂	○
80	徐冲中心塢	山		1.2500		27-5朱廷鶴	○
81	徐充西壠外塢	山		1.2500		27-5朱社・朱憲・朱得・朱祐・朱祖耀	○
82	徐冲尾地	下下田	125.0	0.4170		27-5朱洪	○
83	徐充尾田	下下田	26.0	0.0870		27-5朱洪	○
84	徐充尾田	下下田	52.8	0.1460		27-5朱洪	○
85	徐冲尾	下下地	132.4	0.2650		27-5王茂	○
86	徐充□	下下田	78.4	0.2610		27-5朱廷鶴	○
87	徐充尾田	下田	483.6	1.8600		27-5謝社	○
88	中心塢	下田	46.7	0.1800		27-5朱廷鶴	○
89	中心塢	下下地	?	0.1080		27-5朱廷鶴	○
90	中心塢田	下田	83.0	0.3190		27-5朱廷鶴	○
91	徐家充□	下田	153.5	0.5900		27-5謝社，27-1王爵	?
92	徐冲田	下田	222.1	0.8540		27-5謝社，27-1王爵	?
93	徐充大塢田	下下田	130.3	0.4340		27-5朱滔・朱濱・朱淳	?
94	沙包坵	下田	515.6	1.9830		27-5朱滔・朱濱・朱淳・朱憲・朱邦	○
95	徐家冲田	下田	208.3	0.8010		27-5謝社	○
96	徐冲外塢	下田	109.0	0.3190		27-5朱祐・朱社・朱邦・朱憲・朱得	○
97	徐充大塢口	下下田	26.0	0.0690		27-5朱滔・朱濱・朱淳	○
98	徐充長坵	下田	93.5	0.3600		27-5朱瑾	○
99	徐充外□	下田	233.3	0.8970		27-5朱瑾	○
100	徐充茶園脚	下田	183.0	0.7040		27-5朱祐	○
101	徐充口	下田	329.5	1.2660		27-5朱滔・朱濱・朱淳	○
102	同	下田	144.0	0.5540		27-5朱邦・朱憲	○
103	同	下田	55.6	0.2130		27-5朱滔・朱濱・朱淳	○
104	同	中田	167.4	0.7610		27-5朱隆	○
105	□□石	中田	415.2	1.8870		27-5朱祐	?

106	洕塢及馬牛塢	山		1.3550		27-5朱瑾・朱祐・朱廷鶴・朱隆・謝社・謝雲玘・朱洪	○
107	竹前塢	山		1.1750		27-5朱隆・朱瑾・朱廷鶴	○
108	炭充口	山		0.8760		27-5朱祐・朱滔・朱濱・朱淳	○
109	竹前塢	下下地	132.1	0.2640		27-5朱隆・朱瑾・朱廷鶴	○
110	臘塔石	中田	204.7	0.9310		27-5王初	○
111	徐充口	中田	335.3	1.5250		27-5謝社	○
112	過水坵	中田	296.1	1.3340		27-5朱滔・朱濱・朱淳	○
113	過水坵	中田	353.7	1.6080		27-5朱瑾	○
114	上青山	山		0.1670		27-5朱滔・朱濱・朱淳	○
115	上方坵	中田	284.5	1.2930		27-5朱祐	○
116	下方坵	中田	264.0	1.2000		27-5朱邦・朱憲	○
117	炭充口	中田	189.0	0.8590		27-5朱福・朱廷鶴	○
118	炭充口	中田	183.4	0.8330		27-5朱祐	○
119	炭充尾	山		2.3330		27-5朱滔・朱濱・朱淳	○
120	炭充西壊山	山		1.1670		27-5朱廷鶴・朱廷學・朱祐・朱憲・朱得・朱社・朱隆・金萬政・朱邦・朱瑾	○
121	炭充尾地	下下地	9.0	0.0180		27-5朱洪	○
122	炭尾充	下下田	166.3	0.5540	郭晶	27-6金有祥	○
123	炭充地	下下地	21.0	0.0420	郭晶	27-5朱洪	○
124	炭充	下下田	115.0	0.3830	郭曾	27-5朱洪	○
125	炭充田	下下田	93.4	0.3110	郭曾	27-5朱洪	○
126	炭充	下下田	169.4	0.5650	郭互	27-6金有祥	○
127	炭充地	下下地	37.7	0.0750		27-5朱隆・朱瑾	○
128	炭充田	下下田	65.0	0.2170	新志	27-1王爵	○
129	炭充	下下田	75.0	0.2500	進曜	27-5朱滔・朱濱・朱淳	○
130	炭充口	下下田	170.5	0.5680	黒志	27-5朱滔・朱濱・朱淳	○
131	炭充口	下田	513.3	1.9740		27-5朱廷鶴・朱憲・朱邦・朱滔・朱濱・朱淳	○
132	炭充口	中田	158.6	0.7210	社個	27-5朱憲	○
133	炭充口社田	中田	265.5	1.2070	謝足	27-5朱稷	○
134	青山下	中田	284.5	1.2930	白個	27-5朱隆・朱滔・朱濱・朱淳	○

135	長渠頭	下田	139.7	0.5380	積志	27-5朱滔・朱濱・朱淳・朱祐・朱雷	○
136	青山下	中田	352.9	1.6050	黒志	27-5朱隆	○
137	琵琶坵	中田	257.6	1.1700	社保	27-5謝社	○
138	琵琶坵	中田	198.4	0.9020	謝潯	27-5朱瑾	○
139	蒲灰坵	中田	73.3	0.3330	岩志	27-5朱隆	○
140	吳塘坵	中田	688.8	3.1310	天興・白個	27-5朱瑾・朱滔・朱濱・朱淳	○
141	欄山壊	下下地	40.5	0.0810		27-5朱祐	○
142	六式交塢	下下地	19.0	0.0380		27-5朱祐	?
143	六式交塢	山		0.4580		27-5朱隆・朱瑾	?
144	六式交塢	山		0.6000		27-5朱邦・朱祐	?
145	六二鏐塢西壊口	山		0.0673		27-5朱隆・朱瑾・朱廷鶴・朱廷學	?
146	六二鏐塢尾	下下地	36.5	0.0730		27-5朱瑾・朱隆・朱祐・朱廷鶴	?
147	六二鏐塢尾	下下地	16.0	0.0320		27-5朱祐・朱社・朱憲	?
148	六二鏐塢	下下地	181.0	0.3620		27-5朱隆・朱瑾・朱廷鶴	?
149	六二鏐塢口	下地	224.0	0.6400		27-5朱社・朱祐・朱瑾・朱隆・朱廷鶴・朱廷學・朱泰	?
150	茶塢尾	下下田	233.6	0.7790		27-5朱得・朱祖祐・朱社・朱邦・朱憲	○
151	茶塢口	下下田	79.2	0.2640		27-5朱邦	○
152	安充祖墳朝山	山		0.1000		27-5朱稷	○
153	士安充東壊及茶塢山	山		0.1500		27-5朱邦・朱憲	○
154	士安充東壊山	山		0.3700		27-5朱祐	○
155	士安充塢	山		0.4000		27-5朱邦・朱憲	○
156	士安充□竹尾	山		2.3750		27-5朱邦・朱憲・王茂・朱滔・朱濱・朱淳	○
157	士安充桃見塢	山		0.6670		27-5朱滔・朱濱・朱淳	○
158	士安充西培山	山		0.8000		27-5朱社・朱祐・朱得・倪壽得	○
159	士安充祖墳山	山		0.6670		27-5朱稷	○
160	士安充尾	下下地	60.8	0.1230		27-5朱廷鶴	○
161	仕安充尾	下下田	132.0	0.4400	謝全	27-5朱廷鶴・朱隆	○
162	仕安充田	下田	91.6	0.3530		27-5謝社	○
163	仕安充田	下田	301.8	1.1610	辛志	27-5朱隆・朱廷學	○

164	仕安充	下田	71.5	0.2750	社個	27-5朱瑾	○
165	仕安充	下田	234.1	0.9000	謝全	27-5朱隆・朱廷鶴	○
166	仕安充	下田	230.4	0.8860	社個	27-5朱瑾	○
167	仕安充	下田	305.5	1.1750		27-5謝社	○
168	仕安充	下田	325.0	1.2500		27-5謝社	○
169	仕安充	下下田	173.6	0.5790	積志	27-5朱滔・朱濱・朱淳	○
170	仕安充	下田	360.1	1.3850	謝足	27-5朱瑾・朱廷鶴	○
171	仕安充衆塘田	下田	169.0	0.6500	廷林	27-5朱將應・朱耀應・朱廷鶴・朱社・朱隆・朱祐・朱滔・朱濱・朱淳・朱鎖	○
172	仕安充口	下田	219.1	0.8430	雲玘	27-5朱廷鶴・朱滔・朱濱・朱淳	○
173	仕安口塘	下田	197.3	0.7590		27-5朱廷鶴	○
174	仕安充口田	中田	111.1	0.5050	白個	27-5朱隆	○
175	牛鞍丘	中田	377.2	1.7140	天興	27-5朱瑾	○
176	上吳肆坵	中田	273.5	1.2430	社保	27-5朱憲	?
177	井堀	中田	28.4	0.1290	謝全	27-5朱社	○
178	上朝山	山		0.5000		27-5朱邦・朱憲	○
179	新住基朝山	山		0.5000		27-5朱洪・朱隆・朱滔・朱濱・朱淳	○
180	新住基朝山	山		0.5000		27-5朱洪・朱滔・朱濱・朱淳	○
181	下朝山	山		0.5000		27-5朱洪・朱滔・朱濱・朱淳	○
182	長町	中田	173.5	0.7890	社祖	27-5朱隆・朱瑾	○
183	榨充口	下下田	295.3	0.9840	金住	27-5朱滔・朱濱・朱淳	○
184	榨充尾	下下地	388.0	0.7660		27-5朱邦・朱憲	○
185	榨充	下下地	158.4	0.3170		27-5朱邦・朱憲	○
186	搾充	下下地	208.5	0.4170		27-5朱祐・朱得	○
187	榨充口餘屋地	中地	266.1	1.0650		27-5朱祐	○
188	榨充火佃地	下地	66.0	0.1890	謝廷林住	27-5朱祐・朱邦・朱憲	○
189	榨充口	下地	122.3	0.3490		27-5朱時應・朱祖耀・朱祖祐・朱社・朱泰	○
190	揚冲東住基	上地	393.0	1.9650		27-5朱社・朱得・朱祖祐・朱耀・朱應	○
191	下長町	中田	130.0	0.5910	金住	27-5朱祐	○
192	羊頭田	上地	.10.4	0.0540		27-5朱祐・朱憲・朱邦	?

193	冬青墩	上地	19.0	0.0950		27-5朱邦・朱憲・朱祐・朱得	○
194	下吳四□	中田	285.6	1.2960	白個	27-5朱滔・朱濱・朱淳	?
195	上池	中田	293.0	1.3320	廷林	27-5朱邦・朱憲・朱祐・朱社・朱得	○
196	塘坵	中田	196.6	0.8940	謝堂	27-5朱洪	○
197	揚冲門口田	中田	224.5	1.0200		27-5朱滔・朱濱・朱淳	○
198	東青墩下	上地	20.6	0.1030		27-5朱滔・朱濱・朱淳	○
199	門口田柴屋	上地	193.4	0.9170		27-5朱滔・朱濱・朱淳・朱瑾・朱隆・朱廷鶴・朱廷學	?
200	竹園	上地	58.5	0.2930		27-5朱祐・朱憲	○
201	栗械塢地	下下地	217.8	0.4360		27-5朱祐・朱社・朱邦・朱憲	○
202	竹園坦	上地	33.0	0.1650		27-5朱隆・朱瑾・朱洪・朱傑・朱廷鶴	○
203	欄山培榨充山	山		0.8750		27-5朱社・朱得・朱祐	○
204	榨充西培山	山		0.6480		27-5朱社・朱祐・朱得・朱邦	○
205	祖墳山住後	山		0.0420		27-5朱社・朱得・朱祐・朱邦・朱憲・朱滔・朱濱・朱淳	○
206	栗剌東壊山	山		0.0630		27-5朱祐	?
207	栗剌塢西壊□	山		0.1040		27-5朱洪・朱瑾・朱隆	○
208	揚冲東壊山	山		0.7500		27-5朱洪・朱滔・朱濱・朱淳・朱隆	?
209	揚冲西培及高園墳山	山		1.0500	謝僕葬祖	27-5朱洪・朱隆・朱滔・朱濱・朱淳	○
210	後哀塢	山		0.5000		27-5朱洪・朱隆・朱滔・朱濱・朱淳	○
211	揚冲溪東□地	下地	5.0	0.0140		27-5朱洪・朱滔・朱濱・朱淳	○
212	揚冲舂碓基	下地	52.5	0.1500		27-5朱洪・朱隆	○
213	揚冲溪東倉地屋	中地	58.8	0.2350		27-5朱滔・朱濱・朱淳	○
214	溪東坦地	中地	14.0	0.0560		27-5朱瑾	○
215	外佃僕住地	中地	108.3	0.4330	謝堂・社保祖	27-5朱憲・朱滔・朱濱・朱淳・朱洪・朱祐・朱得・朱邦	?

216	裡佃僕住地	中地	165.6	0.6620	謝雲玘・白個等住	27-5朱瑾・朱滔・朱濱・朱淳・朱洪・朱廷鶴・朱憲	?
217	竹□坦	下下地	41.0	0.0820	潤志	27-5朱滔・朱濱・朱淳	?
218	春碓基	下下地	37.6	0.0750	潤志	27-5朱邦・朱憲	?
219	碓基	下下地	26.8	0.0540		27-5朱滔等・朱瑾・朱隆	?
220	長基	下下地	49.6	0.0990		27-5朱滔等・朱隆・朱瑾	?
221	裡充尾	下下地	112.5	0.2250		27-5朱滔等・朱瑾・朱隆	○
222	裡邊充尾塘上地	下下地	75.8	0.1520		27-5朱魁・朱儒・朱滔・朱濱・朱淳	○
223	□木塢地	下下地	293.0	0.5860		27-5朱滔等・朱瑾・朱隆	?
224	馬草墜	下下地	220.0	0.4400		27-5朱滔等・朱瑾・朱隆	?
225	後底塢地	下下地	248.5	0.4970		27-5朱滔・朱濱・朱淳・朱社・朱得・朱祐・朱隆・朱瑾	○
226	後山	山		0.1120		27-5朱隆・朱瑾・朱廷鶴・朱廷學	○
227	揚冲住後山	山		0.1875		27-5朱洪・朱滔・朱濱・朱淳	○
228	西住基後山	山		0.2000		27-5朱廷鶴・朱瑾・朱隆	○
229	裡邊充茭笋塘田	下下田 塘	176.6 37.0	0.5880 0.1410	趙曜	27-5朱滔・朱濱・朱淳	○
230	充下菜園地	下地	128.6	0.3570		27-5朱洪・朱祐・謝雲玘・朱隆・朱瑾	○
231	充下菜園地	下地	75.7	0.2160		27-5朱洪・朱隆・謝社・謝雲玘・朱滔・朱濱・朱淳	○
232	火佃對面牛欄基	中地	109.2	0.4370	謝堂等・牛欄	27-5朱洪・朱滔・朱濱・朱淳	○
233	墻園佃僕住地	下地	15.8	0.4500		27-5朱滔・朱濱・朱淳・朱洪	?
234	高墳山地	上地	12.0	0.0600		27-5朱福	?
235	後底塢口	下下地	51.6	0.1030		27-5朱瑾・朱隆・朱廷鶴	?
236	老倉基	下地	126.6	0.3620		27-5朱洪・朱滔・朱濱・朱淳	○
237	新園	下地	41.3	0.1180		27-5朱淳・朱廷鶴	○
238	新倉基	中地	132.1	0.5240		27-5朱滔・朱濱・朱淳	○
239	後坦	中地	81.6	0.3260		27-5朱廷鶴・朱滔・朱濱・朱淳・朱祐	○

240	老厨屋	中地	44.4	0.1780		27-5朱洪・朱隆・朱瑾・朱滔・朱濱・朱淳	?
241	揚冲老住基	上地	232.0	1.1100		27-5朱洪・朱滔・朱濱・朱淳	○
242	門口坦	上地	77.0	0.3850		27-5朱洪・朱滔・朱濱・朱淳	○
243	揚冲住基	上地	105.0	0.5250		27-5朱隆・朱瑾・朱廷鶴・朱廷學	○
244	揚冲塝上	上地	47.2	0.2360		27-5朱洪・朱隆・朱瑾	○
245	揚冲塝上	上地	34.34	0.1720		27-5朱洪	○
246	揚冲住基	上地	10.35	0.0520		27-5朱洪	○
247	揚冲口住基	上地	121.0	0.6050		27-5朱隆・朱瑾・朱廷學・朱廷鶴	○
248	揚冲住基	上地	31.9	0.1600		27-5朱瑾	○
249	揚冲新住基	上地	315.4	1.5770		27-5朱滔・朱濱・朱淳	○
250	揚冲西住基	中地	200.0	0.8000		27-5朱洪・朱滔・朱濱・朱淳	○
251	新火佃地	中地	200.0	0.8000		27-5朱滔・朱濱・朱淳	?
252	揚冲□南基地	中地	240.7	0.8190		27-5朱滔・朱濱・朱淳	○
253	揚冲新園	中地	77.8	0.3110		27-5朱瑾・朱隆	○
254	揚冲□火佃	中地	81.4	0.3260		27-5朱隆・朱瑾	?
255	揚冲晒塲路	下地	185.4	0.5300		27-5朱滔・朱濱・朱淳	○
256	上屯祠基	下地	113.8	0.3250		27-5朱稷	○
257	揚冲魚塘基	下下地	31.2	0.0620		27-5朱滔・朱濱・朱淳	○
258	尾黄塢地	下下地	110.0	0.2200		27-5朱洪	○
259	尾黄塢上壠	山		0.1500		27-5朱洪	○
260	尾黄塢及汪園山	下下地 山	12.0	0.0240 0.2500		27-5朱廷鶴・朱隆・朱瑾	○
261	汪園祖墳山	山		0.2000		27-5朱滔・朱濱・朱淳・朱洪	?
262	後邦塢口	山		0.0500		27-5王茂	?
263	揚冲永昌橋	中田	562.9	2.5590	謝足	27-5朱滔・朱濱・朱淳	?
264	南山脚	下下地	21.1	0.0420		27-5朱洪・朱滔・朱濱・朱淳	○
265	屯下	中田	201.5	0.9150		27-5朱滔・朱濱・朱淳	○
266	上墳前	下田	240.0	0.9230		27-5朱瑾	○
267	方丘	中田	165.6	0.7770		27-5朱滔・朱濱・朱淳	○
268	上沙丘	上田	230.0	1.2090		27-5朱滔・朱濱・朱淳	○
269	沙坵	上田	260.0	1.3620		27-5朱瑾	○

270	沙垢	上田	486.0	2.5570		27-5朱隆	○
271	喉嚨塢山	下下地 山	15.0	0.0300 2.2800		27-5朱滔・朱濱・朱淳	○
272	前充山	下下地 山	9.0	0.0180 1.5000		27-5朱滔・朱濱・朱淳	?
273	喉嚨塢	下下田	27.0	0.0900		27-5朱滔・朱濱・朱淳	?
274	喉嚨塢口	下田	101.4	0.3380	白個	27-5朱洪	?
275	前充塘魚池	塘	62.3	0.2400		27-5朱滔・朱濱・朱淳	?
276	前充	下下田	208.0	0.6920		27-5朱洪	?
277	曹充地	下下地	52.0	0.1040		27-5朱洪・朱滔・朱濱・朱淳	?
278	前充	下下田	202.3	0.6740	社林	27-5朱洪	?
279	前充	下下田	174.0	0.5800		27-5汪琰	?
280	前充	下田	127.8	0.8760	謝祖	27-5朱祐・朱社	?
281	靑山	山		1.0000		27-5朱滔・朱濱・朱淳・朱洪	○
282	牛鞍丘	上田	122.2	0.6430	參個	西南隅-2巴麟	○
283	牛鞍丘	上田	182.7	0.9620	天興	27-5朱祖祐	○
284	井垢	上田	247.3	1.2990	謝祖	27-5朱滔・朱濱・朱淳	○
285	干心	上田	285.1	1.5000	□黒志	27-5朱滔・朱濱・朱淳	?
286	下墳前	上田	248.3	1.3500		27-5朱滔・朱濱・朱淳	?
287	墳前	上田	231.0	1.2160	黒志	27-5朱廷鶴・朱滔・朱濱・朱淳・朱隆	?
288	井灣	下下田	31.2	0.1050		27-5朱滔・朱濱・朱淳	?
289	塢墳園□地	上地	22.0	0.1100		27-5朱隆・朱社・朱瑾・朱邦・朱憲・朱廷鶴・朱廷學	?
290	汪園墳地	上地	61.2	0.3060		27-5朱邦・朱社・朱憲・朱得・朱祐	?
291	汪園墳地	上地	37.3	0.1840		27-5朱隆・朱瑾・朱廷鶴・朱廷學	?
292	汪園墳地	上地	165.0	0.8250		27-5朱洪・朱滔・朱濱・朱淳	?
293	後邦塢墳地	上墳地	34.5	0.1730		27-5王茂	?
294	汪園坻下地	下下地	26.1	0.0520		27-5朱邦・朱憲・朱社・朱祐・朱得	?
295	後邦塢上垓山	山		0.0600	黒志	27-5朱滔・朱濱・朱淳	?
296	後邦塢墳園	下田	158.2	0.6080	白個	27-5王茂	?
297	頭墩	下下田	313.0	1.0440		27-5朱滔・朱濱・朱淳	?

298	曹碓堀	上田	287.3	1.5120		27-5謝社	?
299	合坵	上田	421.2	2.2170	辛志	27-5朱祐・朱滔・朱濱・朱淳	○
300	青山下	中田	281.3	1.2780	潤志	27-5朱滔・朱濱・朱淳	○
301	横鞍坵	上田	179.0	0.9420	謝祖	27-5朱隆	?
302	糞堈坵	上田	336.5	1.7710		27-5朱瑾	?
303	宅基	下田	179.5	0.6900	郭互	27-5朱瑾	?
304	龍子山頭	下田	20.0	0.0790		27-5朱得・朱祐	○
305	尾塝墩	下地	27.0	0.0740		27-5朱社・朱祐・朱洪	?
306	墩頭田	下田	234.7	0.9300	謝全	27-5朱祐	○
307	水碓田	中田	216.0	0.9810	社才	27-5朱滔・朱濱・朱淳	○
308	糞堈坵	上田	334.3	1.7060	謝巴	27-5朱瑾	○
309	方坵	上田	234.5	1.2340	社堂	27-5朱隆	○
310	沉丘	上田	481.8	2.5360	謝巴	27-5朱祐・謝社	○
311	槎坑口方丘	上田	399.7	2.1000	社才	27-5朱瑾・朱滔・朱濱・朱淳	○
312	前坑山	山		2.5000		27-5王齊興，27-1王爵	?
313	前坑尾	下下田	124.0	0.4200	白個	27-5朱洪・朱滔・朱濱・朱淳	?
314	前坑尾	下下田	142.0	0.4730	起林	27-5朱邦・朱憲	?
315	前坑	下下田	422.7	1.4090	起林	27-5王琰	?
316	釭曹塢	下下田	81.7	0.2720	潤志	27-5朱瑾	○
317	釭曹塢	下下田	36.0	0.1200	潤志	27-5朱廷鶴・朱滔・朱濱・朱淳	○
318	釭曹塢口	下下田	263.1	0.8770	白個	27-5朱憲	○
319	前坑	下下田	574.2	1.9140	潤志	27-5朱廷鶴・朱滔・朱濱・朱淳	?
320	前坑口	下下田	550.3	1.8340		27-5朱廷鶴	?
321	前口□	上田	365.1	1.9320	白個	27-5朱廷鶴	?
322	六畝丘	上田	273.2	1.4400	岩潯	27-5朱滔・朱濱・朱淳	?
323	新坉上	上田	88.8	0.4670	春曜	27-5朱隆・朱瑾	?
324	新坉上	上田	211.1	1.1100	社曜	27-5朱滔・朱濱・朱淳	?
325	打水坵	中田	260.3	1.1830	社才	27-5朱瑾	?
326	打水丘	中田	341.8	1.5540	天興等	27-5朱隆	?
327	牛畝坵	下下田	121.3	0.4040	社才	27-5朱滔・朱濱・朱淳	?
328	塘下塝田	下下田	270.5	0.9020	社才	27-5朱瑾・朱滔・朱濱・朱淳	?
329	塘下	下田	147.7	0.5680	積志	27-5朱憲	?
330	塘下造童	下田	463.3	1.7820		27-5謝社	?

331	龍子□頭下培山	山		0.1500		27-5朱祐・朱泰	○
332	龍子山頭上培	山		0.0910		27-5朱滔・朱濱・朱淳・朱洪	○
333	龍子山頭墳地	上墳地	53.6	0.2680		27-5朱邦・朱憲・朱社・朱祐・朱得	○
334	塘下進同丘	下下田	135.2	0.4500	天潯	27-5朱滔・朱濱・朱淳	○
335	塘下	下下田	160.5	0.5350	岩志	27-5朱祐・朱滔・朱濱・朱淳	○
336	塘下坵	下下田	250.4	0.8350	新志	27-5朱邦・朱憲・朱滔・朱濱・朱淳	○
337	塘下坵	下下田	146.1	0.4860		27-5朱滔・朱濱・朱淳	○
338	塘下坵	下下田	127.6	0.4250		27-5朱滔・朱淳	○
339	小塘塢	塘	60.0	0.2320		27-5朱洪	○
340	小塘塢尾	下下田	111.1	0.3700		27-5朱洪	○
341	小塘塢東山	下下地 山	25.0	0.0500 0.1100		27-5朱洪	○
342	小塘塢西壜	下下地 山	25.3	0.0510 0.1100		27-5朱滔・朱濱・朱淳・朱洪	○
343	鮑公塢上壜	山		1.0000		27-5朱滔・朱濱・朱淳	?
344	鮑公塢蛇山下壜	山		1.0800		27-5朱滔・朱濱・朱淳・朱洪	?
345	鮑塢尾	下下地	426.0	0.8530		27-5朱滔・朱濱・朱淳・朱洪	?
346	鮑公塢地	下地	485.0	0.9700		27-5朱滔・朱濱・朱淳	?
347	鮑公塢	下下田	208.9	0.6930		27-5朱滔・朱淳・朱洪	?
348	鮑公塢	下下田	119.5	0.3980		27-5朱滔・朱濱・朱淳・朱邦・朱憲	?
349	塘下坵	下下田	124.1	0.4110		27-5朱滔・朱濱・朱淳	○
350	塘下田横路	下下田	271.3	0.9040		27-5朱滔・朱濱・朱淳・朱祐	?
351	横路下	下田	51.5	0.1980		27-5朱隆	?
352	長□頭	下田	76.7	0.2520		27-5朱瑾	?
353	下充新田	下下田	339.2	1.1310	岩玘	27-5朱滔・朱濱・朱淳	○
354	淡竹塢	山		6.7000		27-1陳鵬	○
355	淡竹塢	下下田	1147.5	3.8250	文義	27-1陳鵬	○
356	淡竹塢	下下田	392.6	1.3900	周法	27-1陳鵬	○
357	淡竹塢	下下田	229.6	0.7650	付曜	27-1陳鵬	○
358	塘塢下	下下田	58.2	0.1920		27-5朱滔・朱濱・朱淳	○
359	塘塢下	下下田	85.5	0.2850	郭晶	27-5朱社	○

360	塘塢下	下下田	110.5	0.3660	雲玘	27-5朱滔・朱濱・朱淳	○
361	塘塢下	下田	97.5	0.3760		27-5朱憲	○
362	大塘尾	山		0.5000		27-5謝社・謝雲玘・朱稷	○
363	大塘尾	山		10.2850		27-5王茂・王時，27-1王爵	○
364	大塘尾	山		0.6000		27-5朱洪	○
365	大塘祖墳山	山		1.2500		27-5朱稷	○
366	大塘尾	下下田	899.6	2.9990		27-5謝社・朱滔・朱濱・朱淳	○
367	大塘尾	下田	296.6	1.1400		27-5謝社	○
368	大塘尾	下田	260.0	1.0000		27-5朱憲・朱邦	○
369	下充長坵	下田	230.6	0.8850	社堂	27-5朱滔・朱濱・朱淳	○
370	楓樹下	下田	323.5	1.2440	黒志	27-5朱隆	○
371	楓樹下清明田	下田	106.6	0.4050	白個	27-5朱洪・朱滔・朱濱・朱淳	?
372	黄土坵	下田	146.25	0.5630	白個	27-5朱滔・朱濱・朱淳・朱隆	?
373	下充黄土坵	下田	293.1	1.1280	潤志	27-5朱滔・朱濱・朱淳	○
374	下充	下田	107.4	0.4130	郭晶	27-5朱滔・朱淳	○
375	下充	下田	180.6	0.6930		27-5朱滔・朱濱・朱淳	○
376	下冲	下田	381.1	1.4660	郭晶	27-5朱隆	○
377	下充	下田	317.1	1.2200	雲玘	27-5朱滔・朱濱・朱淳	○
378	下充	下田	518.5	1.9990	黒志	27-5朱滔・朱濱・朱淳	○
379	下充	下田	155.2	0.5970	謝祖	27-5朱滔・朱濱・朱淳・朱邦	○
380	充下尖丘	中田	291.1	1.3230		27-5謝社	○
381	下充	中田	328.7	1.4940	謝足	27-5朱瑾	○
382	充下尖坵	中田	88.5	0.4020		27-5謝社	○
383	龜山	山		0.1500		27-5朱祖耀・朱時應・朱祐・朱社・朱得	○
384	下充	中田	225.1	1.0230	謝全	27-5朱隆	○
385	下充	中田	350.8	1.5950	社才	27-5朱滔・朱濱・朱淳	○
386	下充	中田	331.6	1.5070	謝全	27-5朱邦・朱憲	○
387	下充	中田	262.1	1.1850	社堂	27-5朱滔・朱濱・朱淳	○
388	下充口	中田	117.7	0.5340	謝憲	27-5朱滔・朱濱・朱淳	○
389	下充口横路上	中田	332.9	1.5120	社曜	27-5朱滔・朱濱・朱淳	○
390	擇子墩	下下田	140.7	0.4680	謝巴	27-5朱滔・朱濱・朱淳	○
391	下坉	下地	161.1	0.4600		27-5朱稷	?
392	前坑舡曹山	山		0.8040		27-5朱滔・朱濱・朱淳	○

393	前充玄曹山	山		0.6700		27-5王茂	?
394	前坑口下培山	山		0.3300		27-5朱洪	○
395	新屯下	上田	317.7	1.6720		27-5朱隆・朱滔・朱濱・朱淳	○
396	新屯下	上田	69.7	0.3670		27-5朱隆・朱瑾	○
397	新屯下	上田	163.9	0.8650		27-5朱滔・朱濱・朱淳	○
398	新屯下	上田	145.7	0.7730		27-5朱滔・朱濱・朱淳	○
399	下充口	上田	164.2	0.8550		27-5朱祐	○
400	青山下	上田	363.3	1.9120		27-5朱祐	○
401	青山下	上田	359.0	1.8900		27-5朱憲	○
402	倍火坵	上田	362.1	1.9060		27-5朱社・朱滔・朱濱・朱淳	?
403	□屋坵	上田	250.1	1.3160		27-5朱廷鶴	?
404	下充口	上田	156.9	0.8130		27-5朱滔・朱濱・朱淳	○
405	下充口	上田	200.9	1.0570		27-5朱廷鶴	○
406	下充口	上田	116.2	0.6090		27-5朱滔・朱濱・朱淳	○
407	下充口	上田	132.7	0.6980		27-5朱廷鶴	○
408	糞教丘	上田	275.6	1.4500		27-5朱廷鶴	○
409	瓏裏	上田	198.9	1.0470		27-5朱隆・朱滔・朱濱・朱淳	?
410	青山下尖坵	上田	370.0	1.9500		27-5朱滔・朱濱・朱淳	○
411	津畝坵	上田	932.9	4.9100		27-5朱滔・朱濱・朱淳	?
412	陸畝坵	上田	597.1	3.1420		27-5朱滔・朱濱・朱淳	?
413	青山下	上田	414.3	2.1800		27-5謝社	○
414	埸口	上田	258.2	1.3590		27-5朱滔・朱濱・朱淳	○
415	埸□	上田	263.5	1.3870		27-5朱瑾	○
416	上伍畝坵	上田	249.5	1.3170		27-5朱廷鶴	○
417	中五坵	上田	471.8	2.4830		27-5朱瑾・朱祐	○
418	牛塘充	下地 山	28.0	0.0560 1.9100		27-5朱瑾・金萬政	○
419	□□□尾	下下田	67.0	0.2230		27-5金萬政	?
420	牛塘充	下下田	339.6	1.1300		27-5陳章	○
421	牛塘充	下下田	301.8	1.0060		27-1王爵	○
422	牛塘充	下下田	252.7	0.8430		27-5金萬政	○
423	牛塘充口	下下田	93.7	0.3130		27-5朱瑾・朱祐	○
424	下伍畝坵	上田	1012.5	5.3300		27-5朱滔・朱濱・朱淳	?
425	牛塘充口燕窩	山		0.5000		11-3金仲和	?
426	參畝坵	上田	640.4	3.3700		27-5朱隆	?
427	石壁田	中田	251.2	1.1400		27-5朱滔・朱濱・朱淳	○

428	沙皮丘	上田	278.2	1.4640		27-5朱瑾	○
429	梭坵	上田	231.2	1.2170		27-5朱隆	○
430	下青山上坑口	山		0.7500		27-5王茂，27-1王爵	?
431	上坑□	山		5.4700		27-5金萬政	○
432	上坑	下下田	88.5	0.2950		27-5金萬政	○
433	上坑	下下田	576.8	1.9230		27-5金萬政	○
434	塢上坑	下田	334.6	1.2870		27-5金萬政	○
435	上坑	下田	169.0	0.6500		27-5金萬政	○
436	上坑	下田	375.9	1.4460		27-5金萬政	○
437	上坑	下下田	258.0	0.8580		27-5朱滔・朱濱・朱淳	○
438	上坑	下田	109.4	0.4210		27-5朱廷鶴	○
439	上坑	下田	208.9	0.6960		27-5朱滔・朱濱・朱淳	○
440	上坑	下田	213.2	0.8020		27-5朱祐・朱滔・朱濱・朱淳	○
441	前□堨塢口	山		0.8330		27-5金萬政，27-1王爵	○
442	上坑	中田	159.5	1.6340		27-5謝社	○
443	上坑	中田	395.4	0.8880		27-5朱憲	○
444	上坑口	下田	53.2	0.2040		27-5朱廷鶴	○
445	上坑口	中田	299.3	1.3600		27-5朱隆	○
446	上坑口	中田	249.2	1.1330		27-5朱瑾・朱滔・朱濱・朱淳	○
447	上坑口	中田	201.6	0.9150		27-5朱滔・朱濱・朱淳	○
448	上坑堨口	中田	231.7	1.0580		27-1王爵	○
449	上坑堨口	中田	340.7	1.5500	謝欽	27-5朱憲	○
450	上坑口	中田	581.9	2.6720	謝祖等	27-5朱滔・朱濱・朱淳	○
451	前山脚	下田	28.0	0.1080	岩潯	27-5金萬政	○
452	上坑口	中田	511.3	2.3220	岩潯	27-5朱滔・朱濱・朱淳	○
453	上坑口	中田	232.9	1.0590	岩潯	27-5朱滔・朱濱・朱淳	○
454	上坑口	中田	369.8	1.6810	社個	27-5朱隆	○
455	雙眉坵	中田	207.4	0.9430	三個	27-5朱隆	○
456	下雙眉坵	中田	227.4	1.0320	謝欽	27-5朱滔・朱濱・朱淳	○
457	李家充塢	上田	270.6	1.4240		27-5朱隆・朱瑾	○
458	李家充	山		2.6000		27-5王茂・王時，11-3金一詔	○
459	李家充	山		2.6000		27-5王茂・王時	○
460	李家充	山		2.6100		27-5王茂・王時	○
461	李家充	山		2.6100		27-5王茂・王時，27-1王爵，11-3金一詔	○

462	本家充口下燕窩形	山		1.2500		11-3金一詔	○
463	李家充尾	下下田	393.7	1.3120		27-5陳祥	○
464	李家充	下下田	378.6	1.2620		27-5陳祥	○
465	李家充口	下田	457.8	1.7610		27-5王茂，27-1陳振達	○
466	李家充	下下田	112.0	0.3730		27-5朱邦	○
467	李家充	下下地	47.0	0.9040		27-5王茂	○
468	李家充	下田	451.9	1.7400		27-5王茂	○
469	李家充	中田	362.9	1.3960		27-5朱邦	○
470	李家充	中田	397.4	1.8060		27-5王茂	○
471	李家充	中田	298.2	1.3560		27-5朱瑾	○
472	李家充	中田	122.2	0.5550		27-5王茂	○
473	李家充	中田	276.6	1.2600		27-5朱滔・朱濱・朱淳	○
474	李家充	下下田	295.2	0.9840		27-5朱滔・朱濱・朱淳	○
475	李家充	中田	245.1	1.1140		27-5朱瑾	○
476	李家充口	中田	250.0	1.1630		27-5朱瑾	○
477	李充口	上田	199.0	1.0470		27-5朱瑾	○
478	楊樹坵	上田	399.1	2.1000		27-5王時	○
479	上坑口	中田	296.9	1.3500		27-5朱滔・朱濱・朱淳	○
480	楊樹丘	上田	329.0	1.7320		27-5朱滔・朱濱・朱淳	○
481	楊樹丘	上田	286.8	1.5100	初義	27-5朱滔・朱濱・朱淳	○
482	匾擔坵	上田	121.4	0.6380	初義	27-5朱邦	○
483	匾擔坵	上田	521.4	2.7440	初義	27-5朱邦	○
484	尖坵	上田	288.5	1.5180	初義	27-5王茂	○
485	楊樹坵	上田	317.2	1.6700		27-5朱隆	○
486	楊樹坵	上田	391.5	2.1010		27-5朱瑾・謝社・朱祐	○
487	小尖丘	上田	71.5	0.3760	洪志	27-5王茂	○
488	和尙坵	上田	340.7	1.7950	洪志	27-1陳興	○
489	楊樹梭坵	中田	399.8	1.8170		27-5朱濱・朱滔・朱淳	○
490	前山下	上田	16.0	0.0840		27-5金萬政	○
491	欄杆坵	上田	360.0	1.8980		27-1陳天相	○
492	李家充口	上田	484.0	2.5470		27-1王爵	○
493	尖坵	上田	45.6	0.2400		27-5王茂	○
494	大尖丘	上田	262.8	1.3830		27-5朱隆	○
495	尖丘下	上田	239.3	1.2580		27-5朱瑾	○
496	櫸木充	山		0.1720		27-5陳祥	○
497	櫸木充	山		2.0000		27-5王茂・王時	○
498	櫸木充	山		0.5000		27-5王茂	○
499	櫸木充	山		3.6300		27-5王茂	○

500	櫸木充口等處	山		0.6500		27-5王茂・朱滔・朱濱・朱淳	○
501	櫸木充	下下田	59.0	0.1970		27-5王茂	○
502	櫸木充	下下田	421.6	1.4050		27-5王茂	○
503	櫸木充	下下田	109.6	0.3650		27-5王茂	○
504	櫸木充	下田	237.8	0.9150		27-5金萬政	○
505	櫸木充	下田	278.3	1.0700		27-5金萬政	○
506	櫸木充口	下田	117.5	0.4520		27-5王茂	○
507	櫸木充口	中田	174.1	0.7910		27-5金萬政	○
508	櫸木充口	中田	86.0	0.3910		27-5金萬政	○
509	櫸木充口	中田	287.0	1.3500		27-5金萬政	○
510	櫸木充口	下下地	30.6	0.0610		27-5金萬政	○
511	櫸木充口	下下田	77.0	0.2560		27-5王茂	○
512	櫸木充口	下下田	105.9	0.3530		27-5王茂	○
513	櫸木充口	下地	97.8	0.2800		27-5王茂	○
514	櫸木充口	下下田	56.3	0.1870		27-5王茂	○
515	江村屋基田	下下田	200.6	0.6690		27-5王茂	○
516	江村屋基田	下下田	222.7	0.7420		27-5王茂	○
517	竹嶺頭	中田	212.6	0.9660		27-5朱瑾	?
518	□長坵	上田	248.7	1.3100		27-5朱瑾	?
519	□擔丘	上田	229.5	1.2080		27-1王爵	?
520	灣坵	上田	375.1	1.9740		27-5朱濱・朱滔・朱淳	○
521	江村�	上田	228.6	1.2030		27-5朱隆	○
522	江村方坵	上田	241.0	1.2690		27-5朱滔・朱濱・朱淳	○
523	三角丘	上田	142.8	0.7520		27-1王爵	?
524	井坵	上田	362.6	1.9080		27-5王茂	?
525	灣坵	上田	231.6	1.2190		27-5朱憲・朱滔・朱濱・朱淳	○
526	江村闈	上田	222.6	1.1720		27-5朱隆	○
527	江村閘參畝坵	上田	573.7	3.0190		27-5朱隆・朱滔・朱濱・朱淳	○
528	江村井	上田	322.6	1.6920		27-5朱隆	○
529	江村墩	中田	119.8	0.5450	金祥	27-5朱隆	○
530	水口墩	下下田	280.3	0.9340	黒馿	27-5朱滔・朱濱・朱淳	○
531	水口墩	下下田	311.8	1.0390	黒馿	27-5朱滔・朱濱・朱淳	○
532	江村堨塢口	上田	384.9	2.0260		27-5王茂・朱滔・朱濱・朱淳	○
533	江村堨塢口	上田	106.1	0.5580		27-5王茂	○
534	堨塢東培	山		1.0600		27-1王爵	○

535	堨塢	山		0.8340		27-1王爵	○
536	□塢	山		4.1400		27-5王茂，27-1王爵，11-3金迪功・金桐竹	○
537	堨塢口江村前山	山		1.1300		27-1王爵	○
538	堨塢口	下田	334.6	1.1500		27-1王爵	○
539	堨塢	下下田	82.2	0.2740		27-1王爵	○
540	水底坵	上田	376.8	1.9830		27-1陳興	○
541	銀山塢	山		0.5000		27-5王時	○
542	下充東壊	下下地 山	4.0	0.0080 0.3000		27-5王茂	○
543	下充尾東西培	下下地 山	10.0	0.0200 1.0000		27-5王茂	○
544	下充塢尾	下下地	12.0	0.0240		27-5王茂	○
545	下充	下下地	42.0	0.0840		27-5王茂	○
546	下充	下下田	133.3	0.4440		27-5王茂	○
547	下充	下下田	31.8	0.1060		27-5王茂	○
548	下充	下下田	358.7	1.1960		27-1陳鵬	○
549	下充塢田塘	下田 塘	129.0 6.0	0.4960 0.0230		27-5王茂	○
550	下充	下下田	173.6	0.5790		27-5王茂	○
551	下充	下田	16.0	0.0620		27-5王茂	○
552	下充	下下田	287.2	0.9570		27-5王茂	○
553	下充	下田	196.5	0.7560		27-5王茂	○
554	銀山塢	下下田	104.1	0.3740		27-1陳振達	○
555	銀山塢口	中田	230.3	1.0470		27-1陳振達	○
556	江村闖	中田	127.4	0.5790		27-1汪明	○
557	下充	下田	89.6	0.3450		27-1王爵	○
558	下充	中田	80.1	0.3640		27-1陳振達	○
559	下充	中田	378.0	1.7180		27-1陳光儀	○
560	下充口	中田	341.9	1.5540		27-5朱隆	○
561	飯盆坵	中田	278.6	1.2660		27-5朱瑾	○
562	江村闖	中田	257.9	1.1720		27-5陳祥，27-1陳本	○
563	江村下參畝丘	上田	617.0	3.2520	黑駉	27-5朱滔・朱濱・朱淳	○
564	江村闖	上田	419.6	2.2080		27-5王時	○
565	江村闖	上田	513.5	1.7080		27-1陳本・陳尙仁	○
566	獨畝坵	中田	296.6	1.3470		27-5朱滔・朱濱・朱淳	○
567	江村玖畝丘	上田	134.8	0.7900		27-1陳祖陽	○
568	江村闖	中田	197.3	0.8970		27-1陳振達	○
569	江村闖	中田	150.3	0.6830		27-1陳寓祿	○

570	江村闡	中田	205.6	0.9350		27-5陳章，27-1陳振達	○
571	江村闡	中田	93.2	0.4240		27-5王榮，27-1陳興	○
572	江村闡	中田	86.4	0.3930		27-5陳章	○
573	江村闡	中田	103.2	0.4700		27-1王爵	○
574	江村闡	中田	197.2	0.8960		27-1汪明	○
575	江村	中田	43.2	0.1950		27-1陳興	○
576	江村闡	下田	35.2	0.1350		27-5王茂	○
577	江村闡	中田	49.0	0.2030		27-5王茂	○
578	下充	山		0.4000		27-5王茂	○
579	和尚西培	山		0.5000		27-5王茂・王時	○
580	和尚充西塢	下田	49.6	0.1910		27-1陳振達	○
581	和尚充	下田	305.5	1.1750		27-5陳祥	○
582	江村闡	下田	167.0	0.6420		27-1陳興	○
583	江村闡	塘	41.4	0.1600		27-5王茂・王榮・王時，27-1陳興	○
584	江村闡詹家坵	下下地	223.0	0.4460		27-5王茂・王時	○
585	江村闡	中田	164.8	0.7490		27-5王榮	○
586	江村闡	中田	69.6	0.3190		27-5陳興	○
587	江村闡	中田	242.1	1.1000		27-5王茂	○
588	江村闡	中田	253.4	1.1520		27-5王榮，27-1陳興	○
589	江村闡	中田	98.8	0.4490	宋八	27-1陳振達	○
590	江村闡	中田	125.0	0.5680	宋八	27-5王齊興	○
591	江村闡	中田	126.0	0.5730		27-1陳振達	○
592	江村闡	中田	152.2	0.6920		27-1陳祀	○
593	江村闡	山		0.0385	志個	27-5王茂	○
594	江村闡	下地 山	33.6	0.0960 1.5000	志個	27-5王茂	○
595	江村闡	下地	29.7	0.0850		27-5王茂	○
596	江村闡墳山	下下地 山	146.0	0.2920 2.1900	宋八	27-5陳新，27-1陳亮・陳晉・陳龍生・陳嘉・陳天相・陳岩求・陳樌社，30-1陳明宗	○
597	江村闡	山		0.0880		27-5陳章	○
598	江村闡	中田	203.4	0.9230	志個	27-5王茂	○
599	江村闡	中田	209.3	0.9520	志個	27-1陳祖陽	○
600	江村闡	中田	88.0	0.4000	志個	27-5王茂	○
601	江村闡	中田	173.9	0.7900	志個	27-5王茂	○
602	江村闡	中田	64.3	0.2920	法志	27-5王茂	○
603	江村闡	中田	250.4	1.1380	法志	27-5朱洪・朱廷學	○

604	江村闌	上田	304.8	1.6400		27-1陳祖陽	○
605	江村闌	上田	525.6	2.7660	社玘	27-5王繼成	○
606	玖畝坵	上田	436.7	2.2980	社玘	27-5朱祐	?
607	玖畝坵	上田	145.9	0.7610	社玘	27-1陳祖陽	?
608	水底坵	上田	346.0	1.8210	王德	27-5陳新	○
609	下塔坑口	上田	365.8	1.9250	社志	27-5王茂	○
610	下塔坑口	中田	15.6	0.0710	初曜	27-1王爵	○
611	下塔坑	下地 山	4.0	0.0110 3.2000	三義	27-1陳振達・王爵・汪明	○
612	下塔坑	下下地	82.9	0.1660	三義	27-1陳振達・王爵・汪明	○
613	下塔坑	下下地	132.2	0.6540	三義	27-1汪明	○
614	下塔坑	下下田	278.8	0.9260		27-1汪明	○
615	下塔坑	下下田	246.0	0.8210	三義	27-5朱洪，27-1汪明	○
616	下塔坑	下下田	72.8	0.2420	三義	27-5朱洪，27-1汪明	○
617	下茶坑	下下田	173.4	0.5780	四義	27-5朱洪，27-1汪明	○
618	下茶坑	下下田	722.7	2.4090	三義	27-1汪志	○
619	下茶坑	下地	40.0	0.1140		27-1汪明	○
620	下茶坑	下下田	54.4	0.1800	三義	27-5朱洪，27-1汪明	○
621	下茶坑	下下田	436.1	1.4540	三義	27-5朱洪，27-1汪明	○
622	下茶坑口	山		0.2540		27-1陳明	○
623	石壁山	山		0.5000		27-1陳明	○
624	下茶坑口	上田	205.8	1.0830	遲德	27-1王爵	○
625	陸畝坵	上田	314.0	1.6500	金春	27-5朱祖耀	?
626	江村	上田	312.7	1.6460	細個	27-1王爵	○
627	江村	上田	449.0	2.3630	曜潯	27-5朱廷鶴	○
628	社屋前	山		1.5000		27-5陳章	○
629	布袋丘	上田	445.4	2.3440	起龍	27-1陳寓祿	?
630	布袋	上田	213.1	1.1220	付進	27-1王爵	?
631	布袋坵	上田	220.2	1.1590	付進	27-1王爵	?
632	布袋坵	上田	603.2	3.1750	天曜	27-1陳興，27-5王茂	?
633	社屋前	上田	55.6	0.2930	黒駈	27-5陳祥，27-1朱汝授	○
634	社屋前	上田	315.0	1.6580	黒駈	27-5陳祥，27-1朱汝授	○
635	社屋前	上田	412.1	2.1690	付進	27-5陳祥	○
636	社屋前	上田	134.7	0.7100	四個	27-1陳本	○
637	社屋前	上田	265.0	1.3930	四個	27-5陳章	○
638	社屋前	上田	272.4	1.4340	程曜	27-1陳振達	○
639	社屋前	上田	132.3	0.6960	保壽	27-5陳祥	○
640	社屋前	上田	128.1	0.6740		27-1王爵	○

641	社屋前	下地 山	3.0	0.0090 1.0500		27-5陳章，27-1王爵	○
642	社屋前田	下下田	112.5	0.3720	金仲	27-5金萬政	○
643	社屋前田	下下田	44.3	0.1480	付進	27-5朱廷鶴	○
644	社屋前田	下下田	46.9	0.1560		27-5朱廷鶴	○
645	社屋前田	下下田	53.3	0.1780	富進	27-5朱廷鶴	○
646	社屋前田	下下田	24.2	0.0800		27-5朱廷鶴	○
647	社屋前田	下下田	48.9	0.1630	富曜	27-5朱廷鶴	○
648	社屋前田	下下田	100.8	0.3360		27-5朱廷鶴	○
649	社屋前田	下田	38.9	0.1460	付曜	27-5陳章	○
650	社屋前田	下田	128.7	0.4950	付曜	27-5朱廷鶴	○
651	社屋前田	中田	97.7	0.4440	付進	27-5朱廷鶴	○
652	社屋前田	中田	78.2	0.3550	金仲	27-5王繼成	○
653	社屋前田	中田	48.0	0.2180		27-5陳祥，27-1朱汝授	○
654	社屋充芝蔴塢	山		1.0000		27-5陳章	○
655	社屋充芝蔴塢	山		1.7500		27-5陳章	○
656	社屋充芝蔴塢	下田 塘	61.0 4.0	0.2350 0.0190		27-1陳振達	○
657	社屋充芝蔴塢	下下田	91.5	0.3500	進祿	27-1陳振達	○
658	社屋充芝蔴塢	下下田	79.8	0.1660	進祿	27-1陳振達	○
659	社屋充芝蔴塢	下下田	94.9	0.3160	進祿	27-1陳振達	○
660	社屋充	山		2.2580		27-1陳法	○
661	社屋充山	山		1.2500	汪祥	27-5金萬政	○
662	社屋充田塘	下下田 塘	24.5 24.0	0.0820 0.0920	社個	27-5程相・王茂	○
663	社屋充	下下田	210.2	0.7570	社個	27-5朱隆・王茂，27-1陳法・陳振達	○
664	社屋充	下下田	103.8	0.3460	社個	27-5程相	○
665	社屋充田	下下田	27.1	0.0900	陳黃	27-5程相	○
666	社屋充田	下下田	88.0	0.2930	社個	27-5程相	○
667	社屋充田	下田	98.0	0.3750	社個	27-5程學	○
668	社屋充田	下田	112.3	0.4320	社個	27-5程學	○
669	社屋充田	下田	99.2	0.3820	陳黃	27-5程學	○
670	社屋充田	下地	25.2	0.0710	陳黃	27-5程學	○
671	社屋充	下田	118.1	0.4180	招保	27-1陳法	○
672	社屋充	下田	46.6	0.1790	招保	27-1陳法	○
673	社屋充田	下田	69.3	0.2670	招保	27-1陳法	○
674	社屋充田	下田	53.4	0.2500	招保	27-1陳法	○
675	社屋充田	下田	76.4	0.2930	招保	27-1陳法	○

676	社屋充田	下田	20.3	0.0780	招保	27-1陳法	○
677	社屋充田	下田	27.9	0.1070	進祿	27-5王齊興	○
678	社屋充田	下田	93.7	0.3610	進祿	27-5王齊興	○
679	社屋充田	下田	73.1	0.2820	進祿	27-5王齊興	○
680	金錢塢山	山		0.5600		27-5王時	?
681	金錢塢田	下下田	117.1	0.3900	進祿	27-1陳振達	?
682	社屋充田	下田	168.9	0.6500	進祿	27-5王齊興	○
683	社屋充田	下田	192.0	0.7380	細個	27-5王時	○
684	社屋充田	下田	96.1	0.3700		27-5王茂	○
685	社屋充田	下田	72.0	0.2760		27-5王茂	○
686	社屋充田	上田	227.9	1.2000		27-5王茂	○
687	社屋充田	上田	116.0	0.6100	金仲	27-5王繼成	○
688	社屋充口田	上田	214.5	1.1300		27-5王繼成	○
689	社屋前充口	上田	174.6	0.9190	細個	27-1陳天相	○
690	社屋充口	上田	307.7	1.6200	付俚	27-5陳章	○
691	社屋充口	上田	309.1	1.6270		27-5王茂	○
692	石壁塢	山		0.8750		27-5王初	○
693	修雞塢	上田	229.3	1.2600	志個	27-5朱滔・朱濱・朱淳	?
694	修雞塢	上田	276.9	1.5020	洪志	27-5陳章	?
695	修雞塢	上田	285.6	1.5040	洪志	27-5陳章	?
696	黄荊塢	山		0.6000		27-5金萬政	○
697	黄荊塢	山		0.6000		27-1王爵	○
698	黄荊塢底瓦窯前	山		1.2000		27-5金萬政	?
699	黄荊塢	下下田	130.7	0.4360	大法	27-1陳振達	○
700	黄荊塢	下田	117.2	0.4500	大法	27-5王齊興	○
701	黄荊塢	下田	48.4	0.1860	志法	27-5金萬政	○
702	黄荊塢	下田	24.6	0.0950		27-5金萬政	○
703	黄荊塢口	下田	88.2	0.3390		27-5金萬政	○
704	黄荊塢	中田	57.2	0.2600		27-5金萬政	○
705	黄荊塢口	上田	285.8	1.5040	大法	27-5陳章	○
706	黄荊塢口	上田	276.6	1.4560	三義	27-1陳興	○
707	石壁塢	中田	86.0	0.3910	伍拾	27-5王茂	○
708	亭前	山		0.5000		27-5王茂	?
709	亭兒前	山		1.4700		27-1王爵・汪仲魯	?
710	銀瓶坵	上田	502.8	2.6460		27-5王時	○
711	亭前	上田	311.1	1.6370	大法	27-5王茂	?
712	尾瑤前	上田	80.0	0.4210		27-5金萬政	?
713	尾瑤前	上田	173.6	0.9140		27-5金萬政	?
714	尾瑤前	下地	100.0	0.2860		27-5金萬政	?

715	亭前	上田	267.1	1.3770	大法	27-5陳祥	?
716	亭前	上田	278.1	1.4640	保壽	27-1王爵	?
717	銀瓶坵	上田	111.9	0.5400	大法	27-5王茂	○
718	銀瓶坵	上田	291.3	1.5330		27-5王茂	○
719	亭前上	上田	260.7	1.3720	細個	27-5金萬政	?
720	亭前上	上田	236.5	1.2450	陸曜	27-5陳天漢	?
721	亭前	上田	285.2	1.5100	勝保	27-1王爵	?
722	亭前	上田	331.0	1.7420	富龍	27-5金萬政	?
723	亭前	上田	325.0	1.7100		27-5朱祖祐	?
724	盈山	山		1.7070		27-1王爵	○
725	江田堨	上田	263.3	1.3850	長付	27-5王茂	?
726	江田堨	上田	210.8	1.1100	長滒	27-1王爵	?
727	八畝段	上田	210.7	1.1900	勝保	27-1王爵	?
728	八畝段	上田	206.5	1.0870	付進	27-1王爵	?
729	八畝段	上田	248.1	1.3060	金尙	27-5金萬政	?
730	八畝段	上田	284.0	1.4900	志固	27-1陳本	?
731	尖坵	上田	245.1	1.2800	汪元	27-1陳學	○
732	八畝段	上田	221.3	1.1650	談保	27-1陳天相	?
733	八畝段	上田	160.7	0.8470	五滒	27-1陳興	?
734	八畝段	上田	161.7	0.8510	勝保	27-1陳興・王爵	?
735	鶴田干	上田	314.8	1.6590	陳相	27-1陳天相	○
736	鶴田干	上田	411.8	2.1690	義龍	27-1陳興	○
737	八畝段	上田	241.7	1.2720	曜滒	27-5陳章	?
738	盈山脚	下田	360.3	1.3880		27-5王茂，27-1王爵	○
739	盈山脚	下田	85.6	0.3290		27-5王茂	○
740	盈山脚	下田	98.7	0.3800		27-5王茂	○
741	盈山脚	下田	82.6	0.2180	志固	27-1陳本	○
742	盈山脚	下田	83.2	0.3200	志個	27-5王茂	○
743	盈山脚	上地	124.0	0.6200		27-5王茂	○
744	盈山脚	下下地	234.8	0.4700	初義	27-1王爵	○
745	盈山脚	下下地	76.3	0.1530		27-5王茂	○
746	盈山脚	下下地	45.4	0.0910	老個	27-5王茂	○
747	盈山脚	下下地	925.0	1.8500		27-5王茂	○
748	盈山脚	下下田	171.8	0.3440	初義	27-1王爵	○
749	盈山	下下地	78.0	0.1560		27-5王齊興	○
750	盈山	上田	216.1	1.1370	金下	27-5陳祥	○
751	盈山脚	中田	119.7	0.5440		27-5王茂	○
752	盈山脚	上田	136.5	0.7180		27-5王時・王初	○
753	盈山脚	上田	134.8	0.7090	五個	27-1王爵	○

754	湖坵	上田	286.8	1.5900	法滯	27-5王茂	○
755	湖坵	上田	306.5	1.6100	初義	27-5王茂，27-1王爵	○
756	鶴田干	上田	303.4	1.5960	汪祥	27-1陳學	○
757	大路	上田	192.9	1.0150	成良	27-5陳章	?
758	木杓坵	上田	215.5	1.1340	曜滯	27-5王茂	?
759	鶴田干	上田	226.0	1.1890	教化	27-5陳章	○
760	盈山脚	上田	150.7	0.7930	初義	27-5王茂	○
761	鶴田干	上田	282.0	1.4840	曜滯	27-1陳本	○
762	湖坵	上田	146.0	0.7680	天滯	27-5王茂	○
763	桑樹坵	上田	302.9	1.5940		27-5王初・王時	?
764	盈山脚	上田	301.8	1.5880	四個	27-1陳學	○
765	牛欄丘	上田	216.5	1.1390	付曜	27-1陳本	○
766	牛欄丘	上田	216.2	1.1370	付進	27-1陳本	○
767	鶴田干	上田	275.3	1.4490	來興	27-1王爵	○
768	鶴田干	上田	286.1	1.5050	勝保	27-5陳天漢	○
769	葉丘	上田	261.0	1.3740	良成	27-5陳章	?
770	大路坑	上田	143.9	0.7570	初元	11-3程文	○
771	鶴田干	上田	211.1	1.1110		27-1陳天相	○
772	鶴田干	上田	132.2	0.6960	辛德	27-1陳大	○
773	大路坑	上田	157.3	0.8280	五滯	27-1王爵	○
774	鶴田干	上田	731.0	3.8470	志個	27-1鄭才・王爵	○
775	牛欄坵	上田	227.2	1.1950	初曜	27-5王榮	○
776	鶴田墩	上田	212.7	1.1190	狢仂	27-1陳天相	○
777	孫家井	上田	270.5	1.4240	初元	27-1王爵	○
778	西干井	上田	211.9	1.1150	法志	27-1王茂	○
779	孫家井	上田	199.6	1.0490	辛德	27-5陳祥，27-1陳振達	○
780	西干井	上田	409.1	2.1530	辛德	27-5王茂，27-1王爵・陳天相	○
781	鶴田干	上田	317.5	1.6710	雲付	27-5金萬政	○
782	大路坑	上田	127.1	0.6690		27-5王茂	○
783	大路坑	上田	137.2	0.7220		27-1陳振達・陳天相	○
784	大路坑	上田	174.5	0.9180		27-5王茂	○
785	大路坑	上田	164.3	0.8650	周義	27-5王茂	○
786	鶴田干	上田	171.2	0.9020	明曜	27-1陳玉	○
787	鶴田干	上田	121.5	0.6400	義龍	27-1陳振達	○
788	鶴田干	上田	121.2	0.6380	黑狗	27-1王爵	○
789	孫家井	上田	188.0	0.9900	初義	27-1王爵	○
790	孫家井	上田	147.5	0.7760	義林	27-1王爵	○
791	孫家井	上田	105.1	0.5530	義林	27-1王爵	○

792	孫家井	上田	224.4	1.1810	社雷	27-5王茂	○
793	鶴田干	上田	163.9	0.8620	天進	27-1陳本	○
794	鶴田干	上田	158.5	0.8340	天付	27-1陳本	○
795	洪岩壁	上田	220.3	1.1590	白九	27-1陳時陽	?
796	鶴田干	上田	234.5	1.2340	岩付	27-5王茂	○
797	鶴田干	上田	272.3	1.4330	長付	27-1陳本	○
798	鶴田干	上田	234.3	1.2330	初法	27-5畢盛	○
799	鶴田干	上田	107.6	0.5660	曜澪	27-5陳章	○
800	鶴田干	上田	107.1	0.5620	天付	27-5陳章	○
801	孫家井	上田	131.1	0.6900	四義	27- 1 王爵	○
802	孫家井	上田	184.1	0.9690	有德	27-5王茂	○
803	孫家井	上田	335.3	1.7650		27-5王茂	○
804	孫家井	上田	309.7	1.6300	初員	27-1王爵	○
805	鶴田干	上田	110.2	0.5800		27-1朱永勝	○
806	鶴田干	上田	104.5	0.5500		27-1陳本	○
807	洪田下外渠口	上田	226.8	1.1940	雲時	27-5王玄齢	?
808	鶴田干	上田	281.0	1.4800		27-1朱法	○
809	沙坵	上田	444.4	2.2860	三義	27-5王茂，27-1陳寓祿	?
810	沙坵	上田	424.4	2.2340	雲付	27-5金萬政	?
811	楓樹下	上田	268.4	1.4130	金尚	27-5王茂	○
812	楓樹下	上田	151.2	0.7960		27-5王茂	○
813	楓樹下	上田	176.9	0.9310		27-5王茂	○
814	楓樹下	上田	348.0	1.8320	志個	27-5陳章，27-1陳善	○
815	楓樹下	上田	322.6	1.6980	三義	27-1王爵	○
816	鶴田干	上田	357.0	1.8800	玘澪	27-5王茂	○
817	楓樹下	上田	363.3	1.9120	天曜	27-5王茂，27-1陳寓祿	○
818	鶴田干	上田	151.2	0.7960	四個	27-1王爵・陳本	○
819	鶴田干	上田	143.7	0.7560	洪志	27-1陳本	○
820	楓樹下	上田	297.5	1.5660	辛得	27-1陳寓祿・陳興	○
821	楓樹下	上田	517.8	2.7250		27-1陳建忠・陳嘉	○
822	石板橋頭	上田	359.7	1.8930	付保	27-5王茂	○
823	石板橋頭	上田	188.1	0.9900	玘林	27-5王茂	○
824	石板橋頭	上田	246.8	1.2990		27-1王爵	○
825	石板橋頭	上田	248.2	1.3600	勝保	27-1王爵	○
826	大坪橋	上田	616.1	3.2430		27-5王茂	?
827	鶴田干	上田	94.5	0.6970	記盛	27-5陳嘉・陳建忠	○
828	水碓堨	上田	283.6	1.4930		27-1陳天相	○
829	水碓堨	上田	276.5	1.4450		27-1王爵	○
830	大坪橋	上田	568.0	2.9900		27-1王爵・朱得眞	?

831	灣坵	上田	232.8	1.2250		27-1陳天相	?
832	鶴田干	上田	103.9	0.5470		27-5陳祥	○
833	鶴田干	上田	109.0	0.5740		27-1陳本	○
834	鶴田干	上田	206.3	1.0860		27-5王茂	○
835	塘上	中田	37.0	0.1680		27-5王茂	?
836	鶴墩口	中田	243.1	1.1050		26-5汪登源	○
837	墩頭田	中田	248.2	1.1280		27-5王茂，27-1王爵	?
838	□□橋	中田	227.6	1.0340		27-1朱曜	?
839	鶴田墩田	中田	174.0	0.7910		27-5金萬政・王茂	○
840	□塘	塘	184.6	0.7100		27-5王茂	?
841	鶴田墩	中田	147.5	0.6730	付保	27-5王茂	○
842	楓樹墩	下田	18.0	0.0690	法曜	27-5王時・王榮	○
843	楓樹下墳地	上墳地	42.8	0.2140		27-5王榮・王時	○
844	楓樹下墳地	上地	57.4	0.2870		27-5王齊興	○
845	鶴田墩地	上地	116.7	0.5840		27-5王齊興，26-4洪雲相	○
846	鶴田墩楓樹下	上地	125.3	0.6270		26-4洪章和	○
847	鶴田塘	塘	274.4	1.0480		27-5王茂，26-5汪登源	○
848	鶴田墩	上田	223.8	1.1780		27-1汪明，26-4洪章和	○
849	安充田口	中田	198.2	0.9010	明曜	27-5王茂	○
850	安充田口	中田	247.8	1.1260	唐保	27-5王茂	○
851	鶴田墩	中田	344.7	1.5670		26-5汪登源	○
852	鶴田上塘	上田	481.6	2.5350	志個	27-5王茂，26-5汪登源	○
853	鶴田墩田	中田	407.5	1.8520		26-4洪彰和	○
854	鶴田墩	中田	291.3	1.3240	勝保	27-5王茂・朱討	○
855	鶴田墩	上田	278.2	0.9380	黒九	27-5王茂，26-5汪登源	○
856	鶴田干墳田	上田 上地	258.7 7.0	1.3620 0.0350	細個	27-3金萬全	○
857	鶴田塘	上地	36.0	0.1600		27-1陳振達，27-6陳甫	○
858	鶴田墩	上田	227.8	1.1990	六個	26-5汪登源	○
859	下墩田	中田	263.6	1.1980		27-5王茂	?
860	鶴田墩	中田	99.4	0.4520	黒九	26-5汪登源	○
861	鶴田墩	中田	95.4	0.4340	金仲	26-5汪登源	○
862	安充田	中田	282.5	1.2840	金下	27-5金萬政	○
863	塚淩下	中田	111.4	0.5060	金仲	27-5陳祥	?
864	塚淩下	中田	133.7	0.6080	教化	27-5陳祥，26-5汪登源	?
865	鶴田	上田	303.6	1.5880	法曜	26-5汪登源	○
866	□□	中田	173.8	0.7900		26-5汪登源	?
867	鶴田墩	中田	195.6	0.8890		27-5王茂	○
868	鶴田墩	中田	128.0	0.5820		27-5王茂，27-1王爵	○

869	鶴田墩	中田	228.2	1.0400		27-5王茂	○
870	鶴田墩	中田	182.3	0.8290		27-1王爵	○
871	鶴田墩	中田	48.0	0.2180		27-1王爵	○
872	鶴田墩頭	中田	225.0	1.0230		27-1王爵	○
873	鶴田墩弯坵	中田	223.8	1.0170	初法	27-1王爵	○
874	桑樹坵	中田	79.4	0.3610	初法	27-1王爵	?
875	鶴田墩	中田	383.5	1.7430		27-5王茂	○
876	鶴田墩	中田	477.7	2.1710		27-5王時	○
877	鶴田墩	中田	378.0	1.7200		27-5王茂，26-4洪彰和	○
878	鶴田墩	中田	246.6	1.1210		13-2程文	○
879	鶴田	上田	328.8	1.7310		27-5王茂，27-1王爵	○
880	鶴田墩	上田	79.6	0.4190		27-5陳祥	○
881	茭笋塘	下田	267.7	1.0260	細個	27-5金萬政	○
882	茭笋塘	下田	79.6	0.3070	明曜	27-1陳天相	○
883	牛欄坵	下田	95.2	0.3660		27-5王茂	○
884	新田	下田	191.1	0.7350		27-5王茂	?
885	新田	上田	99.2	0.5220		27-5陳祥	?
886	鶴田下	下田	87.4	0.3360		27-5王茂	○
887	新田	下田	80.6	0.3100		27-5王茂	?
888	盈山田	下田	188.5	0.7250		27-5王茂	○
889	盈山脚田塘	下田	181.4	0.6970	法潯	27-5王茂	○
890	盈山脚田	下田	308.7	1.1870	細個	27-5王時	○
891	鶴田園地	中地	687.6	2.7500		27-1王爵	○
892	鶴田園地	中地	883.7	3.5370		27-1王爵	○
893	鶴田園地	中地	300.2	1.2100		27-1王爵	○
894	鶴田園地	中地	233.1	0.9320		27-1王爵	○
895	鶴田園地	上地	112.3	0.5610		27-5陳旦	○
896	盈山田	下田	276.4	1.0630	金下	27-5陳祥	○
897	盈山田	下田	112.3	0.4320	金下	27-1王爵	○
898	鶴田	下田	157.3	0.6050	老個	27-5王茂	○
899	鶴田	下田	201.8	0.7760	義富	27-5王茂	○
900	鶴田園地	中地	671.1	2.6840		27-5王茂	○
901	盈山脚地	下下地	109.2	0.2200		27-1王爵	○
902	盈山脚地	下下地	182.8	0.3660		27-1王爵	○
903	盈山脚地	下下地	162.0	0.3240		27-1王爵	○
904	盈山脚地	山		0.1200		27-5王茂	○
905	牛欄塢山	山		0.1000		27-5王茂	○
906	盈山脚	下下地 山	10.0	0.0200 0.8500		27-1王爵	○

907	盈山脚	山		0.1500		27-5王茂	○
908	盈山	下下地 山	30.0	0.0600 0.3500		27-5王齊興	○
909	盈山脚地	中地	572.0	2.2840		27-5王茂	○
910	盈山脚地	中地	364.6	1.4580		27-5王茂	○
911	盈山脚地	中地	438.6	1.7540		27-5王茂	○
912	盈山脚地	上地	104.0	0.7000		27-5朱清・朱福興	○
913	盈山脚	上地	102.1	0.5110		27-5陳滄	○
914	盈山脚	上地	229.7	1.1490		8-4陳社	○
915	盈山脚	下田 上地	105.5 37.4	0.4060 0.0870		27-5金萬政	○
916	盈山脚	下田	84.2	0.3250	姨婆	27-5陳章	○
917	盈山脚	下田	73.8	0.2830		27-5陳章	○
918	盈山脚	下田	203.2	0.7810	良成	27-5陳章	○
919	鶴田墩	下田	353.5	1.3600		27-5金萬政	○
920	牛塢墩田	上田	96.7	0.4410		27-5王繼成	?
921	鶴田墩	下田	141.5	0.5440	金尙	27-5金萬政	○
922	牛塢墳	上田	94.3	0.4720		27-5王繼成	○
923	鶴田墩	下田	29.8	0.1150	汪祥	27-5金萬政	○
924	牛塢墩	下田	121.0	0.4650		27-5王繼成	○
925	鶴田墩墳	上地	558.6	2.7930		27-5陳祥・陳旦，27-6陳甫・陳付，26-5汪登源	○
926	塚陵	上地	465.3	2.3270		27-5陳祥・金萬政	○
927	鶴田塚陵	上地	60.0	0.3000		27-5王茂・陳祥，26-5汪登源	○
928	上闈	上田	421.8	2.2200		27-3朱玄貴	?
929	上闈	上田	89.3	0.4700	甲毛	27-5王茂	?
930	牛塢墩	中田	130.7	0.5940	汪元	27-5汪琰	○
931	鶴田墩	中田	184.2	0.8370	汪元	27-5陳亮	○
932	牛塢墩	中田	161.6	0.7350	汪元	27-5王茂	○
933	牛塢墩	中田	193.2	0.8780	汪元	27-5汪琰	○
934	□窯坵	中田	251.4	1.1430		27-5王茂	?
935	牛塢墩	中田	295.4	1.3430	洪志	27-3朱玄貴	○
936	牛塢墩	中田	238.6	1.0850	天槐	27-3朱玄貴	○
937	牛塢墩	下田	286.8	1.1040	王相	26-5汪登源	○
938	鶴田墩	下田	143.1	0.5500	招保	27-5金萬政	○
939	鶴田墩	下田	203.7	0.7840	五十	27-5王茂	○
940	牛塢口	中田	287.1	1.3050	付保	27-5王榮	○

941	鶴田墩	下田	226.9	0.8730		27-5陳祥・王時，27-1王爵，27-3金萬全	○
942	牛塢墩	中田	215.0	0.9770	付保	27-5王茂	○
943	鶴田墩	下田	140.2	0.5380	法曜	27-5王時	○
944	鶴田墩	下田	134.9	0.5190		27-3金萬全	○
945	鶴田墩	中地	18.0	0.0720	法曜	27-5王時	○
946	盈山脚	下地	275.2	0.7860		27-5陳章	○
947	牛塢	下田	197.5	0.7600		27-5王茂	○
948	五塢	下下地 山	25.0	0.0500 1.9000		27-5王茂，26-5汪登源	○
949	五塢	山		0.5700		27-5王茂，26-5汪登源	○
950	五塢	下下地	330.0	0.6600		27-5王茂	○
951	五塢	下下地 山	30.0	0.0600 3.3200		27-5金萬政	○
952	五塢	下下地	472.0	0.9440		27-5金萬政	○
953	五塢	塘	255.8	0.9840		27-5金萬政	○
954	五塢	下地	25.5	0.0730		27-5畢盛等	○
955	五塢	下田	171.1	0.6580	法曜	27-5畢盛	○
956	五塢	下田 塘	121.3 4.0	0.4670 0.0150		27-5畢盛・王茂	○
957	五塢	下田	89.6	0.3290	金尙	27-5畢盛	○
958	五塢	下田	138.7	0.5330	義齊	27-5王茂	○
959	五塢	下田	331.7	1.2760		27-5王茂	○
960	五塢口	下下地	27.0	0.0540		27-5金萬政	○
961	竹木	山		2.0000		27-5陳祥・金萬政	○
962	五塢竹木	下地	64.0	0.1830		27-5陳祥・金萬政	○
963	五塢	中田	202.9	0.9220		27-5王茂・陳祥	○
964	五塢	中田	232.6	1.0550		27-5王茂	○
965	五塢口	中田	198.5	0.9020	老個	27-3朱玄貴	○
966	五塢	中田	234.4	1.0650	老個	27-5陳祥，27-1朱天生	○
967	五塢口	中田	243.0	1.1050	汪員	27-5王茂	○
968	五塢口	中田	240.8	1.0940	汪員	27-5王茂	○
969	五塢口	上田	292.7	1.5410	進祿	27-5金萬政	○
970	五塢口	上田	295.3	1.5540		27-5王茂	○
971	過水坵	中田	193.5	0.8790	洪志	27-5王茂，27-1王爵	○
972	塘坑	山		2.3000		27-5王時	○
973	塘坑	塘	58.8	0.2260		27-5王茂・汪琰	○
974	塘坑	下田	257.0	0.9880		27-5汪琰	○

975	弯充塘坑	塘	366.0	1.4080		27-5王茂・金萬政・陳旦, 27-6陳付・陳甫	○
976	塘坑	中田	277.4	1.2610	金尚	27-5王茂	○
977	塘坑口	中田	175.0	0.7960	長法	27-5王茂，27-1陳勝祐	○
978	小塢口	下田	264.9	1.0200	岩付	27-5王茂	○
979	小塢口山	山		0.7500		27-1陳興	○
980	小塢口山	山		1.0000	金付	27-5金萬政	○
981	小塢塘	塘	41.6	0.1600		27-5金萬政	○
982	小塢田	下田	175.9	0.6770	金下	27-5金萬政	○
983	小塢田	下田	227.6	0.8750	金下	27-5金萬政	○
984	大塢	下下地 山	57.0	0.1140 1.0000		27-5金萬政	○
985	大塢山	山		0.7500		27-5陳祥	○
986	大塢山地	下下地 山	43.0	0.0860 1.7050		27-5陳祥，27-1陳興，27- 6陳甫	○
987	大塢田	下田	99.1	0.3810	長才	27-5金萬政	○
988	查兒林山	山		2.5000		27-1陳振達・王爵	?
989	灣充山	下地 山	10.0	0.0290 1 .0000		27-5汪琰	?
990	上充嶺塘	塘	48.7	0.1870		27-5金萬政	?
991	止坑田	下下田	112.2	0.3740	長才	27-5金萬政	?
992	大塢田	下田	119.9	0.4610		27-5金萬政	○
993	大塢	下田	84.0	0.3230		27-5金萬政	○
994	止坑田	下田	268.8	1.0340		27-5陳祥・汪滿	?
995	大塢田	下田	443.5	1.7060		27-1汪明	○
996	止坑地	下下地	136.0	0.2720		27-1王爵・陳振達	?
997	大塢	下田	266.0	1.0210	伍拾	27-5陳祥	○
998	大塢田	下田	273.4	1.0510		27-5陳祥	○
999	大塢田	中田	222.1	1.0090		27-5陳祥	○
1000	大塢田	中田	231.5	1.0540	伍拾	27-5汪琰	○
1001	吳四公塢山	山		1.8000		27-5金萬政	?
1002	程灣塘地	下下地	194.0	0.3880		27-5汪琰	?
1003	程灣塘田	下田	121.3	0.4670	金仲	27-5陳祥	?
1004	查兒林	中田	49.5	0.2250		27-5陳祥	?
1005	查兒林	下下田	240.6	0.8020	金仲	27-5陳祥	?
1006	查兒林	中田	168.9	0.7660	員德	27-5陳祥	?
1007	腰帶坵	中田	376.6	1.7120	細個	27-5金萬政	?
1008	腰帶坵	中田	98.8	0.4490	細個	27-5金萬政	?
1009	前山壊田	中田	247.2	1.1240	伍拾	27-5王茂	○

1010	塘坑口田	中田	191.9	0.8720		27-5王茂	?
1011	灣充田	上田	181.0	0.9530		27-5金萬政	?
1012	塘坑口	中田	196.4	0.8930	汪元	27-5王茂	○
1013	塘坑口	上田	320.9	1.6890	天潯	27-5陳宜	○
1014	塘坑口	上田	322.7	1.6990		27-5王茂	○
1015	塘坑口	中田	338.4	1.5380		27-5金萬政	○
1016	前山培	中田	272.6	1.2390	志個	27-5金萬政，27-1王爵	○
1017	吳公四塢	下地	184.0	0.5260		27-5金萬政	?
1018	前山田	下田	80.6	0.3100		27-5金萬政	○
1019	前山堁	中田	150.4	0.3840	津拾	27-5金萬政	○
1020	灣充	上田	288.8	1.5170	甲毛	27-5王茂	○
1021	金燈盞	上田	388.9	2.0470	員力	27-5王茂・汪琰	?
1022	□□	中田	86.4	0.3930	新法	27-5王茂	?
1023	灣充口	上田	211.4	1.1130	法志	27-5陳祥	○
1024	灣充	上田	105.6	0.5560	付保	27-5王茂	○
1025	灣充田	上田	178.3	0.9380	能曜	27-5王茂	○
1026	灣充田	上田	172.0	0.9050	黑林	27-1陳興	○
1027	牛塢口田	上田	178.1	0.9040	保壽	27-5金萬政	?
1028	灣充田	上田	166.8	0.8800	天員	27-5王茂	○
1029	灣充長坵	上田	284.6	1.4980	新德	27-1朱洪	○
1030	灣充金燈盞	上田	128.3	0.6750	長才	27-1朱曜	○
1031	灣充田	上田	103.0	0.5420	天付	27-1汪明	○
1032	灣充田	上田	234.2	1.2330	天付	27-1陳天相	○
1033	灣充田	上田	174.1	0.9160	天員	27-5陳祥	○
1034	灣充田	上田	182.9	0.9630	志個	27-1朱曜	○
1035	灣充田	上田	368.5	1.9390	法曜	27-1王爵	○
1036	灣充田	上田	252.2	1.3270	六個	27-5王茂，27-1陳光儀	○
1037	灣充田	上田	347.2	1.8270	三義	27-1陳時陽	○
1038	灣充田	上田	181.2	0.9540		27-5金萬政	○
1039	灣充田	上田	281.6	1.4850		27-5金萬政	○
1040	前山培田	下田	166.9	0.5430	金仲	27-5陳祥	○
1041	前山堁地	下下地	35.5	0.0710	汪祥	27-5金萬政	○
1042	灣充田	上田	177.0	0.9320	四個	27-1王爵	○
1043	灣充田	上田	179.8	0.9460	洪志	27-1王爵	○
1044	灣充田	上田	170.8	0.8990	四個	27-5王茂	○
1045	灣充田	上田	141.4	0.7440	法志	27-1王爵	○
1046	灣充田	上田	186.6	0.9820	付保	27-5王茂	○
1047	灣充田	上田	140.9	0.7420		27-1王爵	○
1048	灣坵田	上田	159.0	0.8360	明曜	27-5陳祥	○

1049	灣充田	上田	208.6	1.0980	義齊	27-5陳章	○
1050	前山培田	下田	80.3	0.3090	義齊	26-5汪登源	○
1051	灣充田	上田	394.6	2.0770	付保	27-5陳祥	○
1052	灣充田	上田	111.6	0.5870	六個	27-1陳天相	○
1053	燈盞坵田	上田	114.3	0.6020	天曜	27-5王茂	?
1054	灣充田	上田	39.0	0.2050		27-5金萬政	○
1055	灣充田	上田	188.8	0.9920		27-5王茂	○
1056	灣充田	上田	153.0	0.8500	六個	27-1陳天相	○
1057	灣充田	上田	197.0	1.0360	新玘	27-？汪天祿	○
1058	前□壒田	下田	82.8	0.3180		27-5王茂，26-5汪登源	?
1059	前□壒田	下田	44.0	0.1690	新起	27-6陳甫	?
1060	灣充口田	上田	116.8	0.6140	進祿	27-5王茂	○
1061	灣充田	上田	237.5	1.2500		27-1陳光儀・陳寓祿	○
1062	灣充田	上田	344.1	1.8110	細個	27-5陳章・王時	○
1063	灣充田	上田	227.0	1.1910	天元	27-5陳祥	○
1064	灣充田	上田	21.0	0.1110	金下	27-5金萬政	○
1065	灣充田	上田	402.3	2.1170	法志	27-5王茂	○
1066	灣充金崗坵	上田	486.7	2.5620		27-5金萬政	○
1067	灣充田	上田	246.8	1.2980	寄保	27-5朱憲	○
1068	灣充田	上田	322.6	1.6880	金仲	27-5金萬政	○
1069	灣充田	上田	339.8	1.7880	新起	27-1王爵	○
1070	灣充田	上田	231.1	1.2160	社潯	27-1陳天相	○
1071	灣充田	上田	237.4	1.2490	社志	27-1陳本	○
1072	灣充田	上田	174.6	0.9190	五個	27-1朱得眞	○
1073	灣充田	上田	235.0	1.2370		27-1陳興	○
1074	前山培田	上田	137.6	0.7240		27-5王茂	○
1075	前山	下地 山	20.0	0.0570 2.2000		27-5王茂，27-1王爵，陳軒	○
1076	前山田	下田	181.5	0.6980		27-5王茂	○
1077	□□	下田	274.5	1.0560		27-1陳興	?
1078	□□	上田	197.4	1.0390		27-5陳祥，27-1陳興	?
1079	前山地	上地	100.0	0.5000		27-5王茂，27-1王爵・陳軒	○
1080	前山地	上地	74.8	0.3740		27-1陳軒	○
1081	丁家嶺地	上地	172.8	0.8640		27-5王茂	?
1082	前山地	上地	73.0	0.3650	志個	27-1王爵	○
1083	丁家嶺田	中田	312.6	1.4210	洪志	27-5王茂，27-1陳興	?
1084	前山田	中田	319.0	1.4500	志個	27-5陳祥	○
1085	前山田	中田	117.6	0.5340	志個	27-5陳祥	○

1086	前山田	中田	116.7	0.5300	進祿	27-1王爵	○
1087	灣充	塘	49.4	0.1900		27-1王爵・陳天相・陳時陽	○
1088	灣充口田	上田	299.1	1.5740	洪志	27-1朱得眞	○
1089	灣充口田	上田	161.7	0.8510	初義	27-1王爵	○
1090	灣充口田	上田	178.0	0.9370	記盛	27-5王茂，27-1陳祖陽	○
1091	灣充口田	上田	81.8	0.4300	金仲	27-5陳祥	○
1092	灣充田	上田	191.6	1.0100	長保	27-1陳興	○
1093	灣充口田	上田	278.7	1.4760	呉元	27-1王爵・陳相	○
1094	前山田	上田	309.7	1.6300	洪志	27-5王茂，27-1王爵	○
1095	灣充口田	上田	113.2	0.5960		27-1陳興	○
1096	灣充口田	上田	120.4	0.6330	義齊	27-5王茂	○
1097	灣充口	上田	225.7	1.1880		27-5王茂	○
1098	灣充口田	上田	177.1	0.9330	洪志	27-5王茂	○
1099	前山田	上田	199.5	1.0500	來興	27-1王爵	○
1100	鶴田前山田	上田	208.1	1.0950	五個	27-1朱法	○
1101	丁家嶺田	上田	415.5	2.1870	記成・洪志	27-1陳時陽	?
1102	銀則坵田	上田	193.0	1.0150	洪志	27-5王茂	?
1103	臘肉坵田	上田	144.4	0.7600	進祿	27-5王茂	○
1104	臘肉坵田	上田	130.1	0.6840	進祿	27-5王茂	○
1105	臘肉坵田	上田	295.7	1.5560	甲毛	27-5王茂	○
1106	大坪橋田	上田	301.0	1.5830	甲毛	27-5陳章	○
1107	太平橋田	上田	180.6	0.9500		27-5王茂	○
1108	下三畝田	上田	179.8	0.9460		27-5王茂	○
1109	下三畝田	上田	182.1	0.9580		27-1陳興	○
1110	水碓邊田	上田	179.9	0.9470		27-1陳建忠・陳鶴	○
1111	水碓前田	上田	179.2	0.9430		27-5汪琰	○
1112	塘堀田	上田	80.0	0.4210		27-5王茂	?
1113	塘堀田	上田	109.5	0.5760	黒九	27-5陳章	?
1114	臘肉坵田	上田	227.5	1.1970	天法	27-1陳本	○
1115	黃檢塌田	上田	314.2	1.6540	雲付	27-5金萬政・王茂	?
1116	黃檢塌田	上田	245.3	1.2900		27-5王茂	?
1117	黃檢田	上田	335.7	1.7660	有德	27-5王茂	?
1118	臘肉坵田	上田	115.3	0.6060	有德	27-5王茂	○
1119	臘肉坵田	上田	103.7	0.5460	來興	27-1王爵	○
1120	臘肉坵田	上田	191.5	1.0070	記來	27-5王茂	○
1121	臘肉坵	上田	106.5	0.5060	付保	27-5王茂	○
1122	六畝丘	上田	260.0	1.3600		27-5王茂	?

1123	隆下田	上田	218.7	1.1510	志個	27-1陳天相	?
1124	臘肉坵	上田	299.7	1.5770	曜潯	27-5王茂	○
1125	臘肉坵	上田	188.3	0.9910		27-1王爵	○
1126	丁家嶺	上田	211.1	1.0110	來興	27-1王爵	?
1127	丁家嶺	上田	225.6	1.1870	齊興	27-1王爵	?
1128	丁家嶺	上田	228.2	1.2010	來興	27-1王爵	?
1129	馬安山	山		0.9750	四十	27-5王齊興	○
1130	丁家嶺	下下地	146.5	0.2920	金四十	27-5王齊興	?
1131	丁家嶺脚	上田	202.3	1.0640	天法	27-5王茂	?
1132	丁家嶺脚	上田	184.5	0.9710	辛潯	27-5王茂	?
1133	丁家嶺	上田	187.2	0.9850		27-5王茂	?
1134	丁家嶺	上田	206.6	1.0870	法潯	27-5王茂	?
1135	丁家嶺	上田	207.1	1.0900	來興	27-5王爵	?
1136	丁家嶺	上田	208.1	1.0950		27-1朱得眞	?
1137	丁家嶺	上田	213.8	1.1210	法志	27-5金萬政	?
1138	丁家嶺	上田	209.7	1.1040		27-1陳學	?
1139	銀錠坵	上田	314.5	1.6550	社志	27-5王茂	○
1140	仲陸畝丘	上田	225.9	1.1900	洪志	27-5王茂	?
1141	陸畝丘	上田	204.2	1.0740		27-5王茂	?
1142	陸畝丘	上田	206.5	1.0860	五拾	27-5王茂，27-1朱法	?
1143	水碓坵	上田	173.2	0.9150	辛法	27-5王茂	○
1144	水碓坵	上田	205.4	1.0810		27-1陳本	○
1145	隆下	上田	264.6	1.3930	龍俚	27-1朱得眞	○
1146	陸畝丘	上田	226.6	1.1920	法潯	27-5王茂	○
1147	隆下梭坵	上田	308.2	1.6220	三個	27-5王茂	○
1148	隆下	上田	550.6	2.8980	天進	27-1鄭才	○
1149	隆下	上田	196.5	1.0340	教化	27-1王爵・陳天相	○
1150	隆下	上田	341.0	1.7930	社志	27-5陳章	○
1151	隆下	上田	390.0	2.0500		27-5王茂	○
1152	隆下	山		0.5000		27-5王時	○
1153	隆下	下下地 山	20.0	0.0400 0.6000		27-5王茂	○
1154	隆下	下地 山	20.0	0.0570 1.7200		27-1陳相・陳球・陳嘉	○
1155	隆下	下地	81.0	0.1620		27-5王時	○
1156	蜈巴山脚	上田	209.9	1.1050	龍俚	27-5王茂，27-1陳本	?
1157	隆下	上田	633.3	3.3330	洪志	27-1朱得眞	○
1158	梭坵	上田	596.6	3.1400	長保	27-1朱得眞	○
1159	隆下	上田	302.0	1.5890	新玘	27-1鄭才	○

1160	隆下	上田	71.7	0.3770	龍俚	27-1朱得眞	○
1161	隆下田	上田	274.3	1.4430	洪志	27-5金萬政	○
1162	隆下橋頭	上田	128.9	0.6780		27-5王茂	○
1163	隆下田	上田	156.9	0.8250	文□	27-5王茂	○
1164	隆下田	上田	362.8	1.9090	老個	27-1朱得眞	○
1165	隆下	上田	189.2	0.9960	天進	27-1朱得眞	○
1166	隆下	上田	258.3	1.3590	記盛	27-1陳建忠	○
1167	隆下	上田	261.7	1.3770	白狗	27-1陳學	○
1168	隆下	上田	195.1	1.0270	天雷	27-1陳天相・陳時陽	○
1169	隆下田	上田	251.9	1.3260	天付	27-1陳天相	○
1170	隆下田	上田	135.6	0.7140	元義	27-1汪明	○
1171	隆下田	上田	133.4	0.7020	元義	27-1陳天相	○
1172	隆下田	上田	216.7	1.1410	三義	27-1陳寓祿	○
1173	隆下田	上田	148.6	0.7820	天付	27-1朱得眞	○
1174	隆下田	上田	96.9	0.5100	新德	27-5陳章	○
1175	隆下田	上田	96.6	0.5080	三義	27-1汪明	○
1176	隆下田	上田	497.3	2.6170	天進	27-1朱得眞	○
1177	柿樹丘	上田	163.2	0.8590	初義	27-1陳建忠	?
1178	隆下田	上田	355.6	1.8710	白九	27-1陳岩求	○
1179	隆下田	上田	188.3	0.9910	□俚	27-1陳貴	○
1180	隆下田	上田	362.2	1.9060	萬全	27-1陳寓祿	○
1181	隆下田	上田	227.0	1.1940	四義	27-1陳天相	○
1182	隆下地	下下地	165.0	0.3300		27-1陳岩求	○
1183	隆下田	上田	244.5	1.2870	新德	27-5陳章	○
1184	隆下田	中田	231.7	1.2190	記來	27-1陳天相	○
1185	隆下田	中田	229.5	1.0420	長保	27-1陳岩求	○
1186	隆下田	上田	154.6	0.8140	天成	27-1汪明	○
1187	隆下田	中田	192.1	1.0110	長保	27-1王爵	○
1188	隆下田	上田	223.1	1.1740	記來	27-1汪明	○
1189	隆下田	上田	251.8	1.3250	天法	27-1陳善	○
1190	隆下田	中田	236.3	1.0740	洪志	27-1汪明	○
1191	隆下田	中田	334.4	1.5200	長保	27-1王爵	○
1192	隆下田	中田	169.4	0.7700	汪元	27-1陳貴	○
1193	隆下田	中田	159.3	0.7240	□力	27-1汪明	○
1194	隆下田	中田	195.1	0.8870	□力	27-1陳相	○
1195	銀瓶垢	上田	274.9	1.4470	雲林	27-1陳善	○
1196	隆下田	上田	232.6	1.2240	元義	27-1汪明	○
1197	隆下塌頭田	上田	330.1	1.7380	向明	27-5朱清，27-1朱法	○
1198	銀瓶丘田	上田	273.4	1.4390	天付	27-1王爵	○

1199	隆下田	上田	205.2	1.0800	查長	27-1陳天相	○
1200	隆下田	上田	215.1	1.1330	三保	27-1陳天相	○
1201	隆下田	上田	78.2	0.4110		27-1汪明	○
1202	隆下田	上田	236.4	1.2450		27-1陳善	○
1203	隆下田	上田	188.3	0.9910		27-1陳相	○
1204	?	上田	192.0	1.0080	白九	27-5　?	?
1205	隆下田	中田	173.4	0.7880		27-1陳本	○
1206	隆下田	中田	150.6	0.6840	義力	27-1朱法	○
1207	隆下田	中田	182.2	0.8280		27-1陳善	○
1208	隆下田	中田	212.4	0.9650		27-1朱法	○
1209	隆下山及地	下下地 山	120.0	0.2400 0.8880		27-5朱清・陳章，27-1陳寓祿・陳振達	○
1210	隆下塘	塘	43.5	0.1670		27-5朱清・陳章，27-1朱法	?
1211	隆下地三斤	中地	63.7	0.2550		27-5朱清	?
1212	隆下田	上田	107.5	0.5660		27-1陳新	○
1213	隆下田	上田	164.4	0.8650		27-1陳寓祿・陳明	○
1214	隆下田	上田	148.5	0.7820		27-1陳寓祿	○
1215	隆下田	上田	167.2	0.8800		27-1陳寓祿	○
1216	隆下田	上田	207.7	1.0930		27-1陳寓祿	○
1217	隆下田	中田	135.9	0.6180	天龍	27-5朱清	○
1218	隆下田	中田	135.1	0.6140	記明	27-5朱清	○
1219	隆下田	中田	131.9	0.6000	再德	27-5朱清	○
1220	隆下田	中田	137.3	0.6240	倘明	27-5朱清	○
1221	隆下田	上田	216.3	1.1380		27-1陳寓祿	○
1222	隆下田	上田	263.1	1.3850	倘明	27-1朱曜	○
1223	隆下田	上田	232.2	1.2200	天龍	27-1朱法	○
1224	隆下田	上田	502.4	2.6440		27-5陳滄・劉再得	○
1225	隆下田	上田	410.1	2.1580		27-5陳滄	○
1226	隆下田	上田	61.3	0.3230		27-5陳滄	○
1227	隆下月形地	上地	12.5	0.0600	倘明	27-1陳興	○
1228	月形地	上地	52.3	0.2620	倘明	27-5朱清	○
1229	月形墳地	上地	44.0	0.2200		27-6陳文	○
1230	月形墳地	上地	90.0	0.4500		27-1陳振達，27-6陳文	○
1231	月形墳地	上地	100.0	0.5000		27-1陳興・陳寓祿，27-6陳文	○
1232	月形墳地	上地	30.93	0.1550		27-1陳興	○
1233	月形山	山		1.0000		27-1王爵	○

1234	隆下塢山地	下地 山	183.0	0.5230 0.8750		27-5朱清・金萬政，27-1朱法	○
1235	下塢山地	上地 山	24.0	0.1200 0.5000		27-5陳滄	○
1236	伴月星□地	中地 山	72.0	0.0870 0.5500		27-5陳章	○
1237	下塢嶺地	下地	27.4	0.1100		27-1朱曜	○
1238	下塢圓三坵	下田	94.4	0.3640		27-5陳滄	○
1239	下塢田二坵	上田	95.0	0.4990		27-5陳章	○
1240	下塢田	下田	68.6	0.2640		27-5陳滄	○
1241	銀瓶坵	上田	111.9	0.5840	金大	27-5王茂	○
1242	銀瓶坵	上田	52.6	0.2260		27-5王繼成	○
1243	銀瓶坵	上田	194.6	1.0240		27-5王繼成	○
1244	銀瓶坵	上田	151.1	0.7950		27-1王爵	○
1245	瓦窯前	上田	429.0	2.2570		27-5王茂	○
1246	瓦窯前	山		0.2250		27-5王桂・王法	○
1247	瓦窯前	山		2.5880		27-1王爵	○
1248	瓦窯前	中田	282.0	1.2810		27-1王爵	○
1249	瓦窯前	上田	142.0	0.7480		27-5陳章	○
1250	亭前	上田	206.3	1.0850		27-5王茂	?
1251	江田堨	上田	184.8	0.9730		27-1王爵	?
1252	亭前	上田	136.5	0.7180		27-1王爵	?
1253	亭前	上田	118.7	0.6250		27-1王爵	?
1254	亭前	上田	364.6	1.9200		27-1陳善	?
1255	亭前	上田	261.8	1.3780		27-1朱法	?
1256	亭前	上田	271.7	1.4300		27-1陳興	?
1257	鶴田干水梘堨	上田	400.1	2.1600	初員	27-1王爵	○
1258	鶴田干	上田	256.1	1.3480	細個	27-1朱友方	○
1259	雙眉坵	上田	176.0	0.9760	辛玘	27-5陳章	?
1260	鶴田干	上田	368.2	1.9380	初員	27-1陳本	○
1261	饅頭山	上田	230.8	1.2150	紹保	27-1陳振達	?
1262	雙眉坵	上田	182.4	0.9600	辛玘	27-5陳章	?
1263	梭眉坵	上田	285.8	1.5050	細個	27-1陳興	?
1264	伍畝丘	上田	495.6	2.6100		27-1陳興	?
1265	伍畝丘	上田	462.2	2.4320	保壽	27-1陳興	?
1266	鶴田干	上田	288.7	1.5190	大法	27-5朱祖祐	○
1267	鶴田干	上田	120.1	0.6330	付進	27-5陳祥	○
1268	鶴田干	上田	124.0	0.6530	遲德	27-1陳興	○
1269	鶴田干	上田	123.4	0.6500		27-1陳振達・汪明	○

1270	鶴田干	上田	118.1	0.6220		27-1陳振達・汪明	○
1271	春碓坵	上田	267.4	1.4700		27-1朱汝投	?
1272	查干井	上田	270.8	1.4250		27-5王茂	○
1273	饅頭山	上田	224.6	1.1820		27-5王時，27-1陳振達	?
1274	查干井	上田	267.1	1.4060		27-5陳章	○
1275	查干井	上田	246.3	1.2960	金祥	27-5金萬政，27-1陳祖陽	○
1276	查干井	上田	267.1	1.2140	金祥	27-5金萬政，27-1陳祖陽	○
1277	查干	中田	360.4	1.6380	初義	27-1王爵，27-3朱玄貴	○
1278	鳥龜墩	下地	5.0	0.0130	初義	27-1王爵	○
1279	瓦窯前	山		0.9780	陳法	27-5王法・王桂	?
1280	呈家充	下下地 山	31.0	0.0620 0.9350	陳法	27-1陳興・陳振達	○
1281	呈家充	山		0.0250		27-1陳法	○
1282	呈家充	山		0.9250	陳法	27-1陳興・陳振達	○
1283	高充	山		0.3300		27-5程學，27-1陳法	○
1284	高充上岩	下下田	230.1	0.7670	進喜	27-5王茂	○
1285	高充□	下下田	84.0	0.2800	陳順	27-1陳振達	○
1286	高充	下下田	184.6	0.6150	陳時	27-1陳時陽	○
1287	高充	下田	121.3	0.4630	陳順	27-1著存觀・呂尚弘	○
1288	高充	下下地 山	15.0	0.0300 1.2500	陳法	27-5王法・王桂	○
1289	高充	下田	90.7	0.3500	陳順	27-5程學	○
1290	高充塘	塘	35.7	0.1370		27-5程學・王茂	○
1291	高充	下田	113.7	0.4370	陳時	27-5程學	○
1292	高充	下田	261.2	1.0050	陳順	27-5程學	○
1293	高充	下下田	140.2	0.4670		27-5王茂	○
1294	高充	下下田	135.2	0.4510	陳時	27-1陳興	○
1295	高充	下下田	112.9	0.3760	長才	27-1王爵	○
1296	高充	下下田	133.4	0.4440	長才	27-5王時	○
1297	上程嶺	山		0.7500		27-1王齊龍	○
1298	上程嶺	下下地	50.0	0.1000		27-5王茂	○
1299	上程嶺	山		0.8000		27-1陳法	○
1300	上程嶺	山		0.2300		27-5陳章	○
1301	上程嶺	下下田	285.2	0.9510	伍拾	27-1王爵	○
1302	上程嶺	下下田	82.5	0.2750	陳時	27-5王茂	○
1303	上程嶺	下下田	110.9	0.3700	陳法	27-1陳振達	○
1304	上程嶺	下下田	226.9	0.7560		27-1陳振達	○
1305	上程嶺頭	山		0.2500		27-5陳章	○
1306	程家充	山		0.3000		27-1陳法	○

1307	程家充塘	塘	1168.2	4.4930		27-5金萬政・陳章・朱滔・程學・王初・王茂・王法・王齊興・王時・汪祿，27-1著存觀・王爵・陳興・陳振達・陳法，11-3金桐竹	○
1308	程家充	下下田	446.9	1.4900		27-1王爵	○
1309	程家充	下田	96.6	0.3720		27-1陳社記	○
1310	程家充	下田	87.1	0.3350		27-5程學	○
1311	程家充	下田	151.0	0.5810	社祖	27-5王茂	○
1312	程家充	中田	110.6	0.5480	伍拾	27-5王茂	○
1313	程家充塘尾	中田	334.9	1.5220	伍拾	27-1王爵	○
1314	瓦窯前	下田	45.4	0.1740	社祖	27-5王法・王桂	?
1315	程家充塘下	中田	232.3	1.0550	進喜	27-1陳興	○
1316	井塝上	下田	347.6	1.3360	社祖	27-5王榮，27-1陳善	○
1317	井邊	中田	255.8	1.1640	伍拾等	27-1陳興	○
1318	長風井	中田	10.0	0.0400		27-1陳法	○
1319	井邊	下田	143.3	0.5510	順力	27-1陳興	○
1320	査干	中田	137.7	0.6260	順力	27-5金萬政	○
1321	井邊	中田	176.5	0.8020	陳進	27-5陳祥	○
1322	井邊	中田	182.8	0.8310	陳時	27-5陳章	○
1323	井邊	中田	119.4	0.5430	王德	27-5陳章	○
1324	井下	中田	176.2	0.8010	順力	27-5程相	○
1325	井下	中田	185.0	0.8410	進賢	27-5王時	○
1326	査干	上田	162.0	0.7350	班理	27-5朱濱・朱滔・朱淳	○
1327	水渠	中田	72.6	0.3390	金雲付	27-5陳章	?
1328	水渠丘	中田	173.2	0.7870	雲付	27-5陳章	?
1329	査干墩	中田	233.5	1.0610	雲付	27-5金萬政	○
1330	査干井	中田	194.3	0.8830	陳順	27-5王茂	○
1331	井邊	中田	238.2	1.0830		27-5陳章	○
1332	程家充	中田	288.0	1.3090		27-1王爵	○
1333	井邊	中田	180.9	0.8220	陳時	27-1陳善	○
1334	山灣	上田	358.2	1.8850	陳相	27-1陳振達	○
1335	山灣	上田	267.0	1.4500		27-1陳天相	○
1336	査干井	中田	161.0	0.7380	四十	27-1陳振達	○
1337	査干井	塘	149.0	0.5730		27-5王時	○
1338	査干井	上田	326.3	1.7170	招保	27-5王齊興	○
1339	學田干	上田	144.6	0.7660	唐保	27-1王爵	○
1340	學田干	上田	298.0	1.5690	天雪	27-1陳潤德	○

1341	學田干	上田	106.6	0.5610	義龍	27-1王爵	○
1342	學田干	上田	321.0	1.6890	義龍	27-1王爵	○
1343	學田干	上田	320.9	1.6890		27-5朱祖祐	○
1344	學田干	上田	340.3	1.7910		27-5王茂，27-1陳興，27-3朱玄貴	○
1345	學田干	上田	205.0	1.0780	法志	27-1陳善	○
1346	竹林押	上田	154.8	0.8140	初法	27-5陳祥	○
1347	竹林押	上田	143.4	0.7550	招保	27-5王茂	○
1348	竹林押	上田	189.8	0.9990	五個	27-1陳建忠・陳嘉	○
1349	竹林押	上田	196.6	1.0340	招保	27-5王茂	○
1350	竹林押	上田	180.4	0.0490	記保	27-1陳天相	○
1351	竹林押	上田	150.7	0.7930		27-1陳天相	○
1352	竹林押	上田	141.3	0.7430		27-5王茂	○
1353	竹林押	下田	54.3	0.2080	招保	27-5王時	○
1354	竹林押	上田	195.0	1.0260	招保	27-5王時	○
1355	竹林押	上田	185.5	0.9760	法曜	13-2程文	○
1356	竹林押	上田	183.4	0.9650	招保	27-1陳天相	○
1357	楊樹坵	上田	177.2	0.9330	初法	27-1王爵	○
1358	楊樹坵	上田	133.4	0.7200	銀童	27-1王爵	○
1359	學田干	上田	264.3	1.3910	長富	27-5王茂，27-1陳興，27-3朱玄貴	○
1360	學田干	上田	248.2	1.3060	教化	27-5朱滔・王茂	○
1361	學田干	上田	198.3	1.0430	元義	27-1汪侚	○
1362	學田干	上田	168.5	0.8870	元義	26-4洪雲相	○
1363	竹林押	上田	177.6	0.9350	七潯	27-5金萬政	○
1364	津畝坵	上田	158.0	0.8300	明曜	27-5王茂	○
1365	竹林下	上田	117.8	0.6200		27-1陳寓祿	○
1366	竹林押	上田	76.6	0.4040	□得	27-5陳宜	○
1367	竹林押下	上田	208.6	1.0980	細個	26-4洪雲相	○
1368	竹林下滄坵	上田	281.8	1.4830		27-1陳天相	○
1369	滄丘	上田	293.9	1.5460	細個	27-1陳學	?
1370	大路坑	上田	308.4	1.6230	洪志	27-1王爵	○
1371	行坵	上田	270.8	1.4250	寄保	27-5王桂	?
1372	行坵	上田	543.3	2.8600	至個	27-5王茂	?
1373	行坵	上田	522.7	2.7510	天進・初義	27-1王爵・汪滿	?
1374	小幸坵	上田	268.5	1.4130		27-5王茂	?
1375	古巷口	中田	266.5	1.2110	細個	27-1王爵	?
1376	黄土嶺脚	中田	123.8	0.5640		27-5王法	○

1377	黃土嶺脚	中田	125.2	0.5600	應雷	27-5王桂	○
1378	黃土嶺脚	中田	103.2	0.4690	應雷	27-5王桂	○
1379	嶺脚	中田	129.0	0.5860	應雷	27-5王桂	○
1380	嶺脚	中田	39.9	0.1820		27-5王法	○
1381	黃土嶺脚	中田	305.9	1.3900	雲來	27-1王爵	○
1382	嶺脚	下下田	38.6	0.1300	津拾	27-5王齊興	○
1383	嶺脚	下下田	72.9	0.2430		27-5王法	○
1384	嶺脚	下下田	44.5	0.1480		27-1陳鉤等	○
1385	嶺脚	下下田	101.0	0.3370		27-5王法	○
1386	嶺脚	下田	41.8	0.1400	臘保	27-5王齊興	○
1387	黃土嶺	山		0.5000		27-5陳新	○
1388	尖刀坵	下下地 山	40.0	0.0800 2.0000	互力	27-5陳新，27-1陳晉・陳嘉・陳天相・陳岩求	○
1389	尖刀坵	下下田	96.0	0.3200	教化	27-1陳振達	○
1390	尖刀坵	下下田	209.1	0.6970	教化	27-1陳振達	○
1391	嶺脚	下下田	66.2	0.2200		27-5王法	○
1392	黃土嶺	下下地 山	70.2	0.1400 0.7700	王法	27-5王茂・王法	○
1393	黃土嶺	山		0.2800	付進	27-5王齊興	○
1394	黃土嶺	下下地 山	85.0	0.1700 0.5070	付進	27-5王齊興	○
1395	黃土嶺	下下地 山		0.1700 0.5070	津拾	27-5王齊興	○
1396	洪山	山		0.2800	津拾	27-5陳新・陳鉤，27-1陳晉・陳岩求	○
1397	洪山	下下地 山	50.0	0.1000 0.6900		27-5王茂	○
1398	洪山下	山		0.5500		27-5王茂	○
1399	洪山下	上田	295.6	1.5560	義龍	27-1王爵	○
1400	洪山下	上田	119.3	0.6280	大法	27-5金萬政	○
1401	洪山下	上田	154.4	0.8130	天法	27-5金萬政	○
1402	洪山下	上田	190.2	1.0010	金仲	27-5金萬政	○
1403	洪山下	上田	220.3	1.1600	天潯	27-5金萬政，27-1王爵	○
1404	洪村□下	上田	223.9	1.1780		27-1王爵	?
1405	魚塘山	下下地 山	150.0	0.3000 0.5000		27-1王爵	?
1406	洪村堪	上田	239.4	1.2600	宋八	27-5陳祥	?
1407	水碓渴	上田	133.0	0.7000	天潯	27-5金萬政	○
1408	洪村墈	上田	68.5	0.3610	初義	27-1王爵	?

1409	洪村墈	上田	71.0	0.3700		27-5王茂	?
1410	塢門口	上田	162.9	0.8570	長付	27-1王爵	?
1411	洪村墈	中地	39.0	0.1560	吳志	27-1王爵	?
1412	洪村墈	中地	125.3	0.5010		27-5王慶	?
1413	洪村堪下	上田	203.0	1.0680	宋八	27-5陳祥	?
1414	洪村堪下	上田	518.9	2.7310	初法	27-5陳祥	?
1415	洪村堪下	上田	444.4	2.3390	義付	27-5王茂	?
1416	洪村墈	下地	186.8	0.5340		27-5陳祥	?
1417	洪村竹園	中地	454.6	1.8180		27-5陳祥	?
1418	洪村竹園	中地	43.6	0.1740		27-5陳祥	?
1419	洪村竹園	中地	71.9	0.2880		27-5陳興	?
1420	洪村墈	中地	52.6	0.2100		26-4洪玄應	?
1421	洪村墈	下地	69.9	0.2000		27-5陳章，27-6陳甫	?
1422	洪村竹園	中地	122.4	0.4900		27-5陳祥	?
1423	洪村	下地	29.6	0.0850		27-5陳祥	?
1424	洪山	下地 山	105.9	0.3030 0.2500		27-5陳祥	○
1425	洪村	山		0.7000		27-5王茂	?
1426	洪村	山		0.2500		27-5陳興	?
1427	洪村	山		0.2000		27-6陳付	?
1428	洪村	山		0.2500		27-5陳祥	?
1429	洪村	下地	60.0	0.1710		27-5陳祥，27-6陳甫・陳付	?
1430	洪村	下地	103.0	0.2940		27-5陳祥	?
1431	洪村	中地	135.3	0.5410		27-5陳祥	?
1432	洪村	上地	220.9	1.1040		27-5陳祥	?
1433	洪村	中地	129.9	0.5200		27-6陳付	?
1434	洪村	中地	53.5	0.2140		27-5陳章	?
1435	洪村	上地	336.0	1.6800		27-5王齊興，27-6陳甫	?
1436	洪村	下田	8.0	0.0220		27-5陳祥	?
1437	洪村竹園	中地	159.2	0.6370		27-5王茂，27-1陳興	?
1438	街頭園	中地	160.7	0.6430		27-5王茂	?
1439	街頭園	中地	160.7	0.6430		27-5王茂	?
1440	街頭園	中地	270.8	1.0840		27-5王齊興，27-1陳興	?
1441	街頭園	中地	136.1	0.5440		27-5王茂	?
1442	街頭園	中地	136.1	0.5440		27-5王茂	?
1443	屋後墓基	中地	15.0	0.0600		27-5陳祥	?
1444	長園	山		0.4000		27-5王齊興，27-1陳興	○
1445	長園	山		0.5000		27-5王齊興	○

1446	長園	下下地	36.0	0.0720		27-5王齊興	○
1447	長園	下下地	55.0	0.1100		27-5王齊興	○
1448	長園	山		0.5000		27-5王齊興，27-1陳富	○
1449	長園	下下地	108.0	0.2150		27-5王齊興，27-1陳興	○
1450	長園	山		0.5000		27-5王齊興，27-1陳興	○
1451	長園	下下田	40.2	0.1340		27-5王齊興	○
1452	長園	下下田	131.9	0.4400		27-5王齊興	○
1453	長園	下下田	65.1	0.2200		27-5王齊興	○
1454	長園	下下田	222.9	0.7430		27-5王齊興	○
1455	後塢	山		0.1800	王法	27-5王桂，27-1陳興	○
1456	後塢	山		0.5000		27-5王齊興，27-1陳興	○
1457	後塢	下下地	58.0	0.1160		27-5王齊興，27-1陳興	○
1458	桐樹山	山		1.4000		27-5王齊興	?
1459	後塢	下下地 山	15.0	0.0300 0.3500		27-5王齊興	○
1460	後塢	中地	205.8	0.8230	書童	27-1陳興・陳二同	○
1461	後塢	下下田	105.0	0.3500	法力	27-1陳興	○
1462	後塢	中地	35.0	0.1400	法力	27-1陳興	○
1463	後塢	下下田	171.5	0.5710	長童	27-5王齊興	○
1464	後塢	下下田	72.2	0.2410	書童	27-5王茂，27-1陳興	○
1465	後塢	下下田	56.9	0.1900	書童	27-5王茂，27-1陳興	○
1466	後塢	下下田	150.1	0.5000	互俚	27-1陳興	○
1467	後塢尾	下下地	14.5	0.0290	互俚	27-1陳興	○
1468	桐樹山	下下地 山	20.0	0.0400 0.3000		27-5王齊興	?
1469	後塢尾	下下地 山	9.0	0.0180 0.0300	齊六	27-5陳章	○
1470	花園塢	山		1.0000		27-5陳章	?
1471	花園塢	山		0.3000		27-1陳振達	?
1472	花園塢	山		0.8000		27-1陳振達	?
1473	松梅蕩	山		0.3000		27-5陳章，27-1陳振達	?
1474	花園塢	山		0.8000		27-1陳振達	?
1475	花園塢	下下地	20.0	0.0400		27-1陳鉤・陳振達	?
1476	花園塢	下下地	18.0	0.0360		27-1陳鵬	?
1477	花園塢	下下地	27.0	0.0540		27-5陳章	?
1478	花園塢	下下地	40.0	0.0800		27-5陳章	?
1479	花園塢	下下地	24.0	0.0680		27-5陳章	?
1480	花園塢	下地	42.0	0.1200		27-1陳振膛・陳鉤・陳鵬	?

1481	花園塢	下地 山	15.0	0.0430 0.3000		27-1陳鉤　・陳鵬	?
1482	花園塢	下地 山	92.0	0.2630 1.0000		27-5陳章	?
1483	花園塢	下地	19.5	0.0560		27-1陳信漢	?
1484	花園塢	下地 山	10.0	0.0290 0.4000		27-1陳鵬	?
1485	花園塢	下地 山	71.0	0.2030 0.8000		27-5陳章	?
1486	花園塢	山		0.4000		27-1陳振達・陳鵬・陳鉤	?
1487	花園塢掛錢田	下田	69.0	0.2650		27-5陳新	?
1488	花園塢	塘	75.7	0.2910		27-5陳新	?
1489	花園塢	山		0.8000		27-5陳章	?
1490	花園塢	下地 山	65.0	0.1860 0.5000		27-5陳章，27-1陳振達	?
1491	花園塢	山		1.0000		27-5畢盛・陳章	?
1492	花園塢葱墩	中地	32.0	0.1280		27-5陳章，27-1陳振達	?
1493	花園塢	塘	116.2	0.4470		27-1陳振達	?
1494	田西園	中地	92.3	0.3690		27-5陳章	?
1495	田西地	中地	36.5	0.1460		27-5陳章	?
1496	田西火佃基地	中地	28.1	0.1120		27-5陳章	?
1497	田西基地	上地	7.6	0.0370		27-1陳鵬	?
1498	田西住後地	中地	240.3	0.9610		27-5畢盛	?
1499	田西基地	上地	191.1	0.9560		27-5畢盛	?
1500	田西地	上地	32.0	0.1600		27-5畢盛	?
1501	田西地	上地	14.2	0.0710		27-5陳章・畢盛	?
1502	田西	上地	198.5	0.9930		27-5汪大祿	?
1503	田西	上地	96.2	0.4810		27-5陳章	?
1504	田西	上地	205.5	1.0270		27-5陳章	?
1505	住屋後山	山		0.3300		27-5王茂	○
1506	陳村住後山地	下下地	124.7	0.2490		27-5王茂	○
1507	陳村住後地	下地	53.2	0.1520		27-5王茂	○
1508	王村街心住基	上地	295.9	1.4790		27-5王茂	○
1509	王村街心基地	上地	192.1	0.9610		27-1王爵	○
1510	王村士門基地	上地	247.0	1.2350		27-5王茂	○
1511	陳村心基地	上地	436.3	2.1820		27-5王茂	○
1512	陳村住後	上地	15.0	0.0750		27-5陳亮，27-1陳嘉・陳晉・陳岩求・陳天相	○
1513	住後	下下地	250.2	0.5000		27-5王茂	○

1514	王村後地	上地	64.3	0.3220		27-5王茂	○
1515	王村心住基地	上地	206.1	1.0300		27-5王茂	○
1516	王村心基地	上地	104.4	0.5220		27-5王茂	○
1517	王村心住基地	上地	21.7	0.1080		27-5王茂	○
1518	王村心住基地	上地	55.56	0.2780		27-5王茂	○
1519	王村心地	上地	29.9	0.1500		27-5王茂	○
1520	王村心基地	上地	17.15	0.0860		27-5王茂	○
1521	陳村心地	上地	220.86	1.1400		27-1王爵	○
1522	井路	上地	16.85	0.0850		27-5金萬政	?
1523	陳村心基地	上地	39.0	0.1950		27-1王爵	○
1524	陳村路地	上地	10.96	0.0550		27-5金萬政	○
1525	陳村住基	上地	53.35	0.2670		27-1王爵	○
1526	陳村□□	上地	293.84	1.4690		27-5金萬政	○
1527	陳村後山地	中地	73.6	0.2940		27-5金萬政	○
1528	陳村住後山	山		0.2300		27-5金萬政	○
1529	陳村住後山	山		0.6000		27-5金萬政	○
1530	陳村住後山	下下地	47.5	0.0950		27-5金萬政	○
1531	陳村住基地	上地	113.44	0.5670		27-5金萬政	○
1532	陳村基地	上地	57.14	0.2860		27-5金萬政	○
1533	陳村住基地	上地	94.5	0.4730		27-5金萬政	○
1534	陳村基地	上地	93.28	0.4670		27-5金萬政	○
1535	陳村基地	上地	18.84	0.0940		27-5金萬政	○
1536	陳村基地	上地	29.7	0.1490		27-5金萬政	○
1537	陳村路地	上地	64.6	0.3230		27-5金萬政	○
1538	陳村心	上地	48.64	0.2430		27-5金萬政	○
1539	陳村火佃地	上地	45.62	0.2280		27-5金萬政	○
1540	陳村基地	上地	29.9	0.1500		27-5金萬政	○
1541	陳村心基地	上地	1.21	0.0060		27-5王茂	○
1542	陳村心基地	上地	50.2	0.2510		27-5金萬政	○
1543	陳村心基地	上地	76.62	0.3830		27-5金萬政	○
1544	陳村前門基地	上地	51.87	0.2590		27-5金萬政	○
1545	陳村心基地	上地	128.6	0.6430		27-5金萬政	○
1546	陳村街心	上地	5.5	0.0280		27-5金萬政	○
1547	陳村心基地	上地	43.8	0.2190		27-5金萬政	○
1548	陳村心	上地	111.3	0.5560		27-5金萬政	○
1549	陳村住基	上地	55.6	0.2780		27-5金萬政	○
1550	陳村住後墳地	上地	20.2	0.1010		27-5金萬政	○
1551	陳村住後地基	上地	96.5	0.4820		27-5金萬政	○
1552	陳村住後□地	下下地	56.7	0.1140		27-5金萬政	○

1553	陳村住後山	下下地 山	5.0	0.0100 0.1500		27-5金萬政	○
1554	陳村住後山	下下地 山	10.0	0.0200 0.4500		27-5金萬政	○
1555	陳村住後山	山		0.5000		27-5金萬政	○
1556	陳村住後山	山		1.5000		27-5金萬政	○
1557	陳村住後山地	下下地	88.3	0.1770		27-5金萬政	○
1558	陳村住後地	下地	376.1	1.0750		27-5金萬政	○
1559	陳村住基	上地	61.0	0.3500		27-5金萬政	○
1560	陳村基地	上地	20.44	0.1200		27-5金萬政	○
1561	陳村基地	上地	36.2	0.1810		27-5金萬政	○
1562	陳村住基地	上地	45.14	0.2260		27-5金萬政	○
1563	陳村住基	上地	30.49	0.1530		27-5金萬政	○
1564	陳村心住基	上地	84.36	0.4220		27-1陳興	○
1565	陳村基地	上地	159.3	0.7950		27-1陳興	○
1566	陳村基地	上地	37.4	0.1870		27-5王桂，27-1陳興	○
1567	陳村住基	上地	112.6	0.6130		27-5王桂・王法	○
1568	王村住後山	上地 山	4.0	0.0200 0.6500		27-5王茂・王法・王鍾・王時・王科・王齊興・王繼成・王桂・王初，27-1王爵	○
1569	陳村心王氏清明衆路	上地	40.0	0.2000		27-5王茂・王初・王齊興・王繼成・王時・王法・王鍾・王桂・王科，27-1王爵	○
1570	陳村心王氏清明衆路	上地	46.88	0.2350		27-5王法	○
1571	陳村住基	上地	150.7	0.7530		27-5王桂・王法，27-1陳興	○
1572	陳村基地	上地	34.9	0.1730		27-5王法・王桂	○
1573	陳村基地	上田	141.8	0.7150		27-1陳興	○
1574	陳村基地	上地	46.23	0.2310		27-5王齊興	○
1575	陳村基地	上地	33.85	0.1700		27-1陳興	○
1576	陳村基地	上地	15.2	0.0760		27-5王齊興	○
1577	陳村基地	上地	18.17	0.0910		27-5王齊興	○
1578	陳村基地	上地	20.7	0.1040	文煥等	27-5王齊興	○
1579	陳村基地	上地	82.04	0.4100		27-5王齊興	○
1580	陳村住後山	山		0.4000		27-5王齊興・王法・王繼成・王茂，27-1王爵	○

1581	陳村基地	上地	24.6	0.1230		27-5王齊興	○
1582	陳村基地	上地	31.57	0.1580		27-5王齊興	○
1583	陳村基地	上地	97.7	0.4890		27-5王齊興	○
1584	陳村街頭	上地	140.7	0.7040		27-5王齊興	○
1585	陳村基地	上地	110.94	0.5550		27-5王齊興	○
1586	陳村基地	上地	29.88	0.1490		27-5王齊興	○
1587	陳村住基	上地	33.16	0.1650		27-5王齊興	○
1588	陳村街頭内路地	上地	98.26	0.5130		27-5王齊興	?
1589	陳村住後墳地	上地	26.8	0.1300		27-5王齊興	○
1590	陳村住基	上地	55.12	0.2760		27-5王齊興	○
1591	陳村住基	上地	183.0	0.9150		27-5王齊興	○
1592	陳村住基	上地	58.1	0.2900		27-5王齊興	○
1593	陳村基地	上地	8.1	0.0410		27-5王齊興	○
1594	陳村住基地	上地	8.8	0.0440		27-5王齊興	○
1595	陳村基地	上地	84.2	0.4210		27-5王齊興	○
1596	陳村火佃基地	中地	49.2	0.1970		27-5王齊興	○
1597	陳村火佃地	中地	67.0	0.2680		27-5王齊興	○
1598	下方田	上地	78.9	0.3950		27-1陳興	?
1599	街頭	上地	33.6	0.1650		27-1陳興	○
1600	陳村街頭基地	上地	27.3	0.1360		27-1陳興	○
1601	陳村頭	上地	12.5	0.0630		27-5王齊興，27-1陳三同	○
1602	陳村街頭住基地	上地	145.28	0.7300		27-5王齊興	○
1603	陳村街頭	上地	56.0	0.2800		27-5王齊興，27-1陳興	○
1604	上□	中田	85.4	0.3900		27-5王齊興	?
1605	土田地	上地	100.8	0.5040		27-5王齊興，27-1陳興	?
1606	陳村頭基屋	上地	18.55	0.0930		27-1陳興	○
1607	陳村基屋	上地	18.55	0.0930		27-5王齊興	○
1608	陳村頭地	上地	13.9	0.0690		27-5王齊興，27-1陳興	○
1609	陳村	上地	54.3	0.2720		27-5王齊興	○
1610	陳村頭地	上地	14.9	0.0750		27-5王齊興	○
1611	陳村頭住地	上地	102.18	0.5110		27-5王齊興，27-1陳興	○
1612	陳村住基地	上地	13.2	0.0650		27-1陳興	○
1613	陳村頭住基	上地	68.0	0.3400		27-5王齊興，27-1陳興	○
1614	陳村頭住基	上地	168.5	0.8400		27-1陳興	○
1615	住後山	山		0.6100		27-1陳興	○
1616	住後山	上地 山	22.1	0.1110 2.5560		27-1陳興，西北隅-？汪勝	○
1617	陳村頭基地	上地	90.84	0.4540		27-5王齊興	○
1618	陳村頭住基	上地	38.9	0.1950		27-5王齊興	○

1619	陳村上干塢田塘	中田	138.7	0.6320		27-1陳興	?
1620	上塢	中地	49.5	0.1960		27-1陳興	?
1621	上塢	中地	31.8	0.1280		27-1陳興	?
1622	上塢	中地	33.1	0.1320		27-1陳興	?
1623	黄干宅	上地	31.5	0.1570		27-5王齊興	?
1624	黄干宅	上地	99.5	0.4980		27-5王齊興	?
1625	上塢	下地	308.8	0.8830		27-1陳興	?
1626	上塢	下地	187.0	0.5350		27-1陳興	?
1627	上塢	下地	197.5	0.5630		27-1陳興	?
1628	上塢	中地	67.4	0.2700		27-5王齊興	?
1629	上□	中地	22.7	0.0880		27-1陳興	?
1630	上□	中地	204.8	0.8190		27-5王齊興，27-1陳興	?
1631	上塢	中地	204.0	0.8160		27-5王齊興	?
1632	上塢	中地	68.3	0.2730		27-5王齊興	?
1633	上塢	中地	90.0	0.3600		27-5王齊興	?
1634	後塢塘	塘	240.6	0.9250		27-5王齊興	○
1635	後底塘田	中田	205.5	0.9340		27-5王齊興	○
1636	黄干宅竹園地	下地	58.4	0.1700		27-5王齊興	?
1637	侈底塘田	中田	156.6	0.7120		27-5王齊興	○
1638	侈底塘田	中田	132.6	0.6040		27-5王齊興	○
1639	黄干竹園	下地	503.0	1.4370		27-5王齊興	?
1640	黄干竹園	下地	153.6	0.4400		27-5王齊興	?
1641	黄干宅竹園地	下地	164.4	0.4690		27-1陳興	?
1642	黄干宅地	下地	89.7	0.2530		27-5王齊興	?
1643	黄干宅田成地	上地	83.9	0.4200		27-5王齊興	?
1644	黄干宅地	上地	29.2	0.1460		27-5王齊興	?
1645	黄干宅田	中田	128.5	0.5840		27-5王齊興	?
1646	黄干田成地	上地	140.3	0.7020		27-5王齊興	?
1647	黄干田成地	上地	92.4	0.4620		27-1陳興	?
1648	黄干田成地	上地	75.4	0.3770		27-5王齊興	?
		塘	50.4	0.1940			
1649	黄干宅田成塘	塘	40.6	0.1560		27-5王齊興	?
1650	黄干宅田成地	上地	82.6	0.4130		27-5王齊興	?
1651	墩上地	上地	52.7	0.2640		27-1王爵	?
1652	陳村心基地	上地	373.3	1.8670		27-1王爵	○
1653	陳村街心基地	上地	91.3	0.4560		27-5王茂，27-1王爵	○
1654	陳村心基地	上地	145.0	0.7250		27-1王爵	○
1655	陳村心基地	上地	147.13	0.7360		27-1王爵	○
1656	陳村基地	上地	906.2	4.5310		27-1王爵	○

1657	基後菜園地	中地	729.0	2.9160		27-1王爵	○
1658	基後菜園地	中地	50.2	0.2100		27-1王爵	○
1659	住後菜園地	中地	40.7	0.1630		27-1王爵・陳嘉	○
1660	住後地	中地	98.8	0.3950		27-1王爵	○
1661	陳村基地	上地	220.2	1.1040		27-1王爵	○
1662	住後菜園地	中地	124.7	0.4990		27-1王爵	○
1663	住後塘地	中地 塘	245.2 30.0	0.9810 0.1150		27-5王茂，27-1王爵	○
1664	住後菜園地	中地	89.3	0.3570		27-5王茂，27-1王爵	○
1665	陳村住後地	上地	137.7	0.6890		27-1王爵	○
1666	陳村住後地	中地	38.39	0.1540		27-1王爵	○
1667	陳村基地	中地	65.7	0.2630		27-1王爵	○
1668	陳村心地	上地	7.5	0.0380		27-1王爵	○
1669	住後屋基	上地	50.94	0.2600		27-5王茂	○
1670	陳村基地	上地	23.5	0.1180		27-5王茂，27-1王爵	○
1671	陳村巷内基地	上地	22.8	0.1140		27-5王茂	○
1672	陳村心基地	上地	169.8	0.8490		27-5王茂	○
1673	陳村心基地	上地	80.77	0.4040		27-5王茂	○
1674	陳村心基地	上地	123.74	0.6180		27-5王茂・王齊興	○
1675	陳村心基地	上地	33.0	0.1650		27-5王茂	○
1676	陳村心地	上地	35.86	0.1790		27-5王茂	○
1677	陳村基地	上地	48.8	0.2440		27-5王茂	○
1678	陳村基地	上地	49.0	0.2450		27-5王茂	○
1679	陳村基地	上地	102.73	0.5140		27-5王茂	○
1680	陳村心	上地	44.56	0.2230		27-5王茂	○
1681	陳村心石路住後基	上地	43.5	0.2180		27-5王茂	○
1682	陳村心基地	上地	66.4	0.3320		27-5王茂	○
1683	陳村心火佃基地	上地	19.9	0.1000		27-5王茂	○
1684	陳村心基地	上地	72.4	0.3620		27-5王茂	○
1685	陳村心住基	上地	66.8	0.3340		27-5王茂	○
1686	陳村心基	上地	57.5	0.2880		27-5王茂	○
1687	陳村心後竹園地	上地	40.2	0.2010		27-5王茂	○
1688	陳村基地	上地	67.04	0.3350		27-5王茂	○
1689	陳村心住基	上地	77.0	0.3850		27-5王茂	○
1690	陳村侈高墓園地	上地	138.9	0.6950		27-5王茂	○
1691	巷後竹園地	下地	187.2	0.5350		27-5王茂	○
1692	隆下竹園地	下地	104.0	0.2970		27-5王茂	○
1693	隆下竹園地	下地	86.9	0.2490		27-5王茂	○

1694	住後高基地	下地	46.2	0.1320		27-5王茂	?
1695	住後高基地	下地	37.2	0.1600		27-1王爵	?
1696	住後高基地	下地	38.4	0.1100		27-5王茂	?
1697	陳村心住地	上地	20.8	0.1040		27-5王茂	○
1698	住後園地	下地	711.4	2.0330		27-5王茂	?
1699	碩儒墓	上地	203.0	1.0150	金銓	27-1陳明	?
1700	住後皂角樹	下地	15.9	0.0450		27-5王茂	?
1701	住後皂角樹下	上地	38.3	0.1900		27-5王茂	?
1702	陳村心基地	上地	10.5	0.0530		27-5王茂	○
1703	陳村心基地	上地	107.8	0.5390		27-5王茂	○
1704	陳村心基地	上地	18.0	0.0900		27-5王茂	○
1705	陳村心基地	上地	2.49	0.0120		27-5王茂	○
1706	陳村心基地	上地	69.5	0.3470		27-5王茂	○
1707	陳村心基地	上地	16.22	0.0810		27-5王茂	○
1708	陳村心	上地	12.9	0.0640		27-5王茂	○
1709	陳村心	上地	11.9	0.0600		27-5王茂	○
1710	王家巷	上地	8.82	0.0440		27-5王茂	○
1711	王家巷	上地	60.21	0.3010		27-5王茂	○
1712	街心巷	上地	152.4	0.7620		27-5王繼成	○
1713	王家巷	上地	4.2	0.0210		27-5王茂・王繼成，27-1王爵	○
1714	街心	上地	47.8	0.2390		27-5王茂，27-1王爵	○
1715	街心基地	上地	21.7	0.1080		27-5王茂	○
1716	街心	上地	10.87	0.0540		27-5王繼成	○
1717	街心	上地	33.75	0.1680		27-5王茂	○
1718	街心	上地	13.56	0.0680		27-1王爵	○
1719	街心	上地	126.6	0.6330		27-5王茂	○
1720	街上園	上地	16.88	0.0850		27-5金萬政	○
1721	街心	上地	75.2	0.3760		27-5王榮	○
1722	街心	上地	11.86	0.0590		27-1王爵	○
1723	街心	上地	11.86	0.0590		27-5王榮	○
1724	街心	上地	38.78	0.1940		27-5王茂	○
1725	住後	下地	7.0	0.0200		27-5王茂	○
1726	住後	下地	21.1	0.0600		27-5王茂	○
1727	後山地	下地	22.7	0.0650		27-5王科	○
1728	皂角樹	中地	84.2	0.3370		27-5王茂・王繼成・王科	?
1729	後山地	下地	31.0	0.0860		27-5王茂	○
1730	後山地	中地	34.6	0.1380		27-5王茂	○
1731	後山地	下地	30.5	0.0870		27-5王茂	○

1732	後山地	中地	27.5	0.1100		27-5王茂	○
1733	後山墳地	上地	5.58	0.0280		27-5王茂	○
1734	後山厨屋地	中地	17.7	0.0710		27-5王時	○
1735	皂角樹	中地	22.0	0.0880		27-5王茂	?
1736	皂角地	上地	73.1	0.3650		27-5王時	?
1737	街心住基	上地	60.47	0.3300		27-5王時	○
1738	街心住後	上地	69.57	0.3480		27-5王榮	○
1739	陳村住後	中地	206.6	0.8260		27-5王時・王榮	○
1740	銅羅形	上地	60.0	0.3000		27-5王榮・王法・王科・王桂・王時・王初・王齊興・王繼成，27-1王爵	○
1741	銅羅形	上地	103.6	0.5180		27-5王法・王科・王榮・王時・王桂・王鍾・王初・王繼成・王齊興・王茂，27-1王爵	○
1742	陳村街心	上地	365.8	1.8290		27-5王時・王初	○
1743	後山	中地	35.1	0.1400		27-5王時	○
1744	後山	中地	126.0	0.5040		27-5王時	○
1745	後山竹園	下地	213.8	0.6110		27-5王時	○
1746	後山	下地	341.2	0.9750		27-5王時・王廷榮	○
1747	後山	下地	6.8	0.0190		27-5王初	○
1748	後山竹園	下地	846.5	2.4190		27-5王時・王廷榮	○
1749	碓基	中地	36.2	0.1440		27-5王時	○
1750	住後	上地	99.75	0.4990		27-5王時	○
1751	住基	中地	179.1	0.7160		27-5王時	○
1752	住基	中地	139.3	0.5570		27-5王初	○
1753	住基街心	上地	191.94	0.9600		27-5王初	○
1754	街頭住基	上地	10.6	0.0530		27-5王齊興	○
1755	街頭住基	上地	14.14	0.0710		27-5王初	○
1756	街頭	上地	18.3	0.0920		27-5王初	○
1757	街頭	上地	66.8	0.3340		27-5王法・王桂	○
1758	住後	中地	82.14	0.4110		27-5王初・王榮	○
1759	住後	上地	14.2	0.0710		27-5王初	○
1760	街頭	上地	173.2	0.8650		27-1陳興	○
1761	街頭	上地	48.4	0.2420		27-5王榮・王時・王初	○
1762	街頭地	上地	25.6	0.1280		27-5王時・王榮	○
1763	街頭	上地	35.65	0.1480		27-5王初・王廷榮	○
1764	街頭火佃屋地	上地	66.88	0.3340		27-5王時・王初	○
1765	街頭基地	上地	15.48	0.0770		27-5王初・王廷榮	○

1766	街頭基地	上地	16.66	0.0830		27-5王榮	○
1767	街頭基地	上地	13.56	0.0680		27-5王初	○
1768	街頭火佃基地	上地	46.0	0.1840		27-5王時・王廷榮・王初	○
1769	街頭基地	上地	25.4	0.1270		27-5王時	○
1770	街頭	上地	17.7	0.0900		27-5王時	○
1771	街頭基地	上地	354.4	1.7720		27-5王茂	○
1772	街頭竹園	上地	297.3	1.4860		27-5王茂	○
1773	下塢竹園地	下地	449.1	1.2830		27-5陳祥・王時，27-1陳寓祿	○
1774	下塢園地	下地	79.6	0.2270		27-6陳甫	○
1775	下塢竹園地	下地	88.6	0.2530		27-5王茂	○
1776	陳村頭火佃基地	中地	106.3	0.4250		27-1王爵	○
1777	陳村	上地	204.4	1.0200		27-5王時	○
1778	陳村街頭竹園地	下地	14.4	0.0410		27-5王時	○
1779	陳村火佃基地	中地	111.5	0.4460		27-1陳興	○
1780	陳村頭火佃地	中地	118.8	0.4760		27-5金萬政	○
1781	陳村火佃倉基地	中地	110.5	0.4420		27-1陳興	○
1782	陳村火佃倉基地	中地	84.7	0.3040		27-1陳興	○
1783	陳村頭火佃基地	中地	39.5	0.1600		27-1陳興	○
1784	陳村頭火佃基地	上地	37.74	0.1890		27-5王齊興，27-1陳興	○
1785	查干墩	上地	30.75	0.1540		27-5朱清	○
1786	查干墩	中田	577.2	2.6230	伍拾	11-3金桐竹	○
1787	查干墩	中田	227.8	1.0380		27-1陳興	○
1788	竹林下地	下地	77.0	0.2190		27-5王時	?
1789	查干墩	中田	101.8	0.4630	社個	27-1朱曜	○
1790	查干墩	中田	151.4	0.6840	黑個	27-1陳興	○
1791	墩上	中田	162.6	0.7390	伍拾	27-5陳章	○
1792	查干墩	中田	82.8	0.3760	伍拾	27-5王茂	○
1793	查干墩	中田	51.1	0.2330	陳法	27-1陳興	○
1794	黄土嶺	中地	167.7	0.6720	雲生	27-1陳興	○
1795	黄土嶺	中地	115.1	0.5000	倪社	27-1陳興	○
1796	黄土嶺	中地	247.7	0.9910		27-1陳振達	○
1797	黄土嶺竹園地	中地	1578.9	6.3160		27-5陳興	○
1798	黄土嶺墳地	中地	168.5	0.6740		27-5金萬政	○
1799	黄土嶺	下田	258.1	0.9930		27-1陳興	○
1800	黄土嶺	中地	41.5	0.1670	應雷	27-1陳寓祿	○
1801	黄土嶺	下田	206.8	0.7950		27-1陳寓祿	○
1802	黄土嶺	中地	234.6	0.9380	王進	27-1陳寓祿	○

1803	黄土嶺	下田 下地 塘	120.2 4.9 86.8	0.4620 0.0140 0.3340	倪社	27-1陳寓祿	○
1804	黄土嶺	下田	220.5	0.8480		27-1陳寓祿	○
1805	黄土嶺竹園地	中地	129.4	0.5180		27-5王茂	○
1806	上嶺	中地	104.8	0.4190		27-5王茂	?
1807	上嶺	中地	80.4	0.3220		27-5土文房	?
1808	?	中地	97.9	0.3920		27-5王茂	?
1809	黄土嶺	中地	101.6	0.4860	雲生	27-5王茂	○
1810	黄土嶺	中地	103.8	0.4150	雲生	27-1王爵	○
1811	黄土嶺	中地	120.2	0.4810	倪社	27-5王茂	○
1812	黄土嶺	中地	490.8	1.9630	倪社	27-5王茂	○
1813	黄土嶺	中地	262.3	1.0490	倪社	27-5王茂	○
1814	黄土嶺	中地	262.3	1.0490	倪社	27-5王茂	○
1815	黄土嶺	中地	403.3	1.6130	倪社	27-5王茂	○
1816	黄土嶺	中地	249.0	0.9960	倪社	27-5王茂	○
1817	黄土嶺	中地	109.8	0.4390		27-5王茂	○
1818	黄土嶺	下田	234.9	0.9030		27-5王茂	○
1819	黄土嶺	中地	62.0	0.2480		27-5王茂	○
1820	黄土嶺	山		0.8000		27-5王茂	○
1821	黄土嶺	中地	49.7	0.1990		27-5王茂	○
1822	後邦	下田	323.9	1.2420		27-5王茂	○
1823	平林	中地 山	720.0	2.8800 0.7500	倪社	27-5王茂，27-1王爵	○
1824	平林	山		2.0000	倪社	27-5王茂，27-1王爵	○
1825	黄土嶺	下田	178.1	0.6850		27-5王茂	○
1826	後邦塢	下田	231.9	0.8910		27-5王茂	○
1827	石班塘	山		0.5000		27-5王茂	○
1828	石班塘	下地 山	91.0	0.2600 1.0420		27-5王齊興	○
1829	石班塘	中田	357.8	1.6270		27-5王齊興	○
1830	石班塘	中田	298.1	1.3550		27-1陳振達	○
1831	石班塘	中田	456.9	2.0770		27-1陳振達	○
1832	石班塘埄	下地 山	22.0	0.0630 0.1250		27-5王齊興	○
1833	石班塘	中田	187.6	0.8530	銀童	27-5王齊興	○
1834	石班塘	中田	173.9	0.7920	四拾	27-1陳興	○
1835	平林	山		1.8750		27-1陳寓祿	○

1836	平林園	中地 山	292.0	1.1680 2.0000	汪壽	27-5金萬政	○
1837	平林	山		2.0800		27-5王齊興・王茂	○
1838	石班塘	塘	628.2	2.4160		27-5金萬政・王齊興・王茂・陳章・王桂，27-1陳進・陳岩求・陳興・陳學・陳時陽・朱文廣・王爵	○
1839	石班塘	下地	10.0	0.0290		27-5王齊興	○
1840	石班塘	中田	152.8	0.6950	長童	27-5陳章	○
1841	石班塘	中田	158.4	0.7200		27-5王茂	○
1842	平林	山		0.0630		27-5陳興	○
1843	平林	山		1.0000		27-5王茂	○
1844	石班塘	中地	365.1	1.6600		27-1陳學	○
1845	平林	下田 下地	292.5 5.0	1.1250 0.0140		27-5王齊興	○
1846	李村	中田	169.3	0.7690		27-1王爵	○
1847	李村	中田	151.2	0.6870		27-5王茂	○
1848	李村	中田	114.8	0.5220		27-5王茂	○
1849	李村	中田	74.8	0.3400		27-5王茂	○
1850	李村	中田	200.9	0.9130		27-5陳章	○
1851	上地	中田	136.2	0.6200		27-5王茂	?
1852	李村	中田	571.4	2.5970		27-5陳章	○
1853	李村	中田	150.1	0.6820		27-5王茂	○
1854	李村	中田	160.0	0.7270		27-5王茂	○
1855	李村	中田	230.5	1.0480		27-5王爵	○
1856	李村	中田	233.3	1.0600		27-5王茂	○
1857	李村	中田	233.9	1.0630		27-1朱有芳	○
1858	李村	中田 塘	195.2 14.0	0.8870 0.0540	書同	11-3吳小保	○
1859	李村	中田	210.8	0.9600		27-1陳興	○
1860	李村	中田	196.8	0.8950		11-3吳小保	○
1861	李村	塘	51.4	0.1970		27-5王齊興，27-1陳相，11-3吳小保	○
1862	李村	中田	164.0	0.7450		27-1陳相	○
1863	李村	中田	189.6	0.8620		27-1金成	○
1864	李村	中田	194.8	0.8850		27-1陳興	○
1865	李村	中田	34.2	0.1540		27-1陳興	○
1866	栗光山	中地	157.1	0.6600		27-1陳興	?
1867	栗光山社祖園	中地	284.5	1.1380		27-5王茂	?

1868	栗光山	中地	178.5	0.7120		27-1陳興	?
1869	栗光山	山		0.4300		27-5王齊興	?
1870	栗光山	中地	90.4	0.3620		27-5王茂・齊象	?
1871	栗光山	下地 山	12.0	0.0340 0.5300		27-5王齊興	?
1872	栗光山	下地 山	30.0	0.0840 0.3900		27-5王茂	?
1873	栗光山	下地 山	75.0	0.2130 0.7500		27-5王茂	?
1874	栗光山	下田	128.6	0.4950		27-5王齊興	?
1875	栗光山	上田	277.0	1.4580		27-5王桂	?
1876	李村	上田	167.9	0.8840		27-5王時	○
1877	□坑	上田	158.0	0.8300		27-5朱勝付	?
1878	□坑	上田	157.7	0.8300		27-5金萬政	?
1879	□坑	上田	172.8	0.9100		27-5王齊興	?
1880	□坑	上田	171.0	0.9000		27-5朱勝付	?
1881	石班塘	上田	289.8	1.5250		27-1陳時陽	○
1882	石班塘	上田	163.9	0.8630		27-1陳興	○
1883	石班塘	上田	163.4	0.8600		27-5王齊興	○
1884	石班塘嶺	山		0.5000		27-5陳章	○
1885	班塘嶺	山		1.2000		27-5王茂	○
1886	李村	上田	199.8	1.0520	法力	27-1陳嘉	○
1887	石班塘	上田	367.4	1.9330		27-1陳興	○
1888	石班塘	中田	71.6	0.3270	法力	27-1陳興	○
1889	李村	上田	3.0	0.0160		11-1汪班	○
1890	石班塘	上田	346.9	1.8250	大個	27-5王茂	○
1891	李村	上田	132.0	0.6940		27-1陳興	○
1892	李村	上田	442.2	2.3270		27-1陳相・陳寓祿	○
1893	李村	上田	135.7	0.7140		27-5王茂	○
1894	李村	上田	142.1	0.7470	書童	27-5王茂	○
1895	李村	中田	180.1	0.8200		27-5王齊興	○
1896	李村	中田	131.2	0.5960	遲固	27-5王茂，27-1陳學	○
1897	李村	下地	66.5	0.1900		27-1陳興	○
1898	李村下路	上地	176.8	0.8840		27-5王齊興	○
1899	李村下路	下地	86.0	0.2460		27-5王茂	○
1900	李村下路	山		0.8000		27-5王茂	○
1901	後底塢	山		1.5000		27-5王茂，27-1陳興	○
1902	李村下路	中地	127.0	0.5080		27-1陳興	○
1903	李村下路	中地	156.0	0.6240		27-1陳興	○

1904	金字面	下地 山	81.7	0.2330 0.5000		27-1陳興	?
1905	李村	中地	67.6	0.2720		27-1陳興	○
1906	李村棠地	中地	51.4	0.2060		27-5朱勝付	○
1907	李村	中地	27.0	0.1080		27-5陳興	○
1908	李村住地	上地	382.3	1.9120		27-5王桂・陳章・王齊興，27-1陳興，11-3汪國英	○
1909	李村	中田	212.7	0.9670	秋時	27-5王茂，27-1陳興	○
1910	李村	上田	205.4	1.0810	法力	27-1陳光儀	○
1911	李村	上田	380.0	2.0000		27-5王桂・王齊興	○
1912	李村	上田	344.0	1.8110	臘梨	11-3金以用	○
1913	李村	上田	76.8	0.4040		27-5王茂・王齊興	○
1914	方坵	中田	90.2	0.4990	秋時	27-5王茂	?
1915	方坵	中田	122.3	0.5560	遲個	27-5畢盛	?
1916	後底丘	下田	208.0	0.8000	廷珎	27-5王茂，27-1陳興	○
1917	塘下	下田	32.8	0.1690	遲個	27-1陳興	?
1918	塘塢山	下下地 山	15.0	0.0300 1.8000		27-5王茂，27-1陳興	?
1919	後塢	下下地 山	10.0	0.0200 0.8000		27-5陳章	○
1920	塘塢	下田	78.1	0.3000		27-1陳興	?
1921	後底塘	下田	101.6	0.3970		27-1汪明	○
1922	後底塘	塘	142.4	0.5480		27-5王茂，27-1陳興	○
1923	下竹園金字面	下下地 山	30.0	0.0600 0.6000	遲固	27-5王茂、27-1陳興	○
1924	柿樹上	下田	149.7	0.5760		27-5王茂	?
1925	李村	中田	237.5	1.0770	臘梨	27-1陳興	○
1926	下竹園山	山		0.8000		27-5王茂，27-1陳興	○
1927	李村下墩塍	上田	30.0	0.1500		27-1陳興	○
1928	梭婆坵	中田	286.6	1.3030		27-5王茂，27-1陳興	○
1929	李村	上田	269.9	1.4200	長保	27-1陳寓祿	○
1930	李村瀯坵	上田	346.2	1.8220	天佑	27-1陳時陽	○
1931	李村	上田	327.8	1.7250	長童	27-1陳興	○
1932	李村	上田	345.2	1.8170	長力	27-5陳章	○
1933	李村	上田	148.5	0.7810		27-5陳章	○
1934	李村	上田	390.4	2.0540		27-1陳興	○
1935	李村	上田	447.5	2.3550		27-1陳興	○
1936	李村	上田	156.7	0.8250		27-5朱勝付	○
1937	李村	中田	286.2	1.3100	文然	27-1陳寓祿	○

1938	下竹園	下田	31.1	0.1200	遅個	27-1陳興	○
1939	下竹園塘	塘	69.8	0.2680		27-5陳章，27-1陳寓祿・陳興	○
1940	下竹園塘	中田	217.8	0.9900		27-1陳振達	○
1941	李村	下地	20.3	0.0580		27-5王茂	○
1942	李村	中田	236.2	1.0730		27-1陳興	○
1943	李村	上田	242.3	1.2750		27-5陳興	○
1944	李村	上田	129.5	0.6810		27-1陳天相	○
1945	李村	上田	354.5	1.6650	富曜	27-1陳興	○
1946	李村	上田	355.4	1.8710	葉黑九	27-1陳興	○
1947	土壠下	上田	642.1	3.3800	吳壽・天四	27-5陳章，27-1陳興	○
1948	土壠下	上田	89.1	0.4690	天法	27-1王爵	○
1949	土壠	中田	189.2	0.8600	天法	27-5王齊興，27-1陳振達	○
1950	土壠	中田	220.3	1.0010	天法	27-5陳章	○
1951	李村	中田	229.5	1.0430		27-1陳天相	○
1952	墳亭塢□	中田	193.3	0.8790		27-5王茂・朱勝付	?
1953	墳亭前塘	塘	68.5	0.2640		27-5王相・王茂・朱勝付，27-1陳寓祿，11-3金以用	?
1954	墳亭塢	墳山	1954.0	4.3940	胡法	27-5王齊興・王法・王桂	?
1955	墳亭塢	下下田	226.0	0.7530	天雲	27-5王齊興・王法・王桂	?
1956	墳亭塢	下下田 塘	34.0 72.0	0.1130 0.2800		27-5王齊興・王桂・王法	?
1957	壠尾山	下下地 山	24.0	0.0480 1.2000	天玄	27-1陳鵬	?
1958	壠尾山	下下地 山	24.0	0.0480 0.6000	天玄	27-1陳寓祿	?
1959	墳亭塢口	下田	133.4	0.5130	天雲	27-5王茂	?
1960	墳亭塢口	下田	125.6	0.4830	三雲	27-5王茂	?
1961	土壠下	下田	82.2	0.3160		27-1陳岩求	○
1962	土壠下	下田	46.2	0.1780	葉漢	27-1陳寓祿・陳岩求	○
1963	土壠下	中田	239.2	1.0870		27-1陳寓祿	○
1964	李村	中田	269.0	1.2230	天津	27-5朱勝付	○
1965	土壠下	中田	278.2	1.2650	天玄	11-3金以用	○
1966	土壠	中田	238.9	1.0860	天四	27-1陳本	○
1967	土壠	中田	104.4	0.4750		27-1陳本	○
1968	土壠	中田	114.0	0.5180	天四	27-1陳時陽	○
1969	土壠	上田	291.1	1.5320	天法	27-5王茂	○
1970	土壠	上田	176.2	0.9270	天法	27-1陳寓祿	○

1971	土壠	上田	76.1	0.4000	天法	27-1陳寓祿	○
1972	李村	上田	278.9	1.4680	保兒	27-5王桂，27-1陳寓祿	○
1973	楊樹坵	上田	276.1	1.4530		27-1朱曜	○
1974	金竹巷口	下地	35.0	0.1000		27-1吳天志	○
1975	金竹巷口	下地	100.0	0.2860		27-1王爵	○
1976	金竹巷	山		2.5000	天四	27-1陳本	○
1977	金竹巷口	中地	40.0	0.1600		27-1陳本	○
1978	田末	上田	333.6	1.7560	長保	27-1陳寓祿	?
1979	塘坵	上田	317.8	1.6730	元保	13-2程文	?
1980	土壠	上田	852.8	4.4900	進才	27-1陳興	○
1981	金竹巷口	上田	307.8	1.6200	天玄	27-5王齊興，27-1陳寓祿	○
1982	金竹巷口	中田	128.4	0.5840		27-1陳寓祿	○
1983	金竹巷	下地	175.0	0.5000		27-1陳嘉等	○
1984	長楓樹	下地 山	7.5	0.0210 0.2100		27-1陳法	○
1985	長楓樹	下地	112.5	0.3210		27-1陳法	○
1986	長楓樹	山		0.2400		27-1陳法	○
1987	長楓樹	下地	35.0	0.1000		27-5社學	○
1988	長楓樹	中地	136.2	0.5450		27-1陳法	○
1989	長楓樹	塘	65.0	0.2500		27-1程學・陳洪	○
1990	長楓樹	下地 山	39.1	0.1120 0.2000		27-5陳章，27-1陳振達	○
1991	長楓樹	下田	155.6	0.5980		27-1陳法	○
1992	長楓樹	下地 山	30.0	0.0860 0.2300		27-5王茂・程學，27-1陳法	○
1993	長楓樹	下地	61.5	0.1760	岩順	27-1陳齊龍	○
1994	長楓樹	下地	27.6	0.0800	相固	27-5王茂	○
1995	長楓樹	下田	113.0	0.4350		27-1陳法	○
1996	長楓樹	下地	29.0	0.0830		27-1陳法	○
1997	長楓樹	下田	104.4	0.4030		27-5程學	○
1998	長楓樹	下田	91.0	0.3500	進喜	27-5程相	○
1999	長楓樹	下田	43.6	0.1680		27-1陳法	○
2000	長楓樹	下田	130.1	0.5000		27-1王爵	○
2001	長楓樹	下地	10.0	0.0290		27-5陳章	○
2002	長楓樹	下地	21.0	0.0600	岩順	27-１陳振達	○
2003	長楓樹	下田	118.2	0.4550		11-3金桐竹	○
2004	長楓樹	下田	117.4	0.4520		27-1朱曜	○
2005	長楓樹	山		0.2000		27-5程學，27-1陳振達・陳法	○

2006	長楓樹	下田	240.0	0.9230		27-5陳章，27-1陳天相	○
2007	長楓樹	中田	80.6	0.3660		27-1陳法	○
2008	長楓樹	下田	121.0	0.4650	岩相	27-5金萬政	○
2009	長楓樹	下田	77.8	0.2990	岩相	27-5金萬政	○
2010	長楓樹	中地	43.0	0.1720		27-1陳法	○
2011	長楓樹	下地 山	63.6	0.1820 0.2000	陳法	27-5王茂・陳章，27-1陳齊龍・陳法	○
2012	長楓樹	山		0.3700	陳法	27-5王茂・程學・朱瑾・朱隆，27-1陳法・王爵・陳振達	○
2013	長楓樹	中地	45.6	0.1820		27-5程學	○
2014	長楓樹	下地	11.5	0.0330		27-5陳法	○
2015	長楓樹	下地	82.0	0.2340		27-5程學，27-1陳法	○
2016	長楓樹	下地	72.6	0.2700		27-1陳法	○
2017	長楓樹	下田	123.2	0.4730	陳皇	27-1陳法	○
2018	長楓樹	中田	87.3	0.3970	參拾	27-1陳振達・陳法	○
2019	長楓樹	中田	116.0	0.5270		27-1陳法	○
2020	長楓樹	山		2.5800		27-5王茂・程學，27-1陳法	○
2021	長楓樹	山		1.0400		27-5程相・汪大祿・王茂，27-1陳振達・王爵・陳法，11-3嚴義眞	○
2022	長楓樹	中地	135.1	0.5410		27-1陳齊龍	○
2023	長楓樹	中地	448.7	1.7930		27-5程學，27-1陳法	○
2024	長楓樹	上地	104.8	0.5240		27-5程學，27-1陳法	○
2025	長楓樹	下田	36.0	0.1380	三十	27-1陳振達	○
2026	長楓樹	中田	113.6	0.5160	三十	27-5程學，27-1陳振達・陳法	○
2027	長楓樹	山		0.4000		27-1王爵	○
2028	長楓樹	下地 墳山	129.2	0.3700 0.3300	陳法	27-1王爵	○
2029	長楓樹	上地	30.0	0.1500		27-1陳法	○
2030	長楓樹	下田	78.8	0.3030		27-1陳振達	○
2031	長楓樹	下地	9.0	0.0260		27-1陳法	○
2032	長楓樹	中田	148.8	0.6760		27-1陳振達	○
2033	長楓樹	中地 塘	13.0 172.0	0.0520 0.6810		27-1王爵	○
2034	長楓樹	中地 塘	70.0 168.0	0.2800 0.6480		27-1陳興	○

2035	長楓樹	下地 山	70.0	0.2000 0.1040		27-1王爵	○
2036	長楓樹	中田	161.8	0.7350	臘保	27-5金萬政	○
2037	長楓樹	中田	349.2	1.5870		27-5程相，27-1陳法	○
2038	査干□	上田	191.0	1.0050	守牛	27-5王桂	○
2039	査干	中田	236.3	1.0740	岩順	27-1陳振達	○
2040	査干	上田	241.6	1.2720	岩順	27-1王爵	○
2041	査干	上田	293.0	1.5400	岩相	27-1陳振達	○
2042	査干	上田	147.2	0.7940		27-5汪大祿	○
2043	査干	上田	302.2	1.5910	進喜	27-5王茂・程學	○
2044	楓樹	下田 上地	115.6 14.0	0.4450 0.0700	三十仂	27-1陳法・陳振達	○
2045	外山□	下田	66.3	0.2550	□兒	27-5程學，27-1陳振達	○
2046	査干	上田	275.6	1.4500		27-5陳章	○
2047	査干	上田	420.0	2.2100	應來	27-5王桂	○
2048	査干	上田	162.0	0.8530	黒個	27-1陳振達	○
2049	査干	上田	221.4	1.1450		27-5王桂	○
2050	査干	上田	228.5	1.2030	社祖	27-5陳章	○
2051	査干	上田	227.6	1.1980		27-5王桂	○
2052	査干	上田	172.0	0.9050		27-5王茂	○
2053	査干	上田	66.2	0.3470	岩相	27-1陳興	○
2054	査干	上田	141.5	0.7440		27-5王茂	○
2055	査干	上田	230.0	1.2120	孫進	27-5程學	○
2056	査干	上田	216.3	1.1380	程曜	27-5金萬政	○
2057	査干	上田	118.0	0.6210	寄保	27-5金萬政	○
2058	査干	上田	175.9	0.9260		27-1陳振達	○
2059	査干	上田	276.0	1.4500		27-5王茂	○
2060	査干	上田	323.0	1.7000		27-5汪大祿	○
2061	査干墩	上田	99.3	0.5210		27-1陳興	○
2062	査干	上田	85.4	0.4490		27-1陳興	○
2063	査干	上田	205.0	1.0790	金鵉	27-1陳興・陳鉤	○
2064	査干	上田	195.8	1.0310		27-5王茂	○
2065	査干	上田	197.8	1.0410	齊互	27-5王榮	○
2066	査干	上田	163.1	0.8530		27-5陳章	○
2067	査干	上田	258.8	1.3620	金鵉	27-5汪大祿	○
2068	査干	上田	162.9	0.7320	雲生・ 雲九	27-1陳興	○
2069	黄土嶺	上田 上地	282.9 6.0	1.4090 0.0300	齊互	27-5陳章	○

2070	黄土嶺	中田	269.5	1.2250		27-1陳文燦	○
2071	黄土嶺基地	下地	220.0	0.6280		27-5王茂	○
2072	黄土嶺	中田	134.0	0.6090	文然	27-1陳振達	○
2073	黄土嶺	下田	231.9	0.8920	社個	27-1王爵	○
2074	黄土嶺	塘	39.3	1.5100		27-1陳學・王爵	○
2075	黄土嶺	上田	347.2	1.8270	津拾	27-5金萬政・王齊興	○
2076	黄土嶺	上田	127.5	0.6720		27-5王法	○
2077	黄土嶺	上田	396.0	2.0840	教化	27-1陳天相	○
2078	黄土嶺	下田	389.1	1.4970	汪才	27-1陳學・王爵	○
2079	黄土嶺	上田	282.7	1.4880	王法	27-5金萬政	○
2080	陸畝坵	上田	297.0	1.5630	程曜	27-5陳章	?
2081	後干	上田	274.7	1.4450	七濤	27-5金萬政	?
2082	後干	上田	279.1	1.4690	長仂	27-1陳天相	?
2083	後干	中田	235.2	1.0690	甲毛	27-1陳天相	?
2084	後干	上田	194.9	1.0250	七濤	27-1陳天相	?
2085	後干	上田	212.5	1.1180	銀童	27-5王茂	?
2086	後干	上田	407.6	2.1450	銀童	27-5王茂	?
2087	後干	上田	418.4	2.2220	卽法	27-1陳嘉	?
2088	再槎	上田	240.0	1.0910	進貴	27-5王茂	?
2089	後干	上田	661.7	3.4820	吳津拾	27-5金清	?
2090	後干	上田	344.3	1.8120	潭保	27-1陳本	?
2091	後干	上田	171.2	0.9010	則法	27-5王茂	?
2092	後干	上田	737.5	3.8820	則法	27-1陳寓祿	?
2093	後干	上田	506.3	2.6640	銀童	27-1陳興	?
2094	後干	上田	278.9	1.4680	胡法	27-5王桂	?
2095	後干	中田	184.7	0.8400	招保	27-5金萬政	?
2096	後干	上田	263.6	1.1980		27-1王爵	?
2097	後干	中田	250.0	1.1360	卽法	27-5陳章	?
2098	後干	上田	187.8	0.9890	長童	11-3金以用	?
2099	再槎	上田	235.3	1.2380	陳順	27-5王茂	?
2100	再槎	上田	352.1	1.8520	銀童	27-1陳興	?
2101	後干	上田	226.3	1.1900	書童	27-1陳興	?
2102	平林	山		3.3600	書童	27-5王茂・王齊興，27-1陳三同	○
2103	後干	上田	369.3	1.9440	法力	27-5王茂	?
2104	後干	上田	580.9	3.0580	法力	27-1陳興	?
2105	後干	上田	227.7	1.1980	長童	27-5王時	?
2106	後干	上田	549.0	2.8700	程互	27-5王茂，27-1陳振達・陳興・陳寓祿	?

2107	平林山	下下地 山	24.3	0.0490 1.0000	王法	27-5陳章	○
2108	平林山	下下地 山	91.0	0.1820 1.5000	書童	27-5王齊興	○
2109	後干	上田	464.3	2.4430	周法	27-5王茂，27-1陳寓祿	?
2110	後干	上田	237.4	1.2500	倪社	27-5畢盛	?
2111	後干	上田	166.6	0.8770	長力	27-5陳章	?
2112	再槎	中田	210.7	0.9580	長童	27-1陳振達	?
2113	再槎	中田	422.6	1.9210	潭保	27-5王茂	?
2114	再槎	中田	232.1	1.0550	長力	27-1陳寓祿	?
2115	後干	中田	275.5	1.2520	長力	11-3金湛英	?
2116	後干	上田	304.4	1.6020	長力	11-3金湛英	?
2117	後干	上田	459.4	2.4180	付進	27-1陳寓祿	?
2118	後干	上田	328.5	1.7290	守牛	11-3金經衛・金湛英	?
2119	後干	上田	352.5	1.8550	惠保	27-1陳天相	?
2120	李村	中地	398.2	1.5930	汪才	27-5王茂	○
2121	後干	上田	424.5	2.2340	辛潯	13-2程文	?
2122	後干	上田	517.5	2.7240	洪志・ 象仂	27-1呂尙弘	?
2123	後干靴坵	上田	463.1	2.4370	玘龍	27-1陳興，11-3金經衛	?
2124	後干梭丘	上田	307.2	1.6160	洪志	27-1陳天相	?
2125	後干長丘	中田	190.2	0.7650	王法	11-3金經衛・金湛英	?
2126	皮刀丘	上田	183.0	0.9630	玘龍	11-3金經衛・金湛英	?
2127	後干	上田	200.2	1.0520	汪才	27-1陳興	?
2128	後干	上田	184.5	0.9710	齊六	27-5王茂	?
2129	後干	上田	240.9	1.2680	長仂	27-1陳善	?
2130	後干	上田	231.5	1.2180	金華	27-1著存觀・陳寓祿	?
2131	後干	中田	21.9	0.0950	汪才	27-5王茂	?
2132	後干	上田	430.6	2.2660		27-1陳天相	?
2133	後干	上田	410.9	2.1620	長力	27-1陳天相	?
2134	後干	上田	320.0	1.6790	個個	27-1陳興	?
2135	後干	上田	345.1	1.8160	天四	27-1陳寓祿	?
2136	後干	上田	390.6	2.0560	付成	27-1陳興，11-3金經衛	?
2137	金鈎掛□	下下地 山	30.0	0.0600 2.1000	大個	27-5王茂	?
2138	焦皮石	上田	225.8	1.1190		27-1陳振達	?
2139	後干焦皮石	上田	221.8	1.1670	書童	27-5王榮	?
2140	後干	上田	293.7	1.5470	法龍	27-1陳興	?
2141	後干塝下	中地	8.0	0.0320	天玄	11-3金經衛・金湛英	?

2142	後干焦皮石	上田	116.5	0.6130	天相	27-1陳本	?
2143	後干	上田	217.5	1.1450	法龍	27-1陳嘉	?
2144	後干焦皮石	上田	297.1	1.5630	象仂	27-1汪明	?
2145	後干	上田	319.0	1.6790	津拾	27-1陳興・陳寓祿	?
2146	後干	上田	140.0	0.7370	法林	27-1陳天相	?
2147	後干	上田	201.1	1.0580	辛濤	27-5王齊興	?
2148	後干	上田	197.0	1.0370	廷光	27-1陳嘉	?
2149	後干	上田	242.2	1.2740	廷雲	27-5王齊興	?
2150	後干	上田	239.6	1.2610	祐力	27-1陳嘉・陳建忠	?
2151	後干	中田	144.1	0.6540	廷直	27-1陳興	?
2152	後干	上田	120.1	0.6320	祐力	27-1陳建忠・陳嘉	?
2153	後干	上田	150.2	0.7900	祐力	27-1陳建忠	?
2154	後干	下田	161.3	0.6200	廷眞	27-5王齊興	?
2155	平林	下下地 山	868.1	1.7360 2.6260	廷光	27-1王爵	○
2156	平林	下下地 山	466.4	0.9330 2.0000		27-1王爵	○
2157	後干	上田	434.1	2.2840	廷眞	27-1陳興	?
2158	後干	上田	132.7	0.6980	廷光	27-1陳嘉	?
2159	後干	中田	189.8	0.8620	天津	27-1陳嘉・陳建忠	?
2160	後干	上田	413.9	2.1780	李奇	27-5王茂	?
2161	後干	中田	147.8	0.6720	廷光	27-1陳振達	?
2162	後干	上田	228.8	1.2240	廷眞	27-1陳建忠	?
2163	後干	上田	415.1	2.1850	天津	27-1王爵	?
2164	後干	中田	264.2	1.2100		27-1陳嘉	?
2165	後干	上田	136.9	0.7210	祐仂	27-1陳興・陳相	?
2166	後干	上田	122.6	0.6470	祐力	27-1陳興	?
2167	後干	中田	37.7	0.1710	長俚	27-5王齊興	?
2168	後干	下田	227.8	0.8760	天雲	27-1王爵	?
2169	後干	中田	146.8	0.6680	長仂	27-5王齊興	?
2170	後干	上田	329.7	1.7350	祐力	27-1陳興・陳天相	?
2171	後干	中田	256.7	1.1670	法林	27-1陳嘉	?
2172	後干	上田	113.1	0.5950	天雲	27-1陳鵬・陳軒	?
2173	後干	上田	181.0	0.9530	雲奇	27-1陳興	?
2174	後干	上田	243.2	1.2800	文進	27-5金萬政	?
2175	後干	中田	163.5	0.7430	文進	27-5金萬政	?
2176	後干	上田	118.4	0.6230	天雲	27-1陳寓祿	?
2177	後干	上田	225.7	1.1880	天雲	27-1王爵・陳寓祿	?
2178	後干	下田	255.0	0.9820	園保	27-1陳嘉	?

2179	後干	上田	181.5	0.9550	文進	27-5王桂	?
2180	後干	上田	376.1	1.9790	李盛	27-1陳寓祿	?
2181	後干	中田	25.0	0.1130	員保	27-1陳嘉	?
2182	後干	上田	136.3	0.7170	法龍	27-5陳章	?
2183	後干	上田	257.1	1.3530	員保	27-1陳寓祿	?
2184	後干	中田	282.1	1.2820	文進	27-1陳興	?
2185	後干	中田	418.8	1.9840		27-5王茂	?
2186	後干	上田	153.1	0.8600	李高	27-1陳振達	?
2187	後干	上田	151.2	0.7990	法龍	27-1陳寓祿	?
2188	後干	中田	210.4	0.9560	法龍	27-5王茂	?
2189	車巷口	下田	227.7	0.8750	李奇	27-1陳岩求	?
2190	車巷	上墳地	6.0	0.0300		27-6陳汶・陳味春	?
2191	車巷	中地	525.6	2.1200	四十	27-1陳龍生・陳文討・陳積社・陳應時・陳長・陳晉	?
2192	車巷	中地	738.7	2.9540	四十	27-1陳文討・陳應時・陳積社・陳晉・陳長・陳龍生	?
2193	車巷口	下田	195.8	0.7530	天相	27-5王茂	?
2194	車巷口	上墳地	1.0	0.0050		27-1陳寓祿	?
2195	車巷口	中地	232.8	0.9310	員相	27-1陳岩求	?
2196	車巷口	下田	12.0	0.0460	員相	27-1陳岩求	?
2197	車巷口	下地	188.6	0.5390		27-1陳寓祿	?
2198	車巷口	中地	442.7	1.7710		27-1陳寓祿・周進	?
2199	車巷口	下田	290.7	1.1180	高力	27-5王茂	?
2200	車巷口	上田	175.7	0.9250	象力	27-1陳寓祿	?
2201	車巷口	上田	108.7	0.5720	象力	27-5王桂	?
2202	車巷口	上田	172.2	0.9060	李象	27-5金萬政	?
2203	車巷口	上田	177.5	0.9320	玄應	27-1陳光儀	?
2204	蛇形	上田	268.8	1.4150	晉潯	27-5王茂，27-1王爵	?
2205	蛇形	中田	203.4	0.9240	積法	27-5王時	?
2206	?	上田	292.4	1.5390		27-1朱天生	?
2207	車巷口	上田	283.7	1.4930	雲力	27-5陳章，27-1陳寓祿	?
2208	車巷口	中田	125.3	0.5700		27-5王齊興	?
2209	車巷口	上田	184.5	0.9710	法盛	27-1陳寓祿	?
2210	車巷口	上田	168.4	0.8860		27-1陳興	?
2211	蛇形	上田	155.4	0.8150	奇力	27-1陳興	?
2212	蛇形	中田	293.8	1.3540	祐力	11-3汪國英	?
2213	蛇形	上田	404.3	2.1260	辛保	27-1陳興	?

2214	蛇形	上田	150.9	0.7940		27-1陳振達	?
2215	蛇形	上田	153.1	0.8600	劉潯	27-1陳振達	?
2216	蛇形	中田	380.2	1.7240	四十	27-1陳寓祿，27-3朱玄貴	?
2217	蛇形	上田	143.5	0.7530	法力	27-1陳興	?
2218	蛇形	上田	372.9	1.9990	文進	27-1陳興	?
2219	蛇形	中田	441.6	2.0700	壽兒	27-1王爵	?
2220	蛇形	上田	179.2	0.9430	法力	27-1陳寓祿	?
2221	蛇形	上田	185.5	0.9760	天貴	27-1陳振達	?
2222	蛇形	上田	202.1	1.0630	員力	27-5陳章	?
2223	蛇形	上田	162.4	0.8550	長俚	27-1陳天相	?
2224	蛇形	上田	24.0	0.1260	文相	27-5陳章	?
2225	蛇形	上田	203.3	1.0700		27-1陳天相	?
2226	倪干頭	上田	173.5	0.9130	文相	27-5陳章	?
2227	倪干頭	上田	298.1	1.5690	天四	27-1陳寓祿	?
2228	倪干頭	上田	233.8	1.2310	汪潯・玘力	27-1陳寓祿	?
2229	鲍充	山		0.2440		27-5程學・陳龍，27-1陳法	○
2230	鲍充	山		1.0000	陳法	27-5王榮・王時，27-1陳興	○
2231	鲍充	塘	119.7	0.4600		27-1陳振達	○
2232	牛英充	下下地 山	30.0	0.0600 1.5000		27-1陳興・陳寓祿	○
2233	鲍充	下下田	39.6	0.1320	陳進	27-1陳振達	○
2234	鲍充	下下田	83.0	0.2770	雲生	27-1陳振達	○
2235	鲍充	下田	72.9	0.2800	玄宗	27-1陳振達	○
2236	鲍充	下田	201.2	0.7740	陳進	27-1陳振達	○
2237	鲍充	下田	100.3	0.3860	陳法	27-1陳振達	○
2238	鲍充	中田	128.9	0.5860	五十	27-5陳祥	○
2239	鲍充	中田	68.2	0.3100	進喜	27-1陳振達	○
2240	鲍充	中田	114.0	0.6550	雲生	27-1陳振達	○
2241	鲍充	下田	141.4	0.5440	雲生	27-1陳振達	○
2242	鲍充	中田	148.4	0.5710	進喜	27-1陳振達	○
2243	鲍充	中田	191.5	0.8710	進喜	27-1陳振達	○
2244	鲍充	中田	68.1	0.3100	進喜	27-1陳振達	○
2245	鲍充	下田	126.6	0.5750	雲生	27-1陳振達	○
2246	鲍充	中田	263.0	1.1950	雲生	27-1陳振達	○
2247	牛英充	山		5.3300	陳法	27-1陳寓祿	○
2248	鲍充	中田	39.5	0.1800	金鑒	27-1陳振達	○

2249	鮑充	中田	254.5	1.1570	金鑑	27-1陳振達	○
2250	鮑充	下田	177.4	0.6810	金鑑	27-1陳振達	○
2251	鮑充	中田	342.1	1.5550	陳時	27-5陳章	○
2252	鮑充	中田	122.0	0.5550	程護	27-1陳振達	○
2253	長嶺坵	下田	35.9	0.1380		27-５陳章	?
2254	鮑充	中田	92.9	0.4220	程護	27-1陳振達	○
2255	鮑充	中田	188.7	0.8580	程曜	27-1陳振達	○
2256	鮑充	中田	115.0	0.9770	程曜	27-1陳振達	○
2257	長嶺坵	中田	224.4	1.0200		27-5陳章	?
2258	長楓樹後山	山		0.5000		27-1陳法・陳振達	?
2259	鮑充	中田	163.9	0.7460	金鑑	27-5陳章	○
2260	鮑充	中田	275.4	1.2520	程護	27-3朱時金	○
2261	鮑充	中田	224.5	1.0200	五十	27-1陳振達	○
2262	鮑充	中田	224.1	1.0190		27-5金萬政	○
2263	屎堈山	下田	79.0	0.3040	程曜	27-5王時	?
2264	屎堈山	山		2.3580		27-5王時，27-1陳積社・陳興・陳龍生・陳長・陳文討・陳應時・陳寓祿・陳晉	?
2265	屎堈山	下田	66.4	0.2540	程曜	27-5王時	?
2266	鮑充	中田	197.5	0.8980	齊六・象俚	27-1陳振達	○
2267	外山頭	下下田	34.3	0.1140		27-1朱曜	?
2268	外山頭	上墳地	45.1	0.2260	三十	27-1朱曜	?
2269	外山頭	下下田	35.5	0.1180	三十	27-1朱曜	?
2270	外山頭	下田	50.8	0.1950	三十	27-1朱曜	?
2271	鮑充口	上田	221.3	1.1650	守牛	27-1陳振達	○
2272	鮑充口	上田	206.2	1.0850	長祐	27-1陳祖陽	○
2273	屎堈山	中田	229.9	1.0450	寄保	27-5金萬政	?
2274	屎堈山	下地	76.7	0.2190	程曜	27-5王時	?
2275	屎堈山	下下地	27.7	0.0560	守牛	27-5王時	?
2276	屎堈山	下下田	46.8	0.1560	金鑑	27-5王茂	?
2277	鮑充口	上田	176.2	0.9270	金鑑	27-1陳天相	○
2278	鮑充口	上田	172.4	0.9700	金鑑	27-1陳法	○
2279	鮑充口	上田	359.3	1.8910		27-1陳文燦	○
2280	長楓樹口	上田	164.1	0.8610		27-1陳章	○
2281	長楓樹口	上田	294.3	1.5490	程曜	27-1陳文燦	○
2282	黄土嶺	上田	268.7	1.4140	程象	27-1陳文燦	○
2283	黄土嶺	上田	244.7	1.2880	程護	27-1陳文燦	○

2284	黄土嶺	上田	384.2	2.0220		27-5陳章	○
2285	黄土嶺	上田	309.7	2.0560	程象等	27-5陳章	○
2286	長□	山		0.5000		27-5汪龍・汪義，27-1陳振達	?
2287	欅樹下	上田	324.8	1.7100	齊六	27-1陳天相	○
2288	黄土嶺	上田	300.0	1.5870		27-1陳興	○
2289	黄土嶺	上田	255.0	1.3420	寄保	27-5王桂，27-1陳興	○
2290	黄土嶺	上田	105.3	0.5540	寄保	27-1陳振達	○
2291	武嶺山	山		0.6000		27-5王茂	?
2292	黄土嶺	上田	223.6	1.1770	程護	27-5王茂	○
2293	黄土嶺	上田	167.7	0.8830	寄保	27-5王大祿	○
2294	黄土嶺	上田	152.3	0.8000	文然	27-1陳興	○
2295	查干	上田	158.9	0.8360	寄保	27-5金萬政	○
2296	長坵	上田	295.0	1.5530		27-1王爵	○
2297	黄土嶺	上田	367.8	1.9360	三義	27-1周進	○
2298	欄干坵	上田	326.4	1.7180	伍拾	27-5程相，27-1陳法	?
2299	武嶺山脚	中田	388.5	1.7660	教化	27-1陳勝佑	?
2300	武嶺山脚	下下田	270.4	0.9010		27-5王茂，27-1陳寓祿	?
2301	武嶺山	下下田	23.4	0.0780	甲毛	27-5王茂	?
2302	舞嶺山脚	中田	78.2	0.3550	四十	27-5王茂，27-1陳寓祿	?
2303	舞嶺山脚	中田	313.4	1.4250	汪祥	27-5陳章	?
2304	舞嶺山脚	下田	148.3	0.5700	汪祥	27-5陳章	?
2305	舞嶺山	下下田	129.1	0.4300	金鑑	27-1陳晉・陳文討・陳興・陳龍生・陳積社・陳寓祿	?
2306	葉家墓	山		2.0000		27-5謝社・倪壽，27-1倪社・陳法	?
2307	葉家墓	下下田	29.0	0.0970	齊六	27-1陳法	?
2308	葉家墓	上地	7.4	0.0370		27-1陳法等	?
2309	葉家墓	下下田	36.0	0.1200	齊六	27-1陳法	?
2310	葉家墓	下下田	62.7	0.2900	齊六	27-1陳法	?
2311	葉家墓	下下田	24.5	0.0820	齊六	27-1陳法	?
2312	武嶺山	山		0.3000		27-1陳法	?
2313	後嶺	山		0.5700	金成	27-1陳興	?
2314	後嶺	山		1.2540	來興	27-1王爵	?
2315	後嶺	山		3.0400	來興	27-1程道華・程岩才	?
2316	再丫	山		0.5840	來興	27-5金萬政	?
2317	再義	山		0.1000	來興	27-5陳章	?
2318	再義	山		0.2000	來興・廷眞	27-1陳振達・汪林	?

2319	再義	山		4.6470	來興	27-1王爵・陳法	?
2320	再義	山		12.0000	來興	27-1王爵	?
2321	再槎	山		1.2000	來興	27-1王爵	?
2322	再槎	山		1.0000		27-5金萬政	?
2323	武嶺山	下下田	148.1	0.4940	滿潯	27-1陳軫文	?
2324	武嶺山	下下田	154.0	0.5130	金成	27-1陳振達	?
2325	武嶺山	下下田	111.5	0.3720	程金成	27-1陳振達	?
2326	武嶺山	下下田	201.0	0.6700	程金	27-1陳振達	?
2327	武嶺山	下下田	143.3	0.4780		27-1陳振達	?
2328	再丫	中田	107.2	0.4790	金成	27-1陳振達	?
2329	再槎	中田	225.3	1.0240	齊六	27-5陳廷春	?
2330	再槎	中田	190.9	0.8670	齊六	27-5陳廷春	?
2331	再槎	下田	80.8	0.3110	招保	27-5陳章・程周宣	?
2332	再槎	山		0.1000	金鑑	27-5陳章	?
2333	再槎	中田	199.2	0.9050	招保	27-5陳章・程周宣	?
2334	再槎	中田	128.3	0.5830	唐保	27-5王茂	?
2335	再槎	中田	93.3	0.4220	付進	27-1陳鉤	?
2336	再槎	中田	185.2	0.8400	津拾	27-5王齊興	?
2337	再槎	中田	219.2	0.9970	教化	27-1陳鉤	?
2338	再槎	中田	204.8	0.9310	教化	27-1陳鉤	?
2339	再槎	中田	301.4	1.3730	金鴍	27-5王茂	?
2340	再槎	中田	251.3	1.1420		27-1陳振達	?
2341	再槎	中田	137.6	0.6250	長仂	27-1陳祖陽	?
2342	再槎	中田	125.4	0.5700	唐保	27-5王茂	?
2343	再槎	中田	195.2	0.8870	唐保	27-5王茂	?
2344	再槎	中田	102.6	0.4670		27-5王齊興	?
2345	再槎	中田	114.1	0.5200	吳法	27-5王齊興	?
2346	再槎	中田	228.1	1.0360	胡法	27-5王齊興	?
2347	再槎	中田	154.3	0.7020	唐保	27-5王茂	?
2348	再槎	中田	279.4	1.2700	志固	27-5王茂	?
2349	再槎	中田	234.3	1.0640		27-5王茂	?
2350	再槎	中田	296.8	1.3490		27-5王茂	?
2351	再槎	中田	266.3	1.2100	六個	27-1王茂	?
2352	再槎	中田	137.6	0.6250	六個	27-1著存觀	?
2353	再槎	中田	234.5	1.0660	王悌	27-5陳章	?
2354	再槎	中田	141.3	0.6420	齊曜	27-1陳振達	?
2355	再槎	中田	244.0	1.1100	唐保	27-1陳振達	?
2356	再槎	中田	165.0	0.7500	王進	27-5畢盛	?
2357	再槎	中田	175.1	0.7960	初法	27-1王爵	?

2358	再槎	下田	168.0	0.6460	天進	27-1陳貴	?
2359	再槎	下下地	118.1	0.2320	唐保	27-1王爵	?
2360	再槎	下下田	67.9	0.2260	唐保	27-1王爵	?
2361	再槎	下田	24.3	0.0930	唐保	27-5王清明	?
2362	再槎	下下田	254.5	0.8480	唐保	27-1王爵	?
2363	再槎	塘	118.3	0.4550		27-5王茂，27-1王爵	?
2364	再槎	中田	201.8	0.9170	天進	26-4洪雲相	?
2365	再槎	中田	254.8	1.1580	天進	27-1王爵	?
2366	再槎	中田	259.0	1.1770	天進	27-1王爵	?
2367	再槎	下田	61.2	0.2350	唐保	27-1王爵	?
2368	再槎	中田	73.6	0.3350	志個	27-1王爵	?
2369	再槎	中田	113.7	0.5110	志固	27-1王爵	?
2370	再槎	中田	172.9	0.7860	唐保	27-1陳振達	?
2371	再槎	中田	198.4	0.9200	唐保	27-1王賈	?
2372	再槎	中田	278.4	1.2660	唐保	27-5王茂・王初，27-1陳寓祿	?
2373	□□墩	中田	118.7	0.5400	唐保	27-5王茂	?
2374	□□墩	下下地	143.2	0.2860	汪祥	27-5金萬政	?
2375	□□墩	下下地	155.0	0.3100	唐保	27-5金萬政，27-1王爵	?
2376	□□墩	下墩地	5.0	0.0140		無主衆墩	?
2377	再槎	中田	159.6	0.7250	査長	11-3金經衞・金湛英	?
2378	再槎	下下地	147.4	0.2950	唐保	27-1王爵	?
2379	再槎	下田	141.7	0.5450	汪才	11-3金經衞・金湛英	?
2380	後干	下田	144.5	0.5560	天玄	11-3金經衞・金湛英	?
2381	後干	下田	206.4	0.7940	天玄	11-3金經衞・金湛英	?
2382	後干	下田	433.6	1.6680	天玄	11-3金經衞・金湛英	?
2383	後干	中田	183.2	0.8330	査長	27-1陳天相	?
2384	後干	下地 山	1104.0	3.1540 20.0000		27-1陳正陽・王爵	?
2385	後干	山		1.3000		27-5汪林	?
2386	陳巷口	下田 下地 塘	425.0 167.0 14.0	1.6350 0.4770 0.0540	津拾	11-3金經衞・金湛英	?
2387	陳巷口	上地	327.6	1.6380		27-1汪希	?
2388	陳巷口	下地	386.8	1.1500	佛保	27-1陳興	?
2389	陳巷口	山		0.5000		27-1陳天相・陳岩求	?
2390	周村	下地 山	441.4	1.2600 2.6000	陳壽	27-5王齊興	○
2391	上池	中田	197.6	0.8980	大個	27-5王茂	○

2392	上池	上田	485.8	2.5570		27-5陳章	○
2393	上池	上田	335.9	1.7680	銀童	27-1陳振達	○
2394	上池	上田	129.6	0.6900		27-5王齊興	○
2395	上池	上田	436.5	2.3000	長童	27-5王齊興	○
2396	上池	中田	259.2	1.1800	大個	27-5王茂	○
2397	上池	上田	211.9	1.1150	大個	27-1王爵	○
2398	裏村	上田	126.4	0.6650	王法	27-1陳振達	○
2399	裏村	上田	139.5	0.7340		27-5王法	○
2400	裏村	上田	279.2	1.4700	銀童	27-1王爵	○
2401	裡村	中田	160.7	0.7310	書童	27-5王齊興	○
2402	裡村	中田	161.5	0.7430		27-5王齊興・王茂	○
2403	裡村茅山	中地	142.4	0.5700	書童	27-5王齊興	○
2404	茅山	中地	238.4	0.9450	書童	27-5王楸房	○
2405	茅山	中地	180.6	0.7220		27-5王茂	○
2406	茅山	中地	238.1	0.9420		27-5王廷榮・王齊興	○
2407	裡村	下下田	51.9	0.1730	臘保	27-5王齊興	○
2408	裡村	上田	228.2	1.2100		27-1陳貴	○
2409	裡村	上田	240.2	1.2620	汪才	27-1陳興	○
2410	裡村	上田	159.9	0.8420	汪才	27-1陳天相	○
2411	裡村	中地	886.5	3.5460	汪才	27-1王爵	○
2412	裡村	中地	24.0	0.0960		27-5汪林	○
2413	裡村	中田	184.4	0.8380		27-1王爵	○
2414	裡村塘	塘	3.5	0.0130	汪才	27-5王茂	○
2415	裡村	上田	446.6	2.3510		27-5王齊興	○
2416	裡村	上田	279.3	1.4700		27-1陳興，11-3金四個	○
2417	裡村	中田	153.6	0.6980	廷眞	27-5王茂・汪琰	○
2418	裡村	中田	95.5	0.4320	廷雲	27-5汪琰	○
2419	裡村	中田 上墳地	78.0 47.7	0.3560 0.2380		27-5金四	○
2420	裡村	中地	53.1	0.2120	大個	27-5汪林，27-1王爵	○
2421	裡村住後西	中地	61.0	0.2440	廷眞	27-5汪林	○
2422	裡村住□	中地	120.6	0.4800		27-5汪林	○
2423	裡村住□	中地	58.0	0.2400		27-5汪林	○
2424	李村住基	中地	268.4	1.0660		27-5汪林	○
2425	李村	中田	193.1	0.7720		27-5王齊興	○
2426	李村	上地	141.8	0.7100	廷眞	27-5王科	○
2427	李村	中田	172.9	0.7860	廷眞	27-5王廷榮	○
2428	李村	中田	112.6	0.5120	廷眞	27-5王齊興	○
2429	李村	上田	219.8	1.1570		27-5王茂	○

2430	李村	上田	372.9	1.9630	廷眞	27-1陳天相	○
2431	李村	上田	109.3	0.5750	則法	27-1汪志	○
2432	李村	中田	117.9	0.5360		27-1陳光儀	○
2433	裡村	下田	205.9	0.7920		27-1陳興	○
2434	裡村	下下田	100.2	0.3340		27-5王清明	○
2435	裡村	上田	388.4	1.0440	應付	27-5汪大祿	○
2436	裡村	上田	506.6	2.6660	天祐	27-6汪得祐	○
2437	裡村	上田	81.1	0.4280		27-5王茂	○
2438	裡村	中田	193.5	0.8800	廷眞	27-1陳天相	○
2439	裡村	中田	258.4	1.1750	廷眞	27-5王齊興	○
2440	蛇形	下田 下地	18.6 28.9	0.0710 0.0830		27-5王初・王敍	?
2441	蛇形	上田 上地	94.3 51.0	0.4960 0.2550		27-5王齊興・王法・王桂	?
2442	蛇形	下下田	139.3	0.4640		27-5王齊興	?
2443	蛇形	中地	288.8	1.1550	廷光	27-5王齊興・王繼成	?
2444	蛇形	中地	42.8	0.1710	汪廷光	27-5王繼成	?
2445	蛇形	中地	383.5	1.5340	汪廷眞	27-5王齊興	?
2446	新田	下下田	192.0	0.6400	廷眞	27-5王齊興	?
2447	蛇形辛□	下田	258.9	0.9970	廷光・天玄	27-5王齊興	?
2448	蛇形辛□	下下田	105.3	0.3510	天玄	27-5王齊興	?
2449	蛇形新田	下下田	45.9	0.1530	廷光	27-5王齊興	?
2450	蛇形	下下田	226.6	0.7560	廷眞	27-5王齊興	?
2451	蛇形	上墳地	10.5	0.0550		27-1陳興	?
2452	蛇形	中地 山	276.0	1.1400 0.1000	廷光	27-1陳天相	?
2453	蛇形	中地	193.4	0.7740	廷光	27-5王敍・王桂・王初	?
2454	蛇形	上地	30.4	0.1550	廷光	27-5王齊興	?
2455	蛇形	中地	58.5	0.2340		27-5王齊興	?
2456	蛇形	山		0.5000		27-5王齊興・王繼成・王法・王桂	?
2457	蛇形	山		0.5000	廷光	27-5王茂	?
2458	蛇形	山		0.3800	廷眞	27-5畢盛，27-1陳興	?
2459	蛇形	山		0.1000	廷眞	27-1陳進・陳應時・陳積社	?
2460	蛇形	山		0.8850		27-5王時	?
2461	蛇形	山		0.2850		27-5王初	?
2462	蛇形	上墳地	9.0	0.0450		27-5王茂伍	?

2463	蛇形	中地 山	25.0	0.1000 0.2130		27-5王榮	?
2464	蛇形	上田	261.0	1.3700	則法	27-5王茂	?
2465	伏兎形	上田	77.1	0.2480		27-5王茂	?
2466	伏兎形	中田	41.7	0.1900		27-5王齊興	?
2467	伏兎形	下下地	168.0	0.3360		27-5王時・王榮・王鍾・王科・王初・王齊興・王繼成・王法・王桂・王茂，27-1王爵	?
2468	伏兎形	墳山		3.0110		27-5王榮・王時・王初・王齊興・王繼成・王鍾・王科・王茂伍・王桂・王法・王茂，27-1王爵	?
2469	伏兎形	上田	556.6	2.9290		27-1陳善	?
2470	伏兎形	上田	273.9	1.4420	法龍	27-1陳文討	?
2471	伏兎形	中田	190.4	0.8650		27-1陳春	?
2472	伏兎形	上田	405.4	2.1340	天龍	27-1陳興	?
2473	蛇形	上田	321.2	1.6900	陳進	27-1呂尙弘	?
2474	蛇形	上地	310.0	1.6320		27-5汪大祿	?
2475	蛇形	上田	311.5	1.6390	文進	27-1陳興・陳寓祿	?
2476	金竹巷口	上田	270.5	1.4230		27-1汪明	○
2477	蛇形	上田	318.6	1.6770		27-1陳寓祿	?
2478	蛇形	上田	264.5	1.3890		27-5王時	?
2479	蛇形	上田	191.7	1.0090		13-4戴時	?
2480	蛇形	中地	86.1	0.3440	大固	27-5王時・王初	?
2481	金竹巷口	上田	393.8	2.0710	天付	27-5王茂	○
2482	伏兎形金竹巷	下田	197.3	0.7600	大固	27-5王茂	○
2483	金竹巷	山		0.6300	天玄	27-5王茂・朱勝付，27-1陳寓祿	○
2484	金竹巷	山		0.5000	天玄	27-5王茂，27-1吳天志	○
2485	水毋墩	山		0.5380	天玄	27-1陳寓祿	○
2486	後塘田壊	山		0.5750	天玄	27-1陳晉・陳龍生・陳長・陳文討・陳應時・陳積社	○
2487	水毋墩	山		0.3000	天玄	27-1陳寓祿	?
2488	金竹巷口	上田	411.9	2.1620		27-5王茂	○
2489	蛇形	上田	252.4	1.3280	文意	27-1陳天相	?
2490	蛇形	上田	295.3	1.5530	長貴	27-1陳興	?
2491	蛇形	上田	78.6	0.4130	文進	27-1陳生	?

2492	蛇形	上田 上地	29.3 31.6	0.1540 0.1580	員頭	27-1汪鎰	?
2493	蛇形	上田	153.8	0.8090	天保	27-5王茂	?
2494	蛇形	上田	123.5	0.6480	天曜	27-1陳寓祿	?
2495	蛇形	上田	186.1	0.9780	文富	27-1陳振達	?
2496	蛇形	上田	449.8	2.3670	員頭	27-1陳興	?
2497	後干	上田	87.5	0.4610	汪溽	27-1陳振達	?
2498	後塘	上田	239.7	1.2630		27-1陳興	○
2499	後塘	上田	160.5	0.8450	天象	27-1陳振達	○
2500	後村	山		5.2500		11-3金桐竹	○
2501	程干頭	下田	51.9	1.2000	滿得	11-3金桐竹	○
2502	程干頭	下田	139.4	0.5360		11-3金桐竹	○
2503	嶺下	下田	100.4	0.3860		11-3金桐竹	○
2504	嶺下	下田	89.2	0.3430		11-3金桐竹	○
2505	嶺下	下田	62.5	0.2400	朱遲	11-3金桐竹	○
2506	嶺下	下田	73.3	0.2820	朱遲	11-3金桐竹	○
2507	尾雪坵	下田	201.4	0.7750	義溽	11-3金桐竹	○
2508	嶺下	下田	82.1	0.3160		11-3金桐竹	○
2509	呈干塘	中田	77.6	0.3530		11-3金桐竹	○
2510	塘頭	中田	211.8	0.9630		11-3金桐竹	○
2511	呈干塘	中田	179.7	0.8170		11-3金桐竹	○
2512	塘鳰林	塘	199.0	0.7650		27-1陳寓祿，11-3金桐竹	○
2513	塘鳰林	山		7.3750		27-1陳晉・陳興・陳寓祿	○
2514	後村山	山		1.7540		11-3金桐竹	○
2515	後村	下地	245.6	0.7300		11-3金桐竹	○
2516	後村	下田 下地	209.1 200.0	0.8040 0.5710	金成	11-3金桐竹	○
2517	呈干塘	中田	289.6	1.3160	朱保	11-3金桐竹	○
2518	呈干塘	中田	164.1	0.7460	朱保	11-3金桐竹	○
2519	呈干塘	中田	193.2	0.8780	天德	11-3金桐竹	○
2520	呈干塘	中田	35.0	0.1590	天德	11-3金桐竹	○
2521	庄上塘	塘	738.0	2.8400		27-1陳正陽・陳岩求・陳興・陳瑾・陳三得	○
2522	著存觀坦地	中地	58.4	0.2340		11-3金革孫	?
2523	著存觀	上地	73.27	0.3660		11-3金革孫	?
2524	著存觀	上地	79.4	0.3970		11-3金革孫	?
2525	右園	中地	102.2	0.4090		11-3金革孫	○
2526	右坦	上地	85.15	0.4260		11-3金革孫	○
2527	祠右房	上地	303.9	1.5200		11-3金革孫	○

2528	祠基	上地	109.73	0.5490		11-3金革孫	○
2529	祠左房	上地	70.1	0.3500		11-3金革孫	○
2530	庄上墳地	上地	33.7	0.1690		27-1陳興	○
2531	祠右房	上地	272.3	1.3620		11-3金革孫	○
2532	著存觀門前地	中地	55.1	0.2200		11-3金革孫	?
2533	庄上墳地	上地	21.8	0.1090		27-1吳文法	○
2534	庄上	上地	53.3	0.2670		11-3金桐竹	○
2535	庄上	中地	40.0	0.1600		11-3金桐竹	○
2536	庄上	山		5.2500		11-3金桐竹	○
2537	庄上	山		6.9080		11-3金桐竹	○
2538	庄上	山		1.2500		11-3金桐竹	○
2539	觀前	中地	1907.0	7.6280		11-3金桐竹	○
2540	觀前	上田	71.7	0.3770	長付	11-3金桐竹	○
2541	陳塘	上田	206.2	1.0840	招保	27-1陳興	○
2542	陳塘	上田	59.7	0.3140	長付	11-3金桐竹	○
2543	陳塘	上田	73.5	0.3840	金成	27-1陳興	○
2544	汪石毋	中地	18.2	0.0730	岩好	27-1陳岩求	○
2545	汪石毋	上地	112.6	0.5630	朱遲	27-1陳興	○
2546	汪石毋	上地	379.8	1.8990	岩好	27-1陳岩求	○
2547	汪石毋	上地	130.5	0.6530	金成	27-1陳興	○
2548	汪石毋	上地	127.5	0.6380	長富	27-1陳天相	○
2549	汪石毋	上地	336.5	1.6820		27-1陳興	○
2550	陳腐	上田	206.1	1.0900	朱保	27-1陳興	○
2551	陳腐	上田	172.3	0.9050		27-1陳興	○
2552	陳腐	上田	227.1	1.1950		27-1陳岩求	○
2553	汪石毋	上地	213.5	1.0650	進曜	27-1陳興	○
2554	汪石毋	上地	210.1	1.0500		27-1陳興	○
2555	汪石毋	上地	248.2	1.2400		27-1陳玉壽	○
2556	汪石毋	中田	141.8	0.6450	邵初	27-1陳岩求	○
2557	汪石毋	上田	90.9	0.4780	滿得	27-1陳玉壽	○
2558	汪石毋	中田	94.1	0.4280	邵初	27-1陳岩求	○
2559	沈塘	上田	139.7	0.7370		27-1陳興	○
2560	沈塘	上田	187.6	0.9870	天付	11-3金桐竹	○
2561	沈塘	上田	169.4	0.8920		11-3金桐竹	○
2562	觀前	上田	279.4	1.4710	長付	11-3金桐竹	○
2563	沈塘	上田	199.5	1.0470	金成	27-1陳興	○
2564	沈塘	上田	146.2	0.7690	金成	27-1陳興	○
2565	沈塘	上田	101.1	0.5300	來九	27-1陳興	○
2566	沈塘	上田	106.4	0.5580		27-1陳興	○

2567	井山	上田	215.7	1.1350		27-1陳興	○
2568	井山	塘	118.8	0.4570	朱遲	27-1陳岩求・陳興	○
2569	沈塘	上田	115.2	0.6050	朱遲	27-1陳興	○
2570	沈塘	上田	178.0	0.9370	進曜	27-1陳興	○
2571	沈塘	上田	100.7	0.5030	滿潯	27-1陳興	○
2572	沈塘	上田	127.4	0.6690		27-1陳興	○
2573	沈塘	上田	119.9	0.6320		27-1陳興	○
2574	沈塘	上田	202.3	1.0630	金成	27-1陳興	○
2575	沈塘	上田	238.6	1.2580	天潯	27-1陳興	○
2576	沈塘	中地	285.7	1.1440		27-1陳岩求・陳興	○
2577	沈塘	上田	138.2	0.7260	朱保	27-1陳興	○
2578	沈塘	中田	169.6	0.7730	法龍	27-1陳興	○
2579	陳塘墈下	上田	167.3	0.8790	初潯	27-1陳興	○
2580	陳塘墩下	上田	109.2	0.5740	文義	27-1陳興	?
2581	墈下	上田	165.1	0.8680	初仂	27-1陳興	?
2582	墈下	上田	178.0	0.9370	文義	27-1陳興	?
2583	墈下	上地	46.0	0.2300	遲保	27-1陳興	?
2584	墩下	中田	40.1	0.1870		27-1陳興	?
2585	畢家坵	上田	178.0	0.9370	陳保	27-1陳興	?
2586	畢家坵	上田	205.8	1.0840	天德	27-1陳興	?
2587	畢家坵	上田	207.9	1.0950	法隆	27-1陳興	?
2588	畢家坵	上田	173.4	0.9100	遲德	27-1陳興	?
2589	破田	上田	114.0	0.6000	天付	27-1陳興	?
2590	墈下	上田	91.5	0.4790	朱遲	27-1陳興	?
2591	軟苳樹	上田	155.7	0.8210	滿潯	27-1陳興	?
2592	軟苳樹	中田	218.6	1.1500	來九	27-1陳興	?
2593	軟苳樹	上田	341.6	1.7900	滿潯	27-1陳興	?
2594	軟苳樹	上田	186.5	0.9790	滿潯	27-1陳興	?
2595	軟苳樹	上田	83.5	0.4390	遲個	27-1呂尚弘	?
2596	海堂巷	上田	104.9	0.5520	進德	27-1陳興	?
2597	下灘	上田	206.9	1.0900	顯保	11-3金初孫	○
2598	溪邊	中田	145.2	0.6600		27-1陳興	○
2599	溪邊	中田	147.3	0.6610	顯保	11-3金初孫	○
2600	下灘	上田	195.1	1.0270		27-1陳興	○
2601	下灘	中田	307.2	1.3960	金成	27-1陳興	○
2602	下灘	下田	143.4	0.5510		27-1陳興	○
2603	溪邊	下田	250.2	0.9620	滿潯	27-1陳岩求	○
2604	溪邊	下田	231.4	0.8900		27-1陳興	○
2605	下灘	上田	304.5	1.6120	義潯	27-1陳興	○

2606	溪邊	下田	369.6	1.4200	金成	27-1陳興	○
2607	溪邊	下田	117.4	0.4520		27-1陳岩求	○
2608	溪邊	下地	115.5	0.3300		27-1陳興	○
2609	溪邊	下田	212.0	0.8150	齊玘	27-1陳興	○
2610	溪邊	下田	190.5	0.7330		27-1陳岩求	○
2611	下灘	下田	219.7	0.8450	應力	27-1陳興	○
2612	下灘	下田	224.7	0.8640	丫頭	27-1陳岩求	○
2613	下灘	下田	366.9	1.4110		27-1陳興	○
2614	溪邊	下田	139.0	0.5350	潯時	27-1陳興	○
2615	溪邊	下田	153.5	0.5900	岩鳳	27-1陳岩求	○
2616	溪邊	下田	334.8	0.5180	金成	27-1陳興	○
2617	下灘	下田	157.7	0.6060	岩鳳	27-1陳興	○
2618	下灘	下田	174.4	0.6710	法林	27-1陳岩求・陳寓祿	○
2619	下灘	下田	127.6	0.4910	天潯	27-1陳興・陳岩求	○
		下地	12.0	0.0340			
2620	溪邊	下地	72.0	0.2060	長富	27-1陳興	○
2621	溪邊	下田	213.8	0.8200	長富	27-1陳興	○
2622	下灘	下田	171.9	0.6610	顯保	27-1陳興	○
2623	下灘	下田	199.4	0.7670	滿潯	27-1陳天相	○
2624	溪邊	下田	202.6	0.7800	進曜	27-1陳興	○
2625	溪下	下田	212.2	0.8160	文盛	27-1陳興	○
2626	溪下	下田	80.0	0.3800	滿潯	27-1陳岩求	○
		下地	24.3	0.0690			
2627	溪邊	下田	121.7	0.4680	進曜	27-1陳亮	○
2628	溪下	下田	117.8	0.4530	天得	27-1陳天相	○
2629	溪下	下地	51.2	0.1470		27-1陳興	○
2630	溪下	下田	159.1	0.6120	伴儅	27-1呂尙弘	○
2631	溪邊	下地	153.3	0.4380		27-1陳興	○
2632	烏蕩田	下田	53.5	0.2060	進曜	27-1陳興	○
2633	烏蕩田	下田	85.2	0.3270	進曜	27-1陳興	○
2634	胡蕩邊	下地	21.2	0.0600	梁成	27-1陳興	○
2635	溪邊	下田	147.3	0.5610		27-1陳興	○
		下地	34.8	0.0990			
2636	井下	下田	115.2	0.4430		27-1陳興	○
		下地	32.5	0.0930			
2637	連塓頭	中田	145.7	0.6620		27-1陳興・著存觀	?
2638	沈塘	中田	87.4	0.3950		27-1陳興	○
2639	沈塘下	中田	73.7	0.3360	進潯	27-1陳興	○
2640	沈塘下	中田	282.6	1.1860		27-1陳興	○

2641	沈塘	中田	376.1	1.7100	丫頭	27-1陳興	○
2642	沈塘	中田	190.6	0.8680	文盛	27-1陳興	○
2643	沈塘	中田	313.6	1.4290		27-1陳興	○
2644	沈塘下	中田	214.4	0.9720		27-1陳興	○
2645	沈塘	中田	221.9	1.0090		27-1陳興	○
2646	溪邊	中田	342.7	1.5590	臘生	27-1陳興	○
2647	溪邊	中地	364.2	1.4560		27-1陳興	○
2648	火佃屋地	中地	100.8	0.4040		27-1陳興	○
2649	沈塘	中地	130.4	0.5220		27-1陳興	○
2650	沈塘	中地	427.4	1.7100	金成等住	27-1陳興・陳岩求	○
2651	沈塘	中地	562.9	2.2520		27-1陳興・陳岩求	○
2652	沈塘	中地	340.0	1.3600		27-1陳興，21-1吳新福	○
2653	沈塘	中地	951.2	3.8050		27-1陳興	○
2654	沈塘	中地	232.0	0.9280		27-1陳興	○
2655	沈塘	中地	90.0	0.3600		27-1陳興	○
2656	沈塘	上地	581.4	2.9500		27-1陳興	○
2657	陳塘天井兩廂屋	中地	473.6	1.8960		27-1陳興	?
2658	陳塘天井兩廂屋	中地	690.6	2.7640		27-1陳興	?
2659	陳塘天井兩廂屋	中地	27.0	0.1080		27-1陳興	?
2660	陳塘天井兩廂屋	中地	24.9	0.1000		27-1陳興	?
2661	陳塘天井兩廂屋	中地	634.4	2.5380		27-1陳興	?
2662	陳塘天井兩廂屋	上地	252.2	1.2610		27-1陳興	?
2663	陳塘天井兩廂屋	中地	51.7	0.2080		27-1陳興	?
2664	陳塘天井兩廂屋	中地	143.3	0.5770	文義	27-1陳興	?
2665	沈塘	中地	52.3	0.2090		27-1陳興	○
2666	沈塘	中田	79.0	0.3590	明潯	27-1陳興	○
2667	沈塘	中田	66.8	0.3050	岩好	27-1陳興	○
2668	沈塘	中田	135.2	0.6140	齊起	27-1陳興	○
2669	沈塘	中地	436.0	1.7440		27-1陳興，21-1吳新福	○
2670	沈塘	中地	95.8	0.3830		21-1吳新福	○
2671	沈塘	中地	81.5	0.3250	文義	27-1陳興	○
2672	沈塘	中地	252.1	1.0080		27-1陳興	○
2673	陳塘	中地	323.8	1.2960		27-1陳興	○
2674	陳塘後山	中地	2099.3	8.3970		27-1陳興・陳岩求	○
2675	陳塘	中地	112.1	0.4480	丫頭	27-1陳興・陳岩求	○
2676	後村	山		0.2500	陳希	27-1陳興	○
2677	陳塘	下地	165.8	0.4740	陳希	27-1陳興	○
2678	陳塘	下田	50.3	0.1920	初潯	27-1陳興	○

2679	陳塘	下地 山	62.0	0.1770 0.1920	陳希	27-1陳興	○
2680	陳塘	中田	174.6	0.7960	天德	27-1陳興	○
2681	後村	下地 山	52.0	0.0490 0.1200	陳希	27-1陳興・陳文法，21-1吳新福	○
2682	後村	中田	167.2	0.7600	新壽	27-5陳章	○
2683	後村	下田	392.8	1.5120	齊起	27-1陳興	○
2684	後村	下田	212.0	0.8150	社希	27-1陳興	○
2685	後村	中田	157.1	0.7140	齊起	27-1陳興	○
2686	後村	中田	276.7	1.2580	社希	27-1陳興	○
2687	後村	中田	36.0	0.1640	吳伴儅	27-1呂尙弘	○
2688	後村	中田	114.8	0.5670	社希	27-1著存觀	○
2689	後村	中田	311.3	1.4150	長保	27-1著存觀	○
2690	後村	上田	342.1	1.8000	盛仂	27-1陳興	○
2691	後村	中田	122.2	0.5540	來九	27-1陳興	○
2692	後村	山		3.7000	社希	27-5畢盛，27-1陳興	○
2693	後村	上田	286.2	1.5060	良成	27-1陳興	○
2694	後村	中田	176.5	0.8010		27-1陳興	○
2695	後村	中地	114.4	0.4580	社希	27-1陳興	○
2696	後村黄土園	上墳地	13.0	0.0650		27-1吳盛	?
2697	黄土園	中地	199.1	0.7960	潯個	27-1陳本	?
2698	黄土園	中地	170.1	0.6800	參拾力	27-1陳興	?
2699	黄土園	中地	77.7	0.3110	丫頭	27-1陳岩求	?
2700	黄土園	中地	71.5	0.2840	丫頭	27-1陳興	?
2701	黄土園	下田	120.8	0.4620	金成	27-1陳興	?
2702	沈塘下	中田	281.6	1.2810	齊起・文義	27-1陳興	○
2703	沈塘下	中地	72.7	0.2910	社希	27-1陳興	○
2704	沈塘下	下地	287.0	0.8200	社希	27-1陳興	○
2705	沈塘下	下地	102.0	0.2920		27-1陳興	○
2706	沈塘下	下下地	260.0	0.5200		27-1陳興，21-1吳盛	○
2707	沈塘下	下下地	35.0	0.0700		27-1陳寓祿	○
2708	沈塘下	中地	109.1	0.4360	辛壽	27-1陳振達	○
2709	沈塘下	中地	136.0	0.5440	梁成	27-1陳興	○
2710	沈塘下	下地	110.8	0.3170		27-1陳興	○
2711	沈塘下	中田	238.4	1.0820	伴儅	27-1陳興	○
2712	沈塘下	中田	229.4	1.0400	齊起	27-1陳興	○
2713	沈塘下	中田	244.0	1.1090	丫頭	27-1陳興	○
2714	沈塘下	下田	77.6	0.3000		27-1陳興	○

2715	沈塘下	下田	191.9	0.7400	丫頭	27-1陳興	○
2716	沈塘下	中田	232.9	1.0600	丫頭	27-1陳興	○
2717	沈塘下	中田	209.1	0.9510	個個	11-3金神護	○
2718	沈塘下	中田	267.5	1.2160	丫頭	27-1陳寓祿	○
2719	沈塘下	中田	206.8	0.9400	社希	27-1陳興	○
2720	沈塘下	下田	228.3	0.8770	文隆	27-1陳興	○
2721	泥塘下	上田	349.7	1.8410	希力	27-1陳興	○
2722	泥塘下	上田	400.8	2.1100	丫頭	27-1陳興	○
2723	泥塘	中田	99.2	0.4510		27-1陳興	○
2724	牛皮形	下田	165.6	0.6370	應力	27-1陳本	○
2725	下林	上地	120.0	0.6000	應力	27-1陳興	?
2726	下林墳山	下地 山	120.0	0.3430 2.2500	丫頭	27-1陳興	?
2727	下林	山		3.2350		27-5陳新，27-1陳興・陳寓祿	?
2728	牛皮形	上地 山	25.0	0.1250 0.1000	應力	27-1陳本	○
2729	泥塘下	中地	96.3	0.3850	希力	27-1陳興	○
2730	牛皮形	下地 山	600.0	1.7200 3.6400	丫頭	27-1陳岩求・汪希	○
2731	泥塘下	下田	120.0	0.4010	齊起	27-1陳善	○
2732	泥塘下	上田	296.1	1.5580	社希	27-1陳興	○
2733	黃土源	中田	302.6	1.3770	應力	27-1陳興	?
2734	泥塘下	中田	318.5	1.4450	文義	27-1陳興	○
2735	泥塘下	中田	343.2	1.5600	社希	27-1汪希	○
2736	泥塘下	中田	373.9	1.7000		27-1陳興・陳天相	○
2737	泥塘下	上田	290.3	1.5280	法龍	27-1陳天相	○
2738	泥塘下	上田	304.9	1.6050	應力	27-1陳興	○
2739	泥塘下	下田 下地	86.8 66.5	0.3340 0.1900	應力	27-1陳本	○
2740	泥塘	塘	260.0	1.0000		27-1陳興・陳寓祿	○
2741	泥塘下	下田	235.2	0.9040	屎力	27-1陳興	○
2742	泥塘下	上田	186.2	0.9800	四十俚	27-1陳善・陳本	○
2743	泥塘下	下田	221.5	0.8520	潯個	27-1陳明・陳興	○
2744	尾窯山	下下地 山	144.0	0.2880 3.0000	應力	27-1陳興	○
2745	泥塘下	上田	218.9	1.1520	潯個	27-1陳天相	○
2746	泥塘下	中田	246.6	1.1330	齊起	27-1陳興	○

2747	泥塘下	下田 下地	171.0 31.0	0.6570 0.0860	陳保	27-1陳興	○
2748	泥塘下	下田	345.8	1.3300		27-1陳文付・陳寓祿	○
2749	泥塘下	中田	168.6	0.7690	陳希	27-1陳興	○
2750	泥塘下	上田	218.1	1.1470	伴儅	27-1陳興	○
2751	泥塘下	上田	210.4	1.1070	岩好	27-1陳興	○
2752	泥塘下	中田	260.0	1.1800	潯個	27-1陳天相	○
2753	泥塘下	下田	219.1	0.9960	陳希	27-5陳章	○
2754	泥塘	上田	172.6	0.9080	汪明	27-5陳章	○
2755	泥塘下	上田	91.0	0.4790	潯個	11-3金桐竹	○
2756	泥塘下	中田 中地	98.8 6.0	0.4490 0.0220	潯個	11-3金桐竹	○
2757	泥塘下	下田	21.0	0.0700	汪明	27-5陳章	○
2758	泥塘下	下田	189.2	0.7280	李員	27-1陳興	○
2759	泥塘下	下田	207.8	0.6930	辛法	27-1陳寓祿	○
2760	泥塘下	中田	62.7	0.2860	法龍	27-1陳興	○
2761	泥塘下	上田	74.3	0.3900	法龍	27-1陳興	○
2762	泥塘下	上田	74.3	0.2910	員保	27-1陳天相	○
2763	泥塘下	中田	68.3	0.3100	員保	27-1陳天相	○
2764	犁耕坦	中田	229.5	1.0430	員保	27-1陳天相	○
2765	泥塘下	下田	245.1	0.9430	長貴	27-1陳寓祿・陳興	○
2766	泥塘下	下田	212.4	0.8150	天貴	27-1陳興	○
2767	泥塘	下田	347.5	1.3370		27-5吳四保	○
2768	泥塘下	下田	143.0	0.5500	法龍	27-1陳興	○
2769	泥塘下	下田 下地	187.6 39.0	0.7230 0.1110	李員	27-1陳興	○
2770	泥塘下	下田	119.9	0.4620	李員	27-1陳寓祿	○
2771	泥塘下	下田	126.3	0.4860	長貴	27-1陳興	○
2772	犁耕坦	下地	335.3	0.9580	應仂	27-1陳瑾	○
2773	犁耕坦	下地	162.5	0.4630	天佑	27-1陳振達	○
2774	犁耕坦	中地	139.4	0.5580	陳希	27-1陳興	○
2775	犁耕坦	中地	306.1	1.2240	進保	27-5王茂，27-1陳振達	○
2776	尾窯下	上田	257.3	1.3500	員保	27-1陳興	?
2777	尾窯下	上田	227.6	1.1180	法龍	27-1陳天相	?
2778	尾窯	上田	131.3	0.6910		27-1汪希	?
2779	尾窯山	上地	60.0	0.3000	汪明	27-1陳岩求	?
2780	周村	山		0.5000	汪明	27-5王茂	○
2781	尾窯前	上田	138.6	0.7290	員保	27-1汪希	?
2782	周村	中田	134.6	0.6120	員保	27-1陳天相	○

2783	周村	中田	228.6	1.0400	進保	27-1陳興	○
2784	犁耕坦	中地	303.5	1.2140	文進	27-1陳振達	○
2785	周村	下田	143.5	0.5520	元象	27-1陳振達	○
2786	周村	下地	53.1	0.1560	李高	27-1王時	○
2787	周村	下地	239.2	0.6830	天玄	27-1陳振達	○
2788	周村	下地	184.9	0.5280		27-1陳振達	○
2789	周村	中地	165.8	0.6630	富成	27-1陳寓祿	○
2790	周村	中田	313.9	1.4270	富元	27-1陳寓祿	○
2791	周村	山		1.0000		27-1陳興	○
2792	周村	中地	171.7	0.6860	富員	27-1陳寓祿	○
2793	周村	中田	309.7	1.4080	李元	27-1陳寓祿	○
		中地	19.0	0.0710			
2794	周村	下地	45.6	0.1210	元象	27-5王時	○
2795	周村	下地	27.0	0.0770	員象	27-1陳岩求	○
2796	周村	下地	62.1	0.1770	元象	27-5王初	○
2797	周村	下地	146.0	0.4170	祈力	27-1陳興	○
2798	周村	下地	77.3	0.2210	員力	27-5汪琰	○
2799	周村	下地	64.8	0.1850	津拾力	27-1陳天相	○
2800	周村	下地	147.6	0.4220	津拾力	27-5吳四保	○
2801	周村	下地	72.7	0.2100	汪貴	27-5汪琰	○
2802	周村	中地	84.0	0.3360	天貴	27-1陳興	○
2803	周村	中地	112.0	0.4480	金支	27-1陳興・陳寓祿	○
2804	犁耕坦	中地	118.0	0.4720		27-1陳天相	○
2805	周村	中地	86.2	0.3420	四十	27-1陳天相	○
2806	周村	中地	336.5	1.3460	進保	27-1陳興	○
2807	周村	中田	299.0	1.3590	初潯	27-1朱永勝	○
2808	周村	下田	150.0	0.5760	天相	27-1陳寓祿	○
2809	周村	下田	159.9	0.6150	員象	27-5吳四保，27-1王爵	○
2810	周村	下田	317.1	1.2200	初保	27-1陳振達	○
2811	車巷口	下田	133.4	0.5130		27-5李付成	○
2812	車巷口	下田	258.2	0.9930		27-5李付成	○
2813	車巷口	下田	285.6	1.0980		27-5李付成	○
2814	車巷口	下地	179.5	0.5130	初保	27-1陳天相	○
2815	車巷口	下田	140.0	0.4000		27-1陳天相	○
2816	車巷口	山		1.0000	法林	27-1陳嘉	○
2817	周村	中地	904.5	3.6180	汪明	27-5王齊興，27-1陳興	○
2818	周村	下地	40.0	0.1140		27-1汪明	○
2819	周村	下地	204.7	0.5850	汪明	27-1陳晉	○
2820	周村	下地	108.0	0.3100	雲奇	？	○

2821	周村	下地	308.2	0.8800	雲奇	27-1陳興	○
2822	周村	下地	78.0	0.2300	雲玘	27-5王茂	○
2823	周村干	中田	230.8	1.0490		27-5呉四保	○
2824	周村	中田	83.2	0.3780		27-5李付成	○
2825	車巷口	中田	143.4	0.6520	津拾	27-5呉四保	○
2826	周村	下地	101.4	0.2900	汪明	27-5王齊興	○
2827	周村	下地	100.0	0.2860		27-5呉四保	○
2828	溪下	下地	105.3	0.3010	元象	27-5呉四保	○
2829	周村園	中地	181.4	0.7260	初仂	27-1王爵・陳天相・陳振達	○
2830	周村園	中地	87.0	0.3480	汪才	27-1王爵	○
2831	犁耕坦	中地	89.0	0.3560	初力	27-1陳興	○
2832	周村	中地	93.8	0.3750	長力	27-1陳寓祿	○
2833	周村	下地	100.0	0.2850		27-1陳寓祿	○
2834	周村	下田	194.4	0.7480	初力	27-1陳天相	○
2835	周村	中田	193.7	0.8850	汪明	27-1陳本・陳光儀	○
2836	周村灌塘	塘	54.4	0.2060	汪明	27-1陳天相・陳本	○
2837	周村	下地	97.0	0.3800	玘力	27-1陳興	○
2838	周村	中地	59.8	0.2400	玘力	27-1陳興	○
2839	周村	上墳地	64.9	0.3250		27-1汪齊順	○
2840	周村	上墳地	102.7	0.5140		27-1汪明	○
2841	周村	中地	72.8	0.2910	玘力	27-1汪明	○
2842	周村	中地	39.6	0.1580		27-1汪明	○
2843	周村	中地	128.1	0.5120		27-1陳本	○
2844	周村	中地	193.8	0.7750	汪明	27-5王齊興	○
2845	周村	中地	108.0	0.4320	玄應	27-1陳興	○
2846	周村	下地	36.0	0.1030		27-1汪希	○
2847	周村	下地	45.0	0.1290	汪明	27-1陳龍生	○
2848	周村	下地	60.7	0.1730		27-1汪希	○
2849	周村	中地	55.5	0.2220	汪明	27-5陳章	○
2850	周村	下地	68.8	0.1970	汪明	27-5呉四保	○
2851	周村	中田	370.0	1.6810	員頭	27-5汪琰，27-1汪明	○
2852	周村	中田	77.4	0.3520	汪明	27-5王齊興	○
2853	周村火佃	中地	138.4	0.5540	初保	27-1陳興	?
2854	周村	上地	202.2	1.1010		27-1汪希	○
2855	周村	中地	163.7	0.6550		27-1汪希	○
2856	周村	中地	767.3	3.0690	汪明等	27-5王齊興，27-1陳興	○
2857	周村	中地	321.3	1.2850	汪明	27-1汪希	○
2858	周村	塘	26.2	0.1010	天貴等	27-1陳興	○

2859	周村	中田	287.9	1.3100	天貴	27-1陳興	○
2860	周村干	中田	267.1	1.2140		27-1陳天盛	○
2861	周村溪下	下下地	163.4	0.3270		27-1陳天盛	○
2862	周村	下地	28.0	0.0800	汪明	27-1陳龍生	○
2863	周村	下地	70.2	0.2010		27-1汪希	○
2864	周村	下地	30.8	0.0880	汪明	27-1陳龍生	○
2865	車巷口	中田	207.5	0.9430		27-1陳天盛	○
2866	周村	中地	188.6	0.7540	員象	27-5汪琰	○
2867	周村	中地	58.2	0.2330	員頭	27-1汪明	○
2868	周村	中田	151.9	0.6900		27-1陳天盛	○
2869	周村	下田	205.8	0.7920	甲毛	27-5吳四保，27-1陳岩求	○
2870	周村	下田 下地	224.4 73.0	0.8630 0.2090	員頭	27-1汪明・陳興	○
2871	周村	塘	45.2	0.1740		27-1汪明・陳天護	○
2872	周村	中田	363.0	1.6500	文進	27-1陳振達	○
2873	周村	中地	157.5	0.6300		27-1陳天玘	○
2874	周村	中地	180.1	0.7200		27-1陳興・陳天盛・陳龍生	○
2875	周村	中地	181.0	0.7240	津拾	27-1陳興	○
2876	周村	中地	3091.7	13.1670	四保	27-1陳振達・陳岩求	○
2877	周村	中地	178.5	0.7140	四保	27-1陳岩求	○
2878	周村	中地	55.1	0.6200	法龍	27-1陳岩求	○
2879	周村	中地	99.0	0.3960	津拾	27-1陳岩求	○
2880	周村	中地	47.8	0.1910	文進	27-1陳岩求	○
2881	周村	塘	54.6	0.2100		27-1陳本・陳寓祿・陳天盛	○
2882	周村	中田	318.6	1.4480		27-1陳本	○
2883	周村	中田	392.3	1.7830		27-1陳天盛	○
2884	周村	中田	233.2	1.0600		27-1汪明	○
2885	周村	中田	136.2	0.6190	法龍	27-1陳寓祿・陳本	○
2886	周村	中田	143.6	0.6440		27-1陳天盛・陳本	○
2887	周村	中田 中地	222.6 45.0	1.0120 0.1800		27-1陳天盛	○
2888	周村	下地	35.0	0.1000		27-1陳天相	○
2889	周村	下地	74.5	0.2130		27-1葉龍	○
2890	周村溪下	下田	80.0	0.3800		27-1陳天玘	○
2891	周村	中田	67.8	0.3080		27-1陳天玘	○
2892	周村	中田	327.9	1.4090		27-1陳天玘	○
2893	周村	中田	170.4	0.7740	天玘	27-1黃雲	○

2894	周村	中田	427.9	1.9450	天玘	27-1朱有方・黃雲	○
2895	周村	中地	90.0	0.3600	法林	27-1陳興	○
2896	周村	中地	71.5	0.2860	四十力	27-1陳岩求	○
2897	周村	上地	72.1	0.3610	員保	27-1陳天相	○
2898	周村	中地	65.7	0.2630	員保	27-1陳天相	○
2899	周村	中地	92.1	0.4600	津十	27-1陳嘉・陳本	○
2900	周村	中地	87.5	0.3500	四十力	27-1陳天相	○
2901	周村火地	中地	172.8	0.6910	四十力	27-1陳本・陳嘉，27-5吳四保	?
2902	周村火地	中地	320.3	1.2810		27-1陳嘉・陳天相・陳岩求・陳大，27-5吳四保	?
2903	周村火地	中地	75.4	0.3020		27-5吳五濤	?
2904	周村火地	中田 中地	55.2 53.1	0.2510 0.2130		27-1陳春陽	?
2905	周村	中田	14.8	0.0680		27-5吳五濤	○
2906	周村	中地	93.0	0.3720		27-1陳嘉・陳大・陳本・陳學	○
2907	周村	中地	36.0	0.1440		27-5吳四保	○
2908	周村	下田	50.0	0.1920	員象	27-1陳建忠	○
2909	周村干	中田	241.6	1.0980	玄應	27-1陳光儀	○
2910	周村干	中田	142.9	0.6500	文意	27-1陳長	○
2911	周村干	中田	190.6	0.8660		27-1陳天玘	○
2912	周村干	下地	195.0	0.5570		11-1汪本靜	○
2913	周村干	下田	202.9	0.7800		27-1陳天玘	○
2914	周村干	中田	185.9	0.8610		27-1陳寓祿	○
2915	周村干	中田	131.9	0.5990		27-1陳天相	○
2916	周村	塘	56.2	0.2160		27-1陳天玘・陳光儀・陳寓祿・陳天相	○
2917	周村	中地	11.0	0.0440		27-1陳天玘	○
2918	周村	中田	169.6	0.7710		27-1陳天相	○
2919	周村	中田	121.5	0.5500		27-1陳興	○
2920	周村	中田	79.4	0.3610		27-1陳天玘	○
2921	周村	下田	91.8	0.3540		27-1陳天玘	○
2922	周村	下田 下地	262.1 65.0	1.0080 0.1900	天雲	27-1陳興	○
2923	周村	下田 下地	78.0 126.0	0.3000 0.3600	天雲	27-1陳興	○
2924	周村干	中田 中地	149.7 70.0	0.6800 0.3180		27-1陳天玘	○

2925	周村	中田	327.0	1.4860		27-1陳天玘	○
2926	周村	中墳地	167.4	0.6700	津拾	27-1陳天相	○
2927	周村	下地	436.5	1.2470	津拾	27-1陳興	○
2928	周村	中田	106.8	0.4850	天壽	27-1陳天相	○
2929	周村	中田	165.5	0.7500	天壽	27-1陳興	○
2930	周村	中田	124.4	0.5660	天賜	27-1陳文討	○
2931	周村	塘	120.8	0.4640		27-5陳晉，27-1陳天玘・陳二同・陳文討・陳天盛・陳天相，27-6李福	○
2932	周村干	中田 中地	200.6 23.0	0.9400 0.0920	天雲	27-1陳興	○
2933	周村	下地	136.8	0.3910	員象	27-1陳寓祿	○
2934	周村干	下地	81.5	0.2330	文付	27-1陳應時	○
2935	周村	下田	58.2	0.2240	祐力	27-1陳應時	○
2936	周村	中田	311.2	1.4130	文付	27-1陳文討，27-6李福	○
2937	周村	中田	318.0	1.4450	天祐	27-6李福	○
2938	周村	中田	288.1	1.3100	佛保	27-1陳興等	○
2939	周村	中田	231.7	1.0530		27-1陳天盛	○
2940	周村	中田	222.6	1.0120		27-1陳天相・陳天玘	○
2941	周村	中地 山	320.0	1.2800 1.2720		27-1陳天相	○
2942	泥干頭	中田	300.0	1.2000	天壽	27-1□□・陳嘉・陳岩求	?
2943	周村	中田	294.1	1.3360		27-1陳本	○
2944	周村	中田	302.9	1.3770	李□	27-1陳興	○
2945	周村	中田	296.8	1.3500	黒龍	27-1陳興	○
2946	周村	中田	146.9	0.6680	文付	27-1陳寓祿	○
2947	周村	中田	297.3	1.3510	文志	27-6李福	○
2948	周村	中田 中地	49.0 13.0	0.2100 0.0520	天祐	27-1陳應時	○
2949	周村	中地	24.0	0.0920	文付	27-1陳天盛・陳興	○
2950	周村	下地	62.5	0.1780	彪力	27-5陳章	○
2951	周村	下地	43.9	0.1250	文進	27-1陳興・陳天盛	○
2952	周村	下地	60.9	0.1740	文進	27-1汪明	○
2953	周村	下地	36.3	0.1040	佛保	27-1陳龍生	○
2954	周村溪下	下地	128.5	0.3670		27-1陳應時	○
2955	周村干	下田	144.2	0.5550		27-1陳文志	○
2956	周村	下田	105.2	0.4040	李相	27-1陳興	○
2957	周村	下田	239.3	0.9020	李玘	27-1陳興	○

2958	周村	中田	574.6	2.6120	李玘・文顯	27-1陳寓祿	○
2959	周村	中田	193.0	0.8770	李雲奇	27-1陳興	○
2960	周村	中田	190.2	0.8650	天賜	27-1陳學	○
2961	周村	中田	108.1	0.4910	雲奇	27-1陳寓祿	○
2962	周村	中田	103.0	0.4700	祐力	27-1陳岩求	○
2963	周村	中田	162.3	0.7270	李其	27-1陳興	○
2964	後塘	塘	38.4	0.1460		27-1陳興	○
2965	後塘	中田	349.3	1.5870	雲奇	27-1陳興	○
2966	後塘	中田	256.1	1.1630	天賜	27-1陳興	○
2967	周村	上地	470.0	2.3500	天壽	27-1陳言・陳學・陳嘉	○
2968	泥干頭	上地	7.0	0.0350		27-1汪禧	?
2969	後塘	中田	216.3	0.9830	天貴	27-1王爵	○
2970	泥干頭	中田	278.0	1.2640	雲奇	27-1陳興	?
2971	後塘	中田	333.2	1.5140	付龍	27-1陳寓祿	○
2972	後塘西岸口	中地	269.0	1.0760	佛保	27-1陳興	○
2973	後塘	下地	165.2	0.4720	天壽	27-1王爵	○
2974	西岸口	下地	222.0	0.6340		27-1陳寓祿	○
2975	後塘	中地	137.8	0.5510	文志	27-1陳長・陳龍生・陳文討・陳應時・陳寄・陳晉・陳積社，西北隅-1蘇叔武	○
2976	後塘	中地	217.5	0.8700	社亭	27-1陳興	○
2977	後塘	中地	58.5	0.2340	文進	27-1陳興・陳天盛	○
2978	後塘	上地	226.3	1.1310	曜仂	西北隅-1蘇叔武	○
2979	舂碓堀	上地	604.1	3.0200		西北隅-1蘇叔武墳地	?
2980	後塘泥干頭	中田	342.3	1.5560	天相	西北隅1蘇叔武	?
2981	後塘	上田	99.1	0.5220		27-1陳天盛	○
2982	泥干頭	上田	126.0	0.6630	天雲	27-1陳天付	?
2983	泥干頭	上田	344.2	1.8120	天雲等	27-1朱自方	?
2984	泥干頭	上田	173.0	0.9100	文志	27-5陳章・朱勝付	?
2985	後塘	中地 山	55.0	0.2200 0.2870	天壽	27-1陳積社・陳長・陳晉・陳寄得・陳應時・陳龍生	○
2986	後塘	上田	348.8	1.8350	文貴志	27-1陳天相	○
2987	後塘	上田	352.7	1.8560	天貴	27-1陳振達	○
2988	葉家園	中地	66.0	0.2640	細個	27-1陳龍生	?
2989	葉家園	中地	101.2	0.4050	文志	27-1陳龍生，30-1陳邦	?
2990	葉家園	上地	87.8	0.4390	文志	27-1陳應時，30-1陳邦	?
2991	西岸口	中地	283.9	1.1360	文志	27-1汪本亨，西北隅-1蘇叔武	○

2992	後塘溪下	下地	251.0	0.7170		8-1葉龍，西北隅-1蘇叔武	○
2993	溪邊	下地	288.2	0.8230		27-1汪明	○
2994	後塘溪下	下下地	171.0	0.3420		27-1陳興	○
2995	後塘	下地	309.0	0.8830	五郎	27-1陳興	○
2996	後塘	中地	254.4	1.0160	天壽	27-1陳興	○
2997	後塘	中地	63.4	0.2540	天四	27-1陳奇得・陳應時・陳晉・陳長・陳積社・陳文討	○
2998	葉家園	中地	24.1	0.0960	李信成	27-1陳寓祿	?
2999	葉家園	中地	114.2	0.4570		27-5李付成	?
3000	葉家園	上地	241.6	1.2080		27-1陳晉墳地	?
3001	後塘	上田	418.2	1.2010		27-1陳大	○
3002	後塘	上田	79.4	0.4180	天貴	27-5王茂	○
3003	後塘	上田	91.8	0.4830	李象	27-1陳寓祿	○
3004	後塘	上田	177.7	0.9350	李象	27-1陳言	○
3005	後塘	中地	156.0	0.6240	付成	27-1陳寓祿	○
3006	後塘	中地 山	130.0	0.5200 0.7930	付成	27-1陳長・陳晉・陳應時・陳寄得・陳龍生・陳文討・陳積社	○
3007	後塘	下下地 山	54.0	0.1800 2.0000		27-1陳岩求	○
3008	後塘	上地	110.0	0.5500	付成	27-1陳岩求，26-4朱允升	○
3009	後塘	上田	199.5	1.0500	李象	27-1陳天相・陳時陽	○
3010	後塘	上田	201.7	1.0620	文進	27-5王茂	○
3011	後塘	中地	40.0	0.1600		27-1陳應時・陳天儀	○
3012	後塘	中地	78.5	0.3130		27-1陳興・勝保	○
3013	後塘	中地	230.6	0.9220		27-1陳興	○
3014	後塘	中地	1103.0	4.4120		27-1陳興	○
3015	後塘	中地	36.0	0.1440		27-1陳天玘	○
3016	後塘火佃	中地	148.7	0.5950		27-1陳興・陳積社・陳嘉・陳岩求・陳天相・陳長・陳文討・陳寓祿・陳應時・陳晉	?
3017	後塘	中地	304.7	1.2190		27-1陳嘉・陳岩求・陳天相・陳晉・陳寓祿・陳龍生・陳興・陳文討・陳積社・陳應時・陳長	○

3018	後塘	中地	440.1	1.7600		27-1陳長・陳應時・陳嘉・陳岩求・陳天相・陳興・陳晉・陳寓祿・陳文討・陳龍生・陳積社	○
3019	後塘	中田	105.5	0.4800	天雲	27-1陳振達	○
3020	後塘	上田	230.2	1.2120		27-5陳章，27-1陳寓祿	○
3021	塘塢	中田	177.0	0.8040		27-5李付成	?
3022	後塘	下地 山	54.0	0.2070 0.2170		27-1葉漢	○
3023	後塘苦株樹	下地 山	130.0	0.3710 1.0000		27-1陳寓祿	?
3024	後塘	山		0.5000		27-1陳寓祿	○
3025	後塘山	墳山		0.2500	應祥	27-6金齊	○
3026	後塘	上田	280.2	1.4750		27-1陳長	○
3027	後塘	上田	127.3	0.9860	文付	27-1王爵	○
3028	後塘	上田	196.8	1.0360	長貴	27-1陳潯・陳有慶	○
3029	後塘	中地	354.0	1.9200	長貴	27-1陳岩求	○
3030	後塘	下地	287.5	0.8210		27-1陳寓祿	○
3031	月溪寺	下地	110.0	0.3140	天潯	27-1陳晉	?
3032	月溪寺	上地	389.9	1.9500		27-1陳寓祿	?
3033	後塘	中地	85.4	0.3410	付龍	27-1陳寓祿	○
3034	後塘	上田	100.9	0.5300	文相	27-5王茂	○
3035	後塘	上田	94.9	0.5000	有力	27-1陳興	○
3036	月溪寺	上田	153.9	0.8100	員保	27-1陳興	?
3037	月溪寺	上田	303.4	1.5960	細個	27-1王爵	?
3038	後塘	下田	14.0	0.0530	細個	27-1陳興	○
3039	月溪寺	上田	68.2	0.3170	員頭	30-1陳明宗	?
3040	月溪寺	上地	37.0	0.1850	員頭	30-1陳明宗	?
3041	月溪寺	上地	97.5	0.4880		27-1陳長・陳晉・陳應時・陳龍生・陳文討・陳積社・陳寓祿，30-1陳明宗	?
3042	月溪寺	上地	212.5	1.0630		27-1陳長・陳龍生・陳文討・陳寄得・陳積社・陳晉・陳應時・陳寓祿，30-1陳明宗	?
3043	月溪寺	上地	1472.9	7.3650		27-5王茂，30-1陳明宗	?
3044	月溪寺	上田	71.6	0.3770	文林	27-1陳寓祿	?
3045	月溪寺	上田	186.7	0.9830	員頭	27-1陳興	?
3046	月溪寺	上田	310.0	1.6320	長貴	27-1陳興	?

3047	月溪寺	上地	46.0	0.2300		27-1陳寓祿	?
3048	月溪寺	上地	22.0	0.1100		27-1陳天玘	?
3049	月溪寺	上官地	28.0	0.1400	付興	30-1陳明宗	?
3050	觀後中嶺	山		0.3750	道力	27-1陳興	?
3051	中嶺塢	山		4.4170	道力	11-3金桐竹	?
3052	中嶺塢裏	下田	140.7	0.5410	張道	11-3金桐竹	?
3053	中嶺塢	下田	195.1	0.7500	張道	11-3金桐竹	?
3054	後塘	下田	57.5	0.2210	長付	11-3金桐竹	○
3055	後塘	下田	131.6	0.5060		11-3金桐竹	○
3056	株樹下	下田	113.9	0.4380	陳希	11-3金桐竹	○
3057	株樹下	山		0.5840	張道	27-5陳新，27-1陳亮・陳晉・陳文討・陳嘉・陳天相・陳岩求	○
3058	塘塢	下田	150.4	0.6020		11-3金桐竹	?
3059	塘塢	塘	80.5	0.3100	張道	27-1著存觀	?
3060	塘塢	下田	30.5	0.1170	張道	27-1張時順	?
3061	塢塘	上地 山	47.6	0.2380 3.5000	張道	11-3金桐竹	?
3062	塘塢	下田 塘	56.8 64.0	0.2190 0.2430		11-3金桐竹	?
3063	石墳前	下田	68.0	0.2610	張道	11-3金桐竹	?
3064	株樹下	上田	64.7	0.3400		11-3金桐竹	○
3065	住屋後	下田	69.8	0.2690	陳希	11-3金桐竹	?
3066	灣丘	中田	152.6	0.6930	長付	11-3金桐竹	○
3067	墳前過水	中田	163.6	0.7430	朱保	11-3金桐竹	○
3068	行坵	上田	101.2	0.5330	邵天潯	11-3金桐竹	?
3069	?	上田	128.6	0.6760	張道	11-3金桐竹	?
3070	?	上田	152.5	0.8300	張道	11-3金桐竹	?
3071	大方丘	上田	219.1	1.1520	陳希	11-3金桐竹	○
3072	竹山方坵	中田	91.0	0.4140	張道	11-3金桐竹	○
3073	竹山下中坵	中田	280.4	1.2750	潯個	11-3金桐竹	○
3074	結竹塘	山		6.7500		11-3金桐竹	?
3075	竹山前	下田	267.4	1.0280	張道	11-3金桐竹	?
3076	松樹丘	中地	120.0	0.4800	張道	11-3金桐竹	?
3077	尖坵	中田	191.5	0.8700	陳希	11-3金桐竹	?
3078	竹園頭	中地	100.5	0.4380		11-3金桐竹	?
3079	竹園頭	中田	94.9	0.4300	張道	11-3金桐竹	?
3080	小方丘	上田	185.4	0.9760	邵天潯	11-3金桐竹	○
3081	塘丘	上田	104.8	0.5520	朱保	11-3金桐竹	?

3082	三官塘	塘	194.6	0.7480	朱保	11-3金桐竹	?
3083	塘坵	上田	119.8	0.6300	法林	11-3金桐竹	?
3084	竹園頭	中地	189.0	0.7560		11-3金桐竹	?
3085	渠堘下	上田	254.2	1.3380		11-3金桐竹	?
3086	枝樹下	上田	151.5	0.7970	岩頭	27-1著存觀	?
3087	亭前	上田	220.8	1.1620	丫頭	11-3金神護	?
3088	畢家園	中田	154.2	0.7000	應力	27-1陳興	○
3089	畢家園	下田 下地	161.9 11.7	0.6230 0.0330	保力	27-1陳岩求	○
3090	畢家園	中地	139.5	0.5580	朱盛	27-1陳振達	○
3091	畢家園	中地	118.9	0.8760		27-1陳興	○
3092	畢家園	中地	422.2	1.6890	朱保	27-1陳岩求	○
3093	巷口	上田	210.0	1.1050	岩好	27-1張時順	?
3094	巷口	上田	196.8	1.0350	金成	27-1著存觀	?
3095	巷口	上田	233.1	1.2270	法隆	27-1著存觀	?
3096	尖坵	中田	439.4	1.9970	文義等	11-3金初孫	○
3097	尖坵	中田	199.9	0.9090	朱九	27-5陳章	○
3098	尖坵	中田	201.8	0.9170	天福	27-1陳天相	○
3099	上灘	下地	33.0	0.0940	教化	27-1陳岩求	?
3100	墩上	下地	328.6	0.9390	應保	27-1陳岩求	○
3101	上灘	下地	20.0	0.0570	教化	27-1陳岩求	?
3102	上灘	下地	111.0	0.3190	教化	27-1陳岩求	?
3103	上灘	下田	221.7	0.8530	滿德	27-1陳岩求	?
3104	上灘	中田 中地	379.1 21.0	1.7230 0.0840	朱遲	27-1陳岩求	?
3105	中塓	下田	262.0	1.0080	天付	11-3金求英	?
3106	巷口	上田	257.3	1.3540	天潯	27-1著存觀	?
3107	堋下	中田	110.5	0.5020	程大	27-1陳寓祿	?
3108	堋下	中田	96.0	0.4360	程大	27-1陳興	?
3109	牛欄園	中田	221.5	1.0650		27-1程羅	?
3110	畢家園	中地	480.9	1.9230	吳義等	27-1陳岩求	○
3111	畢家園	上地	162.0	0.8010		27-1陳岩求・畢潯，11-3汪國英	○
3112	壠裏	上田	118.0	0.6210	滿潯	27-1著存觀	○
3113	壠裡	上田	140.4	0.7390	天德	11-3金神護	○
3114	壠裡	上田	216.1	1.1270	天德	27-1張時順	○
3115	結竹塢	中田	185.8	0.8450		27-1著存觀	?
3116	壠裡	上田	159.0	0.7900		27-1陳興	○
3117	狐狸坵	上田	176.6	0.9300	應政	11-3金桐竹	?

3118	畢家園	中地	319.8	1.2790	義德等	27-1陳岩求・吳文付	○
3119	余郎園	中田	197.5	0.8980	岩雲	11-3金以用	?
3120	余郎園	中田	202.7	0.9190	天保	27-1陳興	?
3121	墈下	中田	147.4	0.6700	三個	11-3金望孫	?
3122	墈下	中田	70.7	0.3210		27-1程道華	?
3123	墈下	中田	107.6	0.4890	岩大	27-1著存觀・汪明	?
3124	墈下	中田	149.7	0.6810	進潯	11-3金桐竹	?
3125	?	中田	289.4	1.3150	岩先	11-3金神護	?
3126	上墩長坵	下田	281.2	1.0820	初德	27-1陳興	?
3127	墩上	下田	254.6	0.9790	遲力	27-1陳寓祿	○
3128	低園	下田 下地	183.2 34.1	0.7050 0.0960	盛兒	27-1陳興	?
3129	中坉	中田	267.8	1.2170		27-5陳章	?
3130	中坉	中田	94.8	0.3650	滿潯	27-1陳岩求	?
3131	京園	下地	78.4	0.2240	朱遲	11-3汪本靜	?
3132	京園	中田	178.1	0.8100	朱遲	27-1陳興	?
3133	坉前	中田 中地	414.2 40.0	1.8820 0.1600	初力	27-5王茂	?
3134	上屯	中田	272.8	1.2400	長□	27-1陳岩求	?
3135	白沙坵	中田	85.8	0.3900		27-1程道華	○
3136	白沙坵	中田	220.5	1.0200	天潯	27-1陳興	○
3137	白沙坵	中田	161.5	0.5500	□象	27-1陳興	○
3138	白沙坵	中田	146.7	0.6670	應金	11-3金子厚	○
3139	臺來坵	中田	57.8	0.2630	義潯	27-1著存觀	?
3140	白沙坵	中田 中地	439.2 25.5	1.9960 0.1200	程義・ 天潯	27-5王桂	○
3141	青桑園	中田	261.9	1.1900		27-1吳文法	?
3142	畢家園	中田	63.1	0.2870	三固	27-1朱相	○
3143	畢家林	中田	96.6	0.4390	程萬	27-1著存觀	○
3144	畢家園	中田	222.2	1.0100	洗力	27-1陳光儀	○
3145	畢家園	中田	112.8	0.5130	三固	27-1朱相	○
3146	畢家園	中地	288.3	1.1530	程義等	27-1陳岩求	○
3147	畢家園	中地	27.0	0.1080		27-1陳岩求	○
3148	畢家園	中地	93.8	0.3720		27-1吳文法	○
3149	狐狸坵	上田	185.0	0.9740	程豹	27-1著存觀	?
3150	狐狸坵	上田	249.3	1.3120	五保	27-1著存觀	?
3151	結竹壊	中田 塘	215.8 40.2	0.9810 0.1550		27-1著存觀，11-3金桐竹	?
3152	結竹壊	下地	107.2	0.3060		11-3金桐竹	?

3153	結竹培	中田	155.7	0.7080	來付	11-3金桐竹	?
3154	環坵	上田	205.3	1.0830		11-3金望孫	?
3155	上呈穴坵	上田	168.4	0.8860		11-3金桐竹	○
3156	環坵	上田	147.2	0.7750	齊象	27-5陳章	?
3157	青桑園	中田	47.4	0.2150	五保	11-3金桐竹	?
3158	松樹下	中田	123.7	0.5620	仲方	11-3金桐竹	?
3159	結竹培	中地 山	74.0	0.2960 0.7500		27-1程岩才	?
3160	結竹培	中田	123.2	0.5060	來福	11-3金神護	?
3161	上呈	上田	290.3	1.5280	五保	27-1陳時陽	○
3162	上呈大丘	上田	350.2	1.8430	五保	27-5汪琰，27-1汪明	○
3163	上程□邊	上田	82.6	0.4350	岩□	27-1著存觀	○
3164	小方丘	上田	73.7	0.3880	來保	11-3金神護	○
3165	?	上田	211.0	1.1100	來保	11-3金桐竹	?
3166	上園	中田	240.5	1.0930	程時	27-1王爵	?
3167	上園下坵	中田	163.0	0.7400	齊象	27-5陳章	?
3168	上園下坵	中田	191.0	0.8680	天潯	11-3金桐竹	?
3169	墈下	中田	37.3	0.1690	進潯	11-3金桐竹	?
3170	上園	中田	49.1	0.2230	岩雲	11-3金桐竹	?
3171	上園	中田	42.8	0.1950		11-3金神護	?
3172	白沙坵	中田	168.0	0.7640		27-1陳亮	○
3173	白沙坵	中田	166.8	0.7590	岩雲	27-1陳岩求	○
3174	白沙坵	中田	134.3	0.6100	天保	27-1陳興	○
3175	白沙坵	中田	110.2	0.5010	寄羅	27-1著存觀	○
3176	白沙坵	中田	188.5	0.8570	遲保	27-1著存觀	○
3177	白沙坵	中田	32.8	0.1450		27-1吳天保	○
3178	白沙坵	中田	133.7	0.6080		27-1吳文法	○
3179	白沙坵	中田	224.7	1.0210		27-1陳興	○
3180	下卷th	中田	195.8	0.8900	社個	27-1程岩才・程道華	○
3181	落樹湖	中田	123.2	0.5600		27-1陳興	?
3182	上坉	中田	204.9	0.9300	遲潯	27-1陳興	?
3183	上坉	中田	198.4	0.9020		27-1陳岩求	?
3184	上灘	中田	75.4	0.3430	岩雲	27-1程岩才	?
3185	上灘	中官地 中民地	8.75 32.7	0.0350 0.1310		27-1程道華・程岩才	?
3186	上灘	下田	74.9	0.2880	岩雲	27-1程岩才・程岩雲	?
3187	上灘	下田	101.0	0.3870	岩雲	27-1程岩才	?
3188	上灘	下田	79.8	0.3070		27-1程岩才	?
3189	洛樹湖	中田	141.9	0.6450	社個	27-1陳興	?

3190	溪邊園	下地	126.0	0.3600		27-5吳和	○
3191	下車田	中田	66.8	0.2860		27-5吳和	○
3192	卷底	中田	136.0	0.6180	程羅	11-3金經衛	?
3193	企灘卷底	中田	123.0	0.5590	記羅	11-3金經衛	○
3194	白沙坵	中田	185.6	0.8440		27-1陳光儀	○
3195	白沙坵	中田	230.3	1.0470	齊六	11-3金應陞	○
3196	竹林後	中田	240.2	1.0920	吳五保	27-1陳章	○
3197	上園	中田	238.6	1.0850		11-3金神護	?
3198	竹林後	下田	100.9	0.3960		27-1著存觀	○
3199	竹林後	中田	107.9	0.4910	程進潯	27-1陳興・陳振達	○
3200	竹林後	中田	49.8	0.2270	進潯	27-1陳振達	○
3201	上呈下塘	上田 塘	248.5 23.7	1.3080 0.0910		27-1陳振達・陳興	○
3202	上呈下塘	上田	253.7	1.3350		11-3金繼宗	○
3203	結竹�	中田	109.7	0.4990		27-1著存觀	○
3204	結竹壞	中地 山	62.4	0.2480 2.0820		27-1陳嘉・陳岩求・陳晉・陳天相・陳亮	○
3205	上呈塘	塘	124.5	0.4780		27-1程岩才	○
3206	上呈塘地	上地	41.9	0.2100		27-1程道華・程岩才	○
3207	上程	中地	56.0	0.2340		27-1程道華	○
3208	上程下塘	中田	140.4	0.6380		27-1程岩才	○
3209	上呈	中地	373.3	1.4930		27-1程岩才	○
3210	竹林後	中田	168.2	0.7450		11-3倪柯	○
3211	竹林後	中田	156.6	0.7120		11-3金神護	○
3212	上呈竹林後	中田	240.1	1.0910		11-3金楣	○
3213	陸畝坵	上田	254.5	1.3400		11-3金楣	?
3214	上呈陸畝坵	上田	354.1	1.8000		11-3金應陞	?
3215	長湖坵	上田	238.9	1.2600		27-1陳興	○
3216	卷底	上田	151.7	0.7980		27-1陳興	?
3217	卷低	上田	162.9	0.4310		27-1陳興	?
3218	卷低	上田	426.5	2.2450	岩大	27-1陳興	?
3219	溪邊田	中田	277.1	1.2590	岩討	27-1陳興	?
3220	上灘	中田	143.7	0.6530		27-1吳文法	?
3221	橫坵	上田	159.5	0.8390	程羅	27-1陳章	?
3222	上呈陸畝坵	上田	333.4	1.7540	五保等	27-1陳章	?
3223	車□	中田	118.3	0.5380	伍保	27-1程岩才	?
3224	車□	中田	201.9	0.9200		27-1陳興	?
3225	方丘	上田	306.1	1.6110		27-1著存觀	○
3226	上呈車田	上田	128.1	0.6740		27-1陳興	○

3227	横坵	上田	140.8	0.7220		11-3金可儀	?
3228	車田	上田	238.7	1.2600		27-5程相	○
3229	渡頭	中田	184.7	0.8400		27-1程道華	○
3230	上呈	上田	227.2	1.1960		11-3金經衞	○
3231	上呈	上田	199.8	1.0510		27-5王茂	○
3232	上呈	上田	79.9	0.4200		27-1陳興	○
3233	上呈車田	上田	182.1	0.9560		11-3金攀龍	?
3234	湖坵	上田	469.0	2.4700		27-1陳學・陳建忠・陳光儀	○
3235	湖坵	上田	226.2	1.1900		11-3金桐竹	○
3236	上呈陸畝坵	上田	369.3	1.9440		27-1吳文法	?
3237	上程陸畝坵	上田	334.7	1.7610		11-3金應陞	?
3238	竹林後	中田 中地	147.7 14.6	0.6710 0.0580		27-1程岩才	○
3239	竹林後	中田	242.9	1.1040		11-3金神護	○
3240	上程	中田	297.0	1.3500		27-5吳和	○
3241	上呈	中地	456.8	1.8200		27-5吳和	○
3242	上呈	上地	207.6	0.5380		27-5吳和	○
3243	梅花園	中地	30.9	0.1240		27-1程道華	?
3244	上呈	中地	50.8	0.2030		27-5吳和	○
3245	上程	中地	72.5	0.2900		27-5吳和	○
3246	上程	中地	116.9	0.4680		27-1吳文法	○
3247	上程	中地	36.3	0.1450		27-1吳文法	○
3248	上程	中地	24.0	0.0960		26-4吳大法	○
3249	上呈	中地	20.1	0.0840		27-1程岩才	○
3250	上呈	中地	124.0	0.4960		27-1程道華，26-4吳大法	○
3251	上呈	中地	184.0	0.7360		27-1吳文法	○
3252	上呈	中地	123.1	0.4920		27-1程道華	○
3253	上呈	中地	54.5	0.2180		27-1程道華	○
3254	上呈	下地	14.0	0.0400		27-1程岩才	○
3255	上呈	中地	105.1	0.4200		27-1程岩才	○
3256	下塢	下地	214.5	0.6130		27-1陳晉・陳天相・陳嘉・陳岩求・陳亮	○
3257	下塢	山		0.4580		27-1程岩才	○
3258	下塢	山		0.5420		13-4吳鐆凰	○
3259	下塢	下地	120.0	0.3420		27-1程道華・程岩才	○
3260	下塢	山		0.0630		27-1程道華	○
3261	下塢	山		0.0820		27-1程道華	○
3262	下塢	山		0.2500		27-1程岩才	○

3263	後山	山		0.1040		27-1陳晉・陳岩求・陳相・陳亮	○
3264	後山	山		0.1860		27-1程岩才	○
3265	上程	中地	274.6	1.0970		27-1程岩才	○
3266	上程	中地	156.6	0.6260		27-1程岩才	○
3267	上程	中地	40.9	0.1640		27-1程岩才	○
3268	上程	中地	203.1	0.8120		27-1朱相	○
3269	上程	中地	114.4	0.4590		27-1朱相	○
3270	上程井榜	上田	134.0	0.7050		27-1朱相	○
3271	上程	中地	40.0	0.1600		27-1朱相	○
3272	上程	中地	90.0	0.3600		27-1朱相	○
3273	上塢後山	中地 山	30.0	0.1600 0.6250		27-1朱相	○
3274	上塢	山		2.5000		27-5王茂・吳和・金萬政，27-1吳文法・程岩才	○
3275	上塢口	中地	95.0	0.3800		27-5金萬政，27-1程岩才	○
3276	上塢	中墳地	80.0	0.3200	吳象	11-3金桐竹	○
3277	上塢口	中地	139.4	0.5580		27-1吳文法	○
3278	鐵店下	中田 中地	14.4 56.9	0.0660 0,2270		11-3金龍朋	○
3279	鐵店下	中田 中地	52.7 74.9	0.2390 0.3000		27-1吳文法	○
3280	鐵店下	中田	232.2	1.0250	金廷魁	11-3金桐竹	○
3281	鐵店坵	中田	286.7	1.3030		27-5陳章	○
3282	汪塘下	中田	139.5	0.6340		27-1陳法	?
3283	汪塘下	上田	174.9	0.9310		27-1吳文法	?
3284	汪塘	山		0.5420		27-5金萬政，27-1陳顯亮	?
3285	汪塘屋	山		0.4600		27-1程道華	?
3286	牛英充	下地 山	24.0	0.0690 1.5000		27-5陳滄，27-1陳寓祿	○
3287	牛英充	山		0.1000		27-1陳滄	○
3288	牛英充	下地 山	5.0	0.0130 0.4500		27-1程道華	○
3289	牛英充	山		0.5000		27-1陳岩求	○
3290	牛英充	下地 山	5.0	0.0140 1.7500		27-1陳積社・陳岩求・陳天相・陳嘉・陳晉・陳龍生・陳亮・陳應時・陳新	○
3291	牛英充	山		0.5000	齊六等	27-5陳章	○
3292	牛英充	山		0.5000	齊六	27-5陳章	○

3293	牛英充	下下田	78.0	0.2600		27-1陳振達	○
3294	牛英充	下田	90.7	0.3490		27-1陳振達	○
3295	牛英充	下田	64.7	0.2490		27-1陳振達	○
3296	牛英充	下田	175.8	0.6760		27-1陳振達	○
3297	牛英充	下田	171.2	0.6580	齊六	27-1陳振達	○
3298	牛英充	下田	172.9	0.6650	齊六等	27-1陳振達	○
3299	牛英充	山		0.7400	招保	27-5王時，27-1陳寓祿，11-3汪國英	○
3300	牛英充	下下地 山	60.0	0.1200 1.7500	招保	27-5王初・王時，27-1汪明	○
3301	牛英充	下田	109.1	0.4190	雲生	27-1陳文燦	○
3302	牛英充	山		0.6000		27-1陳興	○
3303	牛英充	下田	116.3	0.4470	雲生	27-1陳振達	○
3304	牛英充	下田	237.1	0.9120		27-1陳振達	○
3305	牛英充	下田	164.6	0.6330	雲生	27-1陳振達	○
3306	牛英充	下田	276.0	1.0630	雲生	27-1陳振達	○
3307	牛英充	下田	121.6	0.4680	法力	27-1陳振達	○
3308	牛英充	下田	204.7	0.7870		27-5陳章，27-1陳振達	○
3309	牛英充	下田	236.7	0.9100	來保	27-5陳宜	○
3310	牛英充	下下田	117.6	0.3920		27-1陳寓祿	○
3311	牛英充	下田	66.8	0.2570		27-5王初	○
3312	牛英充	下田	182.4	0.7020	文盛	27-5王時・王初	○
3313	牛英充	中田	296.8	1.3500		27-1陳興	○
3314	牛英充	下地	73.8	0.2180		27-5陳章	○
3315	汪塘嶺	山		1.5000	陳法	27-5陳章	○
3316	汪塘	塘	1832.0	10.8920		27-5陳章・陳岩求・王桂・王齊興・陳滄・吳和・吳文法・程道華・金萬政・程相・程岩才・王茂，27-1陳興，11-3金桐竹・金文獻・金應陞・金以用・金初孫	○
3317	藕塘�大塢壊山	山		2.0000		27-5陳章	?
3318	塢口田地	下下田 下地	114.1 113.0	0.3800 0.0370		27-5陳章	?
3319	申塢	山		0.5000		27-5程相	○
3320	申塢	下下田	255.0	0.8500		27-5王時	○
3321	申塢山	山		1.6670		27-1王爵	○
3322	申塢山	山		0.3500		27-1朱相	○

3323	申塢山	山		5.1200		27-1陳振達・陳興	○
3324	申塢荒地	下下地	60.0	0.1200		27-1王爵・陳岩祐	○
3325	深塢田	中田	382.5	1.7400	進潯	27-5王時	○
3326	深塢田	下下田	87.8	0.2730	陳法	27-1陳興・陳振達	○
3327	深塢山	山		3.0000		27-5陳岩求・陳法，27-5王時	○
3328	深塢田	下下田	193.2	0.6440		27-1王爵	○
3329	南山坑小塢田	下下田	70.0	0.2340	岩時	11-3金汝鍇	○
3330	南山坑東培	下下田 山	24.0	0.0800 3.2900		27-5王茂，27-1陳天相	○
3331	南山坑	山		2.1000		27-5王茂・王時，27-1陳法	○
3332	南山坑尾田	下下田	222.4	0.6750	岩相	11-3金汝鍇	○
3333	南山坑田	下田	239.4	0.9300		27-1陳振達	○
3334	南山坑田	下田	197.8	0.7610		11-3金汝鍇	○
3335	南山坑山	山		0.5000		27-5王齊興	○
3336	南山坑山	山		0.8200		27-1陳天相	○
3337	南山坑田	下田	276.9	1.0650		27-1陳時陽	○
3338	南山坑山	山		0.5000		27-1陳天相	○
3339	南山坑田	中田	335.4	1.5250	岩時	11-3金汝鍇	○
3340	南山坑田	中田	282.3	1.2830	岩時	11-3金汝鍇	○
3341	申塢山塢荒地	下下地	65.0	0.1300		27-1陳法	○
3342	言雙仁塢田	山		0.9200		27-5程相・陳章	○
3343	申塢尾田	下田	200.0	0.7690	五十力	27-1王爵	○
3344	深塢田	下田	16.0	0.0620		27-1陳法	○
3345	楊雙百塢	下田	248.3	0.9540		27-5王法	○
3346	楊雙百塢	山		2.0420		27-5程相・王法，27-1陳法	○
3347	楊梅塢山	山		0.5000		27-1陳法	?
3348	申塢田	下田	273.3	1.0510		27-5王齊興	○
3349	申塢田	中田	94.0	0.4270		27-1吳文法	○
3350	申塢田	中田	172.6	0.7840		27-5陳章	○
3351	申塢田	中田	64.2	0.2920		27-5王齊興	○
3352	申塢田	下田	59.0	0.2270		27-1陳法	○
3353	申塢	中田	114.4	0.5200	朱祥	27-5陳祥	○
3354	申塢	中田	138.1	0.1280		27-1吳文法	○
3355	申塢	中田	234.4	1.0650	來付	27-1王爵	○
3356	申塢	中田	319.9	1.4540		27-1王爵	○

3357	申塢	山		1.0950		27-5王茂・朱清・程學，27-1陳法・陳振達・陳寓祿，11-1李周討，11-3金仲治・倪達樂	○
3358	呈九塢田	山		0.5000		27-5陳章	○
3359	甲□	中田	184.2	0.8370	朱祥	27-5陳祥	?
3360	甲□	中田	535.4	2.4340	進潯	27-1王爵	?
3361	申塢田	上田	73.0	0.3810	來貴	11-3金澤民	○
3362	申塢口田	上田	504.1	2.6530	來貴	11-3金澤民	○
3363	汪塘口田	上田	294.2	1.5470	吳象	27-1陳興	○
3364	汪塘下田	上田	197.0	1.0370	文盛	27-1陳興	○
3365	呈九塢田	中田	134.0	0.6090	義潯	27-5王桂	○
3366	沪口田	中田	74.7	0.3400		27-1程道華	?
3367	汪塘下田	上田	243.6	1.2820	義潯	27-5王茂	○
3368	汪塘下田	上田	290.1	1.5250	朱祖	27-1陳興	○
3369	鐵店下田	上田	208.0	1.0950	吳馬	27-1陳興	○
3370	上呈鐵店前田	上田	260.2	1.3690	大付	11-3金應陞	○
3371	上呈	上田	182.4	0.9580	天保	27-1陳興	○
3372	鐵店前	上田	178.0	0.9360	吳象	27-1著存觀	○
3373	上呈干	上田	136.1	0.7160	吳象	27-5陳章	○
3374	上呈井坵	上田	124.5	0.6550	岩天	27-5王茂	○
3375	鐵店坵	上田	268.5	1.4100		27-1陳興	○
3376	鐵店前	上田	266.8	1.4040	程羅	11-3金儒	○
3377	上呈干田	上田	193.7	1.0190	朱祖	11-3汪尙楷	○
3378	茭箍坵	上田	177.1	0.9320	吳海	11-3金文獻	?
3379	茭箍坵	中田	98.7	0.5210	三個	27-1陳興	?
3380	槵香坵	上田	251.6	1.3240	吳海	27-1陳振達	?
3381	?	上田	268.9	1.4160	吳象	27-1陳興	?
3382	茭林坵	上田	111.0	0.5840	道潯	11-3金景付・金文獻	?
3383	上呈干	上田	284.5	1.4970	尖大	11-3金應元	○
3384	芋頭田	上田	83.1	0.4370		27-5吳和	?
3385	上呈	中田	245.0	1.1140	八個	27-5王茂	○
3386	石坂橋	上田	298.4	1.5700	岩救	27-5王茂	○
3387	上呈例坵	上田	442.3	2.3280	天祥	11-3程珊	○
3388	上呈車田	上田	169.5	0.8920	朱良	11-3金應昂	○
3389	上呈車田	上田	94.1	0.4950	義潯	11-3金繼宗	○
3390	車田	上田	62.5	0.3280	天祥	27-5王茂	○
3391	車田	上田	104.3	0.5490	朱良	11-3金應昂	○
3392	車田	上田	49.8	0.2610		27-1程岩才	○

3393	車田干東坵	上田	280.3	1.4750		11-3金文獻	?
3394	車田干東坵	上田	337.8	1.7780	遲保	11-3金文獻	?
3395	梭肚坵	上田	276.5	1.4550	伍保	11-3金可儀	?
3396	鐵丁坵	上田	115.8	0.6090	遲保	27-5陳章	○
3397	木栗坵	上田	266.3	1.4020		11-3金可儀	?
3398	墩下田	上田	256.5	1.3490		27-5陳章	○
3399	上呈田	上田	311.2	1.6380		27-5陳章・王茂	○
3400	墩上地	上田	194.3	0.9720		27-5陳章	○
3401	墩上地	上地	36.0	0.1800		27-1朱相	○
3402	墩上地	上地	135.2	0.6760		27-1程岩才	○
3403	上墩地	上地	194.0	0.9700		27-5王茂	○
3404	吳家林	下田	114.8	0.4420		11-3金顯祐	?
3405	吳家林地	上地	214.5	1.0730	進潯	27-5陳章，27-1程道華・陳岩求	?
3406	吳家林墳地	上地	242.2	1.2110		27-5吳和	?
3407	呈九塢地	中地	45.0	0.1080		27-1程文法	○
3408	程九塢	下田	234.0	0.9000		27-5朱清，27-1吳文法	○
3409	呈九塢	下田	296.7	1.1410	天保	27-5朱清	○
3410	呈九塢	下田	167.1	0.6420		27-5陳章	○
3411	呈九塢	下田	325.5	1.2520		27-1程道華	○
3412	呈九塢	下田	157.8	0.6070	來貴	27-1陳章	○
3413	呈九塢山	山		0.7000	吳象	27-5陳章	○
3414	呈九塢山	山		0.6300		27-5程相・王茂・朱清，27-1朱曜・陳法・陳寓祿・陳振達	○
3415	呈九塢	下田	153.9	0.5920	玖兒	11-3金神護	○
3416	呈九塢田	下田	141.2	0.5430	貴來	27-1著存觀	○
3417	呈九塢	下田	186.0	0.7150		27-1著存觀	○
3418	呈九塢	下田	141.9	0.5450		11-3金以用	○
3419	呈九塢	下田	173.6	0.6670		27-5王茂	○
3420	呈九塢	下田	98.9	0.3830		27-1汪侚	○
3421	呈九塢田	下田	67.9	0.2260	文盛	27-1陳興	○
3422	吳家林	下田	112.5	0.4320		27-1吳文法	?
3423	呈九塢田	下田	114.1	0.4380	朱祖	27-1著存觀	○
3424	程九塢	下田	74.4	0.2860		27-1著存觀	○
3425	呈九塢田地	下田 下地	71.4 34.0	0.2750 0.0970		27-1朱相	○
3426	呈九塢地	上墳地	105.0	0.5250		27-1朱相	○
3427	金家園墳地	上墳地	106.3	0.5320		26-4吳大法	?

3428	吳家林墳地	上墳地	147.7	0.7380		27-5吳和	?
3429	吳家林墳地	上墳地	593.2	2.9660		27-1金聚海・吳文法	?
3430	吳家林田	中田	343.0	1.5590	應馬	27-1陳振達	?
3431	金家園墳地	上墳地	78.2	0.3910		26-4吳大法	○
3432	互水墩田	中田	327.6	1.4890	五保	13-2程文	○
3433	墩上地	中地	199.5	0.7980		27-5吳和	○
3434	互水墩田	中田	195.9	0.8940		11-3金文獻	○
3435	洪□墩	中田	210.9	0.9590	暹保	11-3金可儀	○
3436	金家園田	中田	259.3	1.1800	進曜	11-3金守進	?
3437	金家園田	中田	129.3	0.5880	應馬	27-1陳興	?
3438	金家園田	中田	133.5	0.6070	天保	11-3金廷黃	?
3439	大聖後田	中田	251.1	1.1410	來福	27-5陳章	?
3440	大聖後田	中田	269.4	1.2240	來保	27-5陳章	?
3441	上呈田	中田	297.3	1.3510	岩海	11-3金文獻	○
3442	麻榨坵	上田	200.0	1.0530		27-5陳章	?
3443	大聖前田	上田	156.2	0.8220	天漢	27-5陳章	?
3444	大聖前田	上田	239.6	1.2610	吳海	27-5陳章	?
3445	大聖前田	上田	239.7	1.2620	應馬	27-1陳文燦	?
3446	大聖前	上田	49.8	0.2620	吳海	27-5陳章	?
3447	棹樹下田	上田	115.8	0.6090		27-5陳章	?
3448	鐵店坵	上田	113.9	0.6000	應成	27-1王爵	○
3449	尖肚坵田	上田	199.1	1.0480	五保	27-1陳鵬	?
3450	梭肚坵	上田	124.5	0.6550	五保	11-3金可儀	?
3451	上呈干田	上田	154.2	0.8120	朱祖	11-3羅岩付	○
3452	上呈	上田	266.6	1.4300	文盛	27-1王爵	○
3453	長園田	中田	81.9	0.3720		27-1吳文法	?
3454	溪邊荒地	下下地	50.0	0.1000		27-1吳文法	○
3455	長園田	中田	180.2	0.8190		27-1吳文法	?
3456	狐狸坵	上田	292.8	1.5410	八個	11-3金神護	?
3457	大聖前田	上田	130.2	0.6850	吳海	27-5王茂	?
3458	尖頭園田	中田	148.0	0.6730	吳海	27-5陳章	?
3459	溪邊荒地	下下地	50.0	0.1000		27-5陳章	○
3460	溪邊地	下地	75.5	0.2160		27-1程岩才	○
3461	大聖前	上田	162.4	0.8550		27-5程相	?
3462	泉水坵	上田	197.1	1.0370		27-5陳章	?
3463	溪邊地	下地	26.5	0.0750	岩海	27-5陳章	○
3464	李潭地	下地	124.6	0.3560		27-5程相	?
3465	淚水壠口田	中田	227.8	1.0320	應馬	27-1王爵	?
3466	泉水園田	中田	161.8	0.7350	吳海	27-5陳章	?

3467	泉水園田	中田	277.2	1.2600	朱祖	27-5王茂	?
3468	大聖前田	中田	103.7	0.4720	吳海	27-5王茂	?
3469	淚水園田	中田	57.6	0.2620	吳海	27-5王茂	?
3470	渠水塘	塘	33.8	0.1300		27-5王茂，11-3金以用	?
3471	大聖前田	中田	42.2	0.1920	朱祖	27-5程學	?
3472	大聖前田	中田	69.0	0.3110	朱祖	27-5程學	?
3473	大聖前田	中田	100.3	0.4560	朱祖	27-1著存觀	?
3474	五充田	中田	336.9	1.5310	天祥	27-5陳章	○
3475	大聖前田	中田	406.2	1.8460		27-5程周宣，27-1著存觀	?
3476	大聖亭基地	中地	13.7	0.0540		27-5陳章	?
3477	程九塢墳地	上田	173.4	0.8670		27-5陳章	○
3478	程九塢上草園墳地	上地	38.3	0.1910		27-1陳法・朱曜	○
3479	程九塢上草園墳地	上墳地	8.5	0.0430		27-1陳法・朱曜	○
3480	程九塢	上墳地	16.9	0.0850		11-3金齊	○
3481	呈九塢田	下田	96.3	0.3690	來福	27-5朱清	○
3482	呈九塢田	下田	101.9	0.3920	來福	11-3金齊	○
3483	呈九塢田	下田	130.9	0.5300		27-1陳法	○
3484	呈九塢田	下田	88.1	0.3390	三個	27-5程學	○
3485	程九塢田	下田	100.0	0.3840		27-5程學	○
3486	呈九塢田	中田	140.2	0.6370	三個	27-5陳章	○
3487	呈九塢田	下田	81.6	0.3140	三個	27-5程學	○
3488	程九塢	下田	51.3	0.1970		27-5程學	○
3489	呈九塢	下田	65.6	0.2530	禮力	11-3金汝賢	○
3490	呈九塢	下田	88.0	0.3380	來貴	27-1著存觀	○
3491	呈九塢山	山		0.7514	吳和	27-5金萬政，27-1程岩才	○
3492	李澤山	山		6.3612		27-5陳章・畢盛・吳和，27-1陳興・畢玄生，3-6吳玘，11-3金汝賢	?
3493	程九塢	中田	201.1	0.9140	吳象	27-1著存觀	○
3494	李澤田	下田	78.8	0.3030	吳象	27-5王茂	?
3495	程九塢	中田	202.0	0.9180	仲和	11-3金汝賢	○
3496	五充塘	塘	75.0	0.2900	吳象	27-5陳章・王茂，27-1著存觀	○
3497	李澤荒地	下地	60.0	0.1710	吳和	11-3金汝賢	?
3498	李澤荒地	下地	60.0	0.1710		27-5吳和	?
3499	壠裡田塘	中田	328.1	1.4910	朱相	27-5陳章	?
3500	尖頭園	中地	165.5	0.6620		27-5陳章	?

3501	上呈墩土田	中田	344.2	1.5640	廷進	11-3金子厚	?
3502	李澤長坵	中田	308.5	1.4020		11-3金子厚	?
3503	泉水園田	中田	228.4	1.0040	朱祖	27-5程相	?
3504	李澤田	中田	109.1	0.4960	五保	27-5程學	?
3505	李潭	中田	248.0	1.1290	吳象	27-5程學	?
3506	李潭溪邊地	下地	50.2	0.1430	朱祖	27-5王法	?
3507	李澤田	中田	231.4	1.0520	朱祖	27-5程相	?
3508	李潭地	下地	77.4	0.2210	天保	11-3金子厚	?
3509	李潭地	下地	50.0	0.1460		27-5王齊興	?
3510	李潭地	中田	143.1	0.6530	天保	11-3金子厚	?
3511	李潭地	中田	186.4	0.8470	天保	11-3金子厚	?
3512	?	中田	313.2	2.4240	遲保	27-5陳章	?
3513	李澤田	中田	146.7	0.2670	進保	27-5陳新	?
3514	李澤田	中田	140.9	0.6400	天濤	27-5陳章	?
3515	李潭瑤基地	上地	190.4	0.9520	岩救	27-5王茂，27-1陳興	?
3516	李澤田	中田	122.4	0.5560	岩救	27-5陳章	?
3517	李澤田	中田	198.0	0.9000	吳象	11-3金神護	?
3518	李潭	中田	342.1	1.5550	應馬	27-5王茂	?
3519	李潭地	上地	126.0	0.6300	岩救	27-5王茂，27-1陳興	?
3520	李潭地	下地	190.0	0.5420		27-5吳和	?
3521	李潭山	山		0.5000	吳象	11-3金守進	?
3522	李潭田	下田	53.2	0.2040		27-5王茂，27-1陳興	?
3523	李潭地塘	下地	1052.0	3.0060		27-5王茂，27-1陳興	?
3524	李潭山	山		2.5400		27-5王茂，27-1陳興	?
3525	李潭山	山		0.4200		27-5吳和	?
3526	李潭	中田	62.0	0.2390	五保	27-5王茂，27-1陳興	?
3527	李潭塘	塘	67.5	0.2600		27-5陳新・王茂・程學，11-3金以用	?
3528	?	中田	81.6	0.3710		27-5王茂	?
3529	李澤田	中田	217.1	0.9870		11-3金子厚	?
3530	李澤田	中田	137.6	0.6250	天保	27-5王茂	?
3531	李澤田	中田	184.0	0.8360	岩相	27-5程學	?
3532	李潭地	下地	64.8	0.1850	朱祖	27-5王茂	?
3533	李潭地	中地	45.2	0.1610		27-5王齊興	?
3534	李澤田	中田	37.4	0.1700	來福	11-3金以用	?
3535	李潭	中田	54.3	0.2470	大付	27-5陳章	?
3536	?	中田	125.6	0.5710		11-3金以用	?
3537	李潭	中田	95.5	0.4340	吳法	27-5程相	?
3538	李潭溪地	下地	54.7	0.1560	吳法	27-5程相	?

3539	李潭	中田	77.6	0.3530	大付	11-3金廷淑	?
3540	李潭	中田	160.2	0.7280	大付	27-5陳章	?
3541	?	中田	160.3	0.7280	大付	27-5王茂，27-1陳興	?
3542	?	中田	138.0	0.6200		27-5王茂，27-1陳興	?
3543	李潭	中田	202.2	0.9190	朱祖等	?	?
3544	?	中田	97.6	0.4430	遲保	27-5王茂	?

＊土名，種類・等則，實測面積，計税，個人，見業の欄に示す？印は破損等により不明であること，
また□は判讀不明であることを示す。

第3章 休寧縣27都5圖の事産所有狀況に關するデータ

本章は，明・萬曆年間の徽州府休寧縣27都5圖における事産所有の分布狀況を検討する【研究篇】第6章第1節の根據を示すものである。

その一つは，萬曆9年（1581）の丈量を經て作製された休寧縣の魚鱗圖冊關係文書——安徽博物院藏『萬曆9年清丈27都5圖歸戶親供冊』1冊（2：24582號）の記載から，休寧縣27都5圖に所屬する人戶の所有事産額と所有事産の分布（所有事産の所在都圖）の情報を整理したデータである。もう一つは，萬曆9年の丈量によって作製された休寧縣27都5圖の魚鱗圖冊——上海圖書館藏『明萬曆9年休寧縣27都5圖得字丈量保簿』1冊（線普563585號。上海圖書館の目錄上は『休寧縣二十七都伍圖丈量保簿』とよばれ，清代のものとされる）の記載から，休寧縣27都5圖所屬以外の人戶が所有していた27都5圖内の事産に關する情報を抽出して整理したデータである。

1 『萬曆9年清丈27都5圖歸戶親供冊』基礎データ

【凡例】

各甲の人戶は，里長戶，有産戶，無産戶，絶戶に區分した。絶戶については，筆者が安徽博物院藏『萬曆27都5圖黃冊底籍』4冊（2：24527號）の記載をもとに絶戶と判斷したものである（【研究篇】第1章第1節［24～55頁］を參照)。各人戶の戶名の下，もしくは右の丸括弧内に示したのは，『萬曆27都5圖黃冊底籍』が記す戶名である。

各人戶の情報は，上段に所有事産額（單位は稅畝），所有事産數（坵數），所在都圖ごとの所有事産數（坵數）を示し，下段の丸括弧内に事産の種類（田・地・山・塘）ごとの所有事産額（單位は稅畝）と所有事産數（坵數）を示した。

第1甲里長の王茂戶の記載に卽して見方を確認すれば，所有事産の總額が547.3404稅畝，所有事産の總數が737坵，27都5圖内の所有事産數が555坵，27都1圖内の所有事産數が147坵，11都3圖の所有事産數が15坵，26都2圖内の所有事産數が2坵，26都5圖内の所有事産數が18坵であり，347.7118稅畝・394坵の田，76.1424稅畝・183坵の地，119.8872稅畝・137坵の山，3.5990稅畝・23坵の塘を所有していたことを示す。

第１甲　（實在戶15戶）

里　長

王　茂　547.3404　737坵　27-5：555坵，27-1：147坵，11-3：15坵，26-2：２坵，26-5：18坵
（田347.7118［394坵］，地76.1424［183坵］，山119.8872［137坵］，塘3.5990［23坵］）

有産戶（10戶）

程　相　13.1110　33坵　27-5：30坵，27-6：３坵
（田10.4700［16坵］，地0.9580［８坵］，山1.3080［６坵］，塘0.3750［３坵］）

王　榮　14.2518　41坵　27-5：34坵，27-1：７坵
（田7.6580［10坵］，地4.7348［26坵］，山1.8380［４坵］，塘0.0210［１坵］）

金　清　96.5208　99坵 27-5：１坵，27-1：83坵，1-2：２坵，1-6：１坵，26-5：12坵
（田38.8488［48坵］，地26.2015［32坵］，山31.4705［19坵］）

郭　印　10.0825　17坵　3-2：２坵，3-6：３坵，3-8：７坵，3-9：３坵，3-10：１坵，4-9：１坵
（田4.6660［３坵］，地5.1465［13坵］，山0.2700［１坵］）

王　元　4.4400　16坵　13-1：16坵
（田1.0420［３坵］，地2.6120［８坵］，山0.5780［４坵］，塘0.2080［１坵］）

方　侃　2.4300　３坵　2-2：１坵，3-2：１坵，4-9：１坵
（田0.8460［１坵］，地1.0540［１坵］，山0.5300［１坵］）

高　全　3.0250　28坵　27-3：27坵，26-2：１［１坵］
（田1.2270［16坵］，地1.4880［10坵］，山0.3100［２坵］）

陳　使　0.1960　１坵　27-1：１坵
（地0.1960［１坵］）

謝　社　3.9570　９坵　27-5：５坵，27-1：３坵，26-5：１坵
（地2.2915［４坵］，山1.6655［５坵］）

程　興　9.0280　10坵 27-1：10坵
（田3.0840［４坵］，地0.4610［３坵］，山5.4830［３坵］）

無産戶（４戶）

程保童

詹　佑

王文華　婺源縣寄莊

陳　周（陳　舟）

絕　戶（３戶）

徐文錦

陳紹怡

朱兆壽

第２甲　　(實在戶12戶)

里　長

朱　洪　203.6334　829坵　27-5：704坵，27-1：７坵，27-3：77坵，27-6：31坵，29-4：６坵，西南隅-1：4坵
(田148.2960［473坵］，地19.6310［166坵］，山34.2844［157坵］，塘1.4220［29坵］，正地2.9740［４坵］)
※朱洪戶の情報は，戶丁の朱大等と朱濱，朱滔戶，朱淳戶の情報を合わせたもの。

有產戶（９戶）

朱祖耀　16.6769　50坵　27-5：48坵，27-3：１坵，27-6：１坵
(田12.5870［24坵］，地1.6264［16坵］，山2.4635［10坵］)

朱　寛　5.9910　10坵　27-5：10坵
(田2.6618［２坵］，地0.9290［３坵］，山2.4000［５坵］)

胡天法　2.9853　17坵　27-3：７坵，27-6：10坵
(田0.6463［４坵］，地2.3130［11坵］，山0.0100［１坵］，塘0.0160［１坵］)

吳　和　19.3550　31坵　27-5：18坵，27-1：12坵，11-3：1坵
(田2.5790［６坵］，地6.9630［11坵］，山9.6130［13坵］，塘0.2000［１坵］)

朱　隆　48.2000　97坵　27-5：95坵，27-3：１坵，11-3：１坵
(田43.2960［44坵］，地2.1460［33坵］，山2.7580［20坵］)

王　洪　0.2270　５坵　3-5：３坵，3-10：１坵，14-7：1坵
(田0.1300［２坵］，地0.0970［３坵］)

吳四保　6.9310　15坵　27-5：14坵，27-1：１坵
(田4.5860［７坵］，地2.3450［８坵］)

朱添資　1.3670　２坵　27-5：２坵
(田1.3670［２坵］)

朱時應　25.3655　59坵　27-5：52坵，27-3：７坵
(田22.7290［30坵］，地1.1455［19坵］，山1.4910［10坵］)

無產戶（２戶）

汪岩亮

汪　互（汪　護）

絕　戶（４戶）

胡　下

朱神祖

朱留住

陳清和

第３甲　(實在戶15戶)

里　長

朱　清　305.6265　472坵　27-5：19坵，27-1：430坵，27-3：１坵，11-3：４坵，26-2：５坵，26-5：13坵
(田185.1700［228坵］，地51.6010［165坵］，山68.6625［75坵］，塘0.1930［４坵］)

有產戶（９戶）

李　成　4.2430　６坵　27-5：６坵
(田3.7860［５坵］，地0.4570［１坵］)

吳　個　0.8580　４坵　27-1：３坵，26-4：１坵
(地0.8580［４坵］)

宋積高　2.4850　14坵　24-2：14坵
(田1.5140［３坵］，地0.9110［10坵］，山0.0600［１坵］)

胡　曜　1.8760　15坵　27-3：３坵，27-6：12坵
(田0.0410［１坵］，地1.8150［13坵］，山0.0200［１坵］)

劉再得　18.8790　24坵　27-5：１坵，27-1：21坵，26-2：２坵
(田11.0560［14坵］，地3.8230［９坵］，山4.0000［１坵］)

朱文樞　5.0054　35坵　27-6：35坵
(田3.7200［11坵］，地0.9140［17坵］，山0.2014［５坵］，塘0.1700［２坵］)

朱興元　26.1669　76坵　27-6：76坵
(田23.3540［46坵］，地0.9290［11坵］，山1.8529［18坵］，塘0.0310［１坵］)

項興才　8.2290　14坵　27-1：12坵，26-5：２坵
(田3.9780［７坵］，地4.1510［６坵］，山0.1000［１坵］)

朱社學　3.2190　９坵　27-5：１坵，27-1：８坵
(田1.8340［２坵］，地1.1210［５坵］，山0.2640［２坵］)

無產戶（５戶）

吳初保

徐　奉

劉巴山

金　黑

王宗林

絕　戶（３戶）

汪慶祐

陳舟興

朱添助

第4甲 (實在戶15戶)

里 長

王 時 68.3190 108坵 27-5：88坵，27-1：13坵，11-3：7坵
(田29.7560［34坵］，地13.5620［42坵］，山24.2400［29坵］，塘0.7610［3坵］)

有產戶（10戶）

汪福壽 1.5000 1坵 4-4：1坵
(田1.5000［1坵］)

朱世明 43.8760 157坵 27-3：5坵，27-6：152坵
(田30.1970［82坵］，地5.3140［40坵］，山6.2810［26坵］，塘2.0840［9坵］)

朱文魁 1.9060 37坵 27-6：37坵
(田0.4320［3坵］，地1.2420［23坵］，山0.1790［10坵］，塘0.0530［1坵］)

王 法 9.1010 40坵 27-5：37坵，27-1：3坵
(田4.3110［10坵］，地1.8070［17坵］，山2.8520［11坵］，塘0.1310［2坵］)

朱 景 19.6120 72坵 27-6：72坵
(朱景和)(田8.6680［26坵］，地3.4920［28坵］，山6.6640［13坵］，塘0.7880［5坵］)

程大賓 52.1360 174坵 27-3：169坵，27-6：4坵，26-1：1坵
(田29.1710［65坵］，地10.9690［58坵］，山9.3000［42坵］，塘2.6960［9坵］)

倪 拾 0.1310 1坵 27-5：1坵
(倪 十)(山0.1310［1坵］)

朱 象 1.1250 11坵 27-6：11坵
(田0.4110［2坵］，地0.6360［6坵］，山0.0320［2坵］，塘0.0460［1坵］)

王 英 0.2100 1坵 3-6：1坵
(地0.2100［1坵］)

吳 琯 13.4310 21坵 3-2：2坵，3-5：1坵，3-6：8坵，3-7：6坵，4-2：2坵，4-11：1坵，14-8：1坵
(田11.9930［14坵］，地1.4300［6坵］，塘0.0080［1坵］)

無產戶（4戶）

楊 曜

汪 山

汪 得

徐 灼

絕 戶（4戶）

陳個成

朱稅童

朱宗得

陳 法

第５甲　　（實在戶13戶）

里　長

陳　章　176.0080　256坵　27-5：175坵，27-1：81坵
　　（田128.9980［149坵］，地14.3630［55坵］，山31.9130［46坵］，塘0.7340［６坵］）

有產戶（９戶）

朱勝付　9.5430　14坵　27-5：11坵，27-1：３坵
　　（田8.9810［９坵］，地0.2460［２坵］，山0.2860［２坵］，塘0.0300［１坵］）

陳　新　23.6060　33坵　27-5：17坵，27-1：14坵，11-3：２坵
　　（田6.1890［７坵］，地5.8540［12坵］，山10.8520［11坵］，塘0.7110［３坵］）

陳信漢　14.9400　17坵　27-5：10坵，27-1：７坵
　　（田14.6420［15坵］，地0.2980［２坵］）

金社保　32.4230　60坵　27-1：52坵，26-2：２坵，26-5：６坵
　　（田12.0350［21坵］，地14.1540［27坵］，山6.2340［12坵］）

吳　京　24.4720　？坵　3-5：？坵，17-1?坵　……破損のため事產の坵數と所在都圖が不明。
　　（田14.6120［？坵］，地9.5430［？坵］，山0.2000［？坵］，塘0.1170［？坵］）

陳　旦　0.6860　２坵　27-5：２坵
　　（地0.6860［２坵］）

謝雲玘　1.0260　５坵　27-5：５坵
　　（地0.1670［２坵］，山0.8590［３坵］）

王　鍾　0.3200　７坵　27-5：４坵，27-1：３坵
　　（地0.1200［５坵］，山0.2000［２坵］）

陳　宜　4.5980　６坵　27-5：６坵
　　（田4.5980［６坵］）

無產戶（３戶）

汪義曜

謝　友

程眞來

絕　戶（５戶）

陳原得

陳道壽

周淮得

吳佛保

詹　曜

第６甲 （實在戶19戶）

里 長

朱 廣 115.1109 466坵 27-1：８坵，27-3：12坵，27-6：444坵，11-3：１坵，26-5：1坵

（田60.9310［125坵］，地31.0600［209坵］，山14.0729［114坵］，塘9.0470［18坵］）

有產戶（17戶）

朱 護 45.7023 123坵 27-3：22坵，27-6：101坵

（田31.4060［52坵］，地2.2250［38坵］，山11.9863［31坵］，塘0.0850［２坵］）

王 科 1.5940 14坵 27-5：11坵，27-1：３坵

（田0.4330［２坵］，地0.9570［10坵］，山0.2040［２坵］）

朱 鎧 25.6435 76坵 27-3：３坵，27-6：73坵

（田20.8530［39坵］，地1.8720［17坵］，山2.7105［17坵］，塘0.2080［３坵］）

金 玹 2.1420 16坵 27-5：２坵，11-1：３坵，11-3：11坵

（田0.3560［１坵］，地0.6300［８坵］，山1.1560［７坵］）

朱 龍 26.7235 77坵 27-1：77坵

（田9.7740［29坵］，地11.7250［34坵］，山5.1495［12坵］，塘0.0750［２坵］）

汪 琰 19.9570 31坵 27-5：26坵，27-1：５坵

（田11.8300［14坵］，地4.7640［13坵］，山3.2500［３坵］，塘0.1130［１坵］）

汪 洞 4.7930 ３坵 27-1：３坵

（田4.0960［２坵］，地0.6970［１坵］）

汪 龍 3.8260 ９坵 27-5：９坵

（地2.2460［６坵］，山1.5800［３坵］）

朱 曜 20.5860 47坵 27-1：１坵，27-6：46坵

（田20.5430［46坵］，地0.0430［１坵］）

王 良 9.8210 13坵 3-5：５坵，3-6：５坵，3-10：２坵，14-7：１坵

（田6.1620［５坵］，地2.6290［７坵］，山1.0300［１坵］）

朱社嵩 31.5530 49坵 27-3：33坵，27-6：15坵，26-2：１坵

（田30.0950［33坵］，地0.2140［３坵］，山1.0050［10坵］，塘0.2390［３坵］）

程賀成 41.6334 92坵 27-3：13坵，27-6：77坵，11-3：２坵

（田32.9680［47坵］，地2.8830［16坵］，山5.6724［28坵］，塘0.1100［１坵］）

金 盛 0.1900 坵１坵 3-8：１坵

（地0.1900［１坵］）

倪 壽 0.3750 ２坵 27-5：２坵

（倪壽得）（山0.3750［２坵］）

朱 嵩 33.8410 55坵 27-3：20坵，27-6：30坵，11-3：３坵，26-2：２坵

（田27.5640［39坵］，地3.9800［９坵］，山1.2500［２坵］，塘1.0470［５坵］）

朱之棟 33.2080 76坵 27-3：26坵，27-6：50坵

（田29.6480［53坵］，地2.2370［12坵］，山0.7240［５坵］，塘0.5990［６坵］）

朱八奠 32.8130 55坵 27-3：９坵，27-6：42坵，11-3：１坵，26-2：３坵

（田31.0600［50坵］，地1.7530［５坵］）

無產戶（１戶）

陳記生

絕　戶（３戶）

汪記遠

汪添興

吳社童

第7甲　(實在戶14戶)

里　長

王齊興　109.5820　194坵　27-5：182坵，27-1：10坵，11-3：1坵，30-1：1坵
(田39.9350［56坵］，地35.8990［98坵］，山29.7410［32坵］，塘4.0070［8坵］)

有產戶（10戶）

吳存仁　11.6740　16坵　1-6：1坵，3-4：3坵，3-5：9坵，3-6：1坵，5-10：1坵，17-1：1坵
(吳　仁)(田7.5300［6坵］，地3.9440［8坵］，山0.2000［2坵］)

汪　平　1.4130　3坵　27-1：3坵
(地1.4130［3坵］)

程義祥　0.1660　2坵　27-1：2坵
(田0.0410［1坵］，山0.1250［1坵］)

汪　義　0.0700　1坵　27-5：1坵
(山0.0700［1坵］)

潘希遠　7.9200　8坵　3-2：4坵，3-6：3坵，4-9：1坵
(田1.1000［1坵］，地5.3200［5坵］，山1.5000［2坵］)

潘吉祥　3.1280　9坵　3-2：4坵，3-6：5坵
(地2.6150［7坵］，山0.5130［2坵］)

潘　傑　8.3850　18坵　1-1：3坵，3-2：5坵，3-6：4坵，3-10：1坵，14-5：1坵，14-9：4坵
(田3.4960［3坵］，地2.9370［11坵］，山1.9520［4坵］)

吳存孝　20.5130　28坵　3-5：8坵，3-6：11坵，3-9：3坵，3-10：6坵
(田16.6400［16坵］，地3.1430［7坵］，塘0.7300［5坵］)

程周宣　4.0220　11坵　27-5：9坵，27-1：2坵
(田3.4220［9坵］，地0.6000［2坵］)

潘天遂　11.5950　18坵　1-1：3坵，3-2：1坵，3-6：11坵，3-10：2坵，14-9：1坵
(田5.6370［7坵］，地5.9480［10坵］，山0.0100［1坵］)

無產戶（3戶）

朱　才

潘　亮

陳玄道

絕　戶（5戶）

方　記

陳永得

李社祖

陳兆均

汪文傑

第８甲

（實在戶14戶）

里　長

陳　滄　86.4690　117坵　27-5：12坵，27-1：92坵，26-5：13坵
（田29.2950［50坵］，地27.3520［36坵］，山29.6200［30坵］，塘0.2020［１坵］）

有產戶（８戶）

王繼成　10.2190　29坵　27-5：24坵，27-1：３坵，26-4：２坵
（田7.0670［13坵］，地2.4910［10坵］，山0.6610［６坵］）

朱　瑾　49.5920　108坵　27-5：105坵，27-1：１坵，27-3：１坵，27-6：１坵
（田45.5270［50坵］，地2.0450［35坵］，山1.9920［22坵］，塘0.0280［１坵］）

王應元　21.9570　49坵　27-5：46坵，27-1：２坵，30-1：１坵
（田18.6340［21坵］，地1.6600［18坵］，山1.4430［７坵］，塘0.2200［３坵］）

程　學　13.0450　37坵　27-5：37坵
（田11.8530［23坵］，地0.8530［７坵］，山0.2140［６坵］，塘0.1250［１坵］）

朱文槐　4.5350　44坵　27-3：１坵，27-6：43坵
（田2.0860［12坵］，地2.1220［27坵］，山0.1920［３坵］，塘0.1350［２坵］）

陳　進　17.9520　21坵　27-6：21坵
（田17.8010［20坵］，地0.1510［１坵］）

郭正耀　2.6410　10坵　3-8：７坵，3-10：１坵，4-7：１坵，17-7：１坵
（田0.3270［１坵］，地2.1340［８坵］，山0.1800［１坵］）

汪社曜　0.1200　１坵　27-3：１坵
（地0.1200［１坵］）

無產戶（５戶）

吳　魁

汪　奎

朱天芳（朱添芳）

陳　仕

黃記大

絕　戶（３戶）

朱永清

朱　和

王計宗（汪計宗）

第 9 甲

（實在戸10戸）

里 長

王 初 37.5310 103坵 27-5：36坵，27-1：10坵，11-3：4 坵，13-3：53坵
（田20.8090［32坵］，地7.8100［48坵］，山8.3620［22坵］，塘0.5500［1 坵］）

有産戸（4 戸）

朱 得 0.6230 10坵 27-3：10坵
（地0.5970［8 坵］，山0.0260［2 坵］）

畢 盛 14.5400 28坵 27-5：17坵，27-1：4 坵，26-5：7 坵
（田9.2930［11坵］，地2.9960［8 坵］，山2.2510［9 坵］）

朱延鶴 20.1590 71坵 27-5：68坵，27-1：2 坵，27-3：1 坵
（田16.5180［31坵］，地1.5830［25坵］，山2.0580［15坵］）

王茂伍 22.7840 104坵 27-5：4 坵，27-1：2 坵，3-1：9 坵，11-3：6 坵，13-1：2 坵，13-2：2 坵，13-4：78坵，31-3：1 坵
（田9.0830［24坵］，地9.6670［66坵］，山3.9870［12坵］，塘0.0470［2 坵］）

無産戸（5 戸）

洪 龍
李 得
金 廣
朱 輔
汪三富

絕 戸（7 戸）

吳文軒
朱 雲
朱 彬
黃關童
潘玄童
汪文正（王文正）
汪 榮

第10甲　　（實在戶16戶）

里　長

金萬政（金萬鍾）　138.7560　201坵　27-5：176坵，27-1：13坵，27-3：５坵，27-6：２坵，11-3：５坵
（田83.1730［97坵］，地21.3890［67坵］，山31.9390［30坵］，塘2.2550［７坵］）

有產戶（14戶）

汪　敏　13.5750　25坵　27-3：９坵，26-2：16坵
（田9.5130［９坵］，地2.5730［８坵］，山1.4500［７坵］，塘0.0390［１坵］）

詹應星　0.3910　２坵　27-5：１坵，27-1：１坵
（地0.1780［１坵］，山0.2130［１坵］）

朱　太　1.9150　27坵　27-5：26坵，27-6：１坵
（田0.5350［７坵］，地0.5550［12坵］，山0.8250［８坵］）

汪　祿　20.2420　21坵　27-5：９坵，27-1：６坵，1-7：１坵，8-3：３坵，26-2：１坵，26-5：１坵
（田16.7220［13坵］，地2.0400［３坵］，山1.2800［４坵］，塘0.2000［１坵］）

王雲覽　4.2540　13坵　3-5：４坵，3-6：１坵，3-10：６坵，14-7：２坵
（田2.6460［５坵］，地1.4880［７坵］，塘0.1200［１坵］）

朱　祐　39.2180　83坵　27-5：70坵，27-3：８坵，27-6：５坵
（田32.5610［41坵］，地3.2470［26坵］，山3.3100［15坵］，塘0.1000［１坵］）

陳　祥　61.3490　78坵　27-5：74坵，27-1：４坵
（田48.3840［53坵］，地9.9230［18坵］，山3.0420［７坵］）

朱　社　5.2200　40坵　27-5：31坵，27-3：２坵，27-6：７坵
（田2.3470［12坵］，地1.8260［16坵］，山1.0470［12坵］）

吳　積　14.9310　16坵　3-5：９坵，3-6：６坵，3-8：１坵
（田11.7460［11坵］，地3.1850［５坵］）

汪　顯　30.9860　47坵　27-3：１坵，27-6：46坵
（田27.6560［41坵］，地1.0660［１坵］，山2.1660［４坵］，塘0.0980［１坵］）

朱　瑚　8.3310　49坵　27-5：48坵，27-3：１坵
（田6.8380［14坵］，地0.6820［21坵］，山0.8110［14坵］）

朱　福　3.0290　７坵　27-5：７
（田2.9690［６坵］，地0.0600［１坵］）

程　郎　2.7260　21坵　27-6：21坵
（田0.1100［１坵］，地2.1620［14坵］，山0.2440［５坵］，塘0.2100［１坵］）

吳　濵　……破損のため，事產額・事產の坵數と所在都圖が不明。

無產戶（１戶）

金廷貴

絕　戶（３戶）

朱記友

朱 遠
朱永壽

2　27都5圖内の事產を所有する他圖所屬人戸に關するデータ

【凡例】

27都5圖内の事產を所有する他圖人戸を所屬の都圖ごとに區分し，所有する27都5圖内の事產數（坵數）が多い順に示した。各人戸が所有する事產については，地番・事產の種類・事產額（單位は稅畝）を示した。“戸丁”＝〈總戸−子戸〉制の〈子戸〉が所有主體である場合には，丸括弧内に“戸丁：○○”と記し，また一つの字號の事產が複數人戸によって所有される場合には，同じく丸括弧内に所屬の都圖と人戸名を記した。

27都1圖所屬の陳興戸に關する記載を例に確認すれば，“1784上地0.1890（戸丁：富・鳳，27-5王齊興）”とあるのは，得字1784號の0.1890稅畝の上地は陳興戸の〈子戸〉である陳富・陳鳳が27都5圖所屬の王齊興戸とともに所有していたことを示す。なお，□は判讀不能を示す。

西北隅1圖　2戸　7坵

蘇叔武2975中地0.5510（27-1陳長・陳龍生・陳文討・陳應時・陳寄得・陳晉・陳積社），2978上地0.2340，2979上地3.0200，2980中田1.5560，2991中地1.1360（27-1汪本亨），2992下地0.7170（8-1葉龍）　6坵

汪　勝1616上地0.1110・山2.5560（27-1陳興）　1坵

西南隅2圖　1戸　1坵

巴　麟282上田0.6430　1坵

3都6圖　1戸　1坵

吳　玘3492山6.3612（27-5陳章・畢盛・吳和・27-1陳興・畢玄生・11-3金汝賢）　1坵

3都1圖　1戸　1坵

葉　龍2992下地0.7170（西北隅-1蘇叔武）　1坵

8都4圖　1戸　1坵

陳　社914上地1.1490　1坵

11都1圖　2戸　2坵

汪　班1889上田0.0160　1坵

李周討3357山1.0950（27-5王茂・朱清・程學・27-1陳法・陳振達・陳寓祿・11-3金仲治・倪達樂）　1坵

11都3圖　43戶　226坵

金桐竹536山4.1400（27-5王茂・11-3金迪功・27-1王爵），1307塘4.4930（27-5金萬政・陳章・朱洪・程學・王初・王茂・王法・王齊興・王時・汪祿・27-1著存觀・王爵・陳興・陳振達・陳法），1786中田2.6230，2003下田0.4550，2500山5.2500，2501下田1.2000，2502下田0.5360，2503下田0.3860，2504下田0.3430，2505下田0.2400，2506下田 0.2820，2507下田0.7750，2508下田0.3160，2509中田0.3530，2510中田0.9630，2511中田0.8170，2512塘0.7650（27-1陳寓祿），2514山1.7540，2515下地0.7030，2516下田0.8040・下地0.5710，2517中田1.3160，2518中田0.7460，2519中田0.8780，2520中田0.1590，2534上地0.2670，2535中地0.1600，2536山5.2500，2537山6.9080，2539中地7.6280，2540上田0.3770，2542上田0.3140，2560上田0.9870，2561上田0.8920，2562上田1.4710，2755上田0.4790，2756中田0.4490・中地0.0220，3051山4.4170，3052下田0.5410，3053下田0.7500，3054下田0.2260，3055下田0.5600，3056下田0.4380，3058下田0.6020，3061上地0.2380・山3.5000，3062下田0.2190・塘0.2460，3063下田0.2610，3064上田0.3400，3065下田0.2600，3066中田0.6930，3067中田0.7430，3068上田0.5330，3069上田0.6760，3070上田0.8030，3071上田1.1520，3072中田0.4140，3073中田1.2750，3074山 6.7500，3075下田1.0280，3076中地0.4800，3077中田0.8700，3078中地0.4380，3079中田0.4300，3080上田0.9760，3081上田0.5520，3082塘0.7480，3083上田0.6300，3084中地0.7560，3085上田1.3300，3117上田0.9300，3124中田0.6810，3151中田0.9810・塘0.1550（27-1著存觀），3152下地0.3060，3153中田0.7080，3155上田0.8860，3157中田0.2150，3158中田0.5620，3165上田1.1100，3168中田0.8680，3169中田0.1690，3170中田0.2230，3235上田1.1900，3276中坆地0.3200，3280中田1.0250，3316塘10.8920（27-5陳章・王桂・王齊興・陳滄・吳和・金萬政・王茂・程相・27-1陳岩求・吳文法・程道華・陳岩才・陳興・11-3金文獻・金應陞・金以用・金初孫）　84坵

金經衛2115中田1.2520（11-3金湛英），2116上田1.6020（11-3金湛英），2118上田1.7290（11-3金湛英），2123上田2.4370（27-1陳興），2125中田0.7950（11-3金湛英），2126上田0.9630（11-3金湛英），2136上田2.0560（27-1陳興），2141中地0.0320（11-3金湛英），2377中田0.7250（11-3金湛英），2379下田0.5450（11-3金湛英），2380下田0.5560（11-3金湛英），2381下田0.7940（11-3金湛英），2382下田1.6680（11-3金湛英），2386下田1.6350・下地0.4770・塘0.0540（11-3金湛英），3192中田0.6180，3193中田0.5590，3230上田1.1960　17坵

金湛英2115中田1.2520（11-3金經衛），2116上田1.6020（11-3金經衛），2118上田1.7290（11-3金經衛），2125中田0.7950（11-3金經衛），2126上田0.9630（11-3金經衛），2141中地0.0320　（11-3金經衛），2377中田0.7250（11-3金經衛），2379下田0.5450（11-3金經衛），2380下田0.5560（11-3金經衛），2381下田0.7940（11-3金經衛），2382下田1.6680（11-3金經衛），2386下田1.6350・下地0.4770・塘0.0540（11-3金經衛）　12坵

金神護2717中田0.9510，3087上田1.1620，3113上田0.7390，3125中田1.3150，3160中

田0.5060，3164上田0.3880，3171中田0.1950，3197中田1.0850，3211中田0.7120，3239上田1.1040，3415下田0.5920，3517中田0.9000　12坵

金以用1912上田1.8110，1953塘0.2640（27-5王相・王茂・朱勝付・27-1陳寓祿），1965中田1.2650（戶丁：汝吉），2098上田0.9890，3119中田0.8980（戶丁：慈），3316塘10.8920（27-5陳章・王桂・王齊興・陳滄・吳和・金萬政・王茂・程相・27-1陳岩求・吳文法・程道華・陳岩才・陳興・11-3金桐竹・金文獻・金應陞・金初孫），3418下田0.5450，3470塘0.1300（27-5王茂），3527塘0.2600（27-5陳新・王茂・程學），3534中田0.1700（戶丁：文靈），3536中田0.5710（戶丁：文靈）　11坵

金革孫2522中地0.2340，2523上地0.3660，2524上地0.3970，2525中地0.4090，2526上地0.4260，2527上地1.5200，2528上地0.5490，2529上地0.3500，2531上地1.3620，2532中地0.2200　10坵

金子厚3138中田0.6670，3501中田1.5640，3502中田1.4020，3508下地0.2210，3510中田0.6530，3511中田0.8470，3529中田0.9870　7坵

金文獻3316塘10.8920（27-5陳章・王桂・王齊興・陳滄・吳和・金萬政・王茂・程相・27-1陳岩求・吳文法・程道華・陳岩才・陳興・11-3金桐竹・金應陞・金以用・金初孫），3378上田0.9320，3382上田0.5840（11-3金景付），3393上田1.4750，3394上田1.7780，3434中田0.8940，3441中田1.3510　7坵

金可儀3227上田0.7220，3395上田1.4550，3396上田1.4020，3435中田0.9590，3450上田0.6550　5坵

金汝鍇3329下下田0.2340，3332下下田0.6750，3334下田0.7610，3339中田 1.5250，3340中田1.2830　5坵

汪國英1908上地1.9120（27-5王桂・陳章・27-1陳興），2212中田1.3540（戶丁：明春），3111上地0.8100（27-1畢濤個・陳岩求），3299山0.7400（27-5王將・27-1陳寓祿）　4坵

金應陞3195中田1.0470，3214上田1.8000，3237上田1.7610，3316塘10.8920（27-5陳章・王桂・王齊興・陳滄・吳和・金萬政・王茂・程相・27-1陳岩求・吳文法・程道華・陳岩才・陳興・11-3金桐竹・金文獻・金以用・金初孫）　4坵

金汝賢3489下田0.2530，3492山6.3612（27-5陳章・畢盛・吳和・27-1陳興・畢玄生・3-6吳玘），3495下田0.9180，3497下地0.1710　4坵

金一詔458山2.6000（27-5王茂・王時），461山2.6100（27-5王茂・王時・27-1王爵），462山1.2500　3坵

吳小保1858中田0.8870・塘0.0540（戶丁：本靜），1860中田0.8950（戶丁：本靜），1861塘0.1970（27-5王齊興・27-1陳相）　3坵

金初孫2597上田1.0900，2599中田0.6610，3096中田1.9970　3坵

金望孫3121中田0.6700，3154上田1.0830　2坵

金　楯3212中田1.0910，3213上田1.3400　2坵

金澤民3361上田 0.3810，3362上田2.6530　2坵

金應昂3388上田0.8920，3391上田0.5490　2坵

金繼宗3202上田1.3350，3389上田0.4950　２坵
金守進3436中田1.1800，3521山0.5000　２坵
金　齊3480上墳地0.0850（戶丁：浩龍），3482下田0.3920　２坵
汪本靜2912下地0.5570，3131下地0.2240　２坵
金仲和425山0.5000　１坵
金迪功536山4.1400（27-5王茂・11-3金桐竹・27-1王爵）　１坵
嚴義貞2021山1.0400（27-5汪大祿・王茂・27-1陳振達・王爵・陳法）　１坵
金四個2021上田1.4700（27-1陳興）　１坵
金求英3105下田1.0080　１坵
金攀龍3233上田0.9560　１坵
金龍朋3278中田0.0660・中地0.2270　１坵
金仲治3357山1.0950（27-5王茂・朱清・程學・27-1陳法・陳振達・陳寓祿・11-1李周討11-3倪達樂）　１坵
倪達樂3357山1.0950（27-5王茂・朱清・程學・27-1陳法・陳振達・陳寓祿・11-1李周討11-3金仲治）　１坵
金王陛3370上田1.3690　１坵
金　儒3376上田1.4040　１坵
汪尙楷3377上田1.0190　１坵
金景付3382上田0.5840（11-3金文獻）　１坵
金應元3383上田1.4970　１坵
程　珊3387上田2.3280　１坵
金顯祐3404下田0.4420　１坵
金廷黄3438中田0.6070　１坵
羅岩付3451上田0.8120　１坵
金廷淑3539中田0.3530　１坵

13都２圖　１戶　６坵
程　文770上田0.7570，878中田1.1210，1355上田0.9760，1979上田1.6730（戶丁：文林），2121上田2.2340，3432中田1.4890　６坵

13都４圖　２戶　２坵
戴　時2479上田1.0090　１坵
吳鎡凰3258山0.5420　１坵

21都１圖　１戶　５坵
吳辛福2652中地1.3600（27-1陳興），2669中地1.7440（27-1陳興），2670中地0.3830，2681下地0.0490・山0.1200（27-1陳興・陳文法），2706下下地0.5200（27-1陳興）　５坵

26都４圖　４戸　13坵
洪雲相845上地0.5840（27-5王齊興），1362上田0.8870，1367上田1.0980，2364中田0.9170　４坵
洪章和846上地0.6270，848上田1.1780（27-1汪明），853中地1.8520，877中田1.7200（27-5王茂）　４坵
朱允升3008上地0.5500（27-1陳岩求）　１坵
吳大法3248中地0.0960，3250中地0.4960（27-1程道華），3427上墳地0.5320，3431上坵地0.3910　４坵

26都５圖　１戸　18坵
汪登源836中田1.1050，847塘1.0480（27-5王茂），851中田1.5670，852上田2.5350，855上田0.9380（27-5王茂），858上田1,1990，860中田0.4520，861中田0.4340，864中田0.6080（27-5陳祥），865上田1.5880，866中田0.7900，925上地2.7930（27-5陳祥・陳旦・27-6陳付・陳甫），927上地0.3000（27-5王茂），937下田1.1040，948下下地0.0500・山1.9000（27-5王茂），949山0.5700（27-5王茂），1050下田0.3090，1058下田 0.3090　18坵

27都１圖　84戸　1780坵
陳　興488上田1.7950，540上田1.9830，571中田0.4240（27-5王榮），575中田0.1950，582下田0.6420，583塘0.1600（27-5王茂・王榮・王時），586中田0.3190，588中田1.1520（27-5王榮），592中田0.6920（戸丁：祀），632上田3.1750（27-5王茂），706上田1.4560，733上田0.8470，734上田0.8510（27-1王爵），736上田2.1690，786上田0.9020（戸丁：玉），820上田1.5660（27-1陳寓祿），979山0.7500，986下下地0.0860・山1.7500（27-5陳祥・27-6陳甫），1026上田0.9500，1073上田1.2370，1077下田1.0560，1078上田1.0390（27-5陳祥），1083中田1.4210（27-5王茂），1092上田1.0100，1095上田0.5960，1109上田0.9580，1227上地0.0600，1231上地0.5000（27-1陳寓祿・27-6陳文），1232上地0.1550，1256上田1.4300，1263上田1.5050，1264上田2.6100（戸丁：鳳），1280下下地0.0620・山0.9350（27-1陳振達），1282山0.9250，1294下下田0.4510（戸丁：富），1307塘4.4930（27-5金萬政・陳章・朱洪　・程學・王初・王茂・王法・王齊興・王時・汪祿・27-1著存觀・王爵・陳振達・陳法・11-3金桐竹），1315中田1.0550（戸丁：鳳），1317中田1.1640（戸丁：玉），1319下田0.5510（戸丁：富），1340上田1.5690（戸丁：潤德），1342上田1.6890（戸丁：良），1344上田1.7910（27-5王茂・27-3朱玄貴），1359上田1.3910（27-5王茂・27-3朱玄貴），1426山0.2500（戸丁：玉），1437中地0.6370（27-5王茂），1440中地1.0840（戸丁：富，27-5王齊興），1444山0.4000（27-5王齊興），1448山0.5000（戸丁：富，27-5王齊興），1449下下地0.2150（戸丁：富，27-5王齊興），1450山0.5000（27-5王齊興），1455山0.1800（戸丁：富，27-5王桂），1456山0.5000（戸丁：富，27-5王齊興），1457下下地0.1160（戸丁：富，27-5王齊興），1460中地0.8230（戸丁：富，27-1陳

二同），1461下下田0.3500（戶丁：富），1462中地0.3400（戶丁：富・鳳），1464下下田0.2410（戶丁：鳳，27-5王茂），1465下下田 0.1900（27-5王茂），1466下下田0.5000（戶丁：富），1467下下地0.0290（戶丁：富），1564上地0.6220（戶丁：富），1565上地0.7950（戶丁：富・鳳・玉），1566上地0.1870（27-5王桂），1571上地0.7530（27-5王桂），1573上田0.7150，1575上地0.1700（戶丁：富），1598上地0.3950，1599上地0.1650，1600上地0.1360，1603上地0.2800（27-5王齊興），1605上地0.5040（27-5王齊興），1606上地0.0930（戶丁：富），1608上地0.0690（27-5王齊興），1611上地0.5110（27-5王齊興），1612上地0.0650，1613上地0.3400（27-5王齊興），1614上地0.8400，1615山0.6100（戶丁：富），1616上地0.1110・山2.5560（西北隅-1汪勝），1619中田0.6320，1620中地0.1960（戶丁：富），1621中地0.1280（戶丁：富），1622中地0.1320（戶丁：富），1625下地0.8830（戶丁：富），1626下地0.5350，1627下地0.5630，1629中地0.0880（戶丁：富），1630中地0.8190（戶丁：富，27-5王齊興），1641下地0.4690（戶丁：富），1647上地0.4620（戶丁：富），1760上地0.8650（戶丁：富・鳳），1779中地0.4460（戶丁：玉），1781中地0.4420（戶丁：富），1782中地0.3040（戶丁：鳳・富），1783中地0.1600（戶丁：富・鳳），1784上地0.1890（戶丁：富・鳳，27-5王齊興），1787中田1.0380（戶丁：鳳），1790中田0.6840（戶丁：鳳），1793中田0.2330（戶丁：富・鳳），1794中地0.6720（戶丁：富・鳳），1795中地0.5000（戶丁：玉），1797中地6.3160（戶丁：鳳），1799下田0.9930（戶丁：正陽），1838塘2.4160（27-5金萬政・王齊興・王茂・陳章・王桂・27-1陳進・陳岩求・陳學・陳時陽・朱文廣・王爵），1842山0.0630（戶丁：富），1859中田0.9600（戶丁：奉），1865中田0.1540（戶丁：富），1901山1.5000（戶丁：富，27-5王茂），1866中地0.6600（戶丁：玉，27-1陳堅），1868中地0.7120（戶丁：玉），1882上田0.8630（戶丁：玉），1887上田1.9330（戶丁：壽），1888中田0.3270（戶丁：富），1891上田0.6940（戶丁：富），1897下地0.1900，1902中地0.5080，1903中地0.6240，1904下地0.2330・山0.5000，1905中地0.2720，1907中地0.1080，1908上地1.9120（27-5王桂・陳章・11-3汪國英），1909中田0.9670（27-5王茂），1916下田0.8000（戶丁：富，27-5王茂），1917下田0.1690（戶丁：富），1918下下地0.0300・山1.8000（27-5王茂），1920下田0.3000，1922塘0.5480（27-5王茂），1923下下地0.0600・山0.6000（27-5王茂），1925中田1.0770（戶丁：富），1926山0.8000（27-5王茂），1927上地0.1500，1928中田1.3030（戶丁：富，27-5王茂），1931上田1.7250（戶丁：富），1934上田2.0540（戶丁：富），1935上田2.3550（戶丁：富），1938下田0.1200（戶丁：富），1939塘0.2680（27-5陳章・27-1陳寓祿），1942中田1.0730（戶丁：富），1943上田1.2750（戶丁：富），1945上田1.6650（戶丁：富），1946上田1.8710（戶丁：富），1947上田3.3800（27-5陳章），1980上田4.4900（戶丁：富），2021上田1.4700（戶丁：玉，11-3金四個），2034中地0.2800・塘0.6480（戶丁：富），2053上田0.3470（戶丁：鳳），2061上田0.5210（戶丁：玉），2062上田0.4490（戶丁：富），2063上田1.0790（27-1陳□），2068中田0.7320（戶丁：鳳・富），2072中田0.6090（27-1陳振達），2093上田

2.6640（戶丁：富），2100上田1.8520，2101上田1.1900（戶丁：富），2104上田3.0580（戶丁：富），2106上田2.8700（戶丁：玉，27-5王茂・27-1陳振達・陳寓祿），2123上田2.4370（戶丁：玉，11-3金經衞），2127上田1.0520（戶丁：玉），2134上田1.6790（戶丁：富），2136上田2.0560（11-3金經衞），2140上田1.5470（戶丁：玉），2145上田1.6790（戶丁：玉，27-1陳寓祿），2151中田0.6540（戶丁：玉），2157上田2.2840（戶丁：四郎），2165上田0.7210（27-5陳相），2166上田0.6470（戶丁：富），2170上田1.7350（戶丁：富，27-1陳天相），2173上田0.9530（戶丁：富），2184中田1.2820（戶丁：鳳），2213上田2.1260（戶丁：玉），2217上田0.7530（戶丁：富），2218上田1.9990（戶丁：富），2230山1.0000（27-5王時・王榮），2232下下地0.0600・山1.5000（戶丁：富，27-1陳寓祿），2288上田1.5870（戶丁：鳳），2289上田1.3420（戶丁：富，27-5王桂），2294上田0.8000（戶丁：玉），2305下下田0.4300（27-1陳晉・陳文討・陳龍生・陳積社・陳寓祿），2313山0.5700，2388下地1.1500，2409上田1.2620（戶丁：鳳），2416上田1.4700（戶丁：玉，11-3金四個），2433下田0.7920，2451上墳地0.0550，2458山0.3800（27-5畢盛），2471中田0.8650（戶丁：壽），2472上田2.1340（戶丁：富），2475上田1.6390（戶丁：鳳，27-1陳寓祿），2490上田1.5530（戶丁：鳳），2496上田2.3670（戶丁：富），2498上田1.2630（戶丁：鳳），2513山7.3750（27-1陳晉・陳寓祿），2521塘2.8400（戶丁：富・正陽，27-1・陳岩求・陳□・陳三得），2538山1.2500，2541上田1.0840（戶丁：潤德），2543上田0.3840（戶丁：仁壽），2545上地0.5630（戶丁：富），2547上地0.6530（戶丁：富），2550上田1.0900（戶丁：富），2553上地1.0650（戶丁：壽・鳳・保），2554上地1.0500（戶丁：富），2563上田1.0470（戶丁：富），2565上田0.5300（戶丁：玉），2566上田0.5580（戶丁：玉），2567上田1.1350（戶丁：富），2568塘0.4570（27-1陳岩求），2569上田0.6050（戶丁：鳳），2570上田0.9370（戶丁：鳳），2571上田0.5300（戶丁：富），2572上田0.6690（戶丁：壽），2573上田0.6320（戶丁：富），2574上田1.0630（戶丁：富），2575上田1.2580（戶丁：富），2576中地1.1440（戶丁：正陽，27-1陳岩求），2577上田0.7260（戶丁：壽），2578中田0.7730（戶丁：玉），2579上田0.8790（戶丁：潤德），2580上田0.5740（戶丁：正陽），2581上田 0.8680（戶丁：潤德），2582上田0.9370（戶丁：鳳），2583上地0.2300（戶丁：潤德），2584中田0.1870（戶丁：勝保），2585上田0.9370（戶丁：鳳），2586上田1.0840（戶丁：壽），2587上田1.0950（戶丁：鳳），2588上田0.9100（戶丁：玉），2589上田0.6000（戶丁：潤德），2590上田0.4790（戶丁：潤德），2591上田0.8210（戶丁：潤德），2592中田1.1500（戶丁：玉），2593上田1.7900（戶丁：富），2594上田0.9790（戶丁：鳳），2596上田0.5520（戶丁：潤德），2598中田0.6600（戶丁：富），2600上田1,0270（戶丁：富），2601中田1.3960，2602下田0.5550，2604下田0.8900，2605上田1.6120，2606下田1.4220（戶丁：富），2608下地0.3300，2609下田0.8150，2611下田0.8450（戶丁：玉），2613下田1.4110，2614下田0.5350，2616下田0.5180（戶丁：富），2617下田0.6060，2619下田0.4910・下地0.0340（27-1陳岩求），2620下地0.2060（戶丁：富），2621

下田0.8200（戶丁：富），2622下田0.6610（戶丁：富），2624下田0.7800（戶丁：鳳），2625下田0.8160（戶丁：玉），2629下地0.1470（戶丁：富），2631下地0.4380（戶丁：富・鳳），2632下田0.2060（戶丁：富・鳳），2633下田0.3270（戶丁：鳳），2635下田0.5610・下地0.0990（戶丁：玉），2636下田0.4430・下地0.0930（戶丁：富），2637中田0.6620（戶丁：玉，27-1著存觀），2638中田0.3950（戶丁：壽），2639中田0.3360（戶丁：玉），2640中田1.1860（戶丁：玉），2641中田1.7100（戶丁：玉），2642中田0.8680（戶丁：玉），2643中田1.4290（戶丁：壽），2644中田0.9720（戶丁：富），2645中田1.0090（戶丁：富），2646中田1.5590（戶丁：鳳），2647中地1.4560（戶丁：正陽），2648中地0.4400（戶丁：正陽），2649中地0.5220（戶丁：正陽），2650中地1.7100（戶丁：正陽，27-1陳岩求），2651中地2.2520（戶丁：正陽，27-1陳岩求），2652 中地1.3600（戶丁：正陽，21-1吳辛福），2653中地3.8050（戶丁：正陽），2654中地0.9280（戶丁：正陽），2655中地0.3600，2656上地2.9500，2657中地1.8960，2658中地2.7640，2659中地0.1080（戶丁：潤德），2660中地0.1000（戶丁：鳳），2661中地2.5380（戶丁：正陽），2662上地1.2610（戶丁：正陽），2663中地0.2080（戶丁：正陽），2664中地0.5770（戶丁：正陽）2665中地0.2090，2666中田0.3590（戶丁：鳳），2667中田0.3050（戶丁：富），2668中田0.6140（戶丁：富・鳳），2669中地1.7440（戶丁：正陽・潤德，21-1吳辛福），2671中地0.3250（戶丁：正陽・鳳），2672中地1.0080（戶丁：正陽），2673中地1.2960（戶丁：正陽），2674中地8.3970（戶丁：正陽，27-1陳岩求），2675中地0.4480（戶丁：正陽，27-1陳岩求），2676山0.2500（戶丁：正陽），2677下地0.4740（戶丁：正陽），2678下田0.1920（戶丁：祀），2679下地0.1770・山0.2920（戶丁：祀），2680中田0.7960（戶丁：潤德），2681下地0.0490・山0.1200（戶丁：正陽，27-1陳文法・21-1吳辛福），2683下田1.5120（戶丁：玉），2684下田0.8150（戶丁：正陽），2685中田0.7140（戶丁：鳳），2686中田1.2580（戶丁：鳳），2690上田1.8000（戶丁：壽），2691中田0.5540（戶丁：玉），2692山3.7000（戶丁：正陽，27-5畢盛），2693上田1.5060（戶丁：正陽），2694中田0.8010（戶丁：正陽），2695中地0.4580（戶丁：潤德），2698中地0.6800（戶丁：潤德），2700中地0.2840（戶丁：鳳），2701下田0.4620（戶丁：鳳），2702中田1.2810（戶丁：正陽），2703中地0.2910（戶丁：鳳），2704下地0.8200（戶丁：正陽），2705下地0.2920（戶丁：正陽），2706下下地0.5200（戶丁：正陽，21-1吳辛福），2709中地0.5440（戶丁：鳳），2710下地0.3170（戶丁：希），2711中田1.0820（戶丁：鳳），2712中田1.0400（戶丁：富），2713中田1.1000（戶丁：富），2714下田0.3000（戶丁：富），2715下田0.7400（戶丁：潤德），2716中田1.0600（戶丁：潤德），2719中田0.9400（戶丁：潤德），2720下田0.8770（戶丁：鳳），2721上田1.8410（戶丁：正陽），2722上田2.1100（戶丁：正陽），2723中田0.4510（戶丁：正陽），2725上地0.6000（戶丁：祀），2726下地0.3430・山2.2500，2727山1.2350（27-5陳新・27-1陳寓祿），2729中地0.3850（戶丁：鳳），2732上田1.5580（戶丁：富），2733中田1.3770（戶丁：富），2734中田1.4450（戶丁：潤德），2736中田1.7000（27-1陳天相），

2738上田1.6050（戶丁：玉），2740塘1.0000（戶丁：正陽，27-1陳寓祿），2741下田0.9400（戶丁：潤德），2744下下地0.2880・山3.0000（戶丁：富・正陽），2746中田1.1330（戶丁：富），2747下田0.6570・下地0.0860（戶丁：潤德），2749中田0.7690（戶丁：鳳），2750上田1.1470（戶丁：玉），2751上田1.1070（戶丁：潤德），2758下田0.7280（戶丁：潤德），2760中田0.2860（戶丁：壽），2761上田0.3900（戶丁：壽），2765下田0.9430（戶丁：潤德，27-1陳寓祿），2766下田0.8150（戶丁：富），2768下田0.5500（戶丁：潤德），2769下田0.7230・下地0.1110（戶丁：潤德），2771下田0.7860（戶丁：潤德），2774中田0.5580（戶丁：潤德），2776上田1.3500（戶丁：玉），2783中田1.0400（戶丁：玉），2791山1.0000（戶丁：潤德），2797下地0.4170（戶丁：玉），2802中地0.3360（戶丁：富），2803中地0.4480（戶丁：富，27-1陳寓祿），2806中地1.3460（戶丁：潤德），2817中地3.6180（戶丁：正陽，27-5王齊興），2821下地0.8800，2831中地0.3560（戶丁：潤德），2837下地0.3800（戶丁：富・鳳），2838中地0.2400（戶丁：正陽），2845中地0.4320（戶丁：富・鳳），2853中地0.5540（戶丁：富・鳳），2856中地3.0690（戶丁：正陽，27-5王齊興），2858塘0.1010（戶丁：鳳・文富），2859中田1.3100（戶丁：鳳），2870下田0.8630・下地0.2090（戶丁：玉，27-1汪明），2874中地0.7200（27-1陳天盛・陳龍生），2875中地0.7240（戶丁：鳳・富），2919中田0.5500（戶丁：富），2923下田0.3000・下地0.3600（戶丁：鳳），2927下地1.2470（戶丁：富・鳳），2932中田0.9400・中地0.0920（戶丁：鳳），2938中田1.3100，2944中田1.3770（戶丁：富），2945中田1.3500（戶丁：富），2951下地0.1250（戶丁：玉，27-1陳文進），2956下田0.4400（戶丁：富），2957下田0.9020（戶丁：富），2959中田0.8770，2963中田0.7270（戶丁：潤德），2964塘0.1460（戶丁：潤德・玉），2965中田1.5870（戶丁：玉），2966中田1.1630（戶丁：富），2970中田1.2640（戶丁：富），2972中地1.0760（戶丁：富），2976中地0.8900（戶丁：富），2977中地0.2340（戶丁：玉，27-1陳天盛），2994下下地0.3420（戶丁：祀），2995下地0.8830（戶丁：祀），2996中地1.0160（戶丁：正陽），3012中地0.3130（27-1陳勝保），3013中地0.9220（戶丁：正陽），3014中地4.4120（戶丁：祀），3016中地0.5950（27-1陳積社・陳嘉・陳岩求・陳天相・陳長・陳文討・陳寓祿・陳應時・陳晉），3018中地1.7600（27-1陳長・陳應時・陳嘉・陳岩求・陳天相・陳晉・陳寓祿・陳文討・陳龍生・陳積社），3035上田0.5000（戶丁：富），3036上田0.8100（戶丁：富），3038下田0.0530（戶丁：富），3045上田0.9830（戶丁：富），3046上田1.6320（戶丁：富），3050山0.3750，3088中田0.7000（戶丁：壽），3091中地0.8760（戶丁：壽・鳳），3108中田0.4360，3116上田0.7900（戶丁：玉），3120中田0.9190（戶丁：鳳），3126下田1.0000，3128下田0.7000・下地0.0960（戶丁：奇），3132中田0.8100（戶丁：奇），3136中田1.0200（戶丁：鳳），3137中田0.5500（戶丁：玉），3174中田0.6100（戶丁：富），3179中田1.0210（戶丁：鳳），3181中田0.5600（戶丁：鳳），3182中田0.9300（戶丁：鳳），3189中田0.6450（戶丁：鳳），3199中田0.4910　（戶丁：潤德，27-1陳振達），3201上田1.3080・塘0.0910

（戸丁：閏潯，27-1陳振達），3215上田1.2600（戸丁：玉），3216上田0.7980（戸丁：富），3217上田0.4310（戸丁：富），3218上田2.2450（戸丁：富），3219上田1.2590（戸丁：富），3224中田0.9200（戸丁：玉），3226上田0.6740（戸丁：奇），3232上田0.4200（戸丁：鳳），3302山0.6000，3313中田1.3500，3316塘10.8920（27-5陳章・王桂・王齊興・陳滄・吳和・金萬政・王茂・程相・27-1陳岩求・吳文法・程道華・陳岩才・11-3金桐竹・金文獻・金應陞・金以用・金初孫），3323山5.1200（27-1陳振達・陳岩祐），3326下下田0.2730（27-1陳振達），3363上田1.5470，3364上田1.0370，3368上田1.5250（戸丁：富），3369上田1.0950（戸丁：鳳），3371上田0.9580，3375上田1.4100（戸丁：玉），3379中田0.5210（戸丁：富），3381上田1.4160（戸丁：富），3421下田0.2260（戸丁：壽），3437中田0.5880（戸丁：潤潯），3492山6.3612（27-5陳章・畢盛・吳和・27-1畢玄生・3-6吳玘・11-3金汝賢），3515上地0.9520（27-5王茂），3519上地0.6300（27-5王茂），3522下田0.2400（27-5王茂），3523下地3.0600（27-5王茂），3524山2.5400（27-5王茂），3526中田0.2390（27-5王茂），3541中田0.7280（27-5王茂），3542中田0.6200（27-5王茂）　456坵

王　爵91下田0.5900，92下田0.8540（27-5謝社），128下下田0.2170，421下下田1.0060，430山0.7500（27-5王茂），441山0.8330（27-5金萬政），448中田1.0580，461山2.6100（27-5王茂・王時・11-3金一詔），492上田2.5470，519上田1.2800，523上田0.7520，534山1.0600，535山0.8340，536山4.1400（27-5王茂・11-3金迪功・金桐竹），537山1.1300，538下田1.1500，539下下田0.2740，557下田0.3450，573中田0.4700，610中田0.0710，611下地0.0110・山3.2000（27-1陳振達・汪明），612下下地0.0660（27-1陳振達・汪明），624上田1.0830，626上田1.6460，630上田1.1220，631上田1.1590，640上田0.6740，641下地0.0090・山1.0500（27-5陳章），697山0.6000，709山1.4700（27-5汪仲魯），716上田1.4640，721上田1.5100，724山1.7070，726上田1.1100，727上田1.1900，728上田1.0870，734上田0.8510（27-1陳興），738下田1.3880（27-5王茂），744下下地1.0870，753上田0.7090，755上田1.6100（27-5王茂），767上田1.4490，773上田0.8280，774上田3.8470（27-1鄭才），777上田1.4240，780上田2.1530（27-5王茂・27-1陳天相），788上田0.6380，789上田0.9900，790上田0.7760，791上田0.5530，801上田0.6900，804上田1.6300，815上田1.6980，818上田0.7960（27-1陳本），824上田1.2990，825上田1.3600，829上田1.4450，830上田2.9900（27-1朱得信），837中田1.1280（27-5王茂），868中田0.5820（27-5王茂），870中田0.8290，871中田0.2180，872中田1.0230，873中田1.0170，874中田0.3610，879上田1.7300（27-5王茂），891中地2.7500，892中地3.5350，893中地1.2100，894中地0.9320，897下田0.4320，901下下地0.2200，902下下地0.3660，903下下地0.3240，906下下地 0.0200・山0.8500，941下田0.8730（27-5陳祥・王時・27-3金萬全），970中田0.8790（27-5王茂），988山1.5000（27-1陳振達），996下下地0.2720（27-1陳振達），1016中田1.2390（27-5金萬政），1035上田1.9390，1042上田0.9320，1043上田0.9460，1045上田0.7440，1069上田1.7880，1075下地0.0570・山2.2000（27-5王茂・27-1

陳振達)，1079上地0.5000（27-5王茂・27-1陳振達)，1082上地0.3650，1086中田0.5300，1087塘0.5300（27-1陳天相・陳時陽)，1089上田0.8510，1093上田1.4760（27-1陳相)，1094上田1.6300（27-5王茂)，1099上田1.0500，1119上田0.5460，1125上田0.9910，1126上田1.0110，1127上田1.1870，1128上田1.2010，1135上田1.0900，1149上田1.0340（27-1陳天相)，1187中田1.0110，1191中田1.5200，1198上田1.4390，1233山1.0000，1244上田0.7950（戶丁：詔)，1247山2.5880，1248中田1.2810（戶丁：詔)，1251上田0.9730（戶丁：廷禎)，1252上田0.7180（戶丁：淮)，1253上田0.6250（戶丁：世民)，1257上田2.1600（戶丁：淮)，1277中田1.6380（戶丁：浦，27-3朱玄貴)，1278下地0.0130（戶丁：梁)，1295下下田0.3760（戶丁：良)，1301下下田0.9510，1307塘4.4930（27-5金萬政・陳章・朱洪・程學・王初・王茂・王法・王齊興・王時・汪祿・27-1著存觀・陳興・陳振達・陳法・11-3金桐竹)，1308下下田1.4900（戶丁：滾)，1313中田1.5220（戶丁：□鮮)，1332中田1.3090（戶丁：浦・櫝)，1339上田0.7660（戶丁：淮)，1341上田0.5610（戶丁：元・本)，1357上田0.9330（戶丁：淮)，1358上田0.7200（戶丁：淮)，1370上田1.6230（戶丁：沐・淮)，1375中田1.2110（戶丁：世民)，1381中田1.3900（戶丁：淮)，1403上田1.1600（27-5金萬政)，1404上田1.1780（戶丁：表)，1405下下地0.3000・山0.5000（戶丁：表)，1408上田0.3610（戶丁：詔)，1411中地0.1560，1509上地0.9610，1521上地1.1400，1523上地0.1950，1525上地0.2670，1568上地0.0200・山0.6500（27-5王茂・王法・王鍾・王時・王科・王齊興・王繼成・王桂・王初)，1569上地0.2000（27-5王茂・王初・王齊興・王繼成・王時・王法・王鍾・王桂・王科)，1580山0.4000（27-5王齊興・王法・王繼成・王茂)，1651上地0.2640，1652上地1.8670，1653上地0.4560（27-5王茂)，1654上地0.7250，1655上地0.7360，1656上地4.5310，1657中地2.9160，1658中地0.2100，1659中地0.1630（27-1陳嘉)，1660中地0.3950，1661上地1.1140，1662中地0.4990，1663中地0.1150（戶丁：詔，27-5王茂)，1664中地0.3570（27-5王茂)，1665上地0.6890，1666中地0.1540，1667中地0.2630，1668上地0.0380，1670上地0.1180（戶丁：舜・誥)，1695下地0.1600（戶丁：詔)，1714上地0.2390（戶丁：詔，27-5王茂)，1718上地0.0680（戶丁：浦)，1722上地0.0590（戶丁：濟)，1740上地0.3000（27-5王榮・王法・王科・王桂・王應鍾・王時・王初・王齊興・王繼成・王茂)，1741上地0.5180（27-5王法・王科・王榮・王時・王桂・王應鍾・王初・王繼成・王齊興・王茂)，1776中地0.4250（戶丁：濟・洌)，1810中地0.4150（戶丁：浦・沐・濟・應)，1823中地2.8800・山0.7500（27-5王茂)，1824山2.0000（27-5王茂)，1838塘2.4160（27-5金萬政・王齊興・王茂・陳章・王桂・27-1陳進・陳岩求・陳興・陳學・陳時陽・朱文廣)，1846中田0.7690（戶丁：俊文)，1855中田1.0480（戶丁：文進)，1948上田0.4690，1975下地0.2860，2000下田0.5000（戶丁：本)，2021山1.0400（27-5程相・汪大祿・王茂・27-1陳振達・陳法・11-3嚴義眞)，2027山0.4000（戶丁：梁)，2028下地0.3700・墳山0.3300（戶丁：詔)，2033中地0.0520・塘0.6810（戶丁：浦)，2035下地0.2000・山0.1040（戶丁：浦)，2040上田1.2720

（戸丁：淮），2073下田0.8920（戸丁：梁），2074塘1.5100（戸丁：詔，27-1陳學），2096上田1.1980（戸丁：詔），2155下下地1.7360・山2.6260（戸丁：濟・洌），2156下下地0.9330・山2.0000（戸丁：濟・洌），2163上田2.1850（戸丁：梁），2168下田0.8760（戸丁：濟・洌），2177上田1.1880（戸丁：梁，27-1陳寓祿），2204上田1.4150（27-5王茂），2296上田1.5530（戸丁：良），2314山1.2540，2319山4.6470（27-1陳法），2320山12.0000，2321山1.2000，2351中田1.2100（戸丁：淮），2357中田0.7960（戸丁：誥・浦），2359下下地 0.2320，2360下下田0.2260，2362下下田0.8480，2363塘0.4550（27-5王茂），2365中田1.1580（戸丁：良），2366中田1.1770（戸丁：良），2367下田0.2350，2368中田0.3350（戸丁：表），2369中田0.5110（戸丁：表），2371中田0.9200（戸丁：櫝），2375下下地0.3100（27-5金萬政），2378下下地0.2950，2384下地3.1540・山20.0000（27-1陳興），2397上田1.1150（戸丁：淮），2400上田1.4700（戸丁：淮），2411中地3.5460（戸丁：淮・沐），2413中田0.8380（戸丁：淮・沐），2420中地0.2120（27-5汪才），2809下田0.6150（戸丁：誥，27-5吳四保），2830中地0.3480（戸丁：軒），2969中田0.9830（戸丁：詔），2973下地0.4720，3027上田0.9860（戸丁：淮），3166上田1.0930，3321山1.6670，3324下下地0.1200（27-1陳岩祐），3328下下田0.6440，3343下田0.7690，3355中田1.0650（戸丁：濟・洌），3356中田1.4540（戸丁：世民），3360中田2.4340，3448上田0.6000，3452上田1.4300，3465中田1.0320　231坵

陳振達465下田1.7610（27-5王茂），554下下田0.3740，555中田1.0470，558中田0.3640，568中田0.8970，570中田0.9350（27-5陳章），580下田0.1910，589中田0.4490，591中田0.5730，611下地0.0110・山3.2000（27-1王爵・汪明），612下下地0.0660（27-1王爵・汪明），638上田1.4340，656下田0.2350・塘0.0190，657下下田0.3500，658下下田0.1660，659下下田0.3160，663下下田0.7570（27-5王茂・朱隆・27-1陳法），681下下田0.3900，699下下田0.4360，779上田1.0490（27-1陳祥），783上田0.7220（27-1陳天相），787上田0.6400，857上地0.1600（27-6陳甫），988山1.5000（27-1王爵），996下下地0.2720（27-1王爵），1075下地0.0570・山2.2000（戸丁：軒，27-5王茂・27-1王爵），1079上地0.5000（戸丁：軒，27-5王茂・27-1王爵），1080上地0.3740（戸丁：軒），1209下下地0.2400・山0.8880（27-5朱清・陳章・27-1陳寓祿），1230上地0.4500（27-6陳文），1261上田1.2150（戸丁：階），1269上田0.6500（戸丁：階，27-1汪明），1270上田0.6220（27-1汪明），1273上田1.1820（戸丁：階，27-5王時），1280下下地0.0620・山0.9350（27-1陳興），1285下下田0.2800（戸丁：階），1303下下田0.3700（戸丁：枝），1304下下田0.7560（戸丁：枝），1307塘4.4930（27-5金萬政・陳章・朱洪・程學・王初・王茂・王法・王齊興・王時・汪祿・27-1著存觀・王爵・陳興・陳法・11-3金桐竹），1334上田1.8850（戸丁：春茂），1336中田0.7380（戸丁：階），1389下下田0.3200（戸丁：階），1390下下田0.6970，1471山0.3000，1472山0.8000（戸丁：階・朋・軒），1473山0.3000（27-5陳章），1474山0.8000（戸丁：階），1475下下地 0.0400（27-1陳銁），1480下地0.1200（戸丁：階，27-1陳銁・陳鵬），

1486山0.4000（27-1陳銁），1490下地0.1860・山0.5000（27-5陳章），1492中地0.1280（27-5陳章），1493塘0.4470（戶丁：階），1796中地0.9910（戶丁：階），1830中田1.3550（戶丁：枝），1831中田2.0770（戶丁：春茂），1940中田0.9900（戶丁：階），1949中田0.8600（27-5王齊興），1990下地0.1120・山0.2000（27-5陳章），2002下地0.0600（戶丁：階），2005山0.2000（27-5程學・27-1陳法），2018中田0.3970（戶丁：階，27-1陳法），2021山1.0400（27-5程相・汪大祿・王茂・27-1王爵・陳法・11-3嚴義眞），2025下田1.3800（戶丁：階），2026中田0.5160（戶丁：階，27-5程學），2030下田0.3030（戶丁：階），2032中田0.6760（戶丁：階），2039中田1.0740（戶丁：階），2041上田1.5400（戶丁：枝），2044下田0.4450・上地0.0700（27-1陳法），2045下田0.2550（27-5程學），2048上田0.8530（戶丁：階），2058上田0.9260（戶丁：春茂），2072中田0.6090（戶丁：階，27-1陳興），2106上田2.8700（27-5王茂・27-1陳興・陳寓祿），2112中田0.9580（戶丁：階），2138上田1.1190（戶丁：春茂），2161中田0.6720（戶丁：枝），2186上田0.8600（戶丁：枝），2214上田0.7940（戶丁：枝），2215上田0.8600（戶丁：階），2221上田0.9760（戶丁：枝），2231塘0.4600（戶丁：階），2233下下田0.1320（戶丁：枝・階），2234下下田0.2770（戶丁：階），2235下田0.2800（戶丁：枝），2236下田0.7740（戶丁：階），2237下田0.3860（戶丁：枝），2239中田0.3100（戶丁：階），2240中田0.6550（戶丁：階），2241下田0.5440（戶丁：枝），2242中田0.5710（戶丁：階），2243中田0.8710（戶丁：階），2244中田0.3100（戶丁：階），2245下田 0.5750（戶丁：春茂），2246中田1.1950（戶丁：春茂），2248中田0.1800（戶丁：階），2249中田1.1570（戶丁：階），2250下田0.6810，2252中田0.5550（戶丁：枝），2254中田0.4220（戶丁：枝），2255中田0.8580（戶丁：椿茂），2256中田0.9770（戶丁：椿茂），2258山0.5000（戶丁：階，27-1陳法），2261中田1.0200（戶丁：春茂），2266中田0.8980（戶丁：枝），2271上田1.1650（戶丁：階），2286山0.5000（戶丁：枝，27-5汪龍），2290上田0.5540（戶丁：階），2318山0.2000（戶丁：枝，27-1王林），2324下下田0.5130（戶丁：階），2325下下田0.3720（戶丁：階），2326下下田0.6700（戶丁：階），2327下下田0.4780（戶丁：階），2328中田0.4790（戶丁：階），2340中田1.1420（戶丁：階），2354中田0.6420（戶丁：階），2355中田1.1100（戶丁：生），2370中田0.7860（戶丁：枝），2393上田1.7680（戶丁：階），2398上田0.6650（戶丁：枝），2495上田0.9780（戶丁：階），2497上田0.4610（戶丁：枝），2499上田0.8450（戶丁：階），2708中地0.4360（戶丁：階），2773下地0.4630（戶丁：枝），2775中地1.2240（戶丁：階，27-5王茂），2784中地1.2140（戶丁：階），2785下田0.5520（戶丁：階），2787下地0.6830（戶丁：階），2788下地0.5280（戶丁：枝），2810下田1.2200（戶丁：階），2829中地0.7260（27-1王爵・陳天相），2872中田1.6500（戶丁：階），2876中地13.1670（27-1陳岩求），2987上田1.8560（戶丁：枝），3019中田0.4400（戶丁：階），3090中地0.5580（戶丁：枝・階），3200中田0.2270，3201上田1.3080・塘0.0910（27-1陳興），3293下下田0.2600（戶丁：階），3294下田0.3490（戶丁：階），3295下田0.2490（戶丁：

階)，3296下田0.6760（戶丁：階)，3297下田0.6580（戶丁：春茂)，3298下田0.6650（戶丁：春茂)，3303下田0.4470（戶丁：枝)，3304下田0.9120（戶丁：枝)，3305下田0.6330（戶丁：枝)，3306下田1.0630（戶丁：階)，3307下田0.4680，3308下田0.7870（戶丁：階，27-5陳章)，3323山5.1200（27-1陳興・陳岩祐)，3326下下田0.2730（27-1陳興)，3333下田0.9300，3357山1.0950（27-5王茂・朱清・程學・27-1陳法・陳寓祿・11-1李周討・11-3金仲治・倪達樂)，3380上田1.3240（戶丁：階)，3430中田1.5590（戶丁：枝）　157坵

陳寓祿569中田0.6830（戶丁：浩)，629上田2.3440（戶丁：潯)，817上田1.9120（戶丁：潯，27-5王茂)，820上田1.5660（戶丁：浩，27-1陳興)，1061上田1.2500（戶丁：潯，27-1陳光儀)，1172上田1.1410（戶丁：浩)，1180上田1.9060（戶丁：潯)，1209下下地0.2400・山0.8880（27-5朱清・陳章・27-1陳振達)，1213上田0.8650（戶丁：潯，27-5陳明)，1214上田0.7820（戶丁：潯・浩)，1215上田0.8800（戶丁：潯・浩)，1216上田1.0930（戶丁：潯・顯亮)，1221上田1.1380（戶丁：阜)，1231上地0.5000（戶丁：儒，27-1陳興・27-6陳文)，1365上田0.6200（戶丁：浩)，1773下地1.2830（27-5陳祥・王時)，1800中地0.1670（戶丁：潯)，1801下田0.7950（戶丁：潯)，1802中地0.9380（戶丁：潯)，1803下田0.4620・下地0.0140（戶丁：阜)，1804下田0.8480（戶丁：潯)，1835山1.8750，1892上田2.3270（戶丁：潯，27-1陳相)，1929上田1.4200（戶丁：潯)，1937中田1.3100（戶丁：九・阜)，1939塘0.2680（戶丁：阜，27-5陳章・27-1陳興)，1953塘0.2640（戶丁：湯，27-5王相・王茂・朱勝付・11-3金以用)，1958下下地0.0480・山0.6000（戶丁：儒・遇・逵・象)，1962下田0.1780（戶丁：象，27-1陳岩求)，1963中田1.0870（戶丁：湯)，1970上田0.9270（戶丁：潯)，1971上田0.4000（戶丁：潯)，1972上田1.4680（戶丁：祿，27-5王桂)，1978上田1.7560（戶丁：浩・慶)，1981上田1.6200（戶丁：湯，27-5王齊興)，1982中田0.5840（戶丁：湯)，2092上田3.8820（戶丁：潯)，2106上田2.8700（戶丁：潯，27-5王茂・27-1陳振達・陳興)，2109上田2.4430（戶丁：阜，27-5王茂)，2114中田1.0550（戶丁：潯・陽)，2117上田2.4180（戶丁：九・阜)，2130上田1.2180（戶丁：潯，27-1著存觀)，2135上田1.8160（戶丁：潯)，2145上田1.6790（戶丁：潯，27-1陳興)，2176上田0.6230（戶丁：浩・偉)，2177上田1.1880（戶丁：浩，27-1王爵)，2180上田1.9790（戶丁：浩・湯)，2183上田1.3530（戶丁：祿)，2187上田0.7990（戶丁：潯)，2194上地0.0050，2197下地0.5390（戶丁：標・椿・貫・阜)，2198中地1.7710（戶丁：標・椿・貫・阜，27-1周進)，2200上田0.9250（戶丁：潯)，2207上田1.4930（戶丁：浩・潯，27-5陳章)，2209上田0.9710（戶丁：潯・浩)，2216中田1.7240（戶丁：潯・礎・浩，27-3朱玄貴)，2220上田0.9430（戶丁：湯)，2227上田1.5690（戶丁：潯)，2228上田1.2310（戶丁：潯)，2232下下地0.0600・山1.5000（戶丁：潯・新・阜・浩・邁・逵・象・常・儒・椿・貫，27-1陳興)，2247山5.3300（戶丁：道・敬)，2264山2.3580（戶丁：道・敬，27-5王時・27-1陳積社・陳龍生・陳長・陳文討・陳應時・陳晉)，2300下下田0.9010（戶丁：湯，27-5王茂)，2302中田0.3550（戶丁：湯，

27-5王茂），2305下下田0.4300（戶丁：道・敬，27-1陳晉・陳文討・陳興・陳龍生・陳積社），2372中田1.2660（戶丁：浩，27-5王茂・王初），2475上田1.6390（戶丁：潯，27-1陳興），2477上田1.6770（戶丁：九・阜），2483山0.6300（戶丁：儒・成，27-5王茂・朱勝付），2485山0.5380（戶丁：潯・遇・逵・象，27-1陳錡），2487山0.3000（戶丁：潯・遇・逵・象，27-1陳錡），2494上田0.6480（戶丁：慶），2512塘0.7650（11-3金桐竹），2513山7.3750（27-1陳晉・陳興），2618下田0.6710（戶丁：新，27-1陳岩求），2707下下地0.0700（戶丁：祿），2718中田1.2160（戶丁：湯），2727山1.2350（27-5陳新・27-1陳興），2740塘1.0000（27-1陳興），2748下田1.3300（戶丁：阜，27-1陳文付），2759下田0.6930（戶丁：湯），2765下田0.9430（戶丁：浩，27-1陳興），2770下田0.4620（戶丁：湯），2789中地0.6630（戶丁：濱・祿・慶・濟），2790中田1.4270（戶丁：潯），2792中地0.6860（戶丁：潯・浩・偉），2793中田1.4080・中地0.0760（戶丁：潯），2803中地0.4480（戶丁：敬，27-1陳興），2808下田0.5760（戶丁：慶・祿・濟），2832中地0.3750（戶丁：敬），2833下地0.2850（戶丁：敬），2881塘0.2100（27-1陳本・陳天盛），2885中田0.6190（戶丁：潯，27-1陳本），2914中田0.8610（戶丁：潯，27-1陳流），2933下地0.3910（戶丁：標・椿・貫・阜），2946中田0.6680（戶丁：潯），2958中田2.6120（戶丁：潯），2961中田0.4910（戶丁：浩），2971中田1.5140（戶丁：濟），2974下地0.6390（戶丁：敬），2998中地0.0960（戶丁：遇・儒），3003上田0.4830（戶丁：礎・浩），3005中地0.6240（戶丁：敬・陽・虎・萬），3016中地0.5950（27-1陳興・陳積社・陳嘉・陳岩求・陳天相・陳長・陳文討・陳應時・陳晉），3017中地1.2190（27-1陳嘉・陳岩求・陳天相・陳晉・陳龍生・陳文討・陳積社・陳長），3018中地1.7600（27-1陳長・陳應時・陳嘉・陳岩求・陳天相・陳興・陳晉・陳文討・陳龍生・陳積社），3020上田1.2120（27-5陳章），3023下地0.3710・山1.0000（戶丁：貫・阜・誠・富），3024山0.5000（戶丁：礎），3028上田1.0360（戶丁：慶，27-1陳錡），3030下地0.8210（戶丁：標・椿・貫・阜），3032上地1.9500（戶丁：祿・慶・濱・濟），3033中地0.3410（戶丁：祿・慶），3041上地0.4880（戶丁：道・敬，27-1陳長・陳晉・陳應時・陳龍生・陳文討・陳積社・30-1陳明），3042上地1.0630（27-1陳長・陳龍生・陳文討・陳寄得・陳積社・陳晉・陳應時・30-1陳明），3044上田0.3770（戶丁：湯），3047上地0.2300（戶丁：標・椿・貫・阜），3107中田0.5020（戶丁：敬・陽），3127下田0.9790（戶丁：日・新），3199中田0.4910（戶丁：階，27-1陳興），3284山0.5420（戶丁：顯亮，27-5金萬政），3286下地0.0690・山1.5000（27-5陳滄），3299山0.7400（27-5王將・11-3汪國英），3310下下田0.3920（戶丁：偉），3357山1.0950（27-5王茂・朱清・程學・27-1陳法・陳振達・陳寓祿・11-1圖李周討・11-3金仲治・倪達樂），3414山0.6300（27-5程相・王茂・朱清・27-1朱曜・陳法・陳振達）　124坵

陳天相491上田1.8980，567上田0.7900（戶丁：祖陽），599中田0.9520（戶丁：祖陽），604上田1.6400（戶丁：祖陽），607上田0.7610（戶丁：祖陽），689上田0.9190，732上田1.1650，735上田1.6590，771上田1.1110，776上田1.1190，780上田2.1530

(27-5王茂・27-1王爵)，783上田0.7220 (27-1陳振達)，828上田1.4930，831上田1.2250，882下田0.3070，1032上田1.2330，1052上田0.5870，1056上田0.8500，1070上田1.2160，1087塘0.5300 (27-1王爵・陳時陽)，1090上田0.9370 (戶丁：祖陽，27-5王茂)，1123上田1.1510，1149上田1.0340 (27-1王爵)，1168上田1.0270 (27-1陳時陽)，1169上田1.3260，1171上田0.7200，1181上田1.1940，1184中田1.2190，1199上田1.0800，1200上田1.1330，1275上田1.2960 (戶丁：祖陽，27-5金萬政)，1276上田1.2140 (戶丁：祖陽，27-5金萬政)，1335上田1.4500，1350上田0.9490，1351上田0.7930，1356上田0.9650，1368上田1.4830 (戶丁：奉陽)，1388下下地0.0800・山2.0000 (27-5陳新・27-1陳晉・陳嘉・陳岩求)，1512上地0.0750 (27-1陳亮・陳嘉・陳晉・陳岩求)，1944上田0.6810，1951中田1.0430，2006下田0.9230 (27-5陳章)，2077上田2.0840，2082上田1.4690 (戶丁：奉陽)，2083中田1.0690，2084上田1.0250，2119上田1.8550 (戶丁：祖陽)，2124上田1.6160 (戶丁：祖陽)，2132上田2.2660，2133上田2.1620，2146上田0.7370 (戶丁：持陽)，2170上田1.7350 (27-1陳興)，2223上田0.8550 (戶丁：鳳陽)，2225上田1.0700 (戶丁：鳳陽)，2272上田1.0850 (戶丁：祖陽)，2277上田0.9270 (戶丁：東陽)，2287上田1.7100，2341中田0.6250，(戶丁：祖陽)，2383中田0.8330 (戶丁：奉陽)，2389山0.5000 (27-1陳岩求)，2410上田0.8420，2430上田1.9630 (戶丁：奉陽)，2438中田0.8800，2452中地1.1400・山0.1000，2489上田1.3280，2548上地0.6380，2623下田0.7670 (戶丁：應鍾)，2628下田0.4530，2736中田1.7000 (27-1陳興)，2737上田1.5280 (戶丁：重陽)，2745上田1.1520 (戶丁：淮陽)，2752中田1.1800 (戶丁：重陽)，2762上田0.2910 (戶丁：重陽)，2763中田0.3100 (戶丁：重陽)，2764中田1.0430 (戶丁：重陽)，2777上田1.1180 (戶丁：重陽)，2782中田0.6120 (戶丁：淮陽)，2799下地0.1850，2804中地0.4720 (戶丁：重陽)，2805中地0.3420，2814下地0.5130 (戶丁：重陽)，2815下田0.4000 (戶丁：春太，27-1陳嘉)，2829中地0.7260 (27-1王詔・陳振達)，2834下田0.7480 (戶丁：重陽)，2836塘0.2060 (戶丁：重陽，27-1陳社澤)，2888下地0.1000 (戶丁：重陽)，2897上地0.3610，2898中地0.2630，2900中地0.3500，2902中地1.2810 (27-5吳四保・27-1陳嘉・陳岩求・陳大)，2916塘0.2160 (戶丁：祖陽，27-1陳天玘・陳光儀・陳鉤)，2918中田0.7710 (戶丁：祖陽)，2926中墳地0.6700，2928中田0.4850 (戶丁：祖陽)，2931塘0.4640 (27-1陳晉・陳天玘・陳二同・陳天盛・27-6李福)，2940中田1.0120 (27-1陳天玘)，2941中地1.2800・山1.2720，2986上田1.8350 (戶丁：重陽・春陽)，2942中地1.2000 (戶丁：祖陽，27-1陳嘉)，3009上田1.0500 (27-1陳時陽)，3016中地0.5950 (27-1陳興・陳積社・陳嘉・陳岩求・陳長・陳文討・陳寓祿・陳應時・陳晉)，3017中地1.2190 (27-1陳嘉・陳岩求・陳晉・陳寓祿戶衆・陳龍生・陳文討・陳積社・陳長)，3018中地1.7600 (27-1陳長・陳應時・陳嘉・陳岩求・陳興・陳晉・陳寓祿・陳文討・陳龍生・陳積社)，3098中田0.9170 (戶丁：重陽)，3204中地0.2480・山2.0870 (27-1陳嘉・陳岩求・陳晉・陳天相・陳亮)，3256下地0.6130 (27-1陳晉・陳嘉・陳岩求・陳亮)，3263山0.1040 (27-

1陳晉・陳岩求・陳亮・陳嘉)，3290下地0.0140・山1.7500（27-5陳新・27-1陳積社・陳岩求・陳嘉・陳晉・陳龍生・陳應時)，3330下下田0.0800・山3.2900（27-5王茂)，3336山0.8200，3338山0.5000（27-1陳時進）106坵

陳岩求596下下地0.2920・山2.1900（27-1陳晉・陳亮・陳耕・陳龍・陳嘉・陳天相・陳積社・30-1陳明宗)，1178上田1.8710（戶丁：壽)，1182下下地0.3300，1185中田1.0420，1388下下地0.0800・山2.0000（27-5陳新・27-1陳天相・陳晉・陳嘉)，1396山0.2800（27-5陳新・27-1陳晉・陳錭)，1512上地0.0750（27-1陳亮・陳天相・陳嘉・陳晉)，1838塘2.4160（27-5金萬政・王齊興・王茂・陳章・王桂・27-1陳興・陳進・陳學・陳時陽・朱文廣・王爵)，1961下田0.3160（戶丁：應張)，1962下田0.1780（27-1陳寓祿)，2189下田0.8750（戶丁：仁壽)，2195中地0.9310（27-1陳應元)，2196下田0.0460，2323下下田0.4940（戶丁：應軫・應文)，2389山0.5000（27-1陳天相)，2521塘2.8400（27-1・陳興・陳錭・陳三得)，2544中地0.0730（戶丁：仁壽)，2552上田1.1950（戶丁：應晉)，2556中田0.6450（戶丁：應晉)，2558中田0.4280（戶丁：應晉)，2568塘0.4560（27-1陳興)，2576中地1.1440（戶丁：應珮，27-1陳興)，2603下田0.9620（戶丁：應晉)，2607下田0.4520（戶丁：仁壽)，2610下田0.7330（戶丁：仁壽)，2612下田0.8640（戶丁：應軫・仁倍)，2615下田0.5900（戶丁：仁壽)，2618下田0.6710（27-1陳寓祿)，2619下田0.4910・下地0.0340（27-1陳興)，2626下田0.3800・0.0690（戶丁：應珮)，2650中地1.7100（27-1陳興)，2651中地2.2520（戶丁：應軫・應光・仁壽，27-1陳興)，2674中地8.3970（27-1陳興)，2675中地0.4480（戶丁：應軫・應亢，27-1陳興)，2699中地0.3110（戶丁：應軫・應文)，2730下地1.7200・山3.6400（27-1汪希)，2779上地0.3000（戶丁：應軫・應文)，2795下地0.0770（戶丁：子□)，2869下田0.7920（戶丁：仁壽，27-5吳四保)，2876中地13.1670（戶丁：應軫・應亢・應張，27-1陳振達)，2877中地0.7140（戶丁：應軫・應亢・應張)，2878中地0.6200（戶丁：仁壽)，2879中地0.3960（戶丁：應亢)，2880中地0.1910（戶丁：應張・應亢・應軫)，2896中地0.2860（戶丁：仁壽)，2902中地1.2810（27-5吳四保・27-1陳天相・陳嘉・陳大)，2962中田0.4700（戶丁：社澤)，3007下下地0.1800・山2.0000（戶丁：應軫・應亢・仁壽・應張)，3008上地0.5500（戶丁：仁壽，26-4朱允升)，3016中地0.5950（27-1陳興・陳積社・陳嘉・陳天相・陳長・陳文討・陳寓祿・陳應時・陳晉)，3017中地1.2190（27-1陳寓祿・陳嘉・陳天相・陳晉・陳龍生・陳文討・陳積社・陳長)，3018中地1.7600（27-1陳興・陳長・陳應時・陳嘉・陳天相・陳晉・陳寓祿・陳文討・陳龍生・陳積社)，3029中地1.9200（戶丁：仁壽・應軫・應文・應武)，3057山0.5840（27-5陳新・27-1陳亮・陳晉・陳文討・陳嘉・陳天相)，3089下田0.6230・下地0.0330，3092中田1.6890（戶丁：仁壽)，3099下地0.0940，3100下地0.9390，3101下地0.0570，3102下地0.3190（戶丁：應樓・應珮・應亢)，3103下田0.8530（戶丁：應樓)，3104中田1.7230・中地0.0840（戶丁：仁壽)，3110中地1.9230（戶丁：仁壽)，3111上地0.8100（戶丁：應武，27-1畢潯個・11-3汪國英)，3118中地1.2790（戶丁：仁壽)，3130中田0.3650（戶

丁：應珮)，3134中田1.2400（戸丁：應珮)，3146中地1.1530（戸丁：仁壽)，3147中地0.1080，3173中田0.7590（戸丁：仁壽・應武・應眞)，3183中田0.9020（戸丁：應樓)，3204中地0.2480・山2.0870（27-1陳天相・陳嘉・陳晉・陳天相・陳亮)，3256下地0.6130（27-1陳天相・陳晉・陳嘉・陳亮)，3263山0.1040（27-1陳天相・陳晉・陳亮・陳嘉)，3289山0.5000（戸丁：仁壽)，3290下地0.0140・山1.7500（27-5陳新・27-1陳積社・陳岩求・陳嘉・陳晉・陳龍生・陳應時)，3316塘10.8920（27-5陳章・王桂・王齊興・陳滄・吳和・金萬政・王茂・程相・27-1吳文法・程道華・陳岩才・陳興・11-3金桐竹・金文獻・金應陞・金以用・金初孫)，3327山3.0000（27-5王時・27-1陳法)，3405上地1.0730（27-5陳章・27-1程道華）　77坵

陳　法660山2.2580，663下下田0.7570（27-5王茂・朱隆・27-1陳振達)，671下田0.4180，672下田0.1790，673下田0.2670，674下田0.2500，675下田0.2930，676下田0.0780，1281山0.0250，1283山0.3300（27-5程學)，1299山0.0800，1306山0.3000，1307塘4.4930（27-5金萬政・陳章・朱洪・程學・王初・王茂・王法・王齊興・王時・汪祿・27-1著存觀・王爵・陳興・陳振達・11-3金桐竹)，1309下田0.3720（戸丁：社記)，1318中田0.0400，1984下地0.0210・山0.2100，1984下地0.0210・山0.2100，1985下地0.3200，1986山0.2400（戸丁：社記)，1988中地0.5450，1989塘0.2500（27-5程學)，1991下田0.5980（戸丁：社記)，1992下地0.0860・山0.2030（27-5王茂・程學)，1995下田0.4350（戸丁：社記)，1996下地0.0830，1999下田0.1680（戸丁：社記)，2005山0.2000（27-5程學・27-1陳振達)，2007中田0.3660，2014下地0.0330，2015下地0.2340（27-5程學)，2016下地 0.2700（戸丁：社記)，2018中田0.3970（戸丁：社記，27-1陳振達）2019中田0.5270（戸丁：社記)，2020山2.5800（27-5王茂・程學)，2021山1.0400 （27-5程相・汪大祿・王茂・27-1陳振達・王爵・11-3嚴義眞)，2023中地1.7930（27-5程學)，2024上地 0.5240（27-5程學)，2029上地0.1500，2031下地0.0260，2037中田1.5870（27-5程相)，2044下田0.4450・上地0.0700（戸丁：社記，27-1陳振達)，2229山0.2440（27-5程學・陳龍)，2258山0.5000（27-1陳振達)，2278上田0.9700（戸丁：社記)，2298上田1.7180（27-5程相)，2306山2.0000（27-5謝社・倪壽得・倪社)，2307下下田0.0970（戸丁：社記)，2308上地0.0370（戸丁：社記)，2309下下田0.1200（戸丁：社記)，2310下下田0.2900（戸丁：社記)，2311下下田0.0820（戸丁：社記)，2312山0.3000（戸丁：社記)，2319山4.6470（27-1王爵)，3282中田0.6340（戸丁：社記)，3327山3.0000（27-5王時・27-1陳岩求)，3331山2.1000（27-5王茂・王時)，3341下下地0.1300，3344下田0.0620，3346山2.0420（27-5程相・王法)，3347山0.5000，3357山1.0950（27-5王茂・朱清・程學・27-1陳振達・陳寓祿・11-1李周討・11-3金仲治・倪達樂)，3414山0.6300（27-5程相・王茂・朱清・27-1圖朱曜・陳寓祿・陳振達)，3478上地0.1910（戸丁：社記，27-1朱曜)，3479上墳地0.0430（戸丁：岩有，27-1朱曜)，3483下田0.5300（戸丁：社記）　65坵

著存觀1287下田0.4630（戸丁：呂尚弘)，1307塘4.4930（27-5金萬政・陳章・朱洪・

程學・王初・王茂・王法・王齊興・王時・汪祿・27-1王爵・陳興・陳振達・陳法・11-3金桐竹），2122上田2.7240（戶丁：呂尙弘）2130上田1.2180（戶丁：張時順，27-1陳寓祿），2352中田0.6250，2473上田1.6900（戶丁：呂尙弘），2595上田0.4390（戶丁：呂尙弘），2630下田0.6120（戶丁：呂尙弘），2637中田0.6620（27-1陳興），2687中田0.1640（戶丁：呂尙弘），2688中田0.5670，2689中田1.4150，3059塘0.3100，3060下田0.1170（戶丁：張時順），3086上田0.7970，3093上田1.1050（戶丁：張時順），3094上田1.0350，3095上田1.2270，3106上田1.3540，3112上田0.6210，3114上田1.1270（戶丁：張時順），3115中田0.8450，3123中田0.4890（27-1汪明），3139中田0.2630（戶丁：義潯），3143中田0.4390，3149上田0.9740，3150上田1.3120，3151中田0.9810・塘0.1550（11-3金桐竹），3163上田0.4350，3175中田0.5010，3176中田0.8570，3198下田0.3960，3203中田0.4990，3225上田1.6110，3372上田0.9360，3416下田0.5430，3417下田0.7150，3423下田0.4380，3424下田0.2860，3473中田0.4560，3475中田1.8460（27-5程周宣），3490下田0.3380，3493中田0.9140，3496塘0.2900（27-5陳章・王茂）44坵

汪　明556中田0.5790，574中田0.8960，611下地0.0110・山3.2000（27-1陳振達・王爵），612下下地0.0660（27-1陳振達・王爵），613下下地0.6540，614下下田0.6540，615下下田0.8210（27-5朱洪），616下下田0.2420（27-5朱洪），617下下田0.5780（27-5朱洪），619下地 0.1140（戶丁：尙），620下下田0.1800（27-5朱洪），621下下田1.4540（27-5朱洪），848上田1.1780（26-4洪章和），995下田1.7060（27-5陳祥），1031上田0.5420，1170上田0.7140，1175上田0.5080，1186上田0.8140，1188上田1.1740，1190中田1.0740，1193中田0.7240，1196上田1.2240，1201上田0.4110，1269上田0.6500（27-1陳階），1270上田0.6220（27-1陳振達），1361上田1.0430，1373上田2.7510（戶丁：滿，27-1王詔），1921下田0.3970，2144上田1.5630（戶丁：滿），2476上田1.4230（戶丁：有元），2818下地0.1140，2840上墳地0.5140（戶丁：滿），2841中地0.2910，2842中地0.1580（戶丁：滿），2867中地0.2330（戶丁：尙），2870下田0.8630・下地0.2090（戶丁：尙，27-1陳興），2871塘0.1740（戶丁：尙，27-1陳天盛），2884中田1.0600（戶丁：有元），2952下地0.1740（戶丁：松），2993下地0.8230（戶丁：滿），3123中田0.4890（戶丁：尙，27-1著存觀），3162上田1.8430（27-1汪琰），3300下下地0.1200・山1.7500（27-5王初・王時）　43坵

陳　本561中田1.1720（27-1陳祥），565上田1.7080（27-1陳尙仁），636上田0.7100，730上田1.4900，741下田0.2180，761上田1.4840，765上田1.1390，766上田1.1370，793上田0.8620，794上田0.8340，797上田1.4330，806上田1.4330，818上田0.7960（27-1王爵），819上田0.7560，833上田0.5740（戶丁：社澤），1071上田1.2490，1114上田1.1970，1144上田1.0810，1156上田1.1050（戶丁：社澤，27-5王茂），1205中田0.7880（戶丁：社澤），1260上田1.9380，1967中田0.4750（戶丁：社澤），1966中田1.0860（戶丁：社澤），1976山2.5000，1977中地0.1600，2090上田1.8120，2142上田0.6130，2697中地0.7960（戶丁：社澤），2724下田0.6370

（戸丁：社澤），2728上地0.1250・山0.1000（戸丁：社澤），2739下田0.3340・下地0.1900（戸丁：社澤），2742上田0.9800（戸丁：社澤，27-1陳善），2835中田0.8850（戸丁：社澤，27-1陳光儀），2836塘0.2060（戸丁：社澤，27-1陳天相），2843中地0.5120，2881塘0.2100（戸丁：社澤，27-1陳寓祿・陳天盛），2882中田1.4480（戸丁：社澤），2885中田0.6190（戸丁：社澤，27-1陳寓祿），2886中田0.6440（戸丁：社澤，27-1陳天盛），2899中地0.4600（27-1陳嘉），2901中地0.6910（戸丁：社澤，27-5吳四保・27-1陳嘉），2943中田1.3360（戸丁：社澤）　42坵

陳　晉596下下地0.2920・山2.1900（27-1陳亮・陳耕・陳龍・陳嘉・陳天相・陳岩求・陳積社・30-1陳明宗），1388下下地0.0800・山2.0000（27-5陳新・27-1陳嘉・陳天相・陳岩求），1396山0.2800（27-5陳新・27-1陳岩求・陳鉤），1512上地0.0750（27-1陳亮・陳嘉・陳岩求・陳天相），2191中地2.1020（27-1陳龍生・陳文討・陳積社・陳應時・陳長），2192中地2.9540（27-1陳文討・陳應時・陳積社・陳長・陳龍生），2264山2.3580（27-5王時・27-1陳積社・陳龍生・陳長・陳文討・陳應時・陳寓祿），2305下下田0.4300（27-1陳文討・陳興・陳龍生・陳積社・陳寓祿），2486山0.5750（27-1陳龍生・陳長・陳文討・陳應時・陳積社），2513山7.3750（27-1陳興・陳寓祿），2819下地0.5850，2931塘0.4640（27-1陳天玘・陳二同・陳天盛・陳祖陽・27-6李福），2975中地0.5510（27-1陳長・陳龍生・陳文討・陳應時・陳寄得・陳積社・西北隅-1蘇叔武），2985中地0.2200・山0.2870（27-1陳積社・陳長・陳寄得・陳應時・陳龍生・陳文討），2997中地0.2540（27-1陳寄得・陳應時・陳長・陳積社・陳文討），3000上地1.2080，3006中地0.5200・山0.7930（27-1陳長・陳應時・陳寄得・陳龍生・陳文討・陳積社），3016中地0.5950（27-1陳興・陳積社・陳嘉・陳岩求・陳天相・陳長・陳文討・陳寓祿・陳應時），3017中地1.2190（27-1陳嘉・陳岩求・陳天相・陳寓祿・陳龍生・陳文討・陳積社・陳長），3018中地1.7600（27-1陳長・陳應時・陳嘉・陳岩求・陳天相・陳興・陳寓祿・陳文討・陳龍生・陳積社），3031下地0.3140（戸丁：壽・仁元），3041上地0.4880（27-1陳長・陳應時・陳龍生・陳文討・陳積社・陳寓祿・30-1陳明），3057山0.5840（27-5陳新・27-1陳亮・陳文討・陳嘉・陳天相・陳岩求），3204中地0.2480・山2.0870（27-1陳岩求・陳嘉・陳天相・陳亮），3256下地0.6130（27-1陳天相・陳嘉・陳岩求・陳亮），3263山0.1040（27-1陳岩求・陳天相・陳亮・陳嘉），3290下地0.0140・山1.7500（27-5陳新・27-1陳積社・陳岩求・陳天相・陳嘉・陳龍生・陳應時）　27坵

吳文法2533上地0.1090，3118中地1.2790（戸丁：文付，27-1陳岩求），3141中田1.1900（戸丁：文付），3148中地0.3720（戸丁：文付），3178中田0.6080（戸丁：文付），3220中田0.6530（戸丁：文付），3236上田1.9440（戸丁：文付），3246中地0.4680（戸丁：文付），3247中地0.1450，3251中地0.7360（戸丁：文付），3277中地0.5580（戸丁：文付）3279中田0.2390・中地0.3000，3283上田0.9310（戸丁：文付），3316塘10.8920（27-5陳章・王桂・王齊興・陳滄・吳和・金萬政・王茂・程相・27-1陳岩求・程道華・陳岩才・陳興・11-3金桐竹・金文獻・金應

陞・金以用・金初孫），3349中田0.4270（戶丁：文付），3354中田0.1280（戶丁：文付），3408下田0.9000（戶丁：文付，27-5朱清），3422下田0.4320（戶丁：文付），3429上墳地 2.9660（27-1金聚海），3453中田0.3720（戶丁：文盛），3454下下地0.1000（戶丁：文付），3455中田0.8190　22坵

程道華2315山3.0400（27-1程岩才），3122中田0.3210（戶丁：進濤），3135中田0.3900（戶丁：進濤），3180中田0.8900（27-1程岩才），3185中官地0.0350・中民地0.1310（27-1程岩才），3206上地0.2100（27-1程岩才），3207中地0.2340，3229中田0.8400，3243中地0.1240（戶丁：進濤），3250中地0.4960（26-4吳大法），3252中地0.4920，3253中地0.2180，3259下地0.3420（27-1程岩才），3260山0.0630，3261山0.0820，3285山0.4600，3288下地0.0130・山0.4500，3316塘10.8920（27-5陳章・王桂・王齊興・陳滄・吳和・金萬政・王茂・程相・27-1陳岩求・吳文法・陳岩才・陳興・11-3金桐竹・金文獻・金應陞・金以用・金初孫），3366中田0.3400（戶丁：進濤），3405上地1.0730（27-5陳章・27-1陳岩求），3411下田1.2520　21坵

陳龍生2191中地2.1020（27-1陳文討・陳積社・陳應時・陳長・陳晉），2192中地2.9540（27-1陳文討・陳應時・陳積社・陳晉・陳長），2264山2.3580（27-5王時・27-1陳積社・陳長・陳文討・陳應時・陳寓祿戶丁道敬・陳晉），2305下下田0.4300（27-1陳晉・陳文討・陳興・陳積社・陳寓祿），2486山0.5750（27-1陳晉・陳長・陳文討・陳應時・陳積社），2847下地0.1290，2862下地0.0800，2864下地0.0880，2874中地0.7200（27-1陳興・陳天盛），2953下地0.1040，2975中地0.5510（27-1陳長・陳文討・陳應時・陳寄得・陳晉・陳積社・西北隅-1蘇叔武），2985中地0.2200・山0.2870（27-1陳積社・陳長・陳晉・陳寄得・陳應時・陳文討），2988中地0.2640，2989中地0.4050（30-1陳邦），3006中地0.5200・山0.7930（27-1陳長・陳晉・陳應時・陳寄得・陳文討・陳積社），3017中地1.2190（27-1陳嘉・陳岩求・陳天相・陳晉・陳寓祿・陳文討・陳積社・陳長），3018中地1.7600（27-1陳長・陳應時・陳嘉・陳岩求・陳天相・陳興・陳晉・陳寓祿・陳文討・陳積社），3041上地0.4880（27-1陳長・陳晉・陳應時・陳文討・陳積社・陳寓祿・30-1陳明），3042上地1.0630（27-1陳長・陳文討・陳寄得・陳積社・陳晉・陳應時・陳寓祿・30-1陳明），3290下地0.0140・山1.7500（27-5陳新・27-1陳積社・陳岩求・陳天相・陳嘉・陳晉・陳應時）　20坵

陳　嘉821上田2.7250（27-1陳建忠），827上田0.4970（27-1陳建忠），1154下地0.0570・山1.7200（27-1陳相・陳球），1348上田0.9990（27-1陳建忠），1512上地0.0750（27-1陳亮・陳晉・陳岩求・陳天相），1886上田1.0520，1983下地0.5000，2164中田1.2100（戶丁：尚禮），2181中田0.1130（戶丁：上禮），2815下田0.4000（27-1陳天相・陳學），2816山1.0000，2902中地1.2810（27-5吳四保・27-1陳天相・陳岩求・陳大），2906中地0.3720（27-1陳學・陳大），2942中地1.2000（27-1陳天相），2967上地2.3500（戶丁：言，27-1陳學），3004上田0.9350（戶丁：言），3204中地0.2480・山2.0870（27-1陳岩求・陳晉・陳天相・陳亮）　17坵

陳文討2191中地2.1020（27-1陳龍生・陳積社・陳應時・陳長・陳晉），2192中地2.9540（27-1陳應時・陳積社・陳晉・陳長・陳龍生），2264山2.3580（27-5王時・27-1

陳龍生・陳長・陳積社・陳應時・陳寓祿・陳晉），2305下下田0.4300（27-1陳晉・陳興・陳龍生・陳積社・陳寓祿），2470上田1.4420，2486山0.5750（27-1陳晉・陳龍生・陳長・陳應時・陳積社），2930中田0.5660，2936中田1.4130（27-6李福），2975中地0.5510（27-1陳長・陳龍生・陳應時・陳寄得・陳晉・陳積社・西北隅-1蘇叔武），2985中地0.2200・山0.2870（27-1陳積社・陳長・陳晉・陳寄得・陳應時・陳龍生），2997中地0.2540（27-1陳寄得・陳應時・陳晉・陳長・陳積社），3006中地0.5200・山0.7930（27-1陳長・陳晉・陳應時・陳寄得・陳龍生・陳積社），3016中地0.5950（27-1陳興・陳積社・陳嘉・陳岩求・陳天相・陳長・陳寓祿・陳應時・陳晉），3017中地1.2190（27-1陳嘉・陳岩求・陳天相・陳晉・陳寓祿・陳龍生・陳積社・陳長），3018中地1.7600（27-1陳長・陳應時・陳嘉・陳岩求・陳天相・陳興・陳晉・陳寓祿・陳龍生・陳積社），3041上地0.4880（27-1陳長・陳晉・陳應時・陳龍生・陳積社・陳寓祿・30-1陳明），3042上地1.0630（27-1陳長・陳龍生・陳寄得・陳積社・陳晉・陳應時・陳寓祿・30-1陳明），3057山0.5840（27-5陳新・27-1陳亮・陳晉・陳嘉・陳天相・陳岩求）　17坵

陳　鵬354山6.7000，355下下田3.8250，356下下田1.3900，548下下田1.1960，1075下地0.0570・山2.2000（戸丁：軒，27-5王茂・27-1王爵），1079上地0.5000（戸丁：軒，27-5王茂・27-1王爵），1080上地0.3740（戸丁：軒），1476下下地0.0360，1480下地0.1200（27-1陳鉤・陳振達），1481下地0.0430・山0.3000（27-1陳鉤），1484下地0.0290・山0.4000（戸丁：軒），1497上地0.0370，1957下下地0.0400・山1.2000（戸丁：軒），2172上田0.5950（戸丁：軒），3449上田1.0480（戸丁：軒）　15坵

陳　學731上田1.2800，756上田1.5960，764上田1.5880，1138上田1.1400，1167上田1.3770，1369上田1.5460，1838塘2.4160（27-5金萬政・王齊興・王茂・陳章・王桂・27-1陳岩求・陳興・陳進・陳時陽・朱文廣・王爵），1844中田1.6600，1896中田0.5960（27-5王茂），2074塘1.5100（27-1王爵），2078下田1.4970（27-1王爵），2906中地0.3720（27-1陳嘉・陳大），2960中田0.8650，2967上地2.3500（27-1陳嘉），3234上田2.4700（27-1陳建忠・陳光儀）　15坵

朱　曜838中田1.0340，1030上田0.6750，1034上田0.9630，1222上田1.3850，1237下地0.1100，1789中田0.4630，1973上田1.4530（戸丁：本），2004下田0.4520，2267下下田0.1140，2268上地0.2260（戸丁：良玉），2269下下田0.1180，2270下田0.1950，3414山0.6300（27-5程相・王茂・朱清・27-1陳法・陳寓祿・陳振達），3478上地0.1910（戸丁：源，27-1陳法），3479上墳地0.0430（戸丁：源，27-1陳法）　15坵

陳　鉤1384下下田0.1480，1396山0.2800（27-5陳新・27-1陳晉・陳岩求），1475下下地0.0400（27-1陳振達），1480下地0.1200（27-1陳振達・陳鵬），1481下地0.0430・山0.3000（27-1陳鵬），1483下地0.0560（27-5陳章），1486山0.4000（27-1陳振達），2063上田1.0790（27-1陳興），2485山0.5380（27-1陳寓祿），2487山0.3000（27-1陳寓祿），2521塘2.8400（27-1陳岩求・陳興・陳三得），2772下地0.9580，2916

塘0.2160（27-1陳天玘・陳光儀・陳天相），3028上田1.0360（27-1陳寓祿）　14坵

陳天盛2860中田1.2140（戶丁：文進），2861下下地 0.3270（戶丁：天護），2865中田0.9430（戶丁：文進），2868中田0.6900（戶丁：文進），2874中地0.7200（戶丁：天護，27-1陳龍生），2881塘0.2100（27-1陳本・陳寓祿），2883中田1.7830（戶丁：天護），2886中田0.6440（27-1陳本），2887中田1.0120・中地0.1800（戶丁：文進），2931塘0.4640（27-1陳天玘・陳晉・陳二同・陳祖陽・27-6李福），2939中田1.0530（戶丁：天賜），2949中地0.0920（戶丁：文進），2951下地0.1250（戶丁：文進，27-1陳興），2977中地0.2340（戶丁：文進，27-1陳興）　14坵

陳時陽795上田1.1590，1037上田1.8270，1087塘0.5300（27-1王爵・陳天相），1101上田2.1870，1168上田1.0270（27-1陳天相），1286下下田0.6150，1838塘2.4160（27-5金萬政・王齊興・王茂・陳章・王桂・27-1陳進・陳岩求・陳興・陳學・朱文廣・王爵），1881上田1.5250，1930上田1.8220，1968中田0.5180，3009上田1.0500（27-1 陳天相），3161上田1.5280，3337下田1.0650　13坵

陳　善814上田1.8320（27-5陳章），1189上田1.3250，1195上田1.4470，1202上田1.2450，1207中田0.8280，1254上田1.9200，1316下田1.3360（27-5王榮），1333中田0.8220，1345上田1.0780，2129上田1.2680，2469上田2.9290，2731下田0.4010，2742上田0.9800（27-1陳本）　13坵

陳建忠821上田2.7250（27-1陳嘉），821上田2.7250（27-1陳嘉），1110上田0.9470（27-1陳鶴），1166上田1.3590，1177上田0.8590，1348上田0.9990（27-1陳嘉），2150上田1.2610（27-1陳嘉），2152上田0.6320（27-1陳嘉），2153上田0.6320（祐仂），2159中田0.8620（27-1陳嘉），2162上田1.2240（戶丁：言），2908下田0.1920，3234上田2.4700（27-1陳學・陳光儀）　13坵

陳積社2191中地2.1020（27-1陳龍生・陳文討・陳應時・陳長・陳晉），2192中地2.9540（27-1陳討・陳應時・陳晉・陳長・陳龍生），2264山2.3580（27-5王時・27-1陳龍生・陳長・陳文討・陳應時・陳寓祿・陳晉），2459山0.1000（27-1陳進・陳應時），2486山0.5750（27-1陳晉・陳龍生・陳長・陳文討・陳應時），2975中地0.5510（27-1陳長・陳龍生・陳文討・陳應時・陳寄得・陳晉・西北隅-1蘇叔武），2985中地0.2200・山0.2870（27-1陳長・陳晉・陳寄得・陳應時・陳龍生・陳文討），3006中地0.5200・山0.7930（27-1陳長・陳晉・陳應時・陳寄得・陳龍生・陳文討），3016中地0.5950（27-1陳興・陳嘉・陳岩求・陳天相・陳長・陳文討・陳寓祿・陳應時・陳晉），3017中地1.2190（27-1陳嘉・陳岩求・陳天相・陳晉・陳寓祿・陳龍生・陳文討・陳長），3018中地1.7600（27-1陳長・陳應時・陳嘉・陳岩求・陳天相・陳興・陳晉・陳寓祿・陳文討・陳龍生），3042上地1.0630（27-1陳長・陳龍生・陳文討・陳寄得・陳晉・陳應時・陳寓祿・30-1陳明），3290下地0.0140・山1.7500（27-5陳新・27-1陳岩求・陳天相・陳嘉・陳晉・陳龍生・陳應時）　13坵

陳應時2191中地2.1020（27-1陳晉・陳龍生・陳文討・陳積社・陳長），2192中地2.9540（27-1陳晉・陳文討・陳積社・陳長・陳龍生），2264山2.3580（27-5王時・27-1

陳晉・陳積社・陳龍生・陳長・陳文討・陳寓祿)，2459山0.1000（27-1陳進・陳積社)，2486山0.5750（27-1陳晉・陳龍生・陳長・陳文討・陳積社)，2975中地0.5510（西北隅-1蘇叔武・27-1陳長・陳龍生・陳文討・陳寄得・陳晉・陳積社)，2985中地0.2200・山0.2870（27-1陳晉・陳積社・陳長・陳寄得・陳龍生・陳文討)，2997中地0.2540（27-1陳晉・陳寄得・陳長・陳積社・陳文討)，3006中地0.5200・山0.7930（27-1陳晉・陳長・陳寄得・陳龍生・陳文討・陳積社)，3016中地0.5950（27-1陳興・陳積社・陳嘉・陳岩求・陳天相・陳長・陳文討・陳寓祿・陳晉)，3018中地1.7600（27-1陳興・陳長・陳嘉・陳岩求・陳天相・陳晉・陳寓祿・陳文討・陳龍生・陳積社)，3041上地0.4880（27-1陳晉・陳長・陳龍生・陳文討・陳積社・陳寓祿・30-1陳明)，3042上地1.0630（27-1陳龍生・陳長・陳文討・陳寄得・陳積社・陳晉・陳寓祿・30-1陳明)，3290下地0.0140・山1.7500（27-5陳新・27-1陳天相・陳積社・陳岩求・陳嘉・陳晉・陳龍生)　13坵

陳　長2191中地2.1020（27-1陳晉・陳龍生・陳文討・陳積社・陳應時)，2192中地2.9540（27-1陳晉・陳文討・陳應時・陳積社・陳龍生)，2264山2.3580（27-5王時・27-1陳晉・陳積社・陳龍生・陳文討・陳應時・陳寓祿)，2486山0.5750（27-1陳晉・陳龍生・陳文討・陳應時・陳積社)，2975中地0.5510（西北隅-1蘇叔武・27-1陳龍生・陳文討・陳應時・陳寄得・陳晉・陳積社)，2985中地0.2200・山0.2870（27-1陳晉・陳積社・陳寄得・陳應時・陳龍生・陳文討)，2997中地0.2540（27-1陳晉・陳寄得・陳應時・陳積社・陳文討)，3006中地0.5200・山0.7930（27-1陳晉・陳應時・陳寄得・陳龍生・陳文討・陳積社)，3016中地0.5950（27-1陳興・陳積社・陳嘉・陳岩求・陳天相・陳文討・陳寓祿・陳應時・陳晉)，3017中地1.2190（27-1陳寓祿・陳嘉・陳岩求・陳天相・陳晉・陳龍生・陳文討・陳積社)，3018中地1.7600（27-1陳興・陳長・陳應時・陳嘉・陳岩求・陳天相・陳晉・陳寓祿・陳文討・陳龍生・陳積社)，3041上地0.4880（27-1陳寓祿・陳晉・陳應時・陳龍生・陳文討・陳積社・30-1陳明)，3042上地1.0630（27-1陳寓祿・陳龍生・陳文討・陳寄得・陳積社・陳晉・陳應時・30-1陳明)　13坵

陳光儀559中田1.7180，1036上田1.3270（27-5王茂)，1061上田1.2500（27-1陳寓祿)，1910上田1.0810，2203上田0.9320，2432中田0.5360，2835中田0.8850（27-1陳本)，2909中田1.0980，2916塘0.2160（27-1陳天玘・陳鋾・陳天相)，3144中田1.0100，3194中田0.8440，3234上田2.4700（27-1陳學・陳建忠)　12坵

朱得眞830上田2.9900（27-1王爵)，1072上田0.9190，1088上田1.5740，1136上田1.0950，1145上田1.3930，1157上田3.3330，1158上田3.1400，1160上田3.1400，1164上田1.9900，1165上田0.9960，1173上田0.7820，1176上田2.6170　12坵

朱　法808上田1.4800，1029上田1.4980（戶丁：昹)，1100上田1.0950，1142上田1.0860（27-5王茂)，1197上田1.7380（27-5朱淸)，1206中田0.6840，1208中田0.9650，1210塘0.1670（27-5朱淸・陳章)，1223上田1.2200，1234下地0.5230・山0.8750（27-5朱淸・金萬政)，1255上田1.3780（戶丁：元廠)　11坵

汪　希2387上地1.6380，2730下地1.7200・山3.6400（27-1陳岩求），2735中田1.5600，2778上田0.6910，2781上田0.7290，2846下地0.1300，2848下地0.1730，2854上地1.0110，2855中地0.6550，2857中地1.2850，2863下地0.2010　11坵

陳天玘2873中地0.6300（戶丁：天壽），2890下田0.3800（戶丁：天壽），2916塘0.2160（27-1・陳光儀・陳天相・陳鉤）2920中田0.3610，2921下田0.3540（戶丁：天壽），2931塘0.4640（27-1陳晉・陳二同・陳天盛・陳祖陽・27-6李福），2940中田1.0120（戶丁：天壽，27-1陳天相），3015中地0.1440（戶丁：天壽），3048上地0.1100（戶丁：天雲）　９坵

陳　亮596下下地0.2920・山2.1900（27都1陳耕・陳晉・陳龍・陳嘉・陳天相・陳岩求・陳積社・30-1陳明宗），931中田0.8370，1512上地0.0750（27-1陳嘉・陳晉・陳岩求・陳天相），3057山0.5840（27-5陳新・27-1陳晉・陳文討・陳嘉・陳天相・陳岩求），3172中田0.7640，3204中地0.2480・山2.0870（27-1陳嘉・陳岩求・陳晉・陳天相），3256下地0.6130（27-1陳晉・陳天相・陳嘉・陳岩求），3263山0.1040（27-1陳晉・陳岩求・陳天相・陳嘉）　８坵

陳　相1093上田1.4760（27-1王爵），1154下地0.0570・山1.7200（27-1陳球・陳嘉），1194中田0.8870，1203上田0.9910，1861塘0.1970（27-5王齊興・11-3吳小保），1862中田0.7450，1892上田2.3270（27-1陳寓祿），2165上田0.7210（27-1陳興）８坵

陳文燦2070中田1.2250（戶丁：生），2279上田1.8910（戶丁：生），2281上田1.5490（戶丁：生），2282上田1.4140（戶丁：生），2283上田1.2880（戶丁：生），2491上田0.4130（戶丁：生），3301下田0.4190（戶丁：生），3445上田1.2620　８坵

陳　明622山0.2540，623山0.5000，1213上田0.865（27-1陳寓祿），1699上地1.0150，2743下田0.8520（27-1陳岩祐）　５坵

陳寄得2975中地0.5510（27-1陳長・陳龍生・陳文討・陳應時・陳晉・陳積社・西北隅-1蘇叔武），2985中地0.2200・山0.2870（27-1陳積社・陳長・陳晉・陳應時・陳龍生・陳文討），2997中地0.2540（27-1圖陳應時・陳晉・陳長・陳積社・陳文討），3006中地0.5200・山0.7930（27-1陳長・陳晉・陳應時・陳龍生・陳文討・陳積社），3042上地1.0630（27-1陳長・陳龍生・陳文討・陳積社・陳晉・陳應時・陳寓祿・30-1陳明）　５坵

朱汝授633上田0.2930（27-5陳祥），634上田1.6580（27-5陳祥），653中田0.2180（27-5陳祥），1271上田1.4700（戶丁：濟）　４坵

陳　大772上田0.6960，2902中地1.2810（27-5吳四保・27-1陳天相・陳岩求・陳嘉），2906中地0.3720（27-1陳嘉），3001上田2.2010　４坵

朱天生966中田1.0650（27-5陳祥），1857中田1.0630（戶丁：有方），2206上田1.5390（戶丁：有方），2894中田1.9450（戶丁：有方，27-1黃雲）　４坵

陳　貴1179上田0.9910，1192中田0.0770，2358下田0.6460，2408上田1.2210　４坵

鄭　才774上田3.8470（27-1王爵），1148上田2.8980，1159上田1.5890　３坵

汪　志618下下田2.4090，2431上田0.5750　２坵

朱永勝805上田0.5800，2807中田1.3590（戶丁：天錫）　２坵

陳勝祐977中田0.7960（27-5王茂），2299中田1.7660　2坵
陳三同1601上地0.0630（27-5王齊興），2102山3.3600（27-5王茂・王齊賜）　2坵
陳　進1838塘2.4160（27-5金萬政・王齊興・王茂・陳章・王桂・27-1圖陳岩求・陳興・陳學・陳時陽・朱文廣・王爵），2459山0.1000（27-1陳應時・陳積社）　2坵
吳天志1974下地0.1000，2484山0.5000（27-5王茂）　2坵
陳齊龍1993下地0.1760，2022中地0.5410　2坵
周　進2198中地1.7710（27-1陳寓祿），2297上田1.9360　2坵
陳玉壽2555上地1.2400，2557上田0.4780　2坵
陳岩祐2743下田0.8520（27-1陳明），3323山5.1200（27-1陳興・陳振達）　2坵
黃　雲2893中田0.7740，2894中田1.9450（27-1朱有方）　2坵
陳　耕596下下地0.2920・山2.1900（27-1陳亮・陳晉・陳龍・陳嘉・陳天相・陳岩求・陳槓社・30-1陳明宗）　1坵
陳槓社596下下地0.2920・山2.1900（27-1陳亮・陳耕・陳晉・陳龍・陳嘉・陳天相・陳岩求・30-1陳明宗）　1坵
朱得信830上田2.9900（27-1王爵）　1坵
陳　鶴1110上田0.9470（27-1陳建忠）　1坵
陳　球1154下地0.0570・山1.7200（27-1陳嘉・陳相）　1坵
朱　友1258上田1.3480（戸丁：有得）　1坵
王齊韻1297山0.7500　1坵
朱文廣1838塘2.4160（27-5金萬政・王齊興・王茂・陳章・王桂・27-1陳興・陳進・陳岩求・陳學・陳時陽・王爵）1坵
程金成1863中田0.8620　1坵
陳　堅1866中地0.6600（27-1陳興）　1坵
陳應元2195中地0.9310（27-1陳岩求）　1坵
汪　林2318山0.2000（27-1陳振達）　1坵
汪　鑑2492上田0.1540・上地0.1580　1坵
陳三得2521塘2.8400（27-1陳興・陳岩求・陳銄）　1坵
陳文付2748下田1.3300（27-1陳寓祿）　1坵
汪齊順2839上地0.3250（戸丁：生）　1坵
葉　龍2889下地0.2130（戸丁：黑龍）　1坵
陳　流2914中田0.8610（27-1陳寓祿）　1坵
陳二同2931塘0.4640（27-1陳晉・陳天玘・陳祖陽・陳天盛・27-6李福）　1坵
陳文志2955下田0.5550　1坵
汪　禧2968上地0.0350　1坵
陳天付2982上田0.6630　1坵
朱自方2983上田1.8120（戸丁：玄護）　1坵
汪本亨2991中地1.1360（西北隅-1蘇叔武）　1坵
程　羅3109中田1.0650　1坵
畢滸個3111上地0.8100（27-1陳岩求・11-3汪國英）　1坵

汪　琰3162上田1.8430（27-1汪明）　１坵
陳岩才3316塘10.8920（27-5陳章・王桂・王齊興・陳滄・吳和・金萬政・王茂・程相・27-1陳岩求・吳文法・程道華・陳興・11-3金桐竹・金文獻・金應陞・金以用・金初孫）　１坵
陳時進3336山0.5000（27-1陳天相）　１坵
程文法3407中地0.1080（戶丁：盛）　１坵
金聚海3429上墳地2.9660（27-1吳文法）　１坵

27都３圖　３戶　11坵
朱玄貴928上田2.2200，935中田1.3430，936中田1.0850，1277中田1.6380（27-1王爵），1344上田1.7910（27-5王茂・27-1陳興），1359上田1.3910（27-5王茂・27-1陳興），2216中田1.7240（27-1陳寓祿）　７坵
金萬全856上田1.3620・上地0.0350，941下田0.8730（27-5陳祥・王時・27-1王爵），944下田0.5190　３坵
朱持金2260中田1.2520　１坵

27都６圖　９戶　27坵
陳　甫857上地0.1600（27-1陳振達），925上地2.7930（27-5陳祥・陳旦・27-6陳付・26-5汪登源），975塘1.4080（27-5王茂・陳旦・27-6陳付），986下下地0.0860・山1.7500（27-5陳祥・27-1陳興），1059下田0.3180（27-5王茂），1421下地0.2000（27-5陳章），1429下地0.1710（27-5陳祥），1435上地1.6800（27-5王齊興）　８坵
陳　付925上地2.7930（27-5陳祥・陳旦・27-6陳甫・26-5汪登源），975塘1.4080（27-5王茂・陳旦・27-6陳甫），1427山0.2000，1433中地0.5200，1834中田0.7920　５坵
陳　文1229上地0.2200，1230上地0.4500（27-1陳振達），1231上地0.5000（27-1陳興・陳寓祿），2190上地0.0300（27-6味春）　４坵
李　福2931塘0.4640（27-1陳天玘・陳晉・陳二同・陳天盛・陳祖陽），2936中田1.4130（27-1陳文討），2937中田1.4450，2947中田1.3510　４坵
金有祥122下下田0.5540，126下下田0.5650　２坵
汪天祿1057上田1.0360　１坵
味　春2190上地0.0300（27-6陳文）　１坵
汪得祐2436上田2.6660　１坵
金　齊3025墳山0.2500　１坵

30都１圖　３戶　８坵
陳明宗596下下地0.2920・山2.1900（27-1陳亮・陳耕・陳晉・陳龍・陳嘉・陳天相・陳岩求・陳槓社），3039上田0.3170，3040上地 0.1850，3043上地7.3650（27-5王茂），3049上官地 0.1400　５坵

陳　明3041上地0.4880（27-1陳長・陳晉・陳應時・陳龍生・陳文討・陳積社・陳寓祿），3042上地1.0630（27-1陳長・陳龍生・陳文討・陳寄得・陳積社・陳晉・陳應時・陳寓祿）　2坵

陳　邦2989中地0.4050（27-1陳龍生）　1坵

總　計　159戶　2109坵

第4章　休寧縣都圖文書記載データ

徽州文書のなかには，都圖・甲という鄉村行政組織に關する情報――丈量で付された魚鱗字號の文字，里役を擔う人戶名，甲所屬の人戶が居住した集落名などを民間で抄寫した文書が存在する。徽州文書研究の世界では，これを都圖文書とよんでいる。都圖文書は徽州府下の各縣に存在するが，都圖文書に詳しい黃忠鑫氏（暨南大學文學院）のご教示によれば，休寧縣は最も多く都圖文書が殘存しているという。管見の限り，休寧縣の都圖文書のうち最も詳細に情報を記すのは，安徽省圖書館藏『休寧縣都圖里役備覽』（2：30710號）である。ただし，それには冒頭の3圖について抄寫していない箇所がある。そこで，『休寧縣都圖里役備覽』についで詳細に情報を記す安徽師範大學圖書館藏『休寧縣都圖甲全錄』（139863號）によって缺落箇所を補い，休寧縣の都圖文書の記載データを示すことにする。なお，『休寧縣都圖里役備覽』は，末尾に嘉慶2年（1797）の「休寧縣田地山塘各項規則」を載せており，嘉慶2年以降に抄寫されたものと考えられる。『休寧縣都圖甲全錄』は，冒頭に嘉慶20年縣志の記載を引用しており，嘉慶20年（1815）以降に抄寫されたものと考えられる。

都圖文書は，日本の機關には所藏されていない。都圖文書が傳える各圖の魚鱗字號の文字，里役を擔う人戶名は，魚鱗圖冊の記載對象の圖の確定に必要であり，各種の文書の當事者の確定等にも活用し得る。さらに甲所屬の人戶が居住した集落名は，里甲制や集落に關する研究にも貢獻するだろう。都圖文書は，いわば徽州文書研究の工具書としても活用し得る史料である。休寧縣の徽州文書研究の一助としてご活用いただければ幸いである。

【凡例】

『休寧縣都圖里役備覽』と『休寧縣都圖甲全錄』の記載が異なる場合は，『休寧縣都圖甲全錄』の記載を括弧内（里役は【　】，集落名は［　］）に示す。『休寧縣都圖里役備覽』は，各甲の上部に集落名を記すことがあるが，各甲上部の記載については割愛した。

各圖の次に示すのは，魚鱗字號の文字である。『休寧縣都圖甲全錄』が記載する魚鱗字號の文字には誤りが多いため，『休寧縣都圖里役備覽』の記載に基づき，中國歴史研究院圖書館所藏『休寧縣都圖地名字號便覽』（別名：海陽都譜）の記載を參照した（本史料の複寫は，欒成顯氏から提供していただいた）。最初の文字は，萬曆9年（1581）の丈量で付された字號であり，千字文で示されている。次の文字は，清・順治年間の丈量で付された字號であり，十干と千字文（縣城の隅下の圖は十干，鄕村部の都下の圖は千字文）で示されている。萬曆9年の丈量後に增置された圖については清・順治年間の丈量で付された字號のみが記され（2都5圖，11都8圖，15都3圖，26都6圖，27都2圖），清・順治年間の丈量後に增置された圖については字號の文字が記されず（17都8圖，18都13圖），もしくは“新生”と記されている（9都5圖，11都2圖と4圖）。『休寧縣都圖地名字號便覽』の記載によって圖が增置された時期がわかる場合は，※のもとにその年を記した。なお，□は判讀不能を示す。

東北隅1圖　天　甲

1甲　邵用大　西街
2甲　查四充　縣前
3甲　劉　正　縣前
4甲　金有元　北門
5甲　汪永功　北門
6甲　邵理任　西門
7甲　王克順　縣前
8甲　程同仁　北門
9甲　方世達　北門
10甲　朱汝經　北門

東北隅2圖　地　乙

1甲　劉　兆　縣前
2甲　王來生　玉堂巷
3甲　查以仁　北門
4甲　邵光裕　東門頭
5甲　邵德之　化生橋
6甲　劉　三　縣前
7甲　何　琪　縣前
8甲　汪方奎　西門
9甲　吳　功　蘇家巷
10甲　查四廣　北門

東北隅3圖　玄　丙

1甲　查兆興　朱紫巷
2甲　汪承芳　宜仁巷
3甲　朱張惟　北門
4甲　王龍棟　馬橋頭
5甲　汪四德　西門
6甲　王　義　縣前
7甲　汪厚本　縣前
8甲　汪守安　北門
9甲　汪景仁　旌孝坊
10甲　王　染　縣前

西北隅1圖　黃　丁

1甲　蘇世興　北門
2甲　吳繼祖　化生橋【吳惟祖】
3甲　金　蘙　朱紫巷
4甲　汪　英　西門
5甲　汪六一　西門
6甲　汪時中　西門
7甲　汪時鳳　西門［峽東］
8甲　汪祀芳　西門
9甲　蘇三總　北門【蘇三德】
10甲　葉宗美　藕爲池［漁河池］

西北隅2圖　宇　戊

1甲　汪守成　後街
2甲　汪元啓　後街【汪啓元】
3甲　金三陽　朱紫巷

4甲　朱成有　霍山巷
5甲　程　盛　北街
6甲　汪三朋　西街
7甲　吳大順　北街
8甲　金文興　斷石
9甲　邵　憲　南門
10甲　汪本仁　霍山巷

東南隅1圖　宙　己
1甲　劉永昌　後街
2甲　汪德高　南街
3甲　金祖祀　南街【金祀祖】
4甲　葉祖祀　北街【葉祀祖】
5甲　程　鎮　北街
6甲　陳元鳳　東亭［東街］
7甲　夏　炎　南街
8甲　徐時學　南街
9甲　孫天復　南街【孫天福】
10甲　金永祀　南街

東南隅2圖　洪　庚
1甲　葉肇基　葉家坦
2甲　汪世德　南街
3甲　汪懋學　南街
4甲　汪天寵　朱村覃茶亭
5甲　夏誠齊　南街
6甲　劉時泰　富瑯
7甲　程順時　下灘［下淮］
8甲　夏永亨　南街
9甲　夏德萬　南街
10甲　劉德英　南街

東南隅3圖　荒　辛
1甲　金尙義　中街
2甲　夏義信　南街
3甲　朱以徐　屯子巷【朱以街】［子巷］
4甲　張宗遠　後街
5甲　夏齊賢　南街
6甲　吳四曜　博村

7甲　葉邦甫　南街
8甲　胡起坤　南門頭
9甲　葉世茂　南街
10甲　李授時　社壇巷

西南隅1圖　日　壬
1甲　蘇添法　東門【蘇天法】
2甲　邵光宗　西門
3甲　劉正程　斷石
4甲　孫拱辰　南門
5甲　劉兆蕃　南門
6甲　汪正盛　種德巷
7甲　金　仁　北門
8甲　汪銘耀　古樓巷
9甲　汪大順　古樓巷
10甲　曹大有　後街

西南隅2圖　月　癸
1甲　曹茂祀　南街［南門］
2甲　蘇禧柱　社壇［社壇巷］
3甲　朱子章　北街
4甲　汪　相　旌孝坊
5甲　程景科　後街
6甲　金　梁　北門［北街］
7甲　巴起宗　中街
8甲　蘇彥亨　後街
9甲　汪宗儒　合桃樹［合村］
10甲　張朋程　後街

1都1圖　盈　天
1甲　程宗潔　楊村
2甲　程元宗　楊村
3甲　程鼎爵　瓦窖坦
4甲　程　沂　楊村
5甲　程　奇　楊村
6甲　胡文盛　後街
7甲　汪廷憲　西門
8甲　程弼准　楊村【程弼淮】
9甲　姚義盛　楊後街［楊後村］

10甲　朱尚義　上楊村［後楊村］

1都2圖　　昃　地
1甲　錢相元　西門
2甲　程長三　西門
3甲　汪文杲　西門【汪文泉】
4甲　汪　本　西門
5甲　丁耀祖・吳禎能　水碓巷［西門］
6甲　汪振德　水碓巷
7甲　丁社榮　西門橋
8甲　汪汝法　西門
9甲　程景榜　西門
10甲　謝文光　社壇巷

1都4圖　　辰　玄
1甲　潘士高　南門頭
2甲　潘士茂　南門頭
3甲　戴上達　干山下【戴尚達】
4甲　金萬有　上洲園
5甲　汪尚忠　下灘【汪尚宗】［下淮］
6甲　曹尚義　瓦窑墩
7甲　汪世榮　瓦窑墩
8甲　汪　高　十排帶管［白□・上洲園］
9甲　程復昌　十排帶管［斷石］
10甲　程永祀　斷石

1都5圖　　宿　黃
1甲　許開基　下汶溪【謝開基】
2甲　吳文滐　上充
3甲　許應元　下汶溪
4甲　許天生　下汶溪
5甲　程太富　上充
6甲　許晉昌　下汶溪
7甲　汪宗仁　下汶溪
8甲　吳高元　染店
9甲　汪宗信　下汶溪
10甲　汪宗禮　下汶溪

1都6圖　　列　宇
1甲　沈世耀　鳳湖街
2甲　劉世洪　鳳湖街
3甲　程　文　鳳湖街
4甲　汪萬興　石叶巷
5甲　余汝本　石叶巷
6甲　程福明　鳳湖街
7甲　吳希道　化生橋
8甲　汪思啓　西門
9甲　余汝東　石叶巷【余汝來】
10甲　劉忠良　石叶巷

1都7圖　　張　宙
1甲　呂天生　洪水塘
2甲　金岐福　麥岐村
3甲　程大承　畢家嶺
4甲　汪世振　長塘［岩脚］
5甲　程忠和　岩脚［長塘］
6甲　金文齊　曉角
7甲　程先政　洪水塘【程文政】
8甲　陳助元　洪水塘【陳助生】
9甲　程最生　麥岐村
10甲　黃萬森　南街

1都8圖　　寒　洪
1甲　潘文富　楊後
2甲　金　鍾　峽東
3甲　金世仰　峽東
4甲　金　進　峽東
5甲　程鉉德　裡溝
6甲　金　鎔　峽東
7甲　吳德修　老柏墩
8甲　畢敦睦　峽東
9甲　查萬亨　老柏墩【吳　軒】
10甲　汪萬壽　老柏墩【吳　大】

2都2圖　　來　荒
1甲　張萬振　張村
2甲　查　遲　北充

3甲　張光祖　張村
4甲　程萬勝　裡溝
5甲　汪　齊　裡溝
6甲　程　彬　新塘
7甲　査　積　北充
8甲　張惟正　張村【張維正】
9甲　査萬亨　査［査村］
10甲　汪萬壽　裡溝

2都3圖　　暑　日
1甲　葉炫象　干山【葉玄象】
2甲　詹天法　小塘
3甲　呉　濴　乾頭山【呉　滎】［乾山嶺］
4甲　汪天生　乾頭山［乾山嶺］
5甲　金寶慶　小塘
6甲　詹仲玘　乾頭山【詹仲起】［劉山頭］
7甲　劉世美　乾頭山［劉山頭］
8甲　劉文爚　乾頭山［劉山頭］
9甲　詹子麟　乾頭山［劉山頭］
10甲　李天成　乾頭山［劉山頭］

2都4圖　　往　月
1甲　許四時　富瑯
2甲　韓茂棋　崇壽觀【韓懋棋】
3甲　李萬雲　小東門【李方萬】
4甲　程宗珉・程宗崑　下汶溪
5甲　洪廷達　下汶溪【程洪達】
6甲　汪雲漢　皮匠坦
7甲　宋　翰　富瑯【宋翰之】
8甲　汪　玉　厚田
9甲　王天貴　厚田
10甲　程功蔭　縣前［邑前］

2都5圖　　　盈　※萬曆10年增
1甲　張伯涵　北門外
2甲　汪壽相　裡溝【汪壽祖】
3甲　劉一椿　裡溝【劉一春】
4甲　程廷珪　裡溝
5甲　董賢賡　董干嶺【董英賡】
6甲　劉　個　峽東
7甲　王道興　峽東
8甲　金正法　峽東
9甲　呉大道　峽東
10甲　金一元　峽東

2都6圖　　秋　昃
1甲　金宗敍　上峽東
2甲　鄭天祥　栗子坦
3甲　呉一元　塥田
4甲　金文彩　上峽東
5甲　程　浩　上楊村
6甲　呉壽相　北街【呉壽伯】
7甲　王　元　上峽東
8甲　呉瑞生　塥田
9甲　金天盛　塥田
10甲　呉　鶴　塥田［上峽東］

2都7圖　　收　辰
1甲　曹智孫　龍塘【曹志孫】
2甲　潘賜壽　荒田
3甲　朱啓泰　曹村
4甲　翁元亨　曹村
5甲　何　賓　厚田
6甲　曹恭誠　曹村
7甲　曹　選　曹村
8甲　翁清高　曹村
9甲　呉賜福　北街
10甲　朱明遠　藍渡［南渡下首上旬田］

3都1圖　　冬　宿
1甲　閔益周　萬安街［閔家巷］
2甲　曹　順　萬安街
3甲　任　保　萬安街
4甲　何良臣　閔家巷［萬安街］
5甲　汪可立　萬安街［閔家巷］
6甲　曹勝朋　萬安街
7甲　閔桂相　萬安街
8甲　閔　貫　萬安街

9甲　曹元甫　萬安街
10甲　任夢桂　萬安街

3都2圖　　藏　列
1甲　金自高　西山
2甲　吳積如　落陀山
3甲　汪　倉　隆下［陞下］
4甲　金中堯　西山
5甲　金三元　西山
6甲　金可用　西山
7甲　金汝權　西山
8甲　金　老　西山【金一老】
9甲　金三益　西山
10甲　金萬三　西山【金萬山】

3都3圖　　閔　張
1甲　金傑亨　萬安街
2甲　畢世興　萬安街
3甲　汪元泰　萬安街
4甲　金　滋　萬安街
5甲　汪　義　萬安街
6甲　余福德　余頭村
7甲　余成桂　余頭村
8甲　吳廷采　水西街
9甲　汪永盛　水西街［烏山］
10甲　鄭世芳　蔦山［葛山］

3都4圖　　餘　寒
1甲　何伯順　萬安街
2甲　何萬華　萬安街
3甲　査子成　萬安街
4甲　黃仁茂　萬安街
5甲　何謂朋　萬安街
6甲　吳　許　萬安街
7甲　何文綉　萬安街【吳維禮】
8甲　閔時成　萬安街【程時隆】
9甲　吳世廣　萬安街【何得信】
10甲　黃　璇　萬安街【英宗裔】

3都5圖　　成　來
1甲　吳　昂　萬安街
2甲　閔友宜　萬安街【閔有宜】
3甲　吳　櫃　萬安街
4甲　黃　浩　萬安街
5甲　黃正色　萬安街
6甲　吳文熾　萬安街【吳文識】
7甲　吳惟禮　萬安街
8甲　程時麟　萬安街
9甲　何德信　萬安街【何得信】
10甲　吳宗裔　萬安街

3都6圖　　歲　暑
1甲　程文明　古城［後村］
2甲　吳一坤　萬安街［後村］
3甲　閔永盛　萬安街
4甲　吳慶兆　萬安街
5甲　任良德　後村
6甲　汪九章　古城［古城岩］
7甲　吳尙賢　萬安街【吳上英】
8甲　金尙文　舊市
9甲　朱文翰　後村【朱文煥】
10甲　陳天寵　古城

3都7圖　　律　往
1甲　吳朋遠　磨林【吳明遠】［唐村］
2甲　洪　生　蔦山［烏山］
3甲　兪良才　萬安街【金良才】
4甲　王文輝　上堨【王文耀】
5甲　程廷高　福寺
6甲　汪鉦・金生　福寺【王生】
7甲　吳天貴　茂林［唐村］
8甲　金顯威　上堨【金顯成】
9甲　余福壽　萬安街
10甲　王守貴　上堨

3都8圖　　呂　秋
1甲　張榮華　中水南
2甲　汪爵道　下水南

3甲　汪應梦　中水南
4甲　張光顯　中水南
5甲　汪正曜　中水南
6甲　汪光祖　上水南
7甲　汪國英　中水南
8甲　張義遠　中水南
9甲　胡加兆　萬安街［中水南］
10甲　汪德其　中水南

3都9圖　調　收
1甲　劉萬順　下水南
2甲　金大益　下水南
3甲　程應年　下水南
4甲　汪　時　下水南
5甲　胡常春　下水南
6甲　汪裕後　下水南
7甲　葉萬春　下水南
8甲　葉宗永　下水南
9甲　汪尙昭　下水南
10甲　葉茂春　下水南【葉春茂】

3都10圖　陽　冬
1甲　吳元武　桑園
2甲　王邦榮　王家山頭【王邦寧】［王家山嶺］
3甲　呂萬盛　塘田［唐由］
4甲　吳興祀　桑園
5甲　吳大成　桑園
6甲　余振奇　古城【余　奇】
7甲　程世德　古城
8甲　胡應蛟　塘田［唐由］
9甲　程道生　古城
10甲　呂萬春　塘田［唐由］

4都1圖　雲　藏
1甲　施之常　陳坑【施之賢】
2甲　陳　宥　吳田【陳　育】
3甲　施　貫　陳坑
4甲　胡澤芳　陳坑
5甲　汪積盛　陀羅山［唐盧］
6甲　汪　升　陀羅山［唐盧］
7甲　吳崑山　堨尾【吳昆山】
8甲　胡　淳　陀羅山［唐盧］
9甲　吳　憲　陳坑
10甲　李岩祥　李村

4都2圖　騰　閏
1甲　胡鳴岐　百石冲［百石充］
2甲　余世雲　楊源
3甲　胡公傑　百石冲［百石充］
4甲　余世華　楊源
5甲　胡憲濠　石嶺
6甲　余　曜　楊源
7甲　余正規　楊源
8甲　王　倫　溪洋［溪陽］
9甲　金日昌　溪洋［溪陽］
10甲　曹　祥　溪洋［溪陽］

4都3圖　致　餘
1甲　汪同勝　高低山【汪　勝】
2甲　程五福　方打溪［嶺大基］
3甲　汪六七　高低山【汪雲七】
4甲　吳仲濤　霞塘
5甲　方五德　下山［東山］
6甲　程閏瀛　方打鷄［嶺大基］
7甲　余世賢　塘雲［唐雲□□］
8甲　方文懷　下山［東山］
9甲　陳廷洪　霞塘
10甲　吳尙興　霞塘

4都4圖　雨　成
1甲　金　鳳　占露［霑露］
2甲　金壽全　占露［霑露］
3甲　金廷石　占露［霑露］
4甲　金天輝　占露［霑露］
5甲　金社大　占露［霑露］
6甲　金廷昆　占露［霑露］
7甲　金　槐　占露［霑露］

8甲　呉　輔　羅嶺
9甲　李汪春　占露［霑露］
10甲　李　都　占露【李　郁】［霑露］

4都5圖　露　歳
1甲　汪文濱　鵲山頭
2甲　汪五保　鵲山頭
3甲　程　法　低山
4甲　程汝高　低山
5甲　方永時　下山【方汝時】［東山］
6甲　呂森春　焦充【李森春】［進春焦充］
7甲　程　亨　方打鷄［嶺大基］
8甲　方汝盛　下山【方永盛】［東山］
9甲　鮑文宥　焦充
10甲　謝世隆　石門亭【程世隆】［申明亭］

4都6圖　結　律
1甲　汪仲道　汪村
2甲　汪增茂　汪村
3甲　汪仕齊　汪村【汪仕濟】
4甲　汪眞誠　汪村
5甲　汪正茂　藕塘
6甲　汪三龍　藕塘
7甲　呉葉昌　田西【呉華昌】
8甲　汪德保　干上
9甲　程敬元　汪村田［汪村田干］
10甲　方日新　方打鷄［嶺大基］

4都7圖　爲　呂
1甲　汪文禎　藕塘
2甲　張萬隆　料頭
3甲　張仁峰　料頭
4甲　施召亨　施村【施有亨】
5甲　張仁德　料頭
6甲　張仁茂　料頭
7甲　施　富　施村
8甲　張世明　料頭【張世朋】
9甲　施大興　施村
10甲　汪大有　庄上

4都8圖　霜　調
1甲　呉本鑑　潘村
2甲　呉興老　田干裡
3甲　余仁法　潘村口
4甲　呉隆春　尾東坑
5甲　呉正茂　高山脚
6甲　呉世榮　高山
7甲　施三元　甌山
8甲　汪世法　源裡【汪世發】［瑯源］
9甲　胡秋老　石居［石匱］
10甲　呉世承　呉田【呉世成】

4都9圖　金　陽
1甲　金廷奎　裡塢【金廷魁】
2甲　金仁瑞　望干［望觀］
3甲　呉有進　呉田
4甲　呉紹伯　呉田
5甲　呉　檀　呉田【呉　標】
6甲　呉尙賢　呉田【呉上賢】
7甲　金尙仁　瑯源口
8甲　巴　良　望干［望觀］
9甲　呉汝元　呉田
10甲　胡伯忠　百石冲［百石充］

4都10圖　生　雲
1甲　方衆傑　上山
2甲　汪　榮　高低山
3甲　汪元喜　徐村
4甲　孫世茂　霞塘
5甲　方　洋　上山
6甲　朱　良　長到［上山］
7甲　葉紹義　高低山
8甲　汪文光　高低山
9甲　孫　億　霞塘
10甲　汪文和　徐村

4都11圖　麗　騰
1甲　呉廷達　石嶺
2甲　呉憲孫　石嶺

3甲　呉奉先　石嶺
4甲　呉宗伯　石嶺
5甲　呉政德　石嶺【呉正德】
6甲　項養元　溪洋［溪陽］
7甲　汪　桂　漆坊［漆方］
8甲　呉通明　下山
9甲　程　美　下山［楊村］
10甲　呉憲邦　石嶺

4都12圖　　水　致
1甲　金　福　甌山【施宗福】
2甲　金正法　甌山【金正發】
3甲　胡興隆　百石充
4甲　胡仁曜　百石充
5甲　程敦本　長充
6甲　程科里　長充【程料理】［石嶺］
7甲　汪大發　石嶺［□□□］
8甲　胡　珙　百石冲【胡　洪】［庄後］
9甲　胡有德　百石冲［百石充］
10甲　金仲穂　下甌山［金村］

5都1圖　　玉　雨
1甲　胡學林　堨田
2甲　程世忠　文昌坊
3甲　金大有　山塢
4甲　呉　通　瑯璈［瑯珈］
5甲　汪永昌　嶽後山
6甲　呉明柏　瑯璈【呉明伯】［瑯珈］
7甲　程德成　文昌坊
8甲　呉　忠　瑯璈［瑯珈］
9甲　潘萬有　黃嵐［黃山嶺］
10甲　夏　保　破塘

5都2圖　　出　露
1甲　呉澤充　石洋干［石羊干］
2甲　邵德應　堨田
3甲　程天助　禾斜［禾料］
4甲　程世珙　富載【程世拱】
5甲　呉　傳　瑯璈［瑯珈］
6甲　胡　本　員磨前
7甲　余積萬　余村
8甲　呉富壽　瑯璈［瑯珈］
9甲　程　星　禾斜［禾料］
10甲　程朋文　堨田【程明文】

5都3圖　　崑　結
1甲　呉　高　石壁下
2甲　程世有　富載
3甲　汪富有　小坑
4甲　程　球　富載
5甲　胡積方　鐵匠家
6甲　金萬鐘　塘坑
7甲　李世溪　小塘［小坑］
8甲　周　高　周村
9甲　程　有　富載
10甲　汪　興　小坑

5都4圖　　岡　爲
1甲　鄭　英　東山
2甲　陳公祀　縣前河
3甲　金富順　山塢［山堨］
4甲　邵　祥　龍源
5甲　邵　希　龍源
6甲　張繩里　龍源【張純里】
7甲　金光啓　七橋
8甲　潘有富　黃風［黃嶺］
9甲　曹　聚　北山【曹聚元】
10甲　程積仁　富載

5都5圖　　劍　霜
1甲　許萬成　新村嶺
2甲　鄭　元　夏村
3甲　汪　洧　北山【汪　有】［北門］
4甲　余池生　余家坦【金池生】［金家坦］
5甲　趙同金　龍源
6甲　畢同周　新田
7甲　胡通楠　北山
8甲　劉　鎮　北山

9甲　趙大蔭　藍渡
10甲　趙明德　龍源山脚［龍源脚］

5都6圖　　號　金
1甲　余俊海　貴嶺下
2甲　余起兆　貴嶺下
3甲　韓世福　治舍【韓世祥】
4甲　余積萬　竹塢［治舍］
5甲　余世益　五十坑
6甲　余世祿　余村
7甲　余　萬　南塘
8甲　余文明　余村
9甲　汪有謙　色嶺［龍源］
10甲　余光裕　閔坑

5都10圖　　巨　生
1甲　趙太和　水碓巷
2甲　祝五美　住排簡掃山
3甲　金元生　横山
4甲　吳應科　山頭【吳元科】
5甲　程岩壽　三官殿
6甲　程顯生　東山
7甲　程應任　瑯琊［瑯琊］
8甲　胡文拱　堨田
9甲　趙　元　瑯琊下村［瑯琊村下］
10甲　汪民正　小北門

6都1圖　　闕　麗
1甲　吳世明　高橋
2甲　姚永鑑　余村【姚永盛】［楡村］
3甲　余文鑑　東干【余文盛】［東干］
4甲　吳文彩　潘村【吳五秀】
5甲　姚福本　高橋
6甲　姚廷耀　余村
7甲　吳世通　高村【吳明道】［高橋］
8甲　吳萬顯　小溪
9甲　汪德潤　金龍山【汪　潤】
10甲　吳　泰　高橋【吳　太】

6都2圖　　珠　水
1甲　余萬成　藍田
2甲　余萬興　泰村［太村］
3甲　吳　時　潘村［石壁］
4甲　余世泰　石壁【余文盛】［潘村］
5甲　吳邦祿　潘村
6甲　余萬春　上村
7甲　吳本立　潘村
8甲　余萬祿　塘下［塘干］
9甲　余國鼎　上東干【余鼎國】［上塘干］
10甲　吳同興　潘村

6都3圖　　稱　玉
1甲　項齊芳　溪口
2甲　余鍾祥　溪口
3甲　余應高　西村
4甲　胡萬祿　小溪街【胡萬祿】
5甲　余啓泰　溪口【余啓太】
6甲　余有光　虎嶺脚
7甲　徐大有　石嶺
8甲　余世同　藍田【徐世同】
9甲　余世祿　石壁［石壁山］
10甲　余兆魁　裡田源

7都1圖　　夜　出
1甲　方繩敏　山坑【方絕敏】
2甲　汪眞遠　南坑
3甲　胡繼海　藕坑口
4甲　方友生　山坑【方有生】
5甲　潘三才　東亭
6甲　汪三元　南坑
7甲　鄧五甫　黄土嶺
8甲　潘　祀　東亭
9甲　余萬有　東亭
10甲　方　五　山坑

7都2圖　　光　崑
1甲　徐大成　太塘［大塘］
2甲　張奇勳　張村

3甲　胡宗正　藕塘口［藕坑口］
4甲　朱三法　白茅【朱三發】
5甲　方　春　山坑
6甲　朱約義　白茅【朱三發】
7甲　胡永富　藕塘【胡永昌】［藕坑口］
8甲　徐尚禮　太塘［大塘］
9甲　汪尚義　田干裡
10甲　張　燭　張村

7都3圖　果　崗
1甲　汪應兆　張村【汪元應】
2甲　張鼎新　張村
3甲　張茂甫　張村
4甲　葉　茂　張村
5甲　張福孫　張村
6甲　張啓東　張村
7甲　張光啓　張村
8甲　胡宗立　白茅
9甲　劉　増　白茅
10甲　張　祿　張村

8都1圖　珍　劍
1甲　許戚儀　十排帶管【許成宜】［十甲帶管］
2甲　程　應　小北門
3甲　許高勝　金盛・銀臺
4甲　金繼仁　下塘源
5甲　吳　珊　塘源
6甲　吳玉堂　沈村
7甲　葉世萬　大塘前【葉世方】
8甲　許萬生　下塘
9甲　葉世明　大塘前
10甲　金惟勝　下塘源【金繼勝】

8都3圖　李　號
1甲　高有德　高家源［孤舟嶺］
2甲　葉正茂　孤舟嶺［高家源］
3甲　胡有生　宋村
4甲　吳社曜　下塘源
5甲　高維新　高家源
6甲　葉　時　江山
7甲　葉永福　西源【葉有福】
8甲　程世乾　堨頭
9甲　吳岩求　沈村【鄭克誠】［梧林］
10甲　曹　成　水碓巷

8都4圖　奈　巨
1甲　許必成　查干【許元成】
2甲　金　老　塘源［棠源］
3甲　胡尚乾　典村
4甲　許繼坤　查干
5甲　徐廷和　葉村
6甲　胡繼祖　查嶺
7甲　倪星輝　南門頭
8甲　胡尚訓　典村
9甲　許祀祖　查干
10甲　韓　錦　典村【胡　錫】

8都5圖　菜　闕
1甲　葉永第　孤舟嶺
2甲　葉茂盛　山頭［下山頭］
3甲　吳永福　查田
4甲　王永盛　東閣
5甲　汪永慶　鳳湖街［朝風湖］
6甲　程三興　上干
7甲　程友政　東門頭【程友正】［東閣］
8甲　葉茂芳　漁坑
9甲　許懷德　上干
10甲　許良福　許村

8都6圖　重　珠
1甲　許萬化　許村
2甲　金輔弼　東閣
3甲　吳永禎　沈村［下塘源］
4甲　金　陽　東閣
5甲　許世茂　許村
6甲　許萬國　許村
7甲　程尚岓　汪村【程　尚】

8甲　金文鰲　塘源
9甲　余時魁　石塘
10甲　金　勳　東閣

9都1圖　　芥　稱
1甲　鄭積盛　鄭村
2甲　程世和　西館
3甲　程尙達　西館【程上達】
4甲　陳世芳　環珠
5甲　程思祖　西館
6甲　陳大茂　藍渡
7甲　汪辰祖　藍渡
8甲　陳　琛　環珠
9甲　陳　梁　藍渡
10甲　陳世明　環珠

9都3圖　　薑　夜
1甲　陳　美　山頭
2甲　陳世宗　上典口【陳世忠】
3甲　吳　高　社塘里
4甲　程　乾　江村
5甲　洪　德　下典口
6甲　吳　勝　大榧
7甲　陳興祀　山頭
8甲　汪　高　下溪
9甲　王　宗　塢塘【王　忠】
10甲　金　暠　瑤頭【金日高】［窑頭］

9都5圖　新生　　※順治8年增
1甲　陳永茂　藍渡
2甲　程習仰　藍渡
3甲　程經權　藍渡【程經讃】
4甲　程起善　藍渡【程起英】
5甲　程友寧　藍渡［西館］
6甲　程國汚　西館【程國信】
7甲　程永寧　西館
8甲　程東策　西館
9甲　陳番愛　西館【陳藩度】
10甲　程長愛　西館【程長度】

10都2圖　　海　光
1甲　汪昱敬　社屋嶺【汪顯敬】
2甲　汪義遠　木龍岩
3甲　陳保祖　吳干［吳村］
4甲　楊世遠　重塘［社屋嶺］
5甲　汪萬璽　社屋嶺［重塘］
6甲　楊　裕　板橋【楊裕國】
7甲　鄭國英　鄭家塢
8甲　汪桂春　查村【汪國春】
9甲　楊　元　板橋
10甲　楊大成　板橋

10都3圖　　鹹　果
1甲　金宗義　資村【金思義】
2甲　汪文瑞　資村
3甲　汪昌甫　吳村
4甲　朱仲實　資村［貴口］
5甲　汪萬春　資村［貴口］
6甲　胡公甫　濱口
7甲　汪七十　瓦窰坦
8甲　汪恆升　上資
9甲　朱三益　吳村
10甲　汪振光　資村

11都1圖　　河　珍
1甲　汪世芳　石田
2甲　汪萬春　東冲
3甲　汪三茂　石田
4甲　項國泰　上舟陽干［上舟楊干］
5甲　汪元振　東冲
6甲　汪　錡　石田【汪　錡】
7甲　朱正美　石田
8甲　汪繼美　石田［平干］
9甲　李世芳　平干【查世芳】
10甲　程德祖　霞儀【程祖德】

11都2圖　新生　　※順治8年增
1甲　汪重光　金塍【金重光】［金城］
2甲　汪華嗣　石田【汪國嗣】

3甲　汪成純　石田
4甲　汪希潤　石田
5甲　汪華國　金塍【汪國華】［金城］
6甲　汪倫錫　石田【汪綸錫】
7甲　汪孝豐　金塍【汪孝先】［金城］
8甲　汪希沈　石田
9甲　汪韞澤　石田
10甲　汪時棨　金塍［金城］

11都3圖　　淡　李
1甲　金德良　小璫
2甲　金初孫　小璫
3甲　金振芳　小璫
4甲　金康祠　小璫【金康祀】
5甲　金務生　小璫
6甲　金繼琳　小璫【金節遐】
7甲　金節遐　小璫【金良成】
8甲　金良成　小璫【金楷厚】
9甲　金楷厚　小璫【金桂琳】
10甲　金承吾　小璫

11都4圖　新生　　※順治8年增
1甲　金仁孝　小璫【金仁和】
2甲　金惟茂　小璫
3甲　金振芳　小璫
4甲　金宗和　小璫
5甲　倪遠孫　倪干
6甲　汪國賢　金村
7甲　金永孫　小璫
8甲　倪遠初　倪干
9甲　金　達　小璫
10甲　金福孫　小璫

11都8圖　　　奈　　※萬暦20年增
1甲　金文昇　周王干［舟楊干］
2甲　汪仁里　石田
3甲　金文獻　周王干［舟楊干］
4甲　汪懋功　小璫
5甲　金仲治　小璫【金仲冶】
6甲　金尚朋　周王干【金尚明】［舟楊干］
7甲　金　有　黄泥塘
8甲　金傳顯　小璫
9甲　金萬本　小璫
10甲　金世美　黄泥塘

12都1圖　　鱗　棻
1甲　朱仲堡　當北街［當金街］
2甲　汪文新　郝塢
3甲　汪　興　郝塢
4甲　何隆盛　汪坑
5甲　朱國寶　當坑街［當金街］
6甲　邵壽松　行坑［竹坑］
7甲　邵鍾恕　行坑［竹坑］
8甲　吳英雲　泥湖
9甲　邵　元　行坑［竹坑］
10甲　朱尙德　當坑街［當金街］

12都3圖　　潛　重
1甲　汪聚英　當坑街頭
2甲　　廷積　當坑街頭【李廷積】［裡渠口］
3甲　汪應元　裡渠口［渠口］
4甲　汪文玘　當坑街【汪文起】
5甲　汪胤昌　外渠口
6甲　朱日新　當坑街
7甲　朱永昌　當坑街
8甲　汪廷選　渠口
9甲　汪德輝　渠口
10甲　汪明德　渠口【汪明經】

13都1圖　　羽　芥
1甲　吳宗明　上溪口［溪口］
2甲　葉□宗　上溪口【金華宗】［溪口］
3甲　吳　芳　上溪口［溪口］
4甲　汪　興　上溪口［溪口］
5甲　戴　璠　上溪口［溪口］【戴宗遠】
6甲　戴宗遠　上溪口［溪口］【戴　璠】
7甲　吳祖榮　上溪口［溪口］【吳宗榮】

8甲　吳元立　上溪口［溪口］
9甲　吳祖蔭　上溪口［溪口］
10甲　倪尙義　海涵渡

13都2圖　翔　蕫
1甲　吳光義　童干
2甲　吳啓震　童干
3甲　吳文齊　石坑
4甲　孫文魁　盈下【孫文奎】［盈干］
5甲　吳懷德　童干
6甲　黄　鏜　童干
7甲　孫社壽　十排帶管
8甲　汪文士　旌城
9甲　吳　宋　石坑【吳　采】［石城］
10甲　戴寧佑　石湖

13都3圖　龍　海
1甲　汪永植　陰山背
2甲　吳學進　陰山背
3甲　戴期茂　溪口
4甲　王懋德　金竹【王茂德】
5甲　汪　儒　山培［山塝］
6甲　汪　伯　旌城【汪　相】
7甲　吳　盛　陰山背
8甲　戴震立　溪口【戴震之】
9甲　戴宗信　溪口
10甲　吳　京　溪口

13都4圖　師　鹹
1甲　吳　芳　山培［山背］
2甲　宋世芳　河村［何村］
3甲　吳　審　山培干排管［山背口十排□］
4甲　戴興仁　溪口
5甲　吳集新　山培中村［山背中村］
6甲　吳汝進　山培中村［山背中村］
7甲　吳應瑞　山培中村［山背中村］
8甲　吳德和　山培中村［山背中村］
8甲　戴義社　山培中村［山背中村］
10甲　戴　時　山培中村［山背中村］

14都1圖　火　河
1甲　凌繼芳　引充嶺下
2甲　汪天賜　引充
3甲　汪福勝　引充【汪天福】
4甲　程　萬　引充
5甲　程　愷　引充
6甲　洪　學　引充
7甲　程道楷　約山
8甲　汪文誼　引充
9甲　汪子淸　引充
10甲　張元裕　引充

14都2圖　帝　淡
1甲　李伯祥　皂莢樹
2甲　　積盛　古樓下【金積盛】［古樓］
3甲　徐成德　古樓下［古樓］
4甲　金長慶　古樓下［古樓］
5甲　任　淳　古樓下［古樓］
6甲　任　侃　古樓下［古樓］
7甲　金中和　古樓下［古樓］【金仲和】
8甲　徐珪珉　古樓下［古樓］
9甲　徐世淵　古樓下［古樓］
10甲　程仲芳　畢村

14都3圖　鳥　鱗
1甲　方天佑　引充
2甲　汪　煥　梅林
3甲　汪應學　引充
4甲　汪繼高　梅林
5甲　汪　保　引充【汪仁傑】
6甲　汪　柱　竹林
7甲　葉法欽　東湖
8甲　汪　璋　竹林【汪　章】
9甲　許　應　東湖
10甲　汪本常　竹林

14都4圖　官　潛
1甲　汪佛佑　引充
2甲　汪九乾　梅林

3甲　汪　良　竹林
4甲　汪　添　竹林
5甲　余　詔　梅林【余紹文】
6甲　汪時泰　梅林【汪時太】
7甲　汪大家　梅林【汪天加】
8甲　洪　清　東湖
9甲　孫應斗　引充
10甲　余　仁　梅林

14都5圖　　人　羽
1甲　汪日新　引充
2甲　張　仕　水閣里［水閣］
3甲　汪發時　石純［石砘］
4甲　兪世隆　石窟【余世隆】
5甲　張焰保　水閣里［水閣］
6甲　汪義登　石砘
7甲　汪　世　石砘
8甲　汪尚賢　石砘
9甲　汪億兆　石砘
10甲　徐尚興　古樓【徐上興】

14都6圖　　皇　翔
1甲　黄壽春　居安
2甲　黄正宜　居安
3甲　王　宣　居安
4甲　王三承　居安
5甲　程文亮　居安巷［居里］
6甲　黄克美　居安
7甲　黄廷壽　居安
8甲　黄同義　居安【黄周義】
9甲　黄道佑　居安【黄道弘】
10甲　黄同正　居安

14都7圖　　始　龍
1甲　金獅九　干村　會里甲首帶
2甲　胡大通　合干【胡大道】
3甲　汪　鰲　霞園
4甲　金一龍　干村　十甲帶管［合干　十排帶管］

5甲　汪汝登　霞園
6甲　金永壽　干村　十甲帶管［十排帶管］
7甲　金慶福　干村【金呈福】
8甲　金長隆　干村
9甲　汪正春　石砘
10甲　葉文生　大路街［大街］

14都8圖　　制　師
1甲　金萬鐘　潜阜
2甲　金應震　西門橋【査應震】
3甲　朱　堡　潜阜【朱　保】
4甲　査守徽　西門橋
5甲　金呈福　潜阜
6甲　鄭　澤　潜阜
7甲　金高尙　新珠樓
8甲　朱璋瓚　潜阜
9甲　朱　廷　潜阜
10甲　唐元亨　潜阜

14都9圖　　文　火
1甲　朱廷和　珠伯海［朱百海］
2甲　汪世新　東湖
3甲　汪啓元　霞園
4甲　程啓幹　田里
5甲　汪仲能　石砘
6甲　金　錬　干村
7甲　汪永清　墻里
8甲　孫時選　石砘
9甲　朱天満　古城岩
10甲　程　認　田里

14都10圖　　字　帝
1甲　汪家俊　約山【汪加俊】［淪山］
2甲　方之華　嶺後塢
3甲　汪齊興　小塢
4甲　黄興柏　約山［淪山］
5甲　黄永隆　約山［淪山］
6甲　黄世興　約山［淪山］
7甲　余繼海　余家塢【余維海】

8甲　方　柏　珠伯海［珠百海］
9甲　方永和　石塘【方永嘉】
10甲　黄士成　約山

14都11圖　　乃　鳥
1甲　良方珠　澤樹下【方良珠】
2甲　汪時行　石門庄
3甲　汪　珍　竹林
4甲　洪良弼　東湖
5甲　汪益俊　竹林
6甲　汪尚義　竹林【汪上義】
7甲　鄭　璡　石門庄【鄭璡也】
8甲　洪　高　東湖
9甲　方廷璽　石門庄
10甲　洪　旻　東湖

15都1圖　　服　官
1甲　汪茂盛　由麻橋 十排朋充【汪茂成】［油麻橋］
2甲　戴趙仁　新屯【汪兆仁】
3甲　胡　保　溪灘上 十排朋充【胡　寶】
4甲　戴　榮　新屯
5甲　戴社思　新屯【鄭善思】
6甲　戴星敏　新屯【鄭敏兆】
7甲　鄭廷茂　新屯
8甲　戴　權　新屯
9甲　汪桂茂　茲口巷［資口］
10甲　戴聖功　堨上橋

15都2圖　　衣　人
1甲　汪宗禹　溪灘上
2甲　程文津　孫牛欄
3甲　孫日新　上坦
4甲　孫尚義　孫牛欄［牛闌］
5甲　何思宗　扁尾
6甲　程文綬　孫牛欄【程文授】［牛闌］
7甲　徐德仁　資口
8甲　程　清　梅林［梅村］
9甲　孫光祖　孫牛欄［牛闌］
10甲　程雲和　孫牛欄［牛闌］

15都3圖〈原無糧里〉皇
1甲　程孫顯　三過塘［三橋過］
2甲　程雲宗　下庄
3甲　陳萬宗　黎陽
4甲　朱存本　隆阜上橋［隆阜橋］
5甲　孫一宗　三塘［三過橋］
6甲　鮑　淳　高橋
7甲　余富遠　潛阜
8甲　孫　勝　冬干［東瓜］
9甲　程　廷　冬干［東瓜］
10甲　程九昌　冬干【程九萬】［東瓜］

15都4圖　　裳　始
1甲　朱有民　新屯
2甲　朱　用　資口嶺
3甲　程惟和　東干嶺【朱克典】
4甲　朱堯典　資口嶺【程惟和】
5甲　黄大興　田墩上
6甲　朱廷佐　資口嶺
7甲　朱存義　資口嶺
8甲　朱永興　新屯
9甲　朱　慶　新屯
10甲　曹如勝　新屯

15都5圖　　推　制
1甲　程文元　冬干口
2甲　程德善　新屯
3甲　徐永濬　資口【徐永濟】
4甲　韓光偉　屯溪【韓元偉】
5甲　程　閏　殺牛塘【程　潤】
6甲　程瑜教　殺牛塘
7甲　徐　濟　資口
8甲　程　和　屯溪
9甲　程　乾　背坑【程　彩】［背充］
10甲　朱　忠　屯溪

15都6圖　位　文
1甲　戴國用　新屯
2甲　汪　富　石井頭［石昇頭］
3甲　許　孫　屯溪
4甲　程　元　冬干［東干］
5甲　程永盛　雲村
6甲　朱　瑾　資口嶺
7甲　朱文福　新屯
8甲　何　賜　梅林
9甲　程元浩　背充
10甲　朱正民　屯溪

16都1圖　讓　字
1甲　王一棣　大路上
2甲　汪世茂　打石山【汪世民】
3甲　程日文　由坑［牛坑］
4甲　程日武　由坑［牛坑］
5甲　孫鳴遠　坑口
6甲　孫有清　坑口
7甲　程萬春　洪天塘
8甲　徐文遠　長干塝
9甲　鮑尚新　白坑［牛坑］
10甲　程斌昌　白坑［牛坑］

16都2圖　國　乃
1甲　程雲輝　阜上
2甲　王繼美　雲村
3甲　孫興玘　坑口
4甲　孫世義　溪東【孫敦睦】坑口
5甲　孫敦睦　坑口【孫世義】［溪口］
6甲　程道甫　率口
7甲　程世滄　洪天塘
8甲　孫天茂　溪東
9甲　程　憲　阜上
10甲　孫叔和　溪東［草市溪東］

16都3圖　有　服
1甲　　永仁　雲村【王永仁】
2甲　程世美　沙波上【汪世美】
3甲　程正誠　渠下［率口］
4甲　程之美　率口打鼓門［率口］
5甲　程　尙　羅漢松［率口］
6甲　鮑永茂　下資
7甲　徐義興　長干塝
8甲　程尙賢　後底田［底口］
9甲　吳　瑞　屯溪鹽埠頭［屯溪］
10甲　孫文卿　上草市［草市］

16都4圖　虞　衣
1甲　程文智　阜上［率口］
2甲　吳世華　珠塘鋪
3甲　程同里　洪天塘［率口］
4甲　孫永成　前村【孫永承】
5甲　程民興　打跛門［率口］
6甲　程　尹　率口［柏山下］
7甲　程　尙　柏山下
8甲　程佛生　庵東［率口］
9甲　程　漢　庵東［率口］
10甲　吳緒興　珠塘鋪

16都5圖　陶　裳
1甲　孫程豸　率口【孫程孚】
2甲　曹太來　上草市［草市］
3甲　程清奇　阜上
4甲　孫同甫　溪東
5甲　孫承嗣　草市［下市］
6甲　孫惟德　下草市［草市］
7甲　孫廷器　下草市［上草市］
8甲　程　芹　上草市［草市］
9甲　汪世宗　楓林干【汪世忠】［草市］
10甲　潘勝功　屯溪【潘聖功】

16都11圖　唐　推
1甲　程時達　率口柏樹［率口］
2甲　陳國昌　前村
3甲　程　明　率口倉所［率口］
4甲　孫世隆　草市
5甲　程致思　長干塝【程志思】

6甲　程有鐘　率口屏風［率口］
7甲　汪　鐘　上資
8甲　　世槐　東溪堪口【王世槐】［溪東］
9甲　程惟輝　率口【程繼耀】
10甲　吳佺信　珠塘鋪【吳全信】［朱塘鋪］

16都12圖　　弔　位
1甲　程一鎮　一邊［率口］
2甲　程汝守　率口荷花池［率口］
3甲　孫志高　溪東
4甲　孫國輪　率口上新屋【孫國倫】［率口］
5甲　程世德　率口上新屋［率口］
6甲　程廣高　上草市［草市］
7甲　孫佩三　上草市［草市］
8甲　孫應大　天純上市前號【孫應少】［率口］
9甲　程君甫　率口【程君用】
10甲　孫廷璽　上草市［草市］

16都13圖　　民　讓
1甲　孫敬一　沙園
2甲　孫廷寵　上草市
3甲　程日新　壠田
4甲　孫　偉　絕甲　九甲朋充［率口］
5甲　程　炳　率口松林門［率口］
6甲　孫光信　上草市［草市］
7甲　孫敬儀　上草市［草市］
8甲　程萬鎰　紫姑渡［紫姑潭］
9甲　孫宗德　草市
10甲　潘宗吳　屯溪【潘宗英】

17都１圖　　伐　國
1甲　程世朋　溪邊村
2甲　余仁臣　安岐
3甲　程長勳　溪邊村
4甲　程　泰　溪邊村【程　太】
5甲　程　士　溪邊村
6甲　程社生　溪邊村
7甲　程尚簡　溪邊村
8甲　程大俊　孝塘
9甲　程　大　溪邊村
10甲　王　愷　安岐

17都２圖　　罪　有
1甲　黃岩應　上黃
2甲　黃仲樓　上黃
3甲　黃郎通　上黃
4甲　余萬有　由麻塘
5甲　黃富鎮　上黃［溪邊村］
6甲　黃　欽　上黃［溪邊村］
7甲　黃　鉉　上黃［溪邊村］
8甲　黃　護　上黃［溪邊村］
9甲　朱應章　由麻塘
10甲　余尚隆　裡余

17都3圖　　周　虞
1甲　范　曜　色源
2甲　葉　添　八角亭【葉　天】
3甲　葉　隆　八角亭
4甲　范維新　林塘［村塘］
5甲　葉　楠　八角亭【范楠之】
6甲　范　鼎　泉水塘
7甲　范繼宗　林塘
8甲　范家和　林塘
9甲　范繼善　林塘
10甲　范文義　林塘

17都４圖　　發　陶
1甲　洪憲翰　江村【洪憲煥】
2甲　金勝祖　佑源［江村］
3甲　洪本仁　江村［右源］
4甲　金浩玘　佑源［江村］
5甲　范應春　范打鷄［佑源］
6甲　金鳳保　佑源［方大基］
7甲　洪文憲　江村【洪文顯】［佑源］
8甲　金　線　佑源［江村］
9甲　張天資　合干［佑源］

10甲　程國岡　合干【程國光】

17都５圖　　商　唐
１甲　謝文祿　安岐
２甲　謝　楷　安岐
３甲　程顯明　合干
４甲　程　鳳　澤林
５甲　張明昆　合干【張時昊】
６甲　程道亨　安岐
７甲　汪謨朋　安岐
８甲　程　大　安岐
９甲　謝應盛　安岐
10甲　吳禮維　江村【洪禮惟】［洪村］

17都６圖　　湯　弔
１甲　程宗泰　查塢【程宗太】
２甲　張萬順　南干店
３甲　張祖應　易村【張應祖】
４甲　范　元　林塘坦
５甲　葉萬春　山頭
６甲　程萬里　朱村
７甲　范繼昌　林塘
８甲　謝朝時　安岐【謝朝明】
９甲　吳高榮　屛風山【吳高源】
10甲　范世賢　查塘

17都７圖　　坐　民
１甲　詹世昌　流塘
２甲　吳富賢　南干店
３甲　詹有功　流塘
４甲　金萬鎰　林塘坦
５甲　朱萬春　山頭
６甲　詹春元　流塘
７甲　詹　瑞　流塘
８甲　詹本敬　流塘
９甲　金廣積　蜈蚣峯
10甲　金大有　西充［西沖］

17都８圖〈十七都三圖分〉※順治８年增
１甲　吳　尙　八角亭
２甲　葉　時　八角亭【葉　論】
３甲　葉　論　八角亭【葉　俊】
４甲　葉　俊　八角亭【葉　楠】
５甲　葉　楠　八角亭【葉　時】
６甲　何日亨　泉水塘
７甲　金　生　查塘［八角亭］
８甲　唐　顯　查塘［八角亭］
９甲　金　堯　查塘［八角亭］
10甲　葉富裕　八角亭【葉顯裕】

18都１圖　　朝　伐
１甲　戴時濟　隆阜
２甲　戴鳳儀　隆阜
３甲　戴天生　隆阜
４甲　戴汝高　隆阜
５甲　戴國正　隆阜
６甲　戴　新　隆阜
７甲　戴金五　隆阜【戴金吾】
８甲　戴時仁　隆阜
９甲　戴民望　隆阜
10甲　戴金勇　隆阜【戴金湧】

18都２圖　　問　罪
１甲　丁友馨　葉岐　今徐豐亭充［奕淇］
２甲　葉永清　葉岐［奕淇］
３甲　程應法　葉岐【程應發】［奕淇］
４甲　陳保一　珠里
５甲　徐　愷　葉岐［奕淇］
６甲　程　福　葉岐［奕淇］
７甲　楊遠富　葉岐［奕淇］
８甲　徐光祖　葉岐［奕淇］
９甲　陳鮑和　葉岐【程富盛】［奕淇］
10甲　葉天茂　葉岐［奕淇］

18都３圖　　道　周
１甲　姚正占　藍如橋［如村］
２甲　鮑汝成　藍如橋［如村］

3甲　程　勝　藍如橋［如村］
4甲　朱永昌　藍如橋［如村］
5甲　孫顯德　藍如橋［如村］
6甲　程　富　下林塘
7甲　洪　瑞　下林塘［後林］
8甲　程　周　後塘［後林］
9甲　葉永清　下林塘
10甲　汪伯祥　下林塘

18都4圖　　垂　發
1甲　孫胤昌　孫打魚
2甲　葉正興　閔口［閔口橋］
3甲　程　興　范家墩
4甲　許福升　上井
5甲　孫裔祀　孫打魚【孫裔玘】
6甲　程學助　喜充【程李助】［喜冲］
7甲　吳敦本　高梘【吳敦平】［後林］
8甲　程世榮　觀音石［後林］
9甲　項本立　閔口
10甲　汪佑興　汪家嶺【汪右興】［汪家巷］

18都5圖　　拱　商
1甲　吳德信　范家墩
2甲　程　雲　范家墩
3甲　程　倘　范家墩
4甲　吳同喜　高梘【吳同春】
5甲　吳時曜　下山
6甲　吳廉清　下山
7甲　項大亨　閔口
8甲　汪　錡　黎陽
9甲　項天贍　閔口【項天增】
10甲　戴德淵　隆阜上村［隆阜］

18都6圖　　平　湯
1甲　徐尚義　由潭［油潭］
2甲　陳畢昌　由潭【陳必昌】［油潭］
3甲　吳福生　由潭［油潭］
4甲　黃其順　由潭［油潭］
5甲　黃汝文　由潭［油潭］
6甲　吳世茂　由潭［油潭］
7甲　程良桂　由潭［油潭］
8甲　范高興　由潭［油潭］
9甲　黃美中　由潭【黃美仲】［油潭］
10甲　程慶德　由潭【程　慶】［油潭］

18都7圖　　章　坐
1甲　程高賜　黎陽【程高錫】［安岐］
2甲　范啓東　博村【范起東】
3甲　范繼德　博村【范繼茂】
4甲　程柏盈　後塘【程伯盛】
5甲　范之茂　博村【范茂之】
6甲　范繼偉　博村
7甲　范世維　博村【范世繼】
8甲　范守成　博村
9甲　范子朋　博村【范子明】
10甲　范弘祿　博村

18都8圖　　愛　朝
1甲　吳天保　黎陽
2甲　程　杰　茅山里【程信杰】
3甲　邵　嶽　黎陽
4甲　許　朋　水坑塝［許坑塝］
5甲　邵寄貞　黎陽
6甲　吳佛雲　由潭【吳任雲】［油潭］
7甲　汪福曜　黎陽
8甲　戴　潮　金墩上
9甲　汪社曜　黎陽
10甲　戴廷輝　隆阜門前［隆阜］

18都9圖　　育　問
1甲　邵萬興　黎陽
2甲　程魁煥　黎陽【程奎煥】
3甲　孫世興　孫打魚
4甲　汪世昌　黎陽
5甲　胡起富　黎陽
6甲　汪大成　黎陽
7甲　汪義進　黎陽
8甲　陳海象　隆阜【陳梅象】

9甲　曹盛法　隆阜
10甲　邵永興　黎陽

18都10圖　　黎　道
1甲　戴起元　隆阜
2甲　戴聖義　隆阜【戴成文】
3甲　曹　勝　隆阜
4甲　程文欽　隆阜
5甲　戴大成　隆阜
6甲　戴可久　隆阜
7甲　吳有義　隆阜
8甲　程齡魁　前山嶺【程興和】
9甲　戴永興　隆阜
10甲　戴龍門　隆阜【曹　茂】

18都11圖　　首　垂
1甲　戴衆芳　隆阜
2甲　戴有德　隆阜【戴朝用】
3甲　戴朝用　隆阜【戴有德】
4甲　戴文長　隆阜
5甲　程雲興　隆阜
6甲　戴繼清　隆阜
7甲　戴寄亨　隆阜【戴奇亨】
8甲　戴侯生　隆阜
9甲　潘文鐘　隆阜【潘文宗】
10甲　戴　泰　軍民戶［隆阜］

18都12圖　　臣　拱
1甲　戴良芳　隆阜
2甲　戴尙用　隆阜【戴上用】
3甲　戴　岐　隆阜
4甲　戴三福　隆阜
5甲　戴天和　隆阜
6甲　戴正義　隆阜
7甲　戴　和　翕和堂［隆阜］
8甲　戴啓裕　翕和堂［隆阜］
9甲　戴廣積　翕和堂［隆阜］
10甲　戴　盛　荊墩［隆阜］

18都13圖　　　※順治8年增
1甲　吳仁傑　隆阜
2甲　吳元大　隆阜
3甲　吳仁靜　隆阜【吳仁靖】
4甲　吳元旦　隆阜
5甲　吳元善　隆阜
6甲　吳元慶　隆阜
7甲　吳元禎　隆阜【吳元貞】
8甲　吳元吉　隆阜
9甲　吳元春　隆阜
10甲　吳思孝　隆阜

19都1圖　　伏　平
1甲　程開朋　充上
2甲　曹信森　巧坑
3甲　程　璉　臨溪
4甲　洪宗保　遠富
5甲　程宗和　臨溪
6甲　吳士榮　坊山下［方山下］
7甲　程子南　充上
8甲　巴同仁　東林竹［東竹林］
9甲　程　元　臨溪
10甲　程寶善　臨溪【程保善】

19都2圖　　戎　章
1甲　胡志大　臨溪
2甲　汪世望　孫岐
3甲　戴龍羅　孫岐【戴龍耀】
4甲　吳正權　臨溪
5甲　丁育琳　臨溪【丁宥龍】
6甲　吳　文　臨溪
7甲　吳　溫　臨溪
8甲　程萬實　臨溪【吳寶萬】
9甲　吳世曜　臨溪【吳世望】
10甲　吳　宗　臨溪

19都3圖　　羌　愛
1甲　張天法　臨溪柏樹裡【張天發】［臨溪］

2甲　程廷賜　臨溪柏樹裡［臨溪］
3甲　吳伯達　臨溪柏樹裡［臨溪］
4甲　畢永昌　臨溪柏樹裡［臨溪］
5甲　程太和　臨溪柏樹裡【程大和】［臨溪］
6甲　許尚賢　臨溪柏樹裡［臨溪］
7甲　劉萬興　臨溪柏樹裡［臨溪］
8甲　程　貴　臨溪柏樹裡［臨溪］
9甲　程國承　臨溪柏樹裡［臨溪］
10甲　程觀遠　臨溪柏樹裡［臨溪］

19都4圖　　遐　育
1甲　戴永昌　大王干
2甲　汪天玘　西内【汪天起】［西門内］
3甲　吳文昌　臨溪
4甲　吳文明　臨溪
5甲　胡大堯　臨溪
6甲　程永興　臨溪
7甲　吳　高　臨溪【吳　尙】
8甲　程　文　臨溪
9甲　吳中和　臨溪
10甲　吳義夫　臨溪

19都5圖　　邇　黎
1甲　程惟同　苦株樹下［苦珠樹下］
2甲　胡汝光　苦株樹下［苦珠樹下］
3甲　畢　理　苦株樹下［苦珠樹下］
4甲　程塘獲　苦株樹下【程唐護】［苦珠樹下］
5甲　程世禎　苦株樹下【程世貞】［苦珠樹下］
6甲　程　生　苦株樹下［苦珠樹下］
7甲　李　格　苦株樹下［苦珠樹下］
8甲　程　武　苦株樹下［苦珠樹下］
9甲　程遠中　苦株樹下［苦珠樹下］
10甲　程時宣　苦株樹下［苦珠樹下］

20都1圖　　壹　首
1甲　吳文震　黃源
2甲　閆汪進　古樓坦
3甲　吳慶悅　黃源
4甲　程　九　大富營［大阜盈］
5甲　吳英洪　黃源
6甲　吳大道　古樓坦［黃源］
7甲　黃孟貴　古樓坦
8甲　張　佑　桃林【張　祐】
9甲　吳信約　黃源［苦珠樹下］
10甲　黃祖賜　古樓坦［苦珠樹下］

20都3圖　　體　臣
1甲　程　二　漢口
2甲　孫文儒　漢口【孫文孺】
3甲　汪大成　漢口
4甲　范永昌　漢口
5甲　黃元升　漢口
6甲　趙　墀　漢口
7甲　程仲廸　漢口
8甲　程太和　漢口
9甲　程永吉　漢口【程永昌】
10甲　程天德　漢口

20都4圖　　率　伏
1甲　程繼六　漢口
2甲　程紹光　漢口
3甲　謝懷龍　漢口【謝華龍】
4甲　吳繼八　漢口
5甲　程繼祖　山頭
6甲　程鼎新　山頭
7甲　楊　永　山頭 十排朋當
8甲　程聚五　漢口
9甲　程有德　漢口
10甲　程鳳楻　漢口【程鳳皇】

20都5圖　　賓　戎
1甲　程忠壽　浯田嶺
2甲　程世應　浯田嶺
3甲　程有思　浯田嶺
4甲　程楊子　浯田嶺【程陽子】

5甲　程有意　浯田嶺
6甲　程終纓　浯田嶺
7甲　程廷器　浯田嶺【程廷起】
8甲　程綀緡　浯田嶺
9甲　程經恆　浯田嶺
10甲　程爲大　浯田嶺【程惟大】

20都6圖　　歸　光
1甲　程汝順　大阜營［大阜盈］
2甲　程天成　大阜營［大阜盈］
3甲　吳新起　黃源
4甲　程維通　大阜營【程繼維】［大阜盈］
5甲　舒以萬　黃源
6甲　程宗授　大阜營［大阜盈］
7甲　程　懋　大阜營［大阜盈］
8甲　許　春　許家墩
9甲　程應學　大阜營［大阜盈］
10甲　程家慶　大阜營【程加慶】［大阜盈］

20都8圖　　王　遐
1甲　程新春　大阜營［大阜盈］
2甲　程文昌　大阜營［大阜盈］
3甲　程　默　大阜營［大阜盈］
4甲　程尙德　大阜營［大阜盈］
5甲　程以成　大阜營［大阜盈］
6甲　程明吳　大阜營【程明莫】［大阜盈］
7甲　程柏山　漢口【程伯山】［大阜盈］
8甲　許日新　大阜營［大阜盈］
9甲　程善家　漢口
10甲　程元清　大阜營［大阜盈］

20都9圖　　鳴　邇
1甲　程　富　漢口
2甲　葉梓源　漢口【葉榜厚】
3甲　吳中興　漢口 十排朋當【吳仲興】
4甲　程成義　漢口【程成美】
5甲　程　泰　漢口【程　太】［大塢里］
6甲　汪　文　大塢里【程　文】［大阜盈］
7甲　程繼昌　漢口
8甲　程　惟　漢口
9甲　程文聯　漢口
10甲　程佐宜　漢口【程左宜】

21都1圖　　鳳　壹
1甲　程忠裕　太塘［大塘］
2甲　　應濟　太塘［大塘］【金應濟】
3甲　汪應科　竞山【汪世科】［竞山渠］
4甲　程有昭　竞山［竞山渠］
5甲　程元敬　太塘［大塘］
6甲　項世忠　白際嶺【項世宗】
7甲　程世祀　太塘【程世祝】［大塘］
8甲　程回道　太塘［大塘］
9甲　兪元和　竞山
10甲　汪世昭　竞山

21都2圖　　在　體
1甲　程胤憲　榆村［瑜村］
2甲　程有義　塘尾
3甲　程萬生　桃梅
4甲　程翊慶　榆村
5甲　張宗和　占田
6甲　程萬昌　榆村
7甲　程順之　榆村
8甲　程永和　桃梅
9甲　汪元實　古溪灣【汪元興】［古溪漁］
10甲　程三志　塘尾

21都3圖　　竹　率
1甲　汪許朋　塘下
2甲　汪初曜　富助
3甲　汪元位　富助
4甲　汪　登　富助
5甲　汪　錦　富助
6甲　汪　緯　富助
7甲　程世澤　榆村
8甲　王　松　塘下
9甲　汪　宜　富助
10甲　汪度達　藏溪【汪渡達】［□□溪］

21都4圖　　白　賓
1甲　程義興　周王干［周陽干］
2甲　金雲茂　藏溪
3甲　吳明高　藏溪［周陽干］
4甲　汪汝言　周王干【汪汝信】［周陽干］
5甲　倪遠孫　藏溪
6甲　汪國賢　藏溪
7甲　金永孫　藏溪
8甲　汪　七　藏溪
9甲　汪永新　周王干
10甲　金福孫　周王干

21都9圖　　駒　歸
1甲　洪永隆　太塘【汪永興】［大塘］
2甲　汪本榮　竞山
3甲　程汝好　太塘［大塘］
4甲　程成敬　太塘［大塘］
5甲　程昭恩　太塘【程以疏】［大塘］
6甲　程合之　太塘【程　三】［大塘］
7甲　汪宗化　太塘［大塘］
8甲　何　程　竞山
9甲　程夢鯉　太塘［大塘］
10甲　何承鳳　竞山渠［竞山溪］

22都1圖　　食　王
1甲　吳公承　雁塘
2甲　吳敦義　雁塘
3甲　吳慶元　雁塘
4甲　吳　浩　雁塘
5甲　吳伯符　雁塘
6甲　吳君應　雁塘
7甲　吳德讓　雁塘
8甲　吳同文　雁塘【吳同聞】
9甲　吳　齊　雁塘【吳　濟】
10甲　吳大興　雁塘

22都2圖　　湯　鳴
1甲　程天茂　唐干［塘干］
2甲　吳一元　唐干［塘干］
3甲　程惟遠　唐干［塘干］
4甲　吳孟遠　唐干［塘干］
5甲　吳宗元　高梘
6甲　姚敏桂　塝下
7甲　畢元慶　田里
8甲　姚宗孟　塝下
9甲　鮑世承　高梘
10甲　程公緒　唐干［塘干］

22都3圖　　化　鳳
1甲　孫大芳　洋湖
2甲　程憲德　洋湖
3甲　邵　曜　洋湖
4甲　程兆玉　洋湖
5甲　王　勝　合洋［洽洋］
6甲　何宗祠　黃口【何宗嗣】
7甲　戴　　　瑤林［瑤溪］【戴　宗】
8甲　孫本清　洋湖
9甲　陳有芳　合洋【朱有芳】［洽洋］
10甲　朱廷佩　朱家插

22都4圖　　被　在
1甲　程永隆　洋湖
2甲　姚永隆　洋湖
3甲　王三益　合洋［洽陽］
4甲　汪　浩　竞山
5甲　姚宗道　合洋［洽陽］
6甲　何大朋　黃口【何大明】
7甲　吳　佑　洋湖【吳　祐】
8甲　王世贍　黃口【黃世贍】
9甲　汪文高　洋湖
10甲　宋仕金　合洋【金宗任】［洽洋］

22都5圖　　草　竹
1甲　吳良壁　坊口
2甲　吳仁夫　坊口
3甲　汪　淳　嚴家梃［嚴家林］
4甲　孫應賓　洋湖
5甲　吳天生　坊口

6甲　孫廷立　洋湖
7甲　孫　時　洋湖
8甲　孫世亨　洋湖
9甲　洪標英　洋湖
10甲　吳遠朋　坊口【吳遠明】

22都6圖　　木　白
1甲　畢成龍　閔口
2甲　畢天有　閔口【畢大有】
3甲　畢德芳　閔口
4甲　畢宜振　閔口
5甲　畢大珎　閔口【畢大珍】
6甲　程齊興　樹南［梅南］
7甲　汪世興　演頭［浣頭］
8甲　畢惟端　閔口【畢爲端】［山茶樹］
9甲　程世法　山茶樹【程時發】
10甲　吳勝興　孝敬【吳世勝】

22都9圖　　賴　駒
1甲　吳仁璽　高梘
2甲　何岩懷　項口
3甲　孫振元　洋湖【孫振先】
4甲　吳　端　閔口
5甲　李應玉　洋湖
6甲　方閏遠　由潭
7甲　程大度　雁里
8甲　孫鎭文　洋湖
9甲　程大慶　草山［華山］
10甲　程九萬　溪西

22都10圖　　及　食
1甲　胡顯廣　孝敬
2甲　程世用　坊下
3甲　陳天應　雁塘
4甲　王亮春　洋湖［洽陽］
5甲　程宗芳　屯溪【程守芳】
6甲　李大道　西門外
7甲　程茂興　高梘
8甲　程　寛　晉雁里
9甲　程道元　坊下
10甲　程世興　合洋［洽陽］

23都1圖　　萬　場
1甲　程　極　商山
2甲　黄福興　商山
3甲　程廷志　商山
4甲　吳敦義　商山
5甲　吳　義　商山
6甲　吳益興　商山
7甲　方光祖　新渡
8甲　方如松　新渡【方如新】
9甲　黄同興　商山
10甲　吳應恆　商山【吳應坦】

23都2圖　　方　化
1甲　金大愛　浯田【金天愛】
2甲　曹鳳翔　浯田【曹鳳祥】
3甲　程萬里　塘下
4甲　程鼎新　浯田
5甲　程傳興　几山頭【程權興】［風山頭］
6甲　吳自興　浯田
7甲　楊敦義　浯倉里［金里］
8甲　程時俊　小賀【程時進】
9甲　吳中雨　浯田【吳宗雨】
10甲　程世美　蓀田［孫田］

23都3圖　　蓋　被
1甲　胡　德　占源【胡　志】
2甲　張社復　蓀田【張善福】［孫田］
3甲　吳開遠　塘下
4甲　張善繼　蓀田［孫田］
5甲　程　置　蓀田【程　志】［孫田］
6甲　胡歷壽　占源【胡曆壽】
7甲　程世浩　蓀田［孫田］
8甲　程九章　塘下
9甲　朱度宗　許充【朱度京】［許光］
10甲　程永高　商山

23都4圖　　此　草
1甲　方元盛　新渡【方萬盛】
2甲　閔四興　珠江村[孫田]
3甲　方應乾　新渡
4甲　方大興　新渡
5甲　方元和　新渡
6甲　方理亨　新渡
7甲　閔永昌　珠江村
8甲　方興義　新渡【方興儀】
9甲　方一鳳　新渡
10甲　閔義朋　珠江村

23都5圖　　身　木
1甲　吳元輝　黄土墈［黄山墈］
2甲　吳貴曜　黄土墈［黄山墈］
3甲　吳世義　黄土墈［黄山墈］
4甲　吳　初　黄土墈【吳　和】［黄山墈］
5甲　姚枝秤　�田【姚枝科】［孫田］
6甲　吳文義　汪村
7甲　程　良　浯田
8甲　姚應達　蓀田【姚庭遠】［孫田］
9甲　姚　桂　蓀田［孫田］
10甲　朱廷興　浯田

23都6圖　　髮　賴
1甲　程公弃　小賀
2甲　姚世宗　小賀【姚世忠】
3甲　程　株　小賀【程　珠】
4甲　姚大正　小賀
5甲　程世源　竹下
6甲　姚天憲　小賀【姚大憲】
7甲　程公宣　竹下
8甲　程守職　竹下
9甲　程　楠　小賀
10甲　姚永年　小賀

23都7圖　　四　及
1甲　程朋彩　長干【程彩朋】
2甲　王勝曜　冬山下
3甲　程廣度　冬山下［長干］
4甲　程　昌　長干
5甲　許大正　長干【許天正】
6甲　許社柱　長干
7甲　許積時　長干 十甲無排年，倶七甲各甲甲首分當
8甲　程天法　長干【程天發】
9甲　許天魁　長干【許天奎】
10甲　汪世陽　長干【汪世揚】

23都8圖　　大　萬
1甲　程繼宗　浯田【孫世宗】
2甲　程良善　浯田【程良社】
3甲　程學宏　浯田
4甲　程紹祖　浯田
5甲　孫永高　浯田
6甲　吳士新　倍村［信］
7甲　程元盛　浯田【程文盛】
8甲　吳世隆　浯田
9甲　孫承祿　浯田
10甲　張大興　浯田［孫田］

23都9圖　　五　方
1甲　吳大興　商山
2甲　吳　章　商山
3甲　邵　志　邵家村
4甲　邵興法　邵家村【邵興發】
5甲　邵茂興　邵家村
6甲　吳茂祥　商山
7甲　胡繼祖　邵家村
8甲　吳自新　商山
9甲　吳　明　商山
10甲　黄金章　商山

24都1圖　　常　蓋
1甲　許　時　浮潭
2甲　許子習　浮潭
3甲　許道浩　浮潭
4甲　汪正隆　星洲

5甲　許　和　浮潭
6甲　許可立　浮潭
7甲　黃光啓　黃村
8甲　黃永積　黃村【黃承積】
9甲　許惟漢　浮潭
10甲　黃尙義　星洲【黃上義】

24都2圖　恭　此
1甲　金義富　敍坑
2甲　汪錫哲　西岸
3甲　程社應　古塘
4甲　洪　勝　洪家山【洪勝祖】
5甲　金之思　敍坑
6甲　洪天發　洪家山
7甲　胡惟珊　遐富【胡權珊】［遐阜］
8甲　程　學　汪干［方干］
9甲　程正春　汪干［方干］
10甲　李兆盛　浮潭

24都3圖　惟　身
1甲　黃應亨　黃村
2甲　黃道馨　黃村
3甲　黃輝裔　黃村
4甲　黃大春　黃村
5甲　張寄佑　溪洲【張寄祐】
6甲　胡公太　遐富【胡公大】
7甲　姚周明　溪洲
8甲　程榮祿　遐富［遐阜］
9甲　周德福　遐富［遐阜］
10甲　胡世興　遐富［遐阜］

24都4圖　鞠　髮
1甲　程邦有　古塘
2甲　陳黑志　古塘
3甲　江承麗　石佛
4甲　汪明克　汪干［方干］
5甲　金廷照　南山下［商山下］
6甲　朱　憲　里塢充［裡塢充］
7甲　程　濬　古塘
8甲　陳　勝　竹培後
9甲　程　科　古塘
10甲　朱三才　石佛

24都6圖　養　四
1甲　黃世茂　黃村
2甲　黃武乾　外邊田
3甲　程應雲　汪干［芳干］
4甲　程　茂　汪干［芳干］
5甲　程充嘉　汪干【程充加】［芳干］
6甲　程懋新　汪干【程茂新】［魚灘］
7甲　張世華　漁灘［魚灘］
8甲　程惟興　汪干［魚灘］
9甲　程道心　汪干【程道新】［方干］
10甲　張　存　漁灘［魚灘］

24都7圖　豈　大
1甲　程祖興　遐富［遐阜］
2甲　程胤芳　遐富［遐阜］
3甲　黃雲育　西坑
4甲　黃堯民　黃村【黃光民】
5甲　黃胡汪　里田［田里］
6甲　程福蔭　遐富【程　茌】［下阜］
7甲　胡發達　遐富［下阜］
8甲　程元陽　石佛【程元伯】
9甲　程立德　遐富［下阜］
10甲　程世盛　汪干［芳干］

24都8圖　敢　五
1甲　黃萬道　高堨
2甲　朱鉉滄　下陪［下培］
3甲　黃祖武　高堨
4甲　朱忠弘　下培
5甲　洪宗憲　中倫堂【洪中憲】
6甲　洪文祿　星洲
7甲　黃　傑　高堨
8甲　朱世茂　高堨
9甲　葉逢春　高堨
10甲　程　儒　上汪干［上芳干］

25都1圖　　毀　常
1甲　程世茂　派里
2甲　吳孟林　後塘
3甲　程世美　會里
4甲　胡三順　會里
5甲　程大昌　會里
6甲　黃應文　會里
7甲　謝德昌　楊村
8甲　胡楊韜　楊村
9甲　程世祿　楊村
10甲　胡加茂　楊村【胡嘉茂】

25都2圖　　傷　恭
1甲　許世珠　西干
2甲　倪志曜　湧塘
3甲　程　富　水坑塝
4甲　程國賓　杲塘［日塘］
5甲　葉五保　朱村
6甲　唐世相　唐家洲
7甲　葉　勇　朱村
8甲　汪　啓　洪芳【汪榮□】［洪坊］
9甲　汪承秀　洪芳［洪坊］
10甲　汪有升　中澤［中潭］

25都3圖　　女　惟
1甲　洪萬興　下庄
2甲　李本正　充上【李本心】
3甲　金萬有　東圫
4甲　汪有道　菖蒲坑［菖蒲］
5甲　倪元興　湧塘【倪九興】
6甲　朱正道　東圫
7甲　汪公道　洪坊［洪方］
8甲　汪元瑞　洪坊［洪方］
9甲　朱萬祥　李巴塘
10甲　朱大道　東圫

25都4圖　　慕　鞠
1甲　戴國光　瑤溪
2甲　戴端全　瑤溪
3甲　倪顯恩　湧塘【倪顯思】
4甲　戴時成　瑤溪
5甲　姚遠芳　楊村【姚遠方】
6甲　倪四明　湧塘【倪四朋】
7甲　洪岩勝　下庄
8甲　張　球　楊村
9甲　戴良世　瑤溪【戴良臣】
10甲　沈厚德　東圫【沈厚紘】

25都5圖　　貞　養
1甲　程復興　長嶺外門［長嶺］
2甲　洪　慶　巴塘
3甲　程道法　長嶺道山門【程道發】［長嶺］
4甲　程正興　長嶺裡門［長嶺］
5甲　許富奇　西干
6甲　程文懷　長嶺泗塘［長嶺］
7甲　唐　興・程文學　唐打獵・水坑口【程大興】［長嶺］
8甲　程法隆　燕巢【程發隆】［小坑塝］
9甲　范　玘　瑤干
10甲　程富成　巴坊

25都6圖　　潔　豈
1甲　程大進　西干【程大道】
2甲　江雲秀　蘭塘
3甲　朱欽鑑　龍村
4甲　汪春秋　前山
5甲　朱世宗　朱村
6甲　夏伯權　朱村
7甲　程大興　蘭塘［朱村］
8甲　吳日敬　蘭塘
9甲　黃勝英　杲塘
10甲　王惟光　朱村

25都8圖　　男　敢
1甲　汪　承　中澤
2甲　程永興　瑤干
3甲　程太仁　中澤

4甲　王士彬　溪頭
5甲　汪隆興　中澤
6甲　程復興　溪頭【程福興】
7甲　程文明　溪頭
8甲　巴雲高　嶺後
9甲　程繼萬　瑤干［嶺後］
10甲　王　璘　溪頭【王　鱗】［瑤干］

26都1圖　　效　毀
1甲　汪繼和　首村
2甲　汪尙元　梅田
3甲　江禹積　梅田
4甲　汪存惠　首村
5甲　朱正明　首村
6甲　汪汝亨　首村【江尙睦】［梅田］
7甲　江尙睦　梅田【汪汝亨】
8甲　江尙愷　梅田［村村］
9甲　江汝容　梅田
10甲　朱道庸　巴庄【朱道容】

26都2圖　　才　傷
1甲　江惟和　梅田
2甲　朱廷儒　巴庄
3甲　朱天來　守村［首村］
4甲　朱世卿　守村［首村］
5甲　朱正元　巴庄
6甲　江時可　梅田【朱遲成】［首村］
7甲　朱遲來　守村【汪時可】［梅田］
8甲　江守仁　梅田
9甲　江應書　梅田
10甲　朱以仁　梅田

26都3圖　　良　女
1甲　陳德明　龍溪【陳繼明】
2甲　巴有成　上岩溪【巴有來】
3甲　朱紹倫　龍溪【宋紹倫】
4甲　兪　盛　中岩溪
5甲　巴汝高　上岩溪
6甲　朱大順　上岩溪【宋大順】
7甲　張應魁　峯後
8甲　巴積富　上岩溪
9甲　程日新　上岩溪
10甲　朱運肇　龍溪

26都4圖　　知　慕
1甲　吳雲卿　半路
2甲　余　仁　半路
3甲　呂　汝　廻溪［回溪］
4甲　吳　弘　半路
5甲　韓　立　韓村
6甲　余鉉立　半路
7甲　洪本立　廻溪［回溪］
8甲　吳守義　半路
9甲　洪　文　廻溪［回溪］
10甲　朱應同　廻溪［回溪］

26都5圖　　過　貞
1甲　畢學壽　畢村
2甲　宋明時　廻溪［廻口］
3甲　宋時策　廻溪［回溪］
4甲　畢時尙　畢村
5甲　朱廷同　廻溪［回口］
6甲　陳　晴　畢村【陳　時】
7甲　汪　瑞　李家干
8甲　蘇　明　廻口【蘇　時】
9甲　汪大英　羅州［羅洲］
10甲　宋有祿　廻溪［回溪］

26都6圖　　　潔
1甲　朱廷詔　巴庄［巴村］
2甲　朱成元　巴庄【朱誠元】［巴村］
3甲　汪禎祥　巴庄［巴村］
4甲　汪時萬　梅田［首村］
5甲　江惟元　梅田［首村］
6甲　江柏週　梅田【江柏舟】［首村］
7甲　汪昭生　梅田［首村］
8甲　朱茂美　首村【朱懋串】
9甲　江同甫　梅田

10甲　朱公朋　梅田【朱公明】

27都１圖　　必　男
1甲　王尙禮　上里橋
2甲　宗天生　合潭【宋天生】
3甲　王起元　陳村
4甲　陳世祿　陳村
5甲　陳天相　陳村
6甲　陳世曜　陳村【陳世宗】
7甲　汪　明　陳村
8甲　陳正茂　陳村
9甲　程　曜　厤查干
10甲　陳德茂　陳村【陳繼茂】

27都２圖　　必　效　　※萬曆20年增
1甲　朱　有　下盈
2甲　汪　雲　年田
3甲　朱　學　冷水干
4甲　朱　魁　出地山［冷水干］
5甲　朱德祖　作地山
6甲　朱正昌　下盈【朱正富】
7甲　汪　忠　下盈
8甲　葉　富　西岸
9甲　朱福茂　下盈
10甲　朱　法　下盈【朱　發】

27都３圖　　改　才
1甲　金雲衢　汪溪橋
2甲　金守益　汪溪橋
3甲　金永法　汪溪橋【金永發】
4甲　金朝義　汪溪橋
5甲　朱家正　苦竹村【朱家政】
6甲　金應中　汪溪橋
7甲　金　初　汪溪橋
8甲　金　邦　汪溪橋
9甲　金加聚　汪溪橋
10甲　金　時　汪溪橋

27都５圖　　得　良
1甲　王　茂　陳村
2甲　朱　國　揚冲
3甲　朱學源　下盈
4甲　王正芳　陳村
5甲　陳　章　陳村
6甲　朱　貴　水路嶺
7甲　王永昌　陳村
8甲　陳元和　陳村
9甲　王正順　甲首金來［江村］
10甲　金正茂　烟冲河村［江村］

27都６圖　　能　知
1甲　金永德　汪溪橋
2甲　吳　倬　重環田【吳　棹】［環田］
3甲　李同春　觀音堂
4甲　徐廷魁　觀音堂【徐廷奎】［上橋里］
5甲　程　鐸　上橋里
6甲　吳富鶩　梅結【吳福鶩】［橋結］
7甲　金廷佐　梅結【金廷祐】［橋結］
8甲　金大順　汪溪橋
9甲　吳　源　環田
10甲　金　溥　嶺下

28都１圖　　莫　過
1甲　兪有成　溪西
2甲　兪達道　溪西
3甲　吳廷周　東流溪［東溪橋］
4甲　兪朋正　溪西
5甲　兪聚魁　溪西
6甲　吳同道　東流溪
7甲　張可立　九龍
8甲　兪文魁　溪西
9甲　張大同　九龍
10甲　吳國昌　東流溪【吳文昌】

28都２圖　　忘　必
1甲　吳永同　青山
2甲　吳　亮　廠上

3甲　洪正盛　黄茅山［潢茅嶺］
4甲　兪懐徳　黄茅山［潢茅嶺］
5甲　呉徳化　青山【呉繼玘】
6甲　呉永朋　壑溪【呉永明】
7甲　呉懋賢　牛嶺［中嶺］
8甲　張震鵬　青山【張震明】
9甲　張同大　青山
10甲　張朋遠　青山

28都3圖　罔　改
1甲　程宗元　山斗
2甲　程師賜　山斗
3甲　兪懐徳　山斗
4甲　程萬章　山斗
5甲　兪元福　山斗
6甲　程　敎　山斗
7甲　程　顯　山斗
8甲　程魁一　山斗【程奎一】
9甲　程時朋　山斗
10甲　程　進　山斗【程進一】

28都4圖　談　得
1甲　張應嘉　嶺南【張應加】
2甲　張懋時　嶺南
3甲　張性靜　嶺南【張性情】
4甲　張永泰　嶺南【張永大】
5甲　張時亨　嶺南
6甲　張同文　嶺南
7甲　張時傑　嶺南
8甲　張天賜　嶺南
9甲　張應升　嶺南
10甲　王以昌　山溪

28都5圖　彼　能
1甲　程鉉之　山斗
2甲　程近光　山斗【程進光】
3甲　程實朋　山斗
4甲　程尙宷　山斗
5甲　程仁壽　山斗
6甲　程懿徳　山斗
7甲　程本章　山斗
8甲　程文宗　山斗
9甲　兪大興　山斗
10甲　程邦義　山斗

28都7圖　短　莫
1甲　程應聖　山斗【程加太】
2甲　程舜曉　山斗【兪□球】
3甲　程維正　山斗【程道福】
4甲　程承祖　山斗【程協和】
5甲　程　亨　山斗【程子西】
6甲　兪朋遠　燕源【程茂朋】［山斗］
7甲　程正法　山斗【程正朋】
8甲　程　元　山斗【程維朋】
9甲　程正綱　山斗【程良遠】
10甲　兪敬夫　山斗【韓仁義】［堨上］

28都8圖　廉　忘
1甲　程嘉泰　山斗【程應聖】
2甲　兪鉉求　山斗【程舜曉】
3甲　程道福　山斗【程維正】
4甲　程協和　山斗【程承祖】
5甲　程子西　山斗【程　亨】
6甲　程義朋　山斗【兪明遠】［燕源］
7甲　程正朋　山斗【程正發】
8甲　程維朋　山斗【程　元】
9甲　程良遠　山斗【程正光】
10甲　韓仁義　堨上【兪敬夫】［山斗］

28都9圖　恃　罔
1甲　呉百昌　下塢【呉伯昌】［下干］
2甲　呉文鑑　下塢［下干］
3甲　呉嗣馨　下塢【呉嗣興】［下堨］
4甲　程國仕　塘尾［下堨］
5甲　呉易有　下塢［塘尾］
6甲　呉　　　下塢［下堨］【呉中有】
7甲　呉　瓊　塘尾
8甲　呉　禎　下塢【呉琪禎】［下堨］

9甲　吳元一　下塢［下塌］
10甲　黃一鶯　高倉

28都10圖　　己　談
1甲　程子進　黃茅
2甲　吳元茂　黃茅
3甲　程正大　黃茅
4甲　程正曜　黃茅
5甲　胡永興　黃茅
6甲　胡福興　黃茅【胡復興】
7甲　李恆懋　黃茅【李興茂】
8甲　胡光德　黃茅【胡元德】
9甲　陳汝興　黃茅
10甲　胡周清　黃茅【胡用清】

29都1圖　　長　彼
1甲　憑志盛　五城
2甲　吳龍祥　陽臺山
3甲　陳　松　中洲
4甲　黃尚賢　五城【黃尚吳】
5甲　金恆有　五城
6甲　黃正仁　五城
7甲　江尙富　中洲【汪尙富】
8甲　吳銀珠　中洲【吳迎珠】
9甲　黃茂和　五城［黃城］
10甲　黃茂召　五城【黃茂有】［黃城］

29都2圖　　信　短
1甲　姚宗舜　靑綺堨【姚宗純】
2甲　吳萬順　干灘
3甲　黃茂之　龍灣
4甲　黃　　　下溪口【黃世順】［下溪］
5甲　吳世　　干灘【吳世昌】
6甲　黃文英　龍灣
7甲　張雲政　干灘
8甲　黃　鉞　星洲
9甲　黃拱之　龍灣
10甲　黃餘慶　下溪口

29都3圖　　使　靡
1甲　程汝成　上干灘
2甲　張　珩　漁灘
3甲　黃新德　龍灣
4甲　黃克敏　龍灣
5甲　吳其瑞　干灘
6甲　葉世德　下溪口
7甲　張文昆　漁灘
8甲　黃國泰　下溪口【黃國太】
9甲　黃克成　龍灣
10甲　黃永成　下溪口

29都4圖　　可　恃
1甲　金尚賢　下倫堂【金尚寶】
2甲　黃　卷　下倫堂【黃　三】
3甲　朱　成　下倫堂
4甲　朱三仁　月潭
5甲　金汝齡　上倫堂
6甲　朱寶善　上倫堂【朱保善】
7甲　朱四德　上倫堂
8甲　朱福祥　上倫堂
9甲　朱文敍　上倫堂
10甲　朱良育　上倫堂【朱良友】

29都5圖　　覆　己
1甲　朱承祖　月潭
2甲　朱光裕　月潭
3甲　朱　大　月潭
4甲　朱信義　月潭【朱行義】
5甲　朱中良　月潭【朱仲良】
6甲　朱應龍　月潭
7甲　朱　龍　月潭【朱　隆】
8甲　朱四維　月潭
9甲　朱文球　月潭
10甲　程武功　月潭

29都6圖　　器　長
1甲　黃萬盛　溪口
2甲　姚永齊　靑綺堨【姚永濟】

3甲　姚應攀　青綺堨
4甲　姚仲陽　青綺堨
5甲　程維和　龍灣
6甲　程天祿　龍灣
7甲　姚時士　青綺堨
8甲　朱永同　龍灣
9甲　黃餘慶　龍灣
10甲　李萬榮　李家亭【李萬林】

29都7圖　　欲　信
1甲　詹士文　五城
2甲　黃惟學　五城【黃惟效】
3甲　王　道　五城
4甲　黃成德　五城
5甲　詹文曉　五城
6甲　黃啓輝　五城
7甲　黃大有　五城
8甲　黃子學　五城
9甲　黃　濤　五城
10甲　黃　　　五城【黃明昌】

29都8圖　　難　使
1甲　黃竹濱　五城
2甲　程列信　五城
3甲　黃夢樓　五城
4甲　黃　登　五城
5甲　黃蒙育　五城
6甲　黃承賢　五城【黃承吳】
7甲　黃永濟　五城
8甲　黃望雲　五城
9甲　葉世蕃　五城
10甲　葉長春　五城

29都10圖　　量　可
1甲　程懋卿　下岩溪【程茂卿】
2甲　孫　順　下岩溪
3甲　孫　諻　下岩溪
4甲　孫萬山　下岩溪
5甲　汪萬德　下岩溪
6甲　吳玉寶　山下
7甲　程天祿　禮田
8甲　孫大濂　下岩溪【孫大廉】
9甲　孫岩社　下岩溪【孫岩善】
10甲　孫岩興　下岩溪

29都11圖　　墨　覆
1甲　俞德潤　雙木干【俞德閏】［桑干］
2甲　洪廷葉　雙木干【洪廷義】［桑干］
3甲　程時行　中門
4甲　程德賢　上門
5甲　程　美　藕塘口
6甲　俞魁元　雙木干［獎干］
7甲　汪　聘　下門
8甲　程羨閏　中門
9甲　程道徽　下塢
10甲　朱德元　雙木干［桑干］

29都12圖　　悲　器
1甲　黃　惟　五城
2甲　黃　琛　五城【黃　深】
3甲　黃光國　五城
4甲　黃存義　五城
5甲　黃應弟　五城【黃應第】
6甲　程可勉　五城【黃祖可】
7甲　黃祖奇　五城【程可勉】
8甲　黃承佑　五城【黃成佑】
9甲　黃應運　五城
10甲　黃汝清　五城

30都1圖　　絲　欲
1甲　陳　皓　江潭
2甲　李　敏　江潭
3甲　吳　敦　江潭
4甲　李　實　江潭
5甲　李友仁　江潭
6甲　李　盛　江潭
7甲　吳　祿　江潭
8甲　吳昌松　江潭

9甲　李　景　江潭
10甲　吳　富　江潭

30都3圖　　染　難
1甲　朱正春　長豐
2甲　汪承祖　長豐
3甲　汪茂祖　長豐
4甲　汪良元　長豐
5甲　方六祖　左坊
6甲　朱正昌　長豐
7甲　汪德榮　長豐
8甲　汪岩興　長豐
9甲　吳鉉祖　長豐
10甲　方思永　左坊

30都4圖　　詩　量
1甲　朱　好　長豐
2甲　朱光興　長豐
3甲　吳仲成　長豐
4甲　朱汝桂　長豐
5甲　朱興良　長豐
6甲　朱興曜　長豐
7甲　朱大盛　長豐
8甲　汪　仁　長豐
9甲　朱茂實　長豐
10甲　朱　叢　長豐

31都1圖　　讚　墨
1甲　吳三才　大溪
2甲　張　庶　烏旻
3甲　朱應天　朱潭尾［水灘尾］
4甲　吳本源　大溪【吳本元】
5甲　吳懷德　大溪【吳應德】
6甲　張應廷　小氷［小山］
7甲　吳本仁　大溪
8甲　吳四朋　大溪
9甲　張正盛　汪干
10甲　張宗慶　杭溪［坑溪］

31都3圖　　羔　悲
1甲　張　德　杭溪【張　得】［祝溪］
2甲　朱永寧　杭溪　二三八甲□里十排帶管［祝溪］
3甲　朱應太　釣溪
4甲　張九長　烏旻【張元良】
5甲　吳汝華　氷潭【吳汝章】
6甲　張　成　烏旻
7甲　吳楚望　氷潭
8甲　吳德明　氷潭
9甲　王　陳　�口
10甲　張　寶　烏旻【吳保堂】

31都4圖　　羔　絲
1甲　戴　偉　蛇嶺脚［嶺脚］
2甲　朱　仁　小氷［小永］
3甲　歐陽德　杭溪西太嶺
4甲　張黃和　杭溪八門
5甲　凌日新　蛇嶺脚［嶺脚］
6甲　歐陽志　杭口培
7甲　歐陽善　杭口培
8甲　汪　華　長竿
9甲　朱應子　小氷［小炳］
10甲　吳尙義　氷潭

32都1圖　　羊　染
1甲　汪　應　牛南
2甲　汪　德　牛南
3甲　汪惟元　牛南
4甲　王　尙　牛南
5甲　謝　泰　牛南
6甲　黃本正　牛南
7甲　吳　大　牛南　江潭四房
8甲　吳用春　牛南【吳同春】
9甲　汪時茂　牛南
10甲　吳　攢　牛南

32都2圖　　景　詩
1甲　葉仁讓　後山

2甲　盛　周　汪村
3甲　呉　保　大連
4甲　葉　生　汪村
5甲　李騰雲　汪村
6甲　葉恆春　後山
7甲　葉　宗　後山
8甲　葉大善　後山
9甲　汪　清　汪村
10甲　葉時蕃　後山

32都3圖　　行　讚
1甲　黄金谷　山後
2甲　黄德滋　山後
3甲　江　僉　左漢
4甲　黄德綏　山後【黄德愛】
5甲　汪應明　左漢【汪德明】
6甲　程宜位　茶山
7甲　黄　武　山後
8甲　黄　義　山後
9甲　胡　宗　李揚山【胡　忠】［李招山］
10甲　黄雲德　山後

32都4圖　　維　羔
1甲　程　應　葛坑
2甲　呉汝乾　珠簾
3甲　汪　二　磣溪［珠簾］
4甲　凌時宏　磣溪
5甲　呉一蘭　珠簾
6甲　凌　榜　磣溪
7甲　凌時元　磣溪【呉　濛】
8甲　呉一濛　珠簾【汪兆基】
9甲　汪兆基　磣溪【凌時元】
10甲　詹應楊　磣溪【詹陽應】

33都1圖　　賢　羊
1甲　方琯時　大川口
2甲　呉　陽　黄嵐口【呉　揚】［黄嶺口］
3甲　方良資　大川口
4甲　方　懋　大川口
5甲　方　愛　大川口
6甲　呉繼義　黄嵐口［黄嶺口］
7甲　方　鯉　山峰【方鯉峰】［大川口］
8甲　方　福　大川口
9甲　方　富　大川口
10甲　方　厚　大川口

33都2圖　　克　景
1甲　張天祥　古籠口［右籠口］
2甲　方子清　洋塘［年塘］
3甲　方　龍　洋塘［年塘］
4甲　盛天泰　鐵店【盛天太】
5甲　方　佩　荒田
6甲　王　勝　王家田
7甲　汪繼宗　西門外【汪繼宋】［外合］
8甲　王　義　王家田
9甲　普照寺　羊塘［年塘］
10甲　方　泰　樟源【方　太】

33都3圖　　念　行
1甲　汪　添　汪村【汪　天】
2甲　汪德澤　坑口
3甲　方汝朋　環坑［懷坑］
4甲　謝　添　泉坑【謝　天】［年塘］
5甲　汪鉉敬　汪村【汪鉉正】
6甲　汪　榴　汪村
7甲　汪侯于　坑口【汪侯子】
8甲　呉　邦　流口
9甲　汪　元　小洞源【汪　源】［水洞源］
10甲　汪德徽　坑口［杭心口］

33都5圖　　聖　賢
1甲　王一善　馮村
2甲　王　萬　馮村
3甲　黄元善　馮村
4甲　張　個　高坑
5甲　王世永　馮村【王世元】
6甲　王國卿　馮村
7甲　王京佐　馮村

8甲　王應星　馮村【王應生】
9甲　王朝人　馮村
10甲　王　廷　馮村

33都4・6並圖
作　維（4圖の魚鱗字號の文字）
德　克（6圖の魚鱗字號の文字）
1甲　李旭升　山村
2甲　李應鴬　流口
3甲　李廣愛　山村
4甲　方順浩　大坑口
5甲　李加祥　流口
6甲　李吳同　茗洲
7甲　李素祿　流口【李景祿】
8甲　李時泰　流口【李時太】
9甲　李朋皐　流口
10甲　吳夏生　茗洲

33都8圖　　建　念
1甲　吳　如　流口【吳如之】
2甲　謝良輝　泉坑
3甲　謝吳同　泉坑
4甲　李　仁　流口
5甲　李　保　流口
6甲　李華武　流口
7甲　方　應　流口
8甲　李　輝　流口
9甲　李朝陽　流口
10甲　謝良爵・李羽白　泉坑【謝良爵】［前坑］

共二伯二十圖　甲字起，念字止

The Prototype of Rural Society in the Jiangnan Region of Chica:
A Study of the Documents in the Yellow Resisters of Labor Service and Taxation and Fish-scale Resisters during the Ming Dynasty

Book of Historical Materials Contents

中文摘要

中国江南乡村社会的原型
——明代赋役黄册、鱼鳞图册文书研究——

【资料篇】

前言

【资料篇】收录了【研究篇】中使用的史料所载相关数据信息，并为【研究篇】提供论据。同时，还展示了其与【研究篇】之间的对应关系。

第１章　《万历27都５图黄册底籍》所载数据

本章收录了安徽博物院藏《万历27都５图黄册底籍》４册中记载的数据信息，包括万历十年册（共185户）、万历二十年册（共189户）、万历三十年册（共199户）和万历四十年册（共199户）的数据。这些数据是【研究篇】第１章第１节、第２章、第５章以及第６章第２节论考的依据。

第２章　《明万历九年休宁县27都５图得字丈量保簿》所载数据

本章将上海图书馆藏《明万历九年休宁县27都５图得字丈量保簿》１册（以下简称《得字丈量保簿》）中得字９号至3544号土地的信息整理成表收录。收录时省略了土地的形状和四至。这些数据是【研究篇】第１章第２节、第４章、第６章第１节论考的依据。

第３章　休宁县27都５图土地占有情况的相关数据

本章收录了从安徽博物院藏《万历九年清丈27都５图归户亲供册》１册中提取的27都５图所属人户的土地占有量及其土地所在都图的相关信息。此外，还收录了从《得字丈量保簿》中提取的他图所属人户在５图占有土地的信息。这些数据是【研究篇】第6章第2节论考的依据。

第4章　休宁县都图文书记载信息

本章收录了休宁县都图文书记载的信息。休宁县都图文书中记载最为详细的是安徽图书馆藏《休宁县都图里役备览》1册，本章在此文书的基础上，结合安徽师范大学图书馆藏《休宁县都图甲全录》1册所载内容对其进行查漏补缺。虽然【研究篇】中直接使用的只有27都5图以及1图、2图的相关记载，但都图文书所提供的各图信息，可以作为休宁县相关文书研究和村落研究的工具书。

著者紹介

伊藤　正彦（いとう　まさひこ）

1966年　福島縣に生まれる
1988年　立命館大學文學部卒業
1993年　名古屋大學大學院文學研究科博士後期課程中途退學
1993年　熊本大學文學部講師
現　在　熊本大學大學院人文社會科學研究部（文學系）教授

著　書
『宋元鄉村社會史論——明初里甲制體制の形成過程——』（汲古書院，2010年）

中國江南鄉村社會の原型
——明代賦役黃册・魚鱗圖册文書の研究——
【資料篇】

2025年 2 月20日　初版發行

著　者　伊　藤　正　彦
發行者　三　井　久　人
整版印刷　富士リプロ㈱
製　本　牧製本印刷㈱

發行所　汲　古　書　院
〒101-0065 東京都千代田區西神田2-4-3
電話03(3265)9764　FAX03(3222)1845

ISBN978 - 4 - 7629 - 6751 - 1　C3322（全二册・分賣不可）
汲古叢書186